АРТУР
ХЕЙЛИ

АРТУР ХЕЙЛИ

ДЕТЕКТИВ

Издательство АСТ
Москва

УДК 821.111-31(73)
ББК 84(7Сое)-44
Х35

Arthur Hailey
DETECTIVE

Перевод с английского *И.Л. Моничева*

Хейли, Артур.

Х35 Детектив : [роман] / Артур Хейли ; [пер. с англ. И. Моничева]. — Москва : Издательство АСТ, 2021. — 608 с.

ISBN 978-5-17-122089-1 (С.: Эксклюзивная классика)
Серийное оформление и компьютерный дизайн *Е. Ферез*

ISBN 978-5-17-099644-5 (С.: Артур Хейли: классика для всех)

Необычный роман для Артура Хейли — блистательный психологический триллер, в котором маньяк-убийца исповедуется перед детективом, словно перед священником, а детектив, бывший когда-то священником, не в силах нарушить тайну исповеди... Зато теперь он может раскрыть двойное убийство, которое его коллеги отнесли к безнадежным «висякам», и намерен сделать это во что бы то ни стало...

УДК 821.111-31(73)
ББК 84(7Сое)-44

ISBN 978-5-17-122089-1
ISBN 978-5-17-099644-5

Памяти Стивена Л. (Стива) Винсона, в прошлом — детектива отдела по расследованию убийств полицейского управления Майами, доброго друга и советчика, который умер в возрасте пятидесяти двух лет незадолго до окончания моей работы над этой книгой.

Жизнь подобна пиру Дамокла: меч свыше грозит нам вечно.

Вольтер

ЧАСТЬ ПЕРВАЯ

1

В десять тридцать пять вечера двадцать седьмого января Малколм Эйнсли уже был на полпути к выходу из отдела по расследованию убийств, когда услышал за спиной телефонный звонок. Чисто инстинктивно Малколм приостановился и оглянулся. Позже ему не раз пришлось пожалеть, что он сделал это.

Детектив Хорхе Родригес проворно подскочил к свободному столу, снял трубку, послушал и окликнул Эйнсли:

— Это вас, сержант!

Эйнсли положил на стол книгу, которую держал в руках, и вернулся к своему рабочему месту. Движения его были четкими и легкими. Только что разменявший пятый десяток детектив Эйнсли обладал крепким сложением, ростом выше среднего и выглядел не хуже, чем в те времена, когда играл опорным защитником в школьной футбольной команде. Лишь небольшой животик был ему упреком в злоупотреблении гамбургерами, но таков уж удел сыщика — вечная сухомятка, все бегом.

Этим поздним вечером на пятом этаже главного здания полицейского управления Майами, где располагался отдел по расследованию убийств, царила полная тишина. Здесь работали семь следственных групп, каждая из которых включала сержанта и трех детективов. Но группа, которая дежурила сегодня, находилась на выезде, ей предстояло начать расследование трех не связанных одно с другим убийств, зафиксированных за последние несколько часов. В Майами, штат Флорида, человеческие существа истребляли себе подобных без устали.

Официально рабочий день в отделе длился десять часов. Но почти всегда приходилось задерживаться. Вот и у Эйнсли с Родригесом смена давно закончилась, а они только-только поставили точку.

Эйнсли подумал, что наверняка звонит его жена Карен. Хочет узнать, когда он явится домой, ознаменовав тем самым начало долгожданного отпуска. Что ж, хотя бы в этот раз он сможет ей сказать, что уже выезжает, что привел в порядок отчетность, подчистил все дела и никто не помешает им теперь отправиться вместе с Джейсоном завтра утренним рейсом «Эйр Канада» из Майами в Торонто.

Эйнсли была необходима эта передышка. Хоть он все еще и пребывал в отменной физической форме, однако не чувствовал больше того неиссякаемого запаса энергии, с которым пришел на работу в полицию десять лет назад. Накануне, когда брился, заметил, что седины прибавилось, а волос стало меньше. Морщины к тому же... Ясно, отчего все это: работа в «убойном» отделе — сплошная череда стрессов. Во взгляде — настороженном и испытующем — проступили скепсис и даже цинизм, порожденные годами соприкосновения с людскими мерзостями.

К нему незаметно сзади подошла Карен и, словно прочитав, по своему обыкновению, мысли мужа, слегка взъерошила ему волосы со словами: «Мне лично ты очень нравишься».

Малколм привлек Карен к себе и крепко обнял. Она едва была ему по плечо; он щекой ощутил мягкую шелковистость ее волос; соприкосновение их тел всегда возбуждало обоих. Малколм чуть приподнял пальцем ее подбородок, они поцеловались.

«Я хоть и кроха, — сказала ему Карен вскоре после помолвки, — зато во мне бездна любви к тебе... и всего прочего, что тебе пригодится в жизни». Так и оказалось.

...Ожидая услышать голос Карен, Малколм, расплывшись в улыбке, снял трубку.

— Это Рэй Аксбридж, — произнес звучный баритон, — капеллан тюрьмы штата Флорида.

— Мы знакомы. — Эйнсли пару раз сталкивался с Аксбриджем, тот пришелся ему не по душе. Тем не менее он спросил вежливо: — Что побудило вас обратиться ко мне, святой отец?

— Одного нашего заключенного должны казнить завтра в семь утра. Его зовут Элрой Дойл. Он говорит, что знает вас.

Эйнсли моментально почувствовал, как вскипает злость.

— Еще бы не знать! Это ведь я засадил Зверя в Рэйфорд.

Ответная реплика прозвучала сдержанно:

— Хочу напомнить вам, сержант, что речь идет о человеке. Я предпочел бы не прибегать в разговоре к подобным прозвищам.

Эйнсли сразу вспомнил, почему в первую встречу Рэй Аксбридж вызвал у него антипатию: осел велеречивый...

— Бросьте, его все называют Зверем, — сказал Эйнсли, — включая, кстати, и его самого. Для такого извращенного убийцы прозвище даже мягковато.

Прозвище это пошло от доктора Сандры Санчес, помощника судебно-медицинского эксперта округа Дейд, которая, увидев изуродованные тела первых двух из двенадцати жертв Элроя Дойла, не сдержалась:

— Боже милостивый! Я достаточно повидала ужасов, но это — дело рук какого-то зверя в человеческом обличье!

Ее слова почти в точности повторяли потом многие.

Аксбридж между тем продолжал:

— Мистер Дойл попросил меня связаться с вами и передать, что он хотел бы встретиться с вами перед смертью. — Священник помедлил, и Эйнсли понял, что собеседник смотрит на часы. — До казни осталось чуть больше восьми часов.

— Дойл объяснил, зачем я ему понадобился?

— Он отлично понимает, что вы более чем кто-либо другой способствовали его аресту и осуждению.

— И что ж? — спросил Эйнсли нетерпеливо. — Он перед смертью хочет плюнуть мне в лицо?

Последовала пауза, после которой капеллан произнес:

— Я долго беседовал с заключенным, но должен вам напомнить, что содержание разговоров между духовным лицом и приговоренным к смерти является сугубо конфиденциальным и не подлежит...

— В таком случае я должен напомнить вам, что нахожусь в Майами, то есть в шестистах километрах от вас, и не собираюсь всю ночь гнать машину только потому, что этот псих смеха ради захотел увидеться со мной.

Эйнсли пришлось подождать, пока священник сказал:

— Он говорит, что ему нужно сделать признание.

Эйнсли был поражен. Он ожидал чего угодно, только не этого.

— В чем он хочет признаться? В совершенных им убийствах?

Вопрос напрашивался сам собой. На всем протяжении долгого судебного разбирательства, в ходе которого Дойл был обвинен в чудовищном двойном убийстве и приговорен к смертной казни, он твердил, что невиновен, несмотря на всю тяжесть улик, предъявленных следствием. Столь же горячо он отрицал свою причастность к десяти другим убийствам, которые ему не инкриминировались, хотя детективы были убеждены, что они тоже дело его рук.

Непостижимая жестокость этих двенадцати убийств потрясла и повергла в ужас всю страну. По окончании процесса один из известнейших обозревателей писал: «Содеянное Элроем Дойлом может служить самым сильным аргументом в пользу смертной казни. Но какая жалость, однако, что смерть от электрического разряда слишком быстра и ему не придется испытать мучения, которым он подверг своих жертв!»

— Не знаю, в чем он хочет признаться. Это вам предстоит выяснить самому.

— Черт возьми!

— Простите?

— Я сказал «черт возьми», святой отец. Держу пари, вам тоже доводилось говорить так.

— Не надо мне грубить.

Эйнсли вдруг в голос застонал, осознав, какая перед ним дилемма.

Если сейчас, на самом краю бездны, Зверь решился признать справедливость обвинений против себя в суде или, тем более, сознаться в совершении остальных убийств, это необходимо запротоколировать. Пусть с одной лишь целью — заставить заткнуться горстку горлопанов, в том числе и из организации противников смертной казни, которые даже сейчас считали Дойла ни в чем не повинным и твердили, что его сделали козлом отпущения, поскольку общественность требовала найти виновного как можно скорее. Признание Дойла их угомонит.

Большой вопрос, конечно же, на какое такое признание решился Дойл? Даст ли он показания в чисто юридическом смысле этого слова или же захочет излить душу, чтобы получить отпущение грехов? На суде один из свидетелей отозвался о нем как о религиозном фанате, у которого «дичайшая мешанина в башке».

Как бы то ни было, только Эйнсли, досконально знавший дело, способен довести его до конца. А значит, он должен, просто обязан отправиться в Рэйфорд.

Эйнсли со вздохом откинулся на спинку кресла. Как некстати! Карен будет в бешенстве. Не далее как на прошлой неделе она подстерегла мужа на пороге дома. Было около часа ночи, так что она успела хорошо продумать свою сердитую речь. Эйнсли в тот день пришлось заниматься убийством, которое произошло в ходе перестрелки между двумя бандитскими кланами. Случай сложнейший, он опоздал к праздничному ужину в связи с годовщиной их свадьбы. Жена встретила его у входной двери, сменив нарядное платье на розовую ночную рубашку. «Малколм, — сказала она, — так дальше продолжаться не может. Мы почти тебя не видим. Мы ни в чем не можем положиться на тебя. Даже когда ты дома, ты так измотан, что спишь на ходу. Пришла пора что-то менять в нашей жизни. Ты должен решить наконец, что тебе дороже. — Карен отвела взгляд. Потом закончила уже спокойнее: — Я говорю совершенно серьезно, Малколм. Поверь, это не блеф».

Он очень хорошо понимал, что имела в виду Карен. И был полностью с ней согласен. Однако что-то изменить было гораздо труднее, чем могло показаться на первый взгляд.

— Вы меня слушаете, сержант? — Тон Аксбриджа становился все более настойчивым.

— К сожалению, да.

— Так вы приедете или нет?

Подумав, Эйнсли ответил:

— Как вы думаете, святой отец, Дойл... Ему нужна исповедь в общепринятом смысле этого слова?

— К чему вы клоните?

— Ищу путь к компромиссу, чтобы не ездить в Рэйфорд. Не могли бы вы сами исповедать Дойла, но в присутствии представителя тюремной администрации? Тогда это можно трактовать как официальное признание, которое вносится в протокол.

Эйнсли знал, что зашел слишком далеко, и потому бурная ответная реакция не удивила его.

— Во имя всего святого! Как вы можете так говорить? Тайна исповеди священна! Уж вы-то должны это знать!

— Да, верно, извините. — Ему и в самом деле стоило повиниться перед Аксбриджем за последнюю попытку отбрыкаться от поездки. Теперь выбора не осталось.

Проще всего долететь до Джексонвилла или Гейнсвилла: тюрьма штата располагалась недалеко от этих двух городов. Проблема в том, что ночью туда не было рейсов. Успеть в Рэйфорд до казни Дойла можно только на машине. Восемь часов езды... Времени в обрез.

Эйнсли бросил взгляд на Родригеса, который вслушивался в разговор. Прикрыв трубку ладонью, Эйнсли негромко сказал:

— Нужно отвезти меня в Рэйфорд. Подыщи патрульную машину, заправь ее и жди на нашей стоянке. И захвати мобильный телефон.

— Слушаюсь, сержант. — Хорхе быстро вышел.

— Я хочу, чтобы до вас дошло, Эйнсли, — священник говорил с нескрываемой злостью, — разговор с вами мне крайне неприятен. Я позвонил вам против своей воли, потому что меня попросил об этом человек, который обречен на смерть. Дойл знает, что вы в прошлом священнослужитель. Мне он исповедоваться не желает. Он готов раскрыть свою душу только перед вами. И как ни ужасна для меня подобная идея, я обязан уважить его просьбу.

Суть дела, казалось, начала проясняться.

Эйнсли ожидал чего-то в этом роде, как только услышал в трубке голос Рэя Аксбриджа. Жизненный опыт помог ему усвоить две вещи. Во-первых, прошлое иногда напоминало о себе совершенно неожиданно, а некоторые детали его прошлого, без сомнения, были Аксбриджу известны. Во-вторых, к бывшему священнику особенную предубежденность испытывали именно бывшие собратья. Остальные были вполне терпимы, даже миряне-католики, даже служители других религий... Но только не католические пастыри. Когда Эйнсли был в мрачном расположении духа, то приписывал это зависти — четвертому из смертных грехов.

Уже десять лет прошло с тех пор, как Эйнсли сложил с себя сан, и теперь он с полным правом мог сказать Аксбриджу:

— Послушайте, святой отец, как офицера полиции меня интересуют только те признания Зверя, которые имеют отношение к совершенным им преступлениям. Если именно в этом он захочет исповедаться мне перед смертью, я готов его выслушать, хотя у меня неизбежно возникнут к нему вопросы.

— То есть вы устроите ему допрос? — взвился Аксбридж. — Неужели даже сейчас в этом есть необходимость?

Эйнсли тоже не мог больше сдерживаться:

— Именно допрос! Если вы смотрите телевизор, то знаете, как это происходит. Мы сидим в маленьких комнатках без окон и задаем подозреваемым вопрос за вопросом.

— Дойл уже вне подозрений.

— Он по-прежнему подозревается в совершении других преступлений. Интересы общества требуют, чтобы мы выяснили все обстоятельства дела.

— Общественные интересы или личные амбиции, сержант? — съязвил Аксбридж.

— Что касается моих амбиций, то они были полностью удовлетворены, когда Зверя признали виновным и приговорили к смерти. Лишь профессиональный долг велит мне установить по возможности все факты.

— А меня больше беспокоит душа этого человека.

— Так и должно быть. — Эйнсли слегка улыбнулся. — Мое дело факты, ваше — душа. Займитесь душой Дойла, пока я в пути, а по приезде я приму у вас эстафету.

После этого Аксбридж заговорил официально:

— Я настаиваю, Эйнсли, чтобы вы дали мне сейчас твердое обещание, что в процессе общения с Дойлом не будете выдавать себя за представителя церкви. Кроме того...

— У вас нет никакого права отдавать мне приказы, святой отец.

— Мое право от Бога! — пророкотал Аксбридж.

— Мы попусту теряем время, — отозвался Эйнсли, не выносивший театральной патетики. — Передайте Дойлу, что я буду в вашем заведении раньше, чем он выпишется оттуда. И уверяю вас, я не собираюсь ни за кого себя выдавать.

— Дайте мне честное слово.

— О, бога ради! Считайте, что я его уже дал. Если бы мне хотелось щеголять в сутане, я бы остался священником. — И Эйнсли положил трубку.

Он сразу же поднял ее снова и отбарабанил по кнопкам номер начальника отдела лейтенанта Лео Ньюболда, который по случаю выходного дня должен был находиться дома. На звонок отозвался приятный женский голос с заметным ямайским акцентом:

— Квартира Ньюболдов.

— Привет, Девайна! Это Малколм. Могу я поговорить с боссом?

— Он спит, Малколм. Разбудить?

— Боюсь, что придется, извини.

Эйнсли ждал в нетерпении, сверяясь с часами, просчитывая расстояние, которое предстояло преодолеть, и время, которое для этого потребуется. Если не возникнет непредвиденных препятствий, они успеют. Но времени все равно остается в обрез.

Он услышал, как со щелчком была снята трубка параллельного телефона. Потом заспанный голос:

— Привет, Малколм. Какого дьявола? Разве ты не в отпуске? — У Лео Ньюболда тоже был ямайский выговор.

— И я так думал, сэр. Но тут кое-что случилось.

— Вот так всегда!.. Ладно, рассказывай.

Эйнсли кратко изложил свой разговор с Аксбриджем.

— Должен выезжать немедленно. Звоню, чтобы получить добро.

— Даю. Кто тебя повезет?

— Я беру Родригеса.

— Хорошо, только приглядывай за ним, Малколм. Этот кубинец водит машину как полоумный.

— Сейчас это как раз то, что мне нужно, — улыбнулся Эйнсли.

— А как же твой отпуск с семьей? Насмарку?

— Похоже на то. Я еще не говорил с Карен. Позвоню ей с дороги.

— Черт побери! Сожалею, что так вышло.

Эйнсли посвятил Ньюболда в их планы отметить завтра восьмой день рождения своего сына Джейсона одновременно с семидесятипятилетием отца Карен, бригадного генерала, отставника канадской армии Джорджа Гранди. Гранди жили в пригороде Торонто, на двойное торжество собиралась вся семья.

— В котором часу завтра самолет на Торонто? — спросил Ньюболд.

— В девять ноль пять утра.

— А казнь Зверя?

— В семь.

— Стало быть, освободишься ты в восемь и в Майами уже не успеешь. А из Джексонвилла или Гейнсвилла есть рейсы на Торонто? Ты узнавал?

— Нет еще.

— Тогда я этим займусь. Позвони мне через часок.

— Спасибо, позвоню.

Прежде чем выйти из отдела, Эйнсли взял портативный диктофон и спрятал его в карман пиджака. Что бы ни взбрело Дойлу сообщить напоследок, его слова переживут его самого.

В вестибюле здания главного полицейского управления рядом со стойкой дежурных его уже дожидался Родригес.

— Я взял документы на машину — тридцать шестой бокс на стоянке. И мобильный телефон. — Хорхе был самым молодым детективом в их отделе, и Эйнсли частенько приходилось помогать ему, но сейчас его юношеское рвение оказалось как нельзя кстати.

— Тогда поехали.

Они быстро вышли из здания и сразу почувствовали удушающую влажность, которая обволакивала Майами много дней кряду. Эйнсли взглянул на небо. Яркие звезды, луна и лишь кое-где крохотные кучевые облачка.

Несколько минут спустя они выехали на Третью Северо-Западную авеню (Хорхе, естественно, за рулем). Через два квартала начиналась эстакада федеральной дороги номер девяносто пять, протянувшаяся на пятнадцать километров в северном направлении. Она выводила затем на Флоридское шоссе, по которому им предстояло мчаться долгих четыреста пятьдесят километров.

Часы показывали двадцать три десять.

Сине-белый «шевроле-импала» имел полную полицейскую оснастку и был снабжен кондиционером.

— Включить маячок и сирену? — спросил Хорхе.

— Пока не надо. Посмотрим, как пойдут дела. Поддай-ка для начала газу.

Транспортный поток почти иссяк, и их автомобиль легко набрал сто двадцать километров в час. Они могли себе это позволить: автомобиль с полицейской маркировкой не остановят за превышение скорости даже за пределами Майами.

Удобно устроившись на сиденье, Эйнсли некоторое время смотрел в окно. Потом он вдруг решительно взял трубку сотового телефона и набрал свой домашний номер.

2

— Я не верю, Малколм! Я просто отказываюсь в это поверить!

— Боюсь, что дело обстоит именно так, — сказал он уныло.

— Ах ты *боишься*! Чего же, позволь поинтересоваться, ты боишься?

А ведь всего полминуты назад, услышав его голос, Карен радостно спросила:

— Когда ты будешь дома, милый?

Как только он сказал, что нынешней ночью домой не приедет, она, обычно такая сдержанная, выплеснула весь свой гнев. Он пытался объясниться, рассказать, чем приходится заниматься, но безуспешно.

— Значит, ты боишься обидеть это отребье рода человеческого, этого подонка, которого и казнить-то мало! Боишься упустить новые омерзительные подробности очередного расследования, так? Тогда почему же ты *не боишься* — ничуточки не боишься — довести до слез своего сына в его день рождения? А ведь он так ждал, считал дни, надеялся на тебя...

Каждое ее слово — правда, подумал Эйнсли с тоской. Но все же... Ну как ей объяснить?! Как растолковать, чтобы поняла, что сыщик, а тем паче детектив из отдела расследования убийств, на службе всегда. Что он *обязан* был поехать. Что нет такого предлога, под которым он мог бы отказаться, как бы ни складывалась его семейная жизнь.

— Мне и самому очень жаль Джейсона. — Голос его звучал тускло. — Ты должна понимать хотя бы это.

— *Должна?* А я вот, представь, не понимаю. Потому что, если бы тебе не было наплевать, ты бы уже приехал домой, а не направлялся в гости к убийце, который для тебя важнее всего на свете, даже твоей семьи.

— Карен, я должен был поехать, — сказал Эйнсли уже много тверже. — У меня не было выбора. Не было, и все!

Она промолчала, Эйнсли продолжил:

— Послушай, я постараюсь вылететь из Джексонвилла или Гейнсвилла и присоединюсь к вам уже в Торонто. Только захвати мой чемодан.

— Но мы должны лететь все вместе — ты, я и Джейсон. Мы одна семья! Или ты забыл об этом?

— Перестань, Карен!

— О таком пустяке, как день рождения моего отца, я вообще молчу. А ведь ему семьдесят пять, кто знает, много ли еще отпущено. Но все это не в счет, не имеет значения в сравнении с этим Зверем. Ты его так называешь? Это животное тебе действительно важнее всех нас!

— Неправда!

— Докажи! Где ты сейчас?

Эйнсли поискал было глазами дорожный указатель, но потом помотал головой:

— Нет, Карен, я не могу повернуть назад. Жаль, что ты не хочешь понять меня, но решение принято.

Карен опять немного помолчала, а когда снова заговорила, голос ее срывался. Эйнсли чувствовал, что она сейчас заплачет.

— Господи, что же ты с нами делаешь, Малколм...

Он не нашелся сразу подобрать нужные слова и услышал щелчок — она положила трубку. Со вздохом Эйнсли отключил мобильный телефон. Сразу пришли в голову покаянные мысли о том, как часто он и раньше расстраивал Карен, когда приходилось ставить во главу угла служебный долг. Припомнились слова, которые бросила ему Карен неделю назад: «Малколм, так дальше продолжаться не может». Он отчаянно надеялся, что она сменит гнев на милость и на этот раз.

В машине воцарилось молчание. У Хорхе достало такта не нарушать его. В конце концов Эйнсли мрачно сказал:

— Моя жена нарадоваться не может, что вышла замуж за полицейского.

— Сильно рассердилась? — сочувственно спросил Хорхе.

— Вне себя, хотя я никак не возьму в толк, с чего бы, — криво усмехнулся Эйнсли. — Вся моя вина лишь в том, что я испортил семье отпуск, потому что мне надо встретиться с убийцей, который утром будет мертв. На моем месте любой добропорядочный отец семейства поступил бы так же, верно?

— Но ведь вы работаете в отделе убийств, — пожал плечами Хорхе. — Есть вещи, от которых мы не можем отказаться. Посторонний не всегда это поймет... Нет, я лично никогда не женюсь, — резюмировал он решительно.

При этом Хорхе вдруг резко нажал на акселератор и обошел слева одну машину, подрезав при этом другую. Ее водитель возмущенно засигналил.

— Осторожнее, ради всего святого! — зарычал Эйнсли. Затем он повернулся и взмахнул рукой в надежде, что обиженный водитель воспримет этот жест как извинение. — К смерти приговорен Дойл, а не мы с тобой, — сказал он уже более спокойно.

— Извините, сержант, — нахмурился Хорхе. — Немного увлекся гонкой.

Эйнсли понял, что Лео Ньюболд был прав. Хорхе действительно иногда опасен за рулем, но это нисколько не умаляло его чисто кубинского обаяния. На слабый пол оно действовало особенно сильно. Каждая из тех потрясающе красивых женщин, с которыми он встречался, была от него без ума, но по неясным причинам он всякий раз быстро находил ей замену.

— И с твоими замашками ты еще думаешь о женитьбе? — спросил Эйнсли.

— Должен же я рассмотреть все варианты.

— Ты и рассматриваешь, донжуан эдакий! Я заметил вчера, даже Эрнестина не смогла устоять перед твоими чарами.

— Эрнестина — обычная шлюха, сержант. Банкноты в бумажнике, вот и все чары.

— У меня тоже были при себе деньги, но со мной она не заигрывала.

— Верно. Это потому, что... не знаю, как сказать... Потому что вас все уважают. Для такой девицы это было бы все равно что строить глазки родному дядюшке.

Эйнсли только улыбнулся.

— Ты вчера хорошо поработал, Хорхе. Я был горд за тебя, — сказал он и откинулся на спинку сиденья...

Пожилой турист Вернер Нойхаус взял напрокат «кадиллак» для прогулки по Майами и заплутал в переплетении пронумерованных улиц города, многие из которых в придачу к номеру имеют еще и название, а иногда и не одно. Потеряться в Майами немудрено даже для местного жителя. На свою беду, незадачливый немец заехал в Овертаун — недоброй славы район, — где на него напали, ограбили и застрелили. Тело преступники выбросили из машины, а «кадиллак» угнали. Бессмысленное и жестокое убийство. Если мотивом мерзавцев было ограбление, они без труда могли завладеть деньгами туриста, не убивая его.

Похищенный автомобиль был сразу же объявлен в розыск.

Поскольку убийство иностранца было чревато международными осложнениями, «отцы города» — мэр, члены городского совета и начальник полиции — потребовали раскрыть это дело как можно скорее. Конечно, урон репутации Майами уже был нанесен, но быстрый арест убийцы мог бы поправить дело.

На следующее утро Хорхе вместе с Малколмом Эйнсли в поисках если не улик, то хотя бы свидетелей принялись кружить по Овертауну в машине без полицейской маркировки. Эйнсли препоручил дело своему подчиненному, и на углу Третьей Северо-Восточной авеню и Четырнадцатой улицы тот приметил двоих торговцев наркотиками, знакомых ему по кличкам Верзила Ник и Коротышка Спадмен. По удачному стечению обстоятельств у полицейских имелся ордер на арест Коротышки по обвинению в хулиганстве.

Хорхе выскочил из машины первым, Эйнсли последовал за ним. Когда они приблизились к этой парочке с двух сторон, отрезая путь к бегству, Ник что-то быстро спрятал в карман брюк. Детективов встретил его вполне безмятежный взгляд.

— Привет, Ник, как бизнес? — начал Хорхе.

Реакция была не слишком дружелюбной.

— Ладно, говори сразу, чего к нам прицепились?

Все четверо напряженно глядели друг на друга. Каждый прекрасно знал, что если полицейские воспользуются своим правом на обыск, они обнаружат наркотики и, по всей вероятности, оружие. В последнем случае торговцам, за которыми уже числилось в прошлом немало грехов, грозили приличные сроки за решеткой.

Хорхе спросил у Спадмена, который в самом деле был коротышкой с отмеченным оспинами лицом:

— Тебе что-нибудь известно о вчерашнем убийстве туриста из Германии?

— Да, о нем передавали по ящику. Гады они, скажу я тебе, те, кто туристов обижает. Суки просто...

— А что тут у вас болтают об этом?

— Так, разное...

— У вас, парни, есть возможность здорово помочь самим себе, если назовете нам их имена, — вмешался Эйнсли.

Предложение прозвучало недвусмысленно: ты — мне, я — тебе. С точки зрения коллег Эйнсли и Родригеса, раскрыть убийство было важнее всего. За предоставленную информацию они готовы были закрыть глаза на менее значительные правонарушения, даже забыть об ордере на арест.

Но Верзила Ник уперся:

— Да не знаем мы никаких имен, начальник.

— Тогда придется поехать с нами в участок. — Хорхе сделал жест в сторону машины.

Ник и Спадмен не могли не знать, что в полиции их обшарят с ног до головы, а от ордера на арест там уже никуда не деться.

— Постой-ка, — сказал Коротышка, — я тут прошлой ночью слышал, как б... языками трепали. Какого-то белого лося завалили, говорят, а машину того... угнали. Вроде двое их было...

— Девчонки видели, как это произошло? — спросил Хорхе.

Коротышка только пожал плечами:

— Может быть.

— Как их зовут?

— Эрнестина Смарт, а... у второй прозвище Огонек.

— Как их разыскать?

— Про подружку не знаю, а Эрнестина ночует на углу Ривер и Третьей.

— Это ты про ночлежку, что между Третьей авеню и Норт-Ривер? — спросил Хорхе.

— Ага.

— Смотрите, если соврали, мы вас из-под земли достанем, — напутствовал Хорхе парочку на прощание. — А если все точно, с нас причитается.

Полицейские вернулись к машине. Им потребовался еще час, чтобы разыскать проститутку.

Вдоль реки Майами, в том месте, где ее пересекало шоссе И-95, было устроено пристанище для бездомных, прежде здесь располагалась большая городская автостоянка, и десятки старых счетчиков для оплаты парковки нелепо торчали среди бесчисленных картонных коробок и прочих утлых укрытий от дождя и ветра; вонь и грязь дополняли общее впечатление. Это было дно жизни, а кто обитает на дне? Подонки...

Эйнсли и Родригес выбрались из машины с брезгливой осторожностью, памятуя, что здесь на каждом шагу можно вляпаться в кучу дерьма. Как им уже удалось выяснить, Эрнестина Смарт и Огонек обитали в большом фанерном контейнере, в котором, судя по маркировке, когда-то перевозили автопокрышки. Теперь контейнер пристроился на краю трущоб у самой реки, в нем была прорезана дверь, а на двери снаружи висел амбарный замок.

Пришлось двигаться дальше. Обследовав «шлюходром» — пересечения бульвара Бискэйн с Восьмой Северо-Восточной и Одиннадцатой улицами, угол Ист-Флаглер и Третьей авеню, — они опросили нескольких «дневных бабочек» и узнали, что ни Эрнестину, ни ее подружку в этот день никто не видел. В итоге пришлось возвращаться в трущобы.

На этот раз дверь была открыта. Хорхе отважно просунул голову в темноту:

— Эй, Эрнестина! Привет! Это твой друг из полиции. Как делишки?

Сипловатый голос не замедлил с ответом:

— Кабы делишки шли хорошо, разве гнила бы я в этой дыре? Не хочешь мной попользоваться, легавый? Я тебе дам со скидкой.

— Какая жалость! Как нарочно, сейчас очень занят. Убийство вот расследую. Болтают, ты и Огонек были там, когда это произошло, все видели.

Эрнестина решила показаться на свет божий. Хорхе сразу понял, что ей едва исполнилось двадцать, хотя повадки ее скорее пошли бы женщине вдвое старше. Эта чернокожая девушка сошла бы за красавицу, если бы не опухшее лицо и несколько резких преждевременных морщин. Фигура же ее по-прежнему была хороша. Чуть мешковатый белый тренировочный костюм не мог скрыть стройных форм и крепкой, красиво очерченной груди. Она всмотрелась в Хорхе, и в глазах ее вспыхнул интерес.

— Я много чего видела, — сказала Эрнестина. — Всего и не упомнишь.

— Может, вспомнишь, если я помогу?

Эрнестина попыталась состроить улыбку женщины-загадки. Хорхе знал, что ответом будет «да».

С проститутками всегда так, потому-то детективы и стараются с ними дружить. Эти девицы наблюдательны и готовы выложить все, что знают, если полицейский придется им по душе или предложит выгодную сделку. Нет, добровольно на сотрудничество с полицией они, конечно, не пойдут. Нужно уметь к месту и вовремя задать вопросы. И Хорхе начал прощупывать почву:

— Ты, случайно, не работала прошлой ночью в районе Третьей Северо-Восточной и Двенадцатой улиц?

— Все может быть... А что?

— Я подумал, вдруг ты видела, как двое мужчин напали на пожилого белого, застрелили его и укатили на его машине.

— Двоих мужчин не видела, врать не буду, а вот одного из наших с размалеванной белой куклой — видела... Они и пришили старичка.

Хорхе посмотрел на Эйнсли. Тот кивнул. Дело начало раскручиваться.

— Давай проясним, — продолжил Хорхе. — Речь идет о чернокожем мужчине и белой женщине?

— Ну... — Эрнестина разглядывала его в упор. — Ты и дальше хочешь, чтобы я тут тебе пела за так?

— Смотря что напоешь. Если что-нибудь дельное, сотню получишь наверняка.

— Классно. — Она осталась довольна услышанным.

— Тебе известны их имена?

— Черного придурка кличут Кермит Лягушонок. Он смахивает на лягушку, лупоглазый. Смех, да и только... А вообще-то он опасный, с такими даже мы не связываемся.

— А женщина?

— Слышала, что звать ее Мэгги. Она все время с Кермитом таскается. Торчат они почти всегда в забегаловке на Восьмой. Их там уже пару раз брали за наркоту.

— Если я привезу фотографии, сможешь их опознать?

— А то! Но только для тебя, дорогуша. — Эрнестина протянула руку и погладила Хорхе по щеке. — Ишь какой хорошенький...

Он улыбнулся, продолжая гнуть свое:

— Огонек тоже нам поможет?

— Поди и спроси его самого.

— Его?! — Хорхе чуть не подскочил от изумления.

— Наш Огонек — мужик в юбке, — объяснила Эрнестина. — По-настоящему его зовут Джимми Макрэй.

— Черт, одним свидетелем меньше, — мрачно прокомментировал известие Эйнсли.

Хорхе кивнул. Трансвеститы не были особой редкостью среди многообразия типов преступного мира Майами. Огонек занимался проституцией. Нечего было и думать предъявлять такого свидетеля в суде. Присяжных от него попросту стошнит. Огонек, стало быть, не в счет... Ладно, зато Эрнестина вполне годится в свидетели, а им, может, удастся найти еще кого-нибудь.

— Если твои показания подтвердятся, — сказал Хорхе, — через пару дней завезу тебе деньги.

Ничего необычного во всем этом не было. Любой сыщик имел доступ к фонду на «непредвиденные расходы», из которого и оплачивались услуги осведомителей.

В этот момент ожил радиотелефон Эйнсли:

— Девятнадцать-десять, ответьте. Вызываю номер девятнадцать-десять.

— На приеме, — отозвался он.

— Срочно свяжитесь со своим командиром.

Эйнсли набрал номер Лео Ньюболда.

— У нас есть новости по делу Нойхауса, — сообщил Ньюболд. — Полиция штата задержала пропавшую машину и в ней двоих подозреваемых. Их скоро доставят сюда.

— Чернокожий по имени Кермит и белая, которую зовут Мэгги? — спросил Эйнсли, вновь бегло сверившись со своими записями.

— Точно, они самые! Откуда знаешь?

— Хорхе Родригес сумел найти свидетельницу. Она проститутка. Обещает помочь с опознанием.

— Передай Хорхе, что он молодчина. А сейчас возвращайтесь в отдел. Нужно покончить с этим делом как можно скорее.

Постепенно картина прояснилась. Бдительный патрульный из полицейских сил штата Флорида, который добросовестно ознакомился накануне с ориентировкой, поступившей из Майами, задержал объявленный в розыск автомобиль и арестовал находившуюся в нем парочку. Это были Кермит Капрум, девятнадцати лет, и Мэгги Торн, двадцати трех лет. У каждого из них при аресте изъяли по револьверу тридцать восьмого калибра. Оружие сразу было отправлено на баллистическую экспертизу.

В полиции штата они показали, что за час до ареста обнаружили брошенный автомобиль с ключом в замке зажигания и потехи ради решили прокатиться. Ложь была примитивной, но патрульные не стали оспаривать эту версию, понимая, что дело нужно передать в отдел по расследованию убийств. Там знают, какие вопросы задавать подозреваемым.

Когда Эйнсли и Родригес прибыли к себе в управление, Капрум и Торн были уже там — их поместили в два кабинета для допросов. Компьютер показал, что оба привлекались к суду: Торн отбыла срок за воровство и имела несколько приводов за проституцию, Капрум в прошлом был осужден дважды — за кражу и хулиганство. Скорее всего числились за ними правонарушения и в подростковом возрасте.

Отдел по расследованию убийств полицейского управления Майами был абсолютно не похож на полицейские участки из телесериалов, которые наполнены шумом, суетой и вообще напоминают проходной двор. Конечно, и в расположенный на пятом этаже отдел по расследованию убийств можно было подняться на лифте прямо из главного вестибюля здания, однако двери лифта на пятом этаже открывались лишь перед обладателями специальных карточек-ключей. Иметь такие ключи полагалось только сотрудникам отдела и нескольким высшим чинам управления. Все остальные полицейские или прочие посетители обязаны были уведомлять о своем визите заранее, но и тогда их сопровождал кто-нибудь из отдела. Подследственные и подозреваемые доставлялись через особо охраняемый вход в подвале здания и затем — спецлифтом прямиком в отдел. Эти меры позволяли создать атмосферу для спокойной и четкой работы.

Через большое прозрачное только с одной стороны стекло Хорхе Родригес и Малколм Эйнсли могли видеть обоих задержанных в двух смежных комнатах.

— Нужно, чтобы кто-то из них признался, — заметил Эйнсли.

— Предоставьте это мне, — отозвался Хорхе.

— Ты хочешь допросить обоих?

— Да. Я бы начал с девицы. Ничего, если я буду с ней один на один?

Обычно подозреваемых в убийстве допрашивали сразу два детектива, но Хорхе уже несколько раз удавалось столь успешно действовать в одиночку, что спорить с ним Эйнсли не хотелось, особенно сейчас.

— Приступай, — кивнул он.

Эйнсли мог видеть и слышать все детали первого допроса Мэгги Торн. Болезненно бледная, она казалась моложе своих двадцати трех лет. На ней были рваные засаленные джинсы и такая же несвежая футболка. «А ведь если ее умыть и переодеть, она будет даже хороша собой», — подумал Эйнсли. В своем же нынешнем виде Мэгги производила впечатление личности опустившейся и потерянной. Она нервно раскачивалась на металлическом стуле, к которому ее приковали наручниками. Когда вошел Хорхе, она загремела цепочкой и закричала:

— Какого лешего на меня это нацепили?

С небрежной улыбкой Хорхе снял с нее наручники.

— Привет, как самочувствие? Я — детектив Родригес. Хотите чашку кофе или сигарету?

Мэгги помассировала затекшие запястья и попросила кофе с молоком и сахаром. Внешне она чуть расслабилась, хотя по-прежнему была настороже. «Расколоть этот орешек будет непросто», — решил Эйнсли.

По своему обыкновению, Хорхе принес с собой термос, пару пластиковых стаканчиков и пачку сигарет. Он разливал кофе по стаканчикам, но при этом не умолкал:

— Вы, стало быть, не курите? Я тоже. Табак — опасная вещь... — («Ее револьвер куда опаснее», — мелькнула мысль у Эйнсли.) — *...А вот кофе у меня, увы, черный... Слушай, давай на «ты»? Можно, я буду называть тебя просто Мэгги?.. Вот и отлично! А я — Хорхе... Знаешь, я бы рад тебе помочь, но пока не знаю как. Хотя мы с тобой вполне могли бы помочь друг другу... Сказать по правде, Мэгги, влипла ты здорово, но мне, может, удастся что-нибудь для тебя сделать...*

Эйнсли слушал, стоя по другую сторону стеклянной стены и нетерпеливо постукивая носком ботинка. «Давай же, Хорхе, переходи к «предупреждению Миранды»», — мысленно подгонял он, зная, что допрос не может продолжаться, пока Хорхе не информировал Мэгги Торн о ее правах, включая право на адвоката. Само собой, что на этой, во многом критической стадии допроса меньше всего хочет детектив, чтобы заявился крючкотвор-законник, а потому сыщики из отдела по расследованию убийств всегда старались зачитывать подозреваемым список их прав таким образом, чтобы они не вздумали потребовать себе адвоката немедленно.

Способность Хорхе добиваться этого уже успела обрасти легендами.

Он начал с предварительной беседы (закон это допускает), в которой получил основные сведения о подозреваемой: имя, домашний адрес, дату рождения, род занятий, номер карточки социального страхования. Но беседу он вел нарочито медленно, позволяя себе отступления и комментарии.

— *Так ты родилась в августе, Мэгги? Я ведь тоже августовский. Мы с тобой Львы, хотя я лично считаю все эти гороскопы полной чепухой, а ты?*

Как ни мягко стелил Хорхе, девица все еще смотрела на него с недоверием. Беседа продолжалась, Хорхе пока даже не упомянул о преступлении, которое расследовал.

— *Расскажи еще немного о себе, Мэгги. Ты замужем?.. Нет? Вот и я не женат. Еще успеется... Ну а дружок у тебя есть? Это Кермит? Не скрою, у Кермита сейчас тоже крупные неприятности, и он мало чем может помочь тебе. Может, из-за него ты и попала сюда... А где сейчас твоя матушка?.. Ах, ты ее никогда не видела! А папаша?.. Все, все, о них больше ни слова!..*

Хорхе подсел к девушке поближе, по временам легко и как будто случайно прикасаясь к ее руке или плечу. Случалось, он и вовсе держал подозреваемую за руку в течение всего допроса, да так нежно, что у той слезы на глаза наворачивались, но с Торн, девицей явно очерствевшей, этот номер не прошел бы. К тому же предварительная беседа не могла продолжаться до бесконечности.

— *Может, мне кому-нибудь позвонить от твоего имени, Мэгги?.. Нет? Что ж, если передумаешь, только скажи...*

За стеклянной стенкой Эйнсли продолжал изнывать от нетерпения: скорее бы Хорхе покончил с формальным оглашением прав подозреваемой! Эйнсли успел разглядеть девушку. Ее лицо казалось ему знакомым, но как он ни ворошил свою память, узнать не мог. Это ускользающее воспоминание действовало ему на нервы.

— *...Ладно, Мэгги, нам еще много о чем нужно поговорить, но сначала я должен спросить тебя... Ты хотела бы, чтобы мы продолжали наш разговор наедине, без всяких адвокатов?*

В этот момент Хорхе был на волосок от нарушения закона, но...

Торн едва заметно кивнула.

— *Вот и хорошо. Мне тоже хочется продолжать без помех. Давай покончим с формальностями... Ты, наверное, знаешь наши правила. Поэтому для протокола я обязан сказать тебе, Мэгги, что ты имеешь право хранить молчание...*

Отклонения от официальной формулировки допускались. В устах Хорхе она далее прозвучала так:

— *Ты можешь отказаться говорить со мной и отвечать на мои вопросы. Все, что ты скажешь с этой минуты, может быть использовано против тебя в суде. Ты имеешь право воспользоваться услугами адвоката в любое время. Если ты не располагаешь для этого средствами, помощь адвоката будет предоставлена тебе бесплатно.*

Эйнсли слушал внимательно. Кто знает, позже ему, возможно, придется подтвердить в суде, что «предупреждение Миранды» было сделано в полном соответствии с законом. И не имеет значения, что Хорхе пробубнил его быстро и небрежно. Нужные слова были произнесены, хотя Мэгги Торн вряд ли их слышала. Хорхе должен был сейчас сделать свой второй ход.

— *Теперь, Мэгги, мы либо продолжаем беседу дальше, либо я возвращаюсь в свой офис и больше мы с тобой не увидимся.*

На ее лице читалось сомнение: что будет, если этот обходительный парень ее бросит? От Хорхе это не укрылось. Он был в полушаге от успеха.

— *Ты хорошо поняла, что я тебе сказал, Мэгги?.. Ты уверена?.. Отлично, значит, с этим мы покончили... Хотя вот еще что! Мне нужно, чтобы ты подписала эту бумажку. Она всего лишь повторяет сказанное мной.*

Торн подмахнула официальный бланк, подтвердив каракулями, что она была ознакомлена со своими правами и добровольно предпочла беседовать с детективом Родригесом без адвоката.

Эйнсли отложил в сторону записи, которые вел все время. Хорхе своего добился, и Эйнсли, уже уверенный в виновности этих двоих, не сомневался теперь и в том, что в течение ближайшего часа в его распоряжении будет по крайней мере один протокол с признанием...

Он ошибался: через час признались оба.

По мере того как Хорхе продолжал работать с подозреваемыми — сначала с Торн, а потом в соседнем помещении с Капрумом, становилось все очевиднее, что у преступников отсутствовал какой-либо план действий. Потому-то они и совершили убийство, хотя могли ограничиться ограблением. Не меньшей глупостью была и та ложь, которую они нагромоздили, чтобы уйти от ответа, — им самим она могла казаться вполне правдоподобной, но только не искушенным сыщикам.

— *Кстати, о той машине, в которой ты ехала с Кермитом, когда вас повязали,* — так вел Хорхе дальше свой разговор с Мэгги Торн. — *Патрульному ты сказала, что вы набрели на нее за несколько минут до того, увидели ключи в замке и решили покататься... Но у нас есть свидетель, который заметил вас в этой машине еще прошлой ночью, видел, как все произошло. К тому же в машине найдено более десятка пустых банок из-под напитков и разных оберток. Со всего этого хозяйства мы снимем отпечатки пальцев. Что, если там окажутся ваши с Кермитом пальчики?.. Нет, Мэгги, это как раз доказательство. Нами будет установлено, что вы находились в машине куда дольше, чем те несколько минут, о которых ты толкуешь.*

Хорхе попивал кофе и ждал. Торн отхлебнула из своей чашки.

— *И вот еще что, Мэгги. При обыске у тебя нашли приличную сумму — больше семисот дол-*

ларов. Не скажешь, откуда у тебя эти деньги?.. Где ты могла их заработать?.. Неужели? Неплохо для случайных заработков. Можешь назвать своих работодателей?.. Всех и не надо, назови одного-двух, чтобы мы проверили... Никого не помнишь? Я вижу, ты совсем не хочешь помочь самой себе, Мэгги.

Ладно, пойдем дальше. Кроме долларов, при тебе обнаружены дойчмарки. Где ты их взяла?.. Дойчмарки, Мэгги, — это немецкие деньги. Давно ты из Германии?.. Брось, Мэгги, этого ты не могла забыть! Это ведь деньги Нойхауса, так? Это ты его застрелила из своего револьвера, Мэгги? Экспертиза все равно определит, из какого ствола стреляли.

Я с тобой по-дружески разговариваю, Мэгги. Ты попала в беду, большую беду, и самой пора это понять. Я бы очень хотел тебе помочь, но для этого ты должна говорить мне правду... На, попей еще кофейку... подумай, Мэгги. Скажешь правду, всем станет легко, тебе в первую очередь. Потому что как только я узнаю правду, я дам тебе толковый совет, что делать дальше...

И совсем другая, более жесткая линия поведения, отметил Эйнсли, при допросе Кермита; у того действительно глаза навыкате напоминали лягушачьи.

— Что ж, Кермит, я уже битый час слушаю, как ты отвечаешь на мои вопросы. Мы оба знаем, что все твои показания ни хрена не стоят. Забудем об этом и рассмотрим факты. Вы со своей подружкой Мэгги тормознули машину несчастного старика, ограбили его, а потом убили. Теперь я уже могу сказать тебе, что Мэгги раскололась. У меня есть подписанный ею протокол, где она утверждает, что ты был зачинщиком преступления и что именно ты застрелил мистера Нойхауса...

Девятнадцатилетний Капрум вскочил на ноги и завопил:

— Эта сука лжет! Это она его прикончила, она меня втравила...

— А ну-ка стоп! Замолчи, Капрум! Успокойся и сядь на место!

Хорхе вытянул счастливый билет, подумал Эйнсли. Капрум попался в ловушку, решил, что Мэгги предала его, и теперь торопился доложить свою версию событий. Если бы не бедняга немец, все это было бы даже забавно.

Предупреждение о его правах Капруму было уже зачитано. Никакой необходимости повторять его.

— Стало быть, теперь, Кермит, ты готов рассказать, что произошло, на этот раз правду? В твоем положении так будет лучше... О'кей, начнем с того, как ты и Торн захватили машину... Ладно, я запишу имя Торн первым, если ты настаиваешь... Итак, где вы оба были, когда...

И Хорхе принялся записывать показания Капрума, который говорил быстро, сбивчиво, совершенно забыв о возможных последствиях, не понимая, что совершенно не важно, кто что делал, ведь им предъявят обвинение в сговоре с целью предумышленного убийства. Когда Хорхе спросил, зачем им вообще понадобилось стрелять, Капрум ответил так:

— Этот старый козел понес на нас! Поливал нас грязью на своем тарабарском языке... Не мог заткнуть свою поганую пасть, понимаешь?

Когда допрос был закончен, Хорхе протянул Капруму ручку, и тот подписался под полным признанием своей вины. Несколько часов спустя эксперты-баллистики дали заключение, что из трех пуль, обнаруженных в теле немца, одна была выпущена из револьвера Капрума, а две — Мэгги. Медики определили, что если выстрел Капрума только ранил туриста, то от любой из двух пуль Мэгги наступила немедленная смерть.

Эйнсли отвлекли другие дела. Он вернулся в тот момент, когда Хорхе во второй раз допрашивал Мэгги Торн. Под конец девица серьезно спросила:

— Что с нами теперь будет? Может, дадут условно?

Хорхе и не пытался отвечать. Понятно почему. Что он мог сказать человеку, который до такой степени не осознавал всей тяжести совершенного преступления и неизбежности скорого и грозного возмездия! Разве мог он сказать этой девушке: «Какое там условно! Тебя не только под залог не выпустят, но ты скорее всего вообще никогда уже не выйдешь на свободу. Наиболее же вероятно, что суд признает вас обоих виновными в убийстве и приговорит к смерти на электрическом стуле».

Само собой, адвокаты в суде будут с пеной у рта доказывать, что признания Торн и Капрума были сделаны под давлением, что их ввели в заблуждение... И в этом будет доля правды, признавал про себя Эйнсли.

Однако любой судья, заручившись подтверждением, что подозреваемых информировали об их правах, снимет все возражения защиты, и признания останутся в силе. Что же касается «введения в заблуждение», то с годами Эйнсли понял, что иногда без этого не обойтись. При расследовании многих особо тяжких преступлений трудно добыть окончательные, стопроцентные улики, и ловкие адвокаты не раз помогали виновным избежать наказания. Взять хотя бы дело О'Джей Симпсона. Признания же Торн и Капрума, каким бы путем они ни были получены, помогут свершиться правосудию, а с точки зрения общественных интересов, как их понимал Эйнсли, только это имело значение.

Подобные размышления вернули Эйнсли к мыслям об Элрое Дойле и той причине, что побудила его самого отправиться в бесконечную ночную поездку. И опять, уже в который раз после телефонного звонка из Рэйфорда, он задавался вопросом: какое признание ему предстоит выслушать?

Эйнсли всмотрелся в дорожные указатели. Их автомобиль выехал на Флоридское шоссе. Отсюда было около трехсот километров до Орландо — первого большого города на их пути.

3

Малколм Эйнсли, который задремал, как только они миновали Форт-Лодердейл, проснулся от толчка: то ли выбоина в полотне, то ли енот попал под колесо — по ночам они во множестве перебегали шоссе. Он потянулся и сел повыше, затем посмотрел на часы: десять минут первого. Впереди замаячил поворот на Уэст-Палм-Бич. Значит, треть пути до Орландо позади. Хорхе вел машину в крайнем левом ряду, движение на шоссе было достаточно оживленным.

Эйнсли взялся за телефонную трубку и набрал номер лейтенанта Ньюболда. Когда тот ответил, Эйнсли сказал:

— Доброй ночи, сэр. На связи лучшие кадры полиции Майами.

— Привет, Малколм. Все в порядке?

— Этот сумасшедший кубинец пока меня не угробил, — ответил Эйнсли, покосившись на водителя.

Ньюболд хихикнул в трубку, а потом сказал:

— Слушай, я изучил расписание самолетов и заказал для тебя билеты. Думаю, ты сможешь добраться до Торонто завтра во второй половине дня.

— Вот это хорошая новость, лейтенант, спасибо! — Эйнсли занес в блокнот необходимые детали: рейс компании «Дельта» в десять ноль пять из Джексонвилла до Атланты, там пересадка на самолет «Эйр Канада» до Торонто. Он попадет туда лишь двумя часами позже, чем его семья, отметил Эйнсли с немалым облегчением. Придется, правда, пропустить семейный обед: родители Карен жили более чем в часе езды от торонтского аэропорта Пирсон, но он присоединится ко всем за ужином; для этого времени более чем достаточно.

— Пусть Родригес довезет тебя до Джексонвилла. Это меньше ста километров, вполне успеешь, — продолжал Ньюболд. — Когда вернешься, мы оплатим тебе дополнительные расходы на билеты.

— Это может отчасти примирить меня с Карен.

— Она огорчена? — спросил Ньюболд.

— Не то слово.

— Моя Девайна тоже устраивает мне веселую жизнь, когда я застреваю на работе. Трудно винить их за это, — вздохнул Ньюболд. — Кстати, я позвонил в тюрьму штата. Они обещали пропустить тебя без обычных формальностей, это ускорит твою встречу со Зверем.

— Отлично!

— Они только попросили, чтобы на подъезде к Рэйфорду ты позвонил лейтенанту Нилу Хэмбрику. Мне дали номер его телефона.

— Очень хорошо, лейтенант, еще раз спасибо, — сказал Эйнсли, записав номер.

— Счастливо добраться до Торонто...

Отключив телефон, Эйнсли отметил про себя, что Ньюболду неизменно удается сохранять прекрасные отношения со своими подчиненными. Как практически все в их отделе, Эйнсли относился с симпатией и уважением к этому полицейскому, у которого за плечами было двадцать четыре года службы. И это при том, что семья Ньюболдов эмигрировала в Штаты с Ямайки всего тридцать лет назад. Лео Ньюболду было тогда пятнадцать. Потом он учился в университете Майами, избрав специальностью криминалистику, а в двадцать два стал полицейским. Благодаря принадлежности к черной расе и реформам восьмидесятых годов Лео Ньюболд быстро получил лейтенанта, но в отличие от многих других подобных повышений это не было встречено белыми коллегами в штыки. Все сочли это признанием способностей и трудолюбия Ньюболда, который возглавлял отдел по расследованию убийств полиции Майами вот уже восьмой год.

К удивлению Малколма, когда он позвонил, Карен спала, он сообщил свое расписание на завтра и велел ей снова немедленно ложиться, сказав на прощание:

— Увидимся завтра часа в четыре.

— Поверю, только когда в самом деле увижу тебя. — Голос был заспанный, но в нем улавливались нотки нежности.

Эйнсли погрузился в размышления, из которых его скоро вывел Хорхе:

— Вы все еще католик, сержант?

— Прости, что ты сказал? — Вопрос застал его врасплох.

Хорхе обогнал очередной длинномерный трейлер, какие часто попадались на шоссе в это время суток, и пояснил:

— Вы же были когда-то священником, потом ушли... Вот я и интересуюсь: католик вы или уже нет?

— Уже нет.

— Все равно, как бывший католик, что вы думаете об этой поездке?.. О смертной казни?.. Вот вы едете посмотреть в глаза Зверю, Дойлу, перед тем как его посадят на электрический стул, а сами знаете, что вы самолично довели дело до этого.

— Ну и вопросы ты задаешь на ночь глядя!

— Хорошо, — пожал плечами Хорхе, — не отвечайте, если не хотите. Я же все понимаю.

Эйнсли медлил. Когда в тридцатилетнем возрасте он сложил с себя сан, хотя имел богословское образование, был доктором философии и пять лет приходским священником, он постарался вообще забыть о религии. Как отрезал... Что же до причин, то ими он поделился лишь с самыми близкими людьми, а при остальных не особенно распространялся об этом, не имея желания влиять на чужие убеждения. Однако с течением времени он стал замечать, что готов отвечать на подобные вопросы.

— В известном смысле, — сказал он Хорхе, — разница между священниками и полицейскими не так уж велика. Священник старается, по крайней мере должен стараться, помогать людям, быть поборником справедливости и равенства. У нас, детективов, цель — поймать убийцу, доказать его вину, не дать уйти от наказания.

— Мне иной раз жаль, — признался Хорхе, — что я не умею об этом рассуждать так же четко, как у вас получается.

— Ты имеешь в виду смертную казнь?

— Именно. Ведь я, как ни крути, полицейский. Сколько в нашей стране сыщется полицейских, которые действительно против смертной казни? Двое, от силы трое... А с другой стороны, я католик, и моя Церковь учит, что казнить людей неправильно.

— А ты в этом твердо уверен, Хорхе? Если разобраться, любая религия лицемерна, потому что одобряет убийство, когда это служит ее целям. О да, в теории все великолепно. *Жизнь — это Божественный дар, и людям не дано право отнимать ее.* Не дано, но только пока выгодно Церкви.

— Разве это может быть ей невыгодно?

— Конечно! Возьми, к примеру, войны, когда люди, а вовсе не Бог, лишают жизни себе подобных. И все воюющие народы от ветхозаветных сынов Израилевых до нас, современных американцев, считают, что Бог на их стороне.

— Это вы в точку! — сказал Хорхе с довольной улыбкой. — Я, черт побери, и вправду хотел бы надеяться, что Он на моей стороне!

— Тогда я бы на твоем месте грешил поменьше.

— На моем? — удивился Хорхе. — Я-то что! Вот вы действительно сорвались с поводка, так ведь? Сомневаюсь, что вы у папы римского в первой десятке кандидатов в праведники.

— Что ж, — едва заметно улыбнулся Эйнсли, — я и сам в последние годы невысоко ставлю ватиканских правителей.

— Почему же?

— Не все придерживались тех правил, которые предписывали остальным. Взять хотя бы папу Пия XII, ты о нем наверняка слышал. Ведь он остался равнодушен к истреблению Гитлером евреев, не протестовал, хотя мог спасти множество жизней. Это только один из примеров того, как Церковь попустительствует убийствам просто потому, что не хочет вмешиваться.

— Да, родители говорили мне, что им было стыдно, когда об этом стало известно, — кивнул Хорхе. — Но только ведь, по-моему, недавно прошел слух о покаянии Церкви.

— Да, в девяносто четвертом году, но прожила эта сенсация ровно один день. В Израиле всплыл некий документ якобы из папской канцелярии, где говорилось, что Ватикан признает свою вину и скорбит о жертвах Холокоста. Но уже на следующий день Ватикан заявил: «Нет, это не наш документ. Может быть, когда-нибудь, в будущем». Они, правда, извинились за Галилея.

— Я слышал что-то, но плохо знаю эту историю. Расскажите.

— В тысяча шестьсот тридцать третьем году Галилео Галилея обвинили в ереси и продержали под домашним арестом восемь лет, потому что он доказал, что Земля вращается вокруг Солнца, вопреки католической доктрине о Земле как неподвижном центре Вселенной. И вот в девяносто втором нашего столетия после «тринадцати лет изучения вопроса в Ватикане» — так было официально заявлено — папа Иоанн Павел II признал, что Церковь была не права. Признал то, что наукой было установлено несколько столетий назад!

— Неужели это правда? Церковь упрямилась с тысяча шестьсот тридцать третьего года?

— Триста пятьдесят с лишним лет! Ватикан никогда не спешит исповедаться в собственных грехах.

Хорхе не сдержал смеха:

— А стоит мне использовать в пятницу презерватив, в субботу надо бежать каяться на исповеди.

Эйнсли тоже улыбнулся:

— Воистину мы живем в обезумевшем мире. Но если вернуться к твоему вопросу, то я был против убийства в любой его форме, когда носил сутану, да и сейчас не одобряю. Однако же верю в силу закона, а пока смертная казнь узаконена, мне придется с этим мириться.

Последняя фраза Эйнсли еще висела в воздухе, как он сам вдруг подумал о той маленькой группе несогласных — обвинение определило их как безответственных людей, — которые считали вину Дойла недоказанной, поскольку он не признал ее. С этим Эйнсли не мог согласиться. Он был убежден, что Дойла *полностью изобличили*. Но в чем же все-таки убийца собирается покаяться?

— Вы задержитесь, чтобы глянуть, как Дойла казнят? — спросил Хорхе.

— Надеюсь, нет. Разберемся, когда доедем.

Хорхе помолчал, а потом выдал:

— По управлению гуляет слух, что вы написали книгу о религии. Говорят, шла нарасхват. Небось денег вам отвалили...

— На книге по сравнительному анализу религий не разживешься, — рассмеялся Эйнсли. — Тем более что я не единственный ее автор. Понятия не имею, сколько экземпляров успели продать, но книжку в самом деле перевели на многие языки, и ее можно найти в любой приличной библиотеке.

Часы на приборном щитке показывали два пятнадцать.

— Где мы? — спросил Эйнсли, когда понял, что опять на время впал в забытье.

— Только что проехали Орландо, сержант.

Эйнсли лишь кивнул в ответ, припомнив куда более приятные поездки по этому же маршруту. Здесь по обе стороны дороги тянулись самые впечатляющие флоридские пейзажи. От Орландо до Уайлдвуда шоссе пересекало местность, официально считавшуюся ландшафтным парком. Сейчас тьма скрывала всю эту красоту: пологие холмы, словно перетекающие один в другой, с поросшими полевыми цветами склонами; высоченные корабельные сосны; фруктовые деревья в пестром цветении, среди которых могла вдруг открыться взгляду безмятежная гладь озерца; апельсиновые плантации, где ветки в это время года уже ломились от плодов.

Флорида, подумал Эйнсли не без удовольствия, превратилась в один из благословенных уголков планеты. Здесь, казалось, можно найти сейчас абсолютно все то новаторское, утонченное, артистичное и блестящее, что породила современная цивилизация, особенно в самом Майами, космополитичном, сумбурном, разросшемся. Но здесь же гнездилось и все самое гнусное и злое, напомнил Эйнсли-романтику Эйнсли-реалист.

— Ты не устал? Может, мне сесть за руль? — спросил он Хорхе.

— Нет, я в порядке.

По подсчетам Эйнсли, они провели в пути три с лишним часа, преодолев значительно более половины расстояния до Рэйфорда. Даже при том, что скоро дорога станет похуже, они все равно сумеют добраться до места примерно к пяти тридцати утра.

Казнь назначена на семь. Если в последний момент не придет указание отложить ее, а в случае с Дойлом это маловероятно, никаким другим способом задержать исполнение приговора не удастся.

Эйнсли снова откинулся на спинку сиденья, чтобы собраться с мыслями. Его воспоминания об Элрое Дойле и всех событиях, с ним связанных, походили на папку с уголовным делом, в которой кто-то перепутал страницы.

Он вспомнил, как полтора года назад впервые увидел имя Дойла на дисплее — его выдал компьютер в числе возможных подозреваемых. Потом Дойл стал главным подозреваемым, и отдел по расследованию убийств занялся изучением его биографии с самого раннего детства.

Когда начались эти убийства, Элрою Дойлу было тридцать два. Он родился и вырос в Уинвуде — белом бедняцком районе Майами. Хотя Уинвуд не отмечен на картах города, его шестьдесят многоэтажек занимают целый квадратный километр почти в самом центре Майами. Здесь живут полунищие белые семьи, район пользуется дурной славой: хулиганство, грабежи, драки стенка на стенку.

А с юго-западной стороны к Уинвуду примыкает Овертаун, тоже не удостоенный упоминания на картах, где живет чернокожая беднота, но проблемы и репутация те же: ограбления, кражи, дебоши с битьем витрин.

Бьюла, мать Элроя Дойла, занималась проституцией и не брезговала наркотиками и спиртным. В минуты откровенности она не раз повторяла знакомым, что отцом ее мальчика мог быть «любой из доброй сотни похотливых гадов», хотя позже самому Элрою сказала, что наиболее вероятный кандидат в его папаши отбывает пожизненный срок в тюрьме Белл-Глэйд. В детстве перед парнем прошла череда мужиков, сожительствовавших, кто подолгу, кто мимолетно, с его матушкой. Практически все по пьянке избивали его, а кое-кто и домогался.

С чего вообще Бьюла Дойл вздумала рожать после доброго десятка абортов, осталось загадкой. Ее собственное объяснение звучало так: «Руки не дошли от него избавиться, от паршивца такого».

Впрочем, Бьюла была по-своему весьма практичной дамой и научила сына красть так, чтобы «не надрали задницу». Элрой быстро усваивал ее уроки. В десять лет он специализировался на продуктах из супермаркетов, не упуская при этом случая запустить руку в чужой карман. В школе же он попросту отбирал деньги у других мальчишек. Это было нетрудно: в росте и телосложении он опережал свой возраст, а дрался яростно и с явным удовольствием.

Следуя советам Бьюлы, он научился искусно пользоваться многочисленными прорехами в законодательстве о малолетних правонарушителях. Его несколько раз брали с поличным, но тут же отпускали на поруки матери.

Позже Эйнсли стало известно, что Элрой Дойл впервые попал под подозрение в убийстве, когда ему было семнадцать. Его арестовали при попытке скрыться из квартала, где было совершено преступление, и привезли в участок для допроса. Поскольку Элрой считался несовершеннолетним, туда же доставили Бьюлу, в присутствии которой его допросили.

Если бы детективы сумели добыть против Элроя прямые улики, его обвинили бы в убийстве, невзирая на возраст. Но Бьюла достаточно поднаторела в стычках с полицией, чтобы разрешить снять отпечатки пальцев сына, а они вполне могли совпасть с отпечатками на ноже, найденном на месте убийства. В конце концов за недостатком улик Дойла выпустили, а преступление так и осталось нераскрытым.

Вот так и получилось, что многие годы спустя, когда его стали подозревать в серии убийств, его отпечатки не были занесены в полицейскую картотеку.

В восемнадцать лет Элрой вступил в пору официального совершеннолетия. Приобретенный опыт позволил ему и дальше идти по скользкой дорожке, ни разу не оступившись. Он больше не попадался. Только значительно позже, когда его прежняя жизнь всерьез заинтересовала полицейских, они докопались до ее забытых или в свое время не замеченных эпизодов.

— Бензин кончается, сержант, — вторгся в его полусонные воспоминания голос Хорхе. — Давайте сделаем остановку в Уайлдвуде. Мы как раз к нему подъезжаем.

Было почти три часа утра.

— Ладно, но только заправляйся, как автогонщик на пит-стопе. А я куплю нам по стаканчику кофе.

— И хрустящего картофеля. Нет, лучше печенья. Это как раз то, что нам сейчас нужно.

Мальчишка, подумал Эйнсли. Неудивительно, что он порой относился к Хорхе по-отечески.

Они съехали с шоссе, и перед ними засияли рекламные огни сразу нескольких заправочных станций. В Уайлдвуде днем останавливались туристы, привлеченные десятком дешевых, правда, не очень опрятных на вид, сувенирных лавок, а ночью здесь заправлялись дальнерейсовые грузовики.

Хорхе направил машину к ближайшей бензоколонке. Рядом с ней приютился круглосуточный ресторанчик быстрого обслуживания с собственной автостоянкой. Вокруг двух автомобилей суетились какие-то темные силуэты, человек пять-шесть. Когда сине-белый полицейский «шевроле» приблизился, они вскинули головы, чтобы всмотреться, кого там еще несет.

Потом вдруг с невероятной быстротой все изменилось. Группа бросилась врассыпную; заметались тени рук и ног. Через несколько секунд захлопали двери, завизжали покрышки, и несколько машин рвануло в темноту. Само собой, уходили они не по шоссе, а в переплетении улиц своего городка, где легче исчезнуть.

Двое полицейских повеселились на славу.

— Хоть одно доброе дело сегодня сделано, — подытожил Эйнсли. — Мы только что разогнали сходку торговцев наркотиками.

Они оба знали, что на этом шоссе было опасно ездить, особенно ночью. Здесь шуровали воры, наркодельцы, проститутки, грабители.

При виде полицейской машины все смылись. Эйнсли дал Хорхе денег на бензин, а сам зашел в ресторан купить кофе и две пачки печенья, не забыв попросить у кассирши счет. Даже за мелкие расходы им полагалась компенсация, не говоря уже о двойной оплате за сверхурочную работу: бухгалтерии придется раскошелиться за эту ночную поездку.

Потягивая кофе через соломинку, вставленную в крышку пластикового стакана, Хорхе вновь вывел машину на трассу.

4

В половине четвертого утра их «шевроле» попрежнему стремительно мчался на север. Легковушек встречалось мало, транспортный поток преимущественно состоял из тяжеловозов. До места назначения оставалось еще около ста пятидесяти километров.

— Не волнуйтесь, сержант, теперь точно успеем. Без проблем!

Реплика Хорхе прозвучала как раз в тот момент, когда впервые со времени выезда из Майами Эйнсли почувствовал, что внутреннее напряжение спадает. Вглядываясь в темноту за окном, он ответил:

— Просто мне не терпится услышать, что он хочет сообщить.

Он имел в виду Дойла. Карен права, неожиданно подумал он. Его интерес к Дойлу действительно перерос чисто профессиональный. Побывав на местах всех совершенных Дойлом кровавых преступлений, проведя многие месяцы в охоте за убийцей и увидев под конец, что тот нисколько не раскаивается в содеянном, Эйнсли пришел к убеждению, что этому человеку не место на земле. Он хотел услышать, как Дойл признается в своих злодеяниях, а потом — вопреки тому, что Эйнсли говорил Хорхе совсем недавно, — он хотел увидеть, как Дойл умрет. Теперь приглашение на казнь было для него почти неизбежным.

— О господи! — воскликнул вдруг Хорхе. — Гляньте-ка, по-моему, впереди затор.

Движение на север становилось все медленнее, машины шли нос в нос. Те, что были впереди, замерли. По другую сторону заграждения шоссе, в южном направлении, было абсолютно пусто.

— Дьявол! Вот ведь дьявол! — Эйнсли в сердцах грохнул кулаком по панели приборов.

Они тоже встали, перед ними тянулась длинная череда красных габаритных огней. Еще дальше впереди поблескивали маячки дорожной полиции и «скорой помощи».

— Езжай по обочине, — скомандовал Эйнсли. — Включи наш спецсигнал.

Хорхе щелкнул переключателем, проблесковый маячок на крыше пришел в действие, и сине-белый автомобиль стал медленно пробираться к правой обочине. Выбравшись на нее, они смогли хоть медленно, но верно продвигаться вперед. Остальные машины стояли, дверцы были открыты, некоторые водители выглядывали из них, пытаясь понять, из-за чего задержка.

— Поднажми! — приказал Эйнсли. — Время дорого!

Но уже через несколько секунд они увидели перед собой сразу несколько патрульных автомобилей дорожной полиции штата, перекрывших шоссе полностью, включая и ту обочину, по которой к ним приблизилась сейчас машина полицейских из Майами. Лейтенант-дорожник жестом приказал им остановиться. Эйнсли вышел ему навстречу.

— Далековато вы забрались, ребята, — сказал лейтенант. — Сбились с пути?

— Никак нет, сэр. — Эйнсли показал ему свое удостоверение. — Мы направляемся в Рэйфорд и очень торопимся.

— Тогда вынужден вас огорчить, сержант. Эта дорога закрыта. Впереди серьезная авария. Большой бензовоз врезался в ограждение и перевернулся.

— Позвольте нам проскочить, лейтенант!

— Нет! — Тон офицера стал жестче. — Вы не представляете, о чем говорите. Там такое творится! Водитель бензовоза мертв. Скорее всего погибли двое, находившиеся в легковой машине, которую он смял в гармошку. Цистерна дала большую течь. Двадцать тонн высокооктанового топлива растекаются по асфальту. Мы полностью остановили движение по шоссе. Не дай бог, какой-нибудь идиот щелкнет зажигалкой! Машины пожарных скоро покроют это все пеной, но они еще в пути. Поэтому уж извините, но я не могу вас пропустить.

Лейтенанта окликнул один из его подчиненных, а Эйнсли наклонился к Хорхе Родригесу:

— Придется менять маршрут.

Хорхе расстелил карту Флориды на капоте и сверился с ней. В ответ он покачал головой:

— Времени не хватит, сержант. Нам нужно изрядно отмахать назад по шоссе, а потом пробираться местными дорогами. Там немудрено заплутать. Не лучше ли нам прокатиться поверх пены?

— Ничего не выйдет. Во-первых, пенообразующее средство «Ф» — это попросту мыло. На нем скользишь хуже, чем по льду. А внизу все равно останется бензин. Одна искра из нашей выхлопной трубы — и гореть нам в аду. Так что выбора нет, надо разворачиваться. Не теряй времени, поехали!

Когда они уже сели в машину, к ним бегом вернулся лейтенант дорожной полиции.

— Хочу вам помочь, — выпалил он на одном дыхании. — Я только что связался с нашим штабом. Их информировали, куда и зачем вы едете. Вот как вам лучше следовать дальше. Возвращайтесь отсюда на юг до Миканопи, туда ведет Семьдесят третья автострада. Затем берите курс на запад до Четыреста сорок первого шоссе. — Хорхе торопливо записывал указания лейтенанта. — До него вы доберетесь очень быстро. Поверните налево и поезжайте на север в сторону Гейнсвилла. Шоссе там отличное, есть где разогнаться. Не доезжая до Гейнсвилла, увидите пересечение с Триста тридцать первым шоссе. Там на светофоре свернете направо, и сразу на углу вас будет ждать наша машина. Фамилия патрульного Секьера. Следуйте за ним — он будет сопровождать вас до самого Рэйфорда.

— Спасибо, лейтенант, — кивнул в ответ Эйнсли. — Мы можем пользоваться мигалкой и сиреной?

— Включайте все, что есть на борту. Знаете, мы тут наслышаны о Дойле. Вы уж проследите, чтобы этого монстра поджарили по всем правилам.

Хорхе привел машину в движение. Обнаружив разрыв в разделительном заграждении, он выехал на противоположную сторону шоссе и вдавил акселератор в пол. Сияя мигалкой, завывая сиреной, «шевроле» помчался назад на юг.

Теперь они действительно оказались в полнейшем цейтноте. Эйнсли понимал это. Хорхе тоже.

Задержка и объезд обойдутся им без малого в час.

На приборной доске высвечивались цифры: 5.34. До казни Зверя оставалось меньше полутора часов. Даже если дальше все будет гладко, ехать им еще минут сорок. Стало быть, они прибудут в Рэйфорд в шесть четырнадцать. А ведь нужно еще попасть внутрь тюрьмы, дойти до камеры Дойла, плюс время на то, чтобы заключенного успели отвести к месту казни, а потом — пристегнуть к электрическому стулу. Словом, максимум, на что мог рассчитывать Эйнсли, — это полчаса.

Мало! Прискорбно мало!

Но придется уложиться.

Эйнсли не переставал мысленно чертыхаться,
 испытывая непреодолимое желание заставить

Хорхе ехать быстрее. Но это было едва ли возможно — Хорхе и без того держал предельную скорость. Да, вел он машину мастерски, не спуская глаз с дороги, плотно сжав губы, крепко вцепившись в руль обеими руками. Путеводитель он передал Эйнсли, который с помощью фонарика по мере надобности сверялся с ним. Четыреста сорок первое шоссе было значительно у́же дороги И-75. К тому же его пересекали трассы местного значения, да и движение оказалось оживленнее, чем можно было ожидать в такой час. Хорхе творил чудеса, экономя каждую секунду. Проблесковый маячок и сирена были им в помощь — многие водители, заметив их приближение в зеркало заднего вида, подавали вправо, освобождая путь. Начался мелкий дождь, стоило дороге нырнуть в низину, как ее окутывал туман, словом, скорость пришлось снижать.

— Черт! — заскрежетал зубами Эйнсли. — Нет, нам никак не успеть.

— Еще есть шанс. — Хорхе подался вперед и всмотрелся в дорогу, вновь набирая скорость. — Доверьтесь мне, сержант.

«Только это мне и остается, — подумал Эйнсли. — Сейчас свое слово должен сказать Хорхе, а мое — впереди, быть может... Нужно перестать дергаться, переключиться на что-нибудь другое. Думай о Дойле! Какой сюрприз он заготовил? Скажет наконец правду, которой от него так и не сумели добиться в суде?..»

Не было такой газеты в стране, которая не уделила бы внимания сенсационному судебному процессу по делу Элроя Дойла, отчеты о нем ежедневно показывали в теленовостях. Перед зданием суда практически непрерывно проходили демонстрации с требованием казнить злодея. Между репортерами шла ожесточенная борьба за те несколько мест в зале, которые были отведены для прессы.

Общественное негодование в особенности распалило решение прокурора штата предъявить Дойлу обвинение только в одном, самом последнем из совершенных им двойных убийств. Кингсли и Нелли Темпоун — состоятельная чернокожая супружеская пара, уже пожилая, — были зверски замучены в своем доме в Бэй-Хайтс, в фешенебельном районе Майами.

Выходило, что если Дойла осудят за убийство этой четы, остальные десять преступлений, которые он совершил (а в этом ни у кого сомнений не было), так навсегда и останутся нераскрытыми.

Когда прокурор Адель Монтесино с одобрения своего руководства повела дело именно так, это вызвало бурю возмущения родственников остальных жертв, которые жаждали справедливости и отмщения за загубленные жизни своих близких. К критике этого решения сразу подключилась пресса, в которой Дойл еще до суда был признан виновным. Газеты и телевидение обычно не опасались последствий в таких ситуациях. «Где это было, чтобы серийный убийца подавал в суд за клевету?» — заметил один из редакторов.

Атмосфера накалялась.

Стало известно, что даже начальник полиции Майами лично обращался в прокуратуру с просьбой включить в обвинительное заключение еще хотя бы одно двойное убийство.

Однако Адель Монтесино, невысокая, полная дама лет сорока пяти, которую некоторые заглазно называли бой-бабой, упрямо стояла на своем. Она занимала свой выборный пост третий четырехлетний срок подряд, уже объявила, что не будет снова добиваться переизбрания, а потому могла себе позволить абсолютную независимость.

Сержант Малколм Эйнсли был в числе тех, кто присутствовал на обсуждении стратегии обвинения накануне суда, и сам слышал слова миссис Монтесино: «Только по делу Темпоунов мы имеем железные доказательства вины Дойла».

И, загибая пальцы на руке, она перечислила ключевые моменты: «Дойла взяли на месте преступления. На нем обнаружены следы крови обеих жертв, а под ногтями частички кожи убитого мужчины. Мы имеем нож с отпечатками пальцев Дойла, который экспертиза определила как орудие убийства. И наконец, у нас есть отличный свидетель, к которому присяжные отнесутся с доверием и состраданием. Ни один суд в мире не вынесет Дойлу оправдательный приговор».

Упомянутым свидетелем был Айвен, двенадцатилетний внук Темпоунов. Он гостил у бабушки с дедушкой в тот день, когда Дойл ворвался в дом и напал на хозяев. Спрятавшись в соседней комнате, онемев от ужаса, мальчик сквозь неплотно прикрытую дверь видел, как убийца методично терзал ножом несчастных стариков. Хотя Айвен прекрасно понимал, что рискует тоже быть убитым, он нашел в себе мужество неслышно добраться до телефона и позвонить в службу 911.

Полиция прибыла слишком поздно, чтобы спасти Темпоунов, но Элрой Дойл был схвачен на месте преступления, весь залитый кровью своих жертв. Когда врачи вывели Айвена из шокового состояния, он так достоверно и четко рассказал об увиденном, что Адель Монтесино не сомневалась: его свидетельские показания в суде будут более чем убедительными.

«Теперь представьте, что мы выдвинем обвинение в остальных убийствах, — продолжала свою речь прокурор. — Ни по одному из них у нас нет стопроцентных, неопровержимых доказательств. Да, косвенных улик много. Мы можем доказать, что именно Дойл мог совершить эти преступления — всякий раз он находился поблизости и у него нет алиби. С места первого из этих убийств у нас есть частичный отпечаток ладони, который почти наверняка принадлежит Дойлу, хотя специалисты по дактилоскопии обнаружили лишь семь совпадающих характеристик, а для стопроцентной идентификации требуется девять. Кроме того, доктор Санчес считает, что остальные жертвы были убиты другим ножом, не тем, что мы имеем в деле Темпоунов с отпечатками пальцев Дойла. Ясно, что убийца мог иметь несколько ножей, скорее всего так оно и было. Беда в том, что полиции не удалось их обнаружить.

Любой адвокат мертвой хваткой вцепится в эти уязвимые места обвинения. А стоит породить у присяжных хоть тень сомнения в доказанности одного из убийств, они начнут сомневаться во всем, даже в нашем неопровержимом обвинении по делу Темпоунов.

Слушайте, одного этого дела достаточно, чтобы посадить Дойла на электрический стул, а казнить человека все равно можно только один раз, верно?»

Прокурор штата держалась своего плана, несмотря на все протесты. Одного она не предусмотрела: после суда ее отказ обвинить Дойла в остальных убийствах у многих, особенно у активистов движения за отмену смертной казни, создал впечатление, что над виновностью Дойла вообще изначально витал большой знак вопроса. Пошли слухи, что вина Дойла сомнительна даже в том единственном преступлении, за которое его осудили и приговорили к смерти. Да и сам суд сопровождался скандалами и ожесточенной полемикой, доходящей чуть ли не до драки.

Поскольку сам подсудимый не располагал средствами для защиты, судья Руди Оливадотти назначил ему в адвокаты Уилларда Стельцера — опытного специалиста по уголовным делам.

Среди юристов Майами Стельцер пользовался известностью не только как блестящий адвокат, но и благодаря эксцентричности манер и внешности. В свои сорок лет он упрямо отказывался приходить в суд одетым в соответствии с правилами, предпочитая костюмы и галстуки в стиле ретро. Его любимым периодом были пятидесятые. Где он умудрялся доставать свои наряды, оставалось загадкой, а длинные черные волосы он заплетал сзади в косичку.

Верный репутации, Стельцер сумел настроить против себя как обвинителей, так и судью первым же своим шагом. Он заявил, что в округе Дейд невозможно подобрать беспристрастных присяжных из-за обилия нежелательных публикаций в прессе, и подал прошение о переносе заседаний суда в другое место.

Судья скрепя сердце это ходатайство удовлетворил, и слушание было перенесено на шестьсот километров от Майами, в Джексонвилл.

Вполне предсказуемым был следующий ход Стельцера — он заявил, что его подзащитного следует признать невменяемым. В подтверждение он сослался на вспышки гнева, которым был подвержен Дойл, напомнил суду о его трудном детстве, о буйном поведении в тюрьме и патологической лживости. Последний аргумент нашел себе наиболее яркое подтверждение, когда Дойл принялся горячо отрицать, что вообще когда-либо близко подходил к дому Темпоунов, хотя даже защита не оспаривала факта его ареста на месте преступления.

Все это, по мнению Стельцера, были симптомы душевной болезни. Судья Оливадотти снова с видимым неудовольствием согласился на проведение психиатрической экспертизы. Дойла обследовали трое назначенных властями штата врачей, волынка эта растянулась на четыре месяца.

Заключение экспертов гласило: да, с оценкой личности и поведения подсудимого, которую дала защита, нельзя не согласиться, но это не означает, что он невменяем. Он понимает разницу между правильными и неправильными поступками, между добром и злом. После этого судья объявил Дойла психически здоровым, и ему было наконец предъявлено обвинение в убийстве при отягчающих обстоятельствах.

Первое появление Дойла в зале суда на всех присутствовавших произвело неизгладимое впечатление. Он оказался гигантом: рост — под два метра, вес — килограммов сто двадцать. Бросались в глаза крупные и грубые черты лица, мощный торс, огромные ручищи. В Элрое Дойле все было необъятных размеров, и понятие о себе самом он имел соответствующее. В зал заседаний суда он всякий раз входил с выражением высокомерной презрительности, с почти открытой язвительной усмешкой. Многим казалось, что на протяжении всего процесса Дойл оставался совершенно равнодушен к происходящему, а один из репортеров писал об этом так: «Элрой Дойл готов свидетельствовать в суде против самого себя».

Наверное, ему смогла бы помочь мать, как она не раз делала в прошлом, но, увы, Бьюла Дойл умерла от СПИДа несколькими годами ранее.

Лишенный ее поддержки, Дойл вел себя враждебно и вызывающе. Даже во время подбора присяжных он громко обращался к своему адвокату с репликами вроде: «Скажи, чтобы эту жирную обезьяну выкинули отсюда к едрене фене!» И это об автомеханике, кандидатуру которого Уиллард Стельцер уже готов был утвердить! Пожелание подсудимого попало в протокол, адвокату пришлось пойти на попятную, впустую потратив столь драгоценное право на единственный отвод без объяснения причин.

Нашлась еще одна почтенная чернокожая матрона, отнесшаяся к Дойлу с некоторой симпатией, но он опять проорал на весь зал: «Да эта черномазая ни хрена не сечет в правосудии!» — и ее кандидатура тоже была снята.

Только после этого судья, который прежде ни на что не реагировал, сделал подсудимому предупреждение. Наступила пауза, в течение которой расстроенный Уиллард Стельцер, вцепившись пальцами в рукав своего подзащитного, что-то возбужденно и напористо нашептывал ему на ухо. Дальнейший подбор присяжных прошел без выходок Дойла, но они возобновились, как только начался сам процесс.

На свидетельскую скамью вызвали доктора Сандру Санчес, судебно-медицинского эксперта округа Дейд. Она показала, что охотничий нож, на котором, как уже было известно суду, обнаружили отпечатки пальцев Элроя Дойла, послужил орудием убийства Кингсли и Нелли Темпоун. Дойл с перекошенным злостью лицом снова вскочил на ноги и выкрикнул: «Ты лжешь, мерзавка! Все ты лжешь! Это не мой нож. Меня вообще там не было!»

Судья Оливадотти, неизменно строгий к представителям обвинения и защиты, но славившийся мягкостью к подсудимым, на этот раз рассвирепел: «Мистер Дойл, если вы не замолчите, я вынужден буду пойти на крайние меры, чтобы вас успокоить!»

«Да иди ты... — пробасил в ответ Дойл. — Испугал тоже! Надоело мне торчать здесь и вашу хренотень выслушивать. Разве здесь судят по справедливости? Вы все сговорились против меня, чтобы казнить... Ну так сворачивайте это дело поскорее!»

Пунцовый от гнева судья обратился к Уилларду Стельцеру: «Я требую, чтобы защита вразумила своего клиента! Это самое последнее предупреждение. Заседание суда прерывается на пятнадцать минут».

После перерыва свидетельские показания давали двое полицейских, которые были на месте преступления. Дойл беспокойно ерзал на скамье, но помалкивал. Настала очередь Эйнсли. Стоило ему приступить к рассказу об обстоятельствах ареста, как Дойл взорвался. Он с неожиданным проворством вскочил, пересек зал и набросился на Эйнсли, понося его на чем свет стоит: «...Свинья полицейская!.. Врун поганый!.. Меня там близко не было!.. Расстрига! От тебя сам Бог отвернулся!.. Гнида!..»

Дойл молотил кулаками, а Эйнсли лишь вяло оборонялся, подняв руку щитом, но не нанося ответных ударов. Опомнившиеся судебные приставы навалились на Дойла, заломили ему руки назад, повалили на пол и защелкнули наручники на запястьях.

Судья Оливадотти снова объявил перерыв.

Когда заседание возобновилось, Элроя Дойла привели с надежным кляпом во рту и приковали наручниками к тяжелой скамье.

«Никогда прежде и ни в каком суде, мистер Дойл, — с обиженным достоинством сказал судья, — не приходилось мне усмирять подсудимого столь жестоким образом. Я искренне сожалею об этом, но своим буйным поведением и необузданным языком вы не оставили мне выбора. И все же если завтра до начала заседания ваш адвокат придет ко мне и передаст ваше чистосердечное обещание вести себя впредь примерно, я рассмотрю возможность снять с вас наложенные ограничения. Но должен снова предупредить вас, что, если обещание будет нарушено, ограничения будут наложены на вас до окончания процесса».

Стельцер действительно посетил судью на следующее утро с заверениями от своего клиента, после чего кляп убрали, хотя наручники оставили. Однако заседание не продлилось и часа, как Дойл вскочил со скамьи и заорал на судью: «Ну ты и гадина, ...твою мать!»

Без кляпа в зал заседаний его больше не допускали. Судья же провозгласил, обращаясь к присяжным: «Меры, вынужденно принятые мною к подсудимому, не должны повлиять на приговор, который вы вынесете. Вам надлежит руководствоваться только уликами и свидетельскими показаниями, которые...»

Эйнсли еще подумал тогда, что присяжным едва ли легко будет отрешиться от того впечатления, которое произвели на них выходки Дойла в зале суда. Как бы то ни было, но по окончании шестого дня заседаний и после пятичасового обсуждения присяжные вынесли единогласный вердикт: «Виновен в убийстве при отягчающих обстоятельствах».

Последовал неизбежный в таких случаях смертный приговор. Дойл продолжал настаивать на своей невиновности, но не подал апелляцию сам и никому не позволил воспользоваться этим правом от своего имени. Тем не менее потребовалось выполнить немало бюрократических формальностей, извести тонны бумаги, прежде чем была названа дата казни. Срок от вынесения приговора до приведения его в исполнение получился внушительный — год и семь месяцев.

Но этот день неизбежно настал, поставив перед Эйнсли не дававший покоя вопрос: что же поведает ему Дойл в самые последние минуты жизни?

Если только они успеют...

Хорхе по-прежнему гнал машину на север по шоссе Четыреста сорок один сквозь дождь и туман.

Эйнсли посмотрел на часы. 5.48.

Он взял трубку мобильного телефона, нашел в блокноте запись с номером и набрал его. На другом конце ответили с первого гудка:

— Тюрьма штата Флорида.

— Лейтенанта Хэмбрика, пожалуйста.

— Хэмбрик слушает. Это сержант Эйнсли?

— Так точно, сэр. Мне до вас осталось около двадцати минут езды.

— Да... Времени в обрез. Мы постараемся сделать все, чтобы вы успели, но сами понимаете — такие мероприятия не откладывают.

— Понимаю, сэр.

— Наш сопровождающий уже с вами?

— Еще нет... Хотя постойте, кажется, впереди светофор.

Хорхе энергично закивал. Перед ними отчетливо были видны два зеленых сигнала.

— Поверните на светофоре направо, — повторил инструкции лейтенант. — Наша машина ждет сразу за углом. Вас будет сопровождать Секьера, я сейчас свяжусь с ним.

— Спасибо, лейтенант!

— Так, теперь слушайте внимательно. Следуйте за Секьерой вплотную. Я уже дал распоряжение беспрепятственно пропустить две машины через внешние заграждения, главные ворота и два контрольных пункта на территории. Вас подсветят прожектором с вышки, но вы продолжайте движение. Остановитесь у входа в административный корпус. Я буду вас там ждать. Все понятно?

— Так точно.

— Вы ведь вооружены, сержант?

— Вооружен.

— Тогда мы сразу же проследуем в дежурное помещение, где вы сдадите оружие и служебное удостоверение. Кто у вас водитель?

— Детектив Хорхе Родригес. Мы оба в штатском.

— Для Родригеса у нас будут отдельные инструкции по прибытии. Вам придется все делать очень быстро, сержант.

— Я готов, лейтенант, спасибо. — Эйнсли повернулся к Хорхе: — Все слышал?

— Так точно, сержант.

Светофор успел переключиться на красный, но Хорхе едва ли обратил на это внимание. Лишь чуть снизив скорость, он выехал на перекресток и свернул вправо. Невдалеке перед ними возник черно-желтый «меркьюри-маркиз», который уже начал движение, поблескивая маячком. Сине-белый «шевроле» полиции Майами пристроился ему вслед, и уже через несколько секунд стороннему наблюдателю обе машины могли показаться одним мерцающим пятном света, несущимся через ночь.

Позднее, когда Эйнсли пытался восстановить в памяти последний отрезок этого шестисоткилометрового путешествия, возникали лишь отдельные фрагменты. Он помнил безумную гонку по извилистым местным дорогам. Сорок пять километров они преодолели за неполных четырнадцать минут. Скорость, как он заметил в один из моментов, доходила до ста пятидесяти километров в час.

Эти места были знакомы Эйнсли по предыдущим поездкам. Сначала они, должно быть, проехали мимо крошечного городка Вальдо, затем по правую руку остался аэропорт Гейнсвилла, потом был Старк, спальный пригород Рэйфорда, поселок с безликими домами, скучными магазинчиками, дешевыми мотелями и множеством бензоколонок, но ничего этого он теперь не успел даже увидеть. За Старком была ночь без единого огонька... Осталось смутное ощущение леса где-то рядом... Больше он ничего в спешке не заметил.

— Приехали, — сказал вдруг Хорхе. — Вот он, Рэйфорд.

5

Тюрьма штата Флорида не только снаружи кажется неприступной цитаделью, это самая настоящая крепость. Как и две другие тюрьмы, расположенные поблизости.

По странному стечению обстоятельств Рэйфордская тюрьма находится вовсе не в Рэйфорде, а в Старке. В самом же Рэйфорде расположены два других пенитенциарных заведения. Однако именно в главной тюрьме Флориды содержатся смертники, и приговоры приводят в исполнение только здесь.

Железобетонная громада медленно надвинулась, навалилась всей своей тяжестью на Эйнсли и его товарища. Вблизи этот монолит распался на несколько тянувшихся почти на два километра в глубину высоких серых строений с зарешеченными бойницами вместо окон. Чуть выдававшаяся вперед одноэтажка была административным блоком. Справа, чуть на отшибе, стояло трехэтажное, вовсе лишенное окон здание промзоны, где заключенные работали.

По периметру территория была обнесена тремя массивными восьмиметровыми стенами, каждую из которых венчали ряды колючей проволоки и оголенные провода под током. Через равные промежутки по стенам стояли вышки с прожекторами. Часовые на них имели в арсенале не только винтовки, но и пулеметы, а также гранаты со слезоточивым газом. С любой вышки тюрьма просматривалась как на ладони. В два замкнутых многоугольных двора, образованных стенами, на ночь и в случае тревоги выпускали здоровенных сторожевых псов.

На подъезде к воротам обе машины замедлили ход. Хорхе, который прежде здесь не бывал, чуть слышно присвистнул от удивления.

— Как ни трудно поверить, — сказал Эйнсли, — но нескольким парням удалось отсюда сбежать. Вот только уйти далеко не удалось.

Он невольно посмотрел на часы, которые показывали 6.02, напоминая, что меньше чем через час Элрой Дойл совершит свой побег — самый страшный и самый последний побег.

— Случись мне, не дай бог, оказаться здесь, — упрямо мотнул головой Хорхе, — я бы сбежал как пить дать.

Автостоянка перед воротами тюрьмы была ярко залита светом. Наплыв народу в столь ранний час не застал полицейских врасплох. Они понимали, что казнь Дойла привлечет репортеров, равно как и толпу зевак, которые будут крутиться у тюремной ограды, жадно ловя любые слухи. Среди легковых машин на стоянке выделялись несколько телевизионных передвижек.

Мелкими группами поближе к воротам топтались демонстранты: некоторые держали плакаты с протестом против сегодняшней казни и высшей меры вообще, у других в руках теплились огоньками свечи.

Отдельной кучкой держались сторонники недавно возникшего движения, объединившегося под лозунгами вроде: «Налогоплательщик! Это самоубийство оплачено из твоего кармана!» или «Долой узаконенное самоубийство!» Это были главным образом молодые юристы и их друзья, которые полагали, что приговоренные к высшей мере не должны иметь права отказываться от апелляции.

Вообще говоря, после каждого вынесенного смертного приговора апелляция направлялась в Верховный суд штата Флорида автоматически и рассматривалась быстро. Но вот если апелляция отклонялась, а так было в подавляющем большинстве случаев, то дальнейший процесс обжалования приговора мог растянуться на десять лет и более. В последние же годы все чаще сами приговоренные смирялись со своей участью и отказывались от дальнейшей помощи адвокатов. Губернатор штата мудро рассудил, что это право осужденных и никак не может классифицироваться как «самоубийство». В ответ на возражения недовольных законников сей государственный муж простовато, но ядовито заметил: «Они не об этих несчастных думают, а о том, как бы самим лишний раз в суде покрасоваться».

Эйнсли гораздо больше интересовал другой вопрос: задумывались ли демонстранты о тех, кто уже не мог участвовать в этих дебатах? О жертвах убийцы...

Миновав стоянку, Эйнсли и Хорхе подъехали к главным воротам, возле которых дежурили охранники. Здесь всех прибывающих обычно просили предъявить удостоверение личности и назвать цель посещения тюрьмы. Но охранники в темно-зеленых форменных брюках и белых гимнастерках встретили полицейские машины лишь жестами, велевшими быстрее проезжать. Внутри тюремного двора их немедленно поймал и повел слепящий луч мощного прожектора. Эйнсли и Хорхе прикрыли глаза рукой.

Так же, без остановки, они проскочили через два других КПП и подкатили к зданию тюремной администрации. Эйнсли не раз бывал в Рэйфорде, приезжал допросить подозреваемых, а однажды — к заключенному, против которого выдвинули новые обвинения, но он никогда не попадал на территорию с такой молниеносной быстротой.

Первой у административного корпуса остановилась патрульная машина; Хорхе припарковал «шевроле» рядом.

Едва Эйнсли открыл дверь, к нему направился высокий чернокожий офицер в форме охранника, с лейтенантскими нашивками на рукаве. Ему было слегка за сорок — аккуратно подстриженные усики, резкий шрам через всю щеку, проницательный взгляд сквозь полукруглые стекла очков. Он протянул руку и отрывисто представился:

— Здравствуйте, сержант. Я — Хэмбрик.

— Доброе утро, лейтенант. Спасибо за помощь.

— Не стоит... Прошу следовать за мной.

Лейтенант легким размашистым шагом повел его внутрь по ярко освещенному коридору, который связывал надежно охраняемую внешнюю территорию тюрьмы с еще более тщательно охраняемыми камерами. По пути им пришлось дважды ждать, пока откроются металлические решетки, управляемые невидимым оператором, а потом — невероятной толщины стальная дверь. Непосредственно за ней начинался широкий, как шоссе-четырехрядка, коридор, тянувшийся вдоль всех семи примыкавших друг к другу зданий, где содержались заключенные.

Хэмбрик и Эйнсли задержались ненадолго у комнаты дежурных, в которой за пуленепробиваемым стеклом несли вахту двое охранников и женщина-лейтенант. Едва взглянув на них, она выдвинула наружу металлический ящичек, куда Эйнсли положил свой табельный автоматический девятимиллиметровый «глок», пятнадцатизарядную обойму к нему и полицейское удостоверение. На время посещения все это поместят в сейф. О записывающем устройстве, которое он закрепил под пиджаком еще в машине, вопросов никто не задавал, и Эйнсли рассудил, что нет нужды самому сообщать о нем.

— Пора двигаться дальше, — поторапливал Хэмбрик, но в этот момент в коридор вошла группа человек из двадцати, загородив им проход. Вновь прибывшие были хорошо одеты, лица в напряженной сосредоточенности. В сопровождении двух охранников группа быстро прошла вдоль коридора.

— Свидетели, — чуть слышно шепнул Хэмбрик.

Эйнсли и сам понял, зачем здесь эти люди: «двенадцать уважаемых граждан», как предписывал закон, плюс те, кому разрешил присутствовать при казни начальник тюрьмы. От желающих отбоя не было, но число допущенных не могло превышать двадцати четырех. Обычно свидетелей собирали в условленном месте и доставляли в тюрьму на автобусе. Их появление означало, что все идет по плану, семь часов неминуемо приближаются.

Одна из дам в этой группе заседала в сенате штата, а двое мужчин были членами палаты представителей штата Флорида. Политики конкурировали друг с другом за право присутствовать при казнях, получавших громкий общественный резонанс. На этом зарабатывались голоса избирателей. К удивлению Эйнсли, он увидел среди свидетелей городского комиссара Майами Синтию Эрнст. Эта женщина была ему когда-то небезразлична... Впрочем, ее желание увидеть воочию, как умрет Дойл, легко поддавалось объяснению.

На мгновение их взгляды встретились, и у Эйнсли коротко перехватило дух. Она все еще имела над ним власть, понял он. Синтия наверняка тоже заметила его, но вида не подала и прошла мимо с выражением холодного равнодушия.

— Начальник тюрьмы разрешил вам побеседовать с Дойлом в административном офисе корпуса для смертников, — сказал Хэмбрик, когда они смогли двигаться дальше. — Его туда приведут к вам. Все подготовительные процедуры он уже прошел. — Лейтенант взглянул на часы: — У вас будет минут тридцать, едва ли больше. Кстати, вам доводилось присутствовать на казни?

— Да, один раз.

Было это три года назад. Старшие члены семьи попросили его тогда сопроводить молодую супружескую пару, пожелавшую увидеть казнь отпетого негодяя, который изнасиловал и убил их восьмилетнюю дочь. Эйнсли сумел раскрыть это дело. Но сколько он ни твердил себе, что наблюдает за казнью по долгу службы, ему не удалось избежать эмоционального потрясения.

— Значит, поприсутствуете еще раз, — сказал Хэмбрик. — Дойл высказал просьбу, чтобы вас сделали свидетелем. Ваша кандидатура уже утверждена.

— Меня, естественно, не спросили, — вздохнул Эйнсли. — Хотя теперь это не имеет значения.

Хэмбрик только пожал плечами.

— Я тоже разговаривал с Дойлом, — сказал он. — Он к вам явно неравнодушен и относится не скажу с восхищением, но не без пиетета. Вам удалось каким-то образом сойтись с ним?

— Ни в коей мере! — Эйнсли произнес это подчеркнуто резко. — Я выследил и посадил эту сволочь, вот и все. Вообще-то он меня ненавидит. На суде он напал на меня, называл клятвопреступником, продажной ищейкой, поносил на чем свет стоит.

— У этих чокнутых настроение меняется чаще, чем мы с вами передачи в машине переключаем. Сейчас он запел иначе.

— Это не имеет никакого значения. Я здесь только для того, чтобы получить ответы на ряд вопросов, прежде чем он умрет. Что до моего к нему личного отношения, то по любой шкале оно попросту равно нулю.

Хэмбрик замолк, обдумывая его слова, потом спросил:

— Вы и правда были когда-то священником?

— Да. Вам Дойл сказал об этом?

Хэмбрик кивнул.

— Сам-то Дойл считает, что вы по-прежнему носите сан. Я был там прошлым вечером, когда он попросил вызвать вас. Он еще бормотал что-то из Библии о мести и воздаянии...

— Это из «Послания к римлянам», — подтвердил Эйнсли. — «...Дайте место гневу Божию. Ибо написано: Мне отмщение, Я воздам, говорит Господь».

— Точно. А потом он окрестил вас ангелом отмщения Господня. Как я понял, вы для него больше чем просто священник. Должно быть, наш святой отец рассказал вам обо всем этом по телефону?

Эйнсли покачал головой. На него угнетающе действовала обстановка. Больше всего ему хотелось бы оказаться сейчас дома за завтраком с Карен и Джейсоном. Что ж, теперь по крайней мере он понимал, почему Рэй Аксбридж так раздраженно с ним разговаривал и твердил о «богохульстве».

Они подошли к корпусу для приговоренных к высшей мере, или к Дому Смерти, как называли его неофициально. Он занимал три этажа и редко пустовал. Заключенные дожидались здесь рассмотрения апелляции, а потом своей очереди умереть. Эйнсли знал, что, кроме обычных камер, здесь есть «камера последнего дня» — более чем спартански оборудованное помещение, где смертники проводили не день, а последние шестьдесят пять часов перед казнью под непрерывным наблюдением надзирателей. В подготовительном боксе основным предметом обстановки было старенькое парикмахерское кресло, где обреченному выбривали голову и лодыжку правой ноги, чтобы обеспечить наилучший контакт с электродами. В самом же зале казней, помимо электрического стула — «старого электрогриля» на жаргоне заключенных, — располагались скамьи для свидетелей и наглухо закрытая будка палача.

Приготовления в зале казней велись наверняка уже не один час. Первым сюда наведывался главный электрик, чтобы подключить стул к источнику питания, отрегулировать напряжение, проверить предохранители и ту единственную рукоятку, с помощью которой облаченный в черный балахон с капюшоном палач пронизывал тело приговоренного двумя тысячами вольт — для верности автоматика повторяла разряд восемь раз. Смерть от такого удара током наступала в течение двух минут, но предполагалось, что сознание человек терял безболезненно и в первую же секунду. Как и многие другие, Эйнсли сомневался, что такая смерть не приносит мучений, впрочем, подкрепить сомнения фактами, а тем более свидетельскими показаниями по понятным причинам не представлялось возможным.

Еще одним непременным атрибутом зала казней был красный телефонный аппарат, стоявший так, что приговоренному он был хорошо виден. Непосредственно перед приведением приговора в исполнение начальник тюрьмы связывался по этому телефону с губернатором штата, чтобы получить окончательное разрешение. В свою очередь, губернатор мог позвонить начальнику тюрьмы буквально за несколько секунд до того, как рука палача ляжет на рубильник, чтобы остановить казнь. Поводом для этого могли быть неожиданно обнаруженные новые доказательства, распоряжение Верховного суда США или иные причины сугубо юридического характера. Так бывало в прошлом, так вполне могло произойти и сегодня.

По неписаному правилу, каждую казнь неизменно задерживали ровно на минуту — вдруг телефон зазвонит чуть позже назначенного времени! Таким образом, казнь Дойла должна была состояться не в семь утра, а в семь часов одну минуту.

— Вот мы и пришли, — объявил Хэмбрик. Он отпер ключом крепкую деревянную дверь и щелкнул выключателем, осветив комнатенку без окон размером в шесть квадратных метров. Из мебели в ней был лишь простой деревянный письменный стол, кресло с высокой спинкой по одну сторону, привинченный к полу металлический стул по другую — и все.

— Шеф редко сюда заглядывает, — пояснил Хэмбрик, — разве что в дни казни. — Он жестом указал Эйнсли на кресло позади стола: — Садитесь сюда, сержант, я скоро вернусь.

Пока лейтенанта не было в комнате, Эйнсли включил спрятанный диктофон.

Менее чем через пять минут Хэмбрик вернулся. За ним вошли два надзирателя, которые не столько вели, сколько волокли за собой субъекта, которого Эйнсли моментально узнал. Дойл был в кандалах и наручниках, которые, в свою очередь, были прикованы к плотно облегавшему талию заключенного поясу. Замыкал шествие отец Рэй Аксбридж.

Последний раз Эйнсли видел Дойла почти год назад во время оглашения приговора. Перемена в нем поразила его. На суде это был пышущий здоровьем, высоченный и мощный физически мужчина, агрессивный пропорционально телосложению — сейчас он выглядел почти жалким. Он стал сутулиться, плечи обмякли, потеря в весе одинаково проступала и в тощей фигуре, и в осунувшемся, словно сморщившемся лице. Вместо агрессивного блеска в глазах — нервная неуверенность в себе. Его голову уже обрили для казни, и обнажившаяся неестественно розовая кожа усиливала общее впечатление беззащитной приниженности. В последнюю минуту голову ему смажут электропроводным гелем и надвинут металлический шлем.

Аксбридж сразу попытался взять инициативу в свои руки. Он был облачен в сутану, в руке держал требник. Плечистый и рослый, с почти аристократическими чертами лица, священник обладал запоминающейся внешностью, что Эйнсли отметил про себя еще при первой встрече. Не обращая на него внимания, Аксбридж обратился к Дойлу:

— Мистер Дойл, я останусь с вами, чтобы упование на милосердие Господа до самого последнего момента не покидало вас. Хочу напомнить вам еще раз, что от вас не имеют права требовать каких-либо заявлений, а вы больше не обязаны отвечать на вопросы.

— Минуточку! — Эйнсли рывком поднялся из кресла и встал рядом с остальными. — Послушай, Дойл, я потратил восемь часов, чтобы добраться сюда из Майами, потому что тебе захотелось меня видеть. Отец Аксбридж сказал, что ты решил мне что-то сообщить.

Чуть опустив взгляд, Эйнсли заметил, как жестко стянуты вместе наручниками побелевшие кисти рук Дойла. Он кивком указал на это Хэмбрику:

— Не могли бы вы снять их на время нашего разговора?

— Нет, — покачал головой лейтенант. — С тех пор как Дойл у нас, он избил троих наших людей. Одного пришлось госпитализировать.

— Тогда забудьте о моей просьбе, — лишь кивнул в ответ Эйнсли.

Услышав его голос, Дойл вскинул голову. Сам ли голос возымел такое действие или просьба снять с него наручники, но Дойл вдруг опустился на колени и грохнулся бы лицом о пол, не удержи его охранники. Но и в этом положении Дойл сумел податься немного вперед к руке Эйнсли и безуспешно попытался ее поцеловать.

Слегка заплетающимся языком он пробормотал:

— Благословите меня, святой отец, ибо я согрешил...

— Нет! Нет! — разразился криком багровый от гнева Аксбридж. — Это богохульство! Этот человек не...

— А ну-ка молчать! — криком же оборвал его Эйнсли. Затем он обратился к Дойлу уже более спокойно: — Я давно не священник. Ты это знаешь, но если тебе хочется в чем-то мне исповедаться, я готов выслушать тебя просто как человек человека.

— Вы не можете принимать исповедь! Не имеете права! — возопил Аксбридж.

— Святой отец... — упрямо повторил Дойл свое обращение к Эйнсли.

— Я же объяснил вам, что он не священнослужитель! — зашелся криком Аксбридж.

Дойл что-то чуть слышно пробормотал.

— Он ангел отмщения Господня, — уловил его слова Эйнсли.

— Это святотатство! Не допущу! — грохотал Аксбридж.

Неожиданно Дойл повернулся к нему и сказал, осклабившись:

— Шел бы ты на ...! — Потом обратился к тюремщикам: — Уберите эту мразь отсюда!

— Думаю, вам лучше уйти, святой отец, — сказал Хэмбрик. — Он не желает вашего присутствия здесь, это его право.

— Никуда я не уйду!

Хэмбрик заговорил резче:

— Прошу вас, святой отец! Вы же не хотите, чтобы я приказал вывести вас силой?

Получив сигнал от лейтенанта, один из надзирателей оставил Дойла и ухватил за плечо Аксбриджа. Тот дернулся, высвобождаясь.

— Вы не посмеете! Я — служитель Господа! — Надзиратель замер в нерешительности, а Аксбридж сказал, глядя на Хэмбрика в упор: — Вы еще об этом пожалеете. Я сообщу о вашем поведении самому губернатору. Какое счастье, что Церковь от вас избавилась! — презрительно бросил он в сторону Эйнсли, смерил всех негодующим взглядом и вышел.

Элрой Дойл, который все еще стоял на коленях перед Эйнсли, начал снова:

— Благословите меня, святой отец, ибо я согрешил. Последний раз я исповедовался... Не помню ни хрена, когда это было!

При других обстоятельствах Эйнсли улыбнулся бы, но сейчас его обуревали противоречивые чувства. Совесть была неспокойна. Да, он хотел выслушать исповедь Дойла, но не выдавая себя за кого-то другого.

Тут на помощь пришел Хэмбрик. Озабоченно взглянув на часы, он вернул ситуацию в область здравого смысла:

— Если вы хотите успеть его выслушать, делайте, как он хочет.

Эйнсли колебался. Надо сделать все это иначе, думал он.

Но необходимость *узнать* возобладала... Получить ответы на вопросы и, быть может, по-новому взглянуть на события, которые произошли уже давно.

А началось все в Кокосовом оазисе прохладным январским утром два года тому назад в начале восьмого.

ЧАСТЬ ВТОРАЯ

Прошлое

1

Орландо Кобо, немолодой уже сотрудник охраны отеля «Ройал колониел», расположенного в Кокосовом оазисе, одном из «спальных» районов Майами, устал. Он совершал последний обход восьмого этажа, прежде чем отправиться домой. Было около семи утра после долгой, но не богатой событиями ночи. Всего три мелких происшествия за восьмичасовую смену.

«Ройал колониел» называли иногда богадельней, потому что здесь не буянила молодежь, не устраивались оргии, как не бывало и проблем с наркоманами. Большинство постояльцев неизменно составляла пожилая и солидная публика, которой нравились покой немноголюдного вестибюля отеля, обилие зелени в кадках да и сам архитектурный стиль, в котором отель был построен, — кто-то однажды определил его как «свадебный торт из кирпича».

Впрочем, именно такой отель и был более всего уместен в Кокосовом оазисе, где поразительным образом старомодное соседствовало с современным. В этом районе покосившиеся столетние домишки стояли бок о бок с фешенебельными особняками; дешевые мелочные лавки располагались дверь в дверь с пугающими дороговизной модными магазинами; забегаловки, где можно было перекусить на скорую руку, соседствовали с ресторанами для утонченных гурманов. Словом, бедность и богатство обитали здесь рука об руку. У Кокосового оазиса, считавшегося старейшим кварталом Майами (поселок возник на двадцать лет раньше самого города), было не одно, а несколько лиц, и каждое желало главенствовать.

Понятно, однако, что не об этом размышлял Кобо, когда вышел из лифта и направился вдоль коридора восьмого этажа. Он не был философом и даже не жил в Кокосовом оазисе, приезжая каждый день на работу из северного Майами. Ничто не предвещало неприятностей, мыслями он уже был на пути домой.

В самом конце коридора, где находилась пожарная лестница, он вдруг заметил, что дверь номера восемьсот пять чуть приоткрыта. Изнутри доносились громкие звуки то ли радиоприемника, то ли телевизора. Кобо постучал. Не получив ответа, он открыл дверь, просунулся внутрь и сразу скривился от невыносимой вони. Зажав рот и нос ладонью, он вошел. От зрелища, открывшегося ему в комнате, Кобо почувствовал слабость в коленках. Прямо перед ним в огромной луже крови лежали два трупа — мужчины и женщины, а куски человеческой плоти были разбросаны вокруг.

С невероятной быстротой охранник выскочил в коридор. Ему стоило изрядных усилий сохранять самообладание. Он снял с пояса мобильный телефон и набрал 911.

— Служба «Девять-один-один» слушает! — ответила дежурная. — Чем мы можем вам помочь?

Короткий гудок означал, что разговор начал записываться на пленку.

Дежурная центра связи полиции Майами выслушала сообщение Орландо Кобо о двойном убийстве в отеле «Ройал колониел».

— Вы сотрудник охраны?

— Точно так, мэм.

— Где вы находитесь?

— Прямо рядом с номером. Это — восемьсот пятый.

В процессе разговора дежурная набирала информацию на экране компьютера. Спустя считаные мгновения ее прочитает диспетчер соответствующего отдела.

— Оставайтесь на месте, — сказала охраннику дежурная, — и возьмите дверь номера под контроль. Не пускайте туда никого до прибытия наших людей.

Полицейский Томас Себайос в патрульной машине под номером сто шестьдесят четыре курсировал в паре километров оттуда, в районе шоссе Саут-Дикси, когда получил вызов из центра. Его машина тут же почти на месте развернулась, взвизгнув покрышками, и с воющей сиреной понеслась по направлению к «Ройал колониел».

Еще несколько минут, и Себайос присоединился к Кобо у двери восемьсот пятого номера.

— Я навел справки в нашей службе размещения, — сказал ему охранник, сверяясь со своими записями. — Этот номер занимали супруги Фрост из Индианы. Гомер и Бланш Фрост. — Кобо передал полицейскому листок с именами и ключ-карту от номера.

Вставив карту в прорезь замка, Себайос открыл дверь и осторожно вошел. Инстинктивно отшатнувшись в первое мгновение, он заставил себя вникнуть в детали обстановки: вскоре ему предстояло дать ее подробное описание.

Перед ним были трупы пожилых мужчины и женщины; связанные, с кляпами во рту, они находились в сидячем положении друг против друга словно для того, чтобы один мог видеть, как умирает другой. Лица жертв носили следы побоев, у мужчины были выжжены глаза. Тела покрывали множественные ножевые раны. Звуковым фоном для всего этого ужаса служили мощные аккорды тяжелого рока, несшиеся из радиоприемника.

Томас Себайос решил, что с него достаточно. Он вернулся в коридор и по радио вызвал диспетчера; его личный номер автоматически должен был высветиться при этом на дисплее компьютера. Все еще прерывающимся голосом он попросил:

— Соедините меня с отделом по расследованию убийств на первом.

Тактический первый радиоканал был зарезервирован для переговоров сотрудников отдела по расследованию убийств. Сержант Малколм Эйнсли, личный номер тринадцать-десять, как раз ехал тогда на работу в машине без маркировки и уже успел доложить диспетчеру, что приступил к обязанностям. В этот день группа Эйнсли была дежурной.

По сигналу из центра связи Эйнсли переключился на первый канал:

— Тринадцать-десять слушает. Прием.

— Два трупа в отеле «Ройал колониел», — доложил Себайос. — Номер восемьсот пять. Возможно, вариант тридцать один. — Он сделал паузу, сглотнул и более решительно сказал: — Поправка: это стопроцентный тридцать первый и очень тяжелый.

«Вариант тридцать один» на языке полицейского радиообмена означал убийство.

— Направляюсь к вам, — ответил Эйнсли. — Изолируйте помещение. Никого туда не впускайте и не входите сами.

Эйнсли резко развернул машину и, прибавив газу, помчался в обратном направлении. На ходу он вызвал по радио детектива Бернарда Квинна и приказал прибыть в «Ройал колониел».

Остальные сыщики из его группы уже разъехались по другим вызовам. В последние месяцы убийств совершалось все больше, на столах детективов скапливались груды дел. Вот и нынешний день приносил новую страшную жатву.

Эйнсли и Квинн подъехали к отелю с интервалом в считаные секунды и вместе направились к лифтам. Седеющий, с усталым, покрытым морщинами лицом, Квинн умел и любил одеваться. В этот день на нем был темно-синий блейзер, серые брюки с безукоризненными стрелками и галстук в полоску. Англичанина по рождению, американцем его сделали приемные родители, он был ветераном полиции — шестидесятилетие и выход на пенсию уже не за горами.

Коллеги относились к Квинну с уважением и симпатией отчасти потому, что никогда в жизни он никому не перебежал дороги. Став детективом, он прекрасно справлялся с работой, но к повышению не стремился. Он попросту не хотел брать на себя ответственность за других и даже не пытался сдать экзамены на сержанта, хотя справился бы с ними легко. При всем при этом Квинну с легким сердцем можно было поручить любое расследование.

— Возьмешь это дело на себя, Берни, — распорядился Эйнсли. — Я помогу, чем смогу. Принимайся за работу.

Еще в холле гостиницы у стойки регистрации Эйнсли заметил двух журналисток. Они, вероятно, были из тех репортеров, что кружат по городу, слушая переговоры полицейских по радио, чтобы первыми подоспеть на место преступления. Одна из них узнала детективов и опрометью бросилась к их лифту, но не успела — створки дверей сомкнулись.

— А ведь у кого-то день начинается по-человечески! — сокрушенно вздохнул Квинн.

— Скоро сам убедишься, — сказал Эйнсли. — Как знать, ты, быть может, еще будешь скучать на пенсии по этой свистопляске.

Как только они вышли на восьмом этаже, путь им преградил охранник.

— Если вы, джентльмены, сюда по делу... — начал Кобо, но осекся, заметив полицейские значки полиции Майами, которые Эйнсли и Квинн предусмотрительно прицепили на карманы пиджаков.

— К сожалению, именно по делу, — подтвердил Квинн.

— Извините! Рад, что вы уже здесь. Я просто не пускаю сюда никого, у кого нет...

— Продолжайте в том же духе, — велел Эйнсли. — Оставайтесь пока здесь. Сюда прибудет много наших людей, но посторонних не пропускайте. Даже в коридор.

— Слушаюсь, сэр! — Ошеломленный происшествием, Кобо забыл, что собирался домой.

На пороге номера восемьсот пять их ждал Себайос, преисполненный к прибывшим почтения. Как многие молодые полицейские, он мечтал в будущем сменить форму патрульного на штатский костюм детектива, а потому не прочь был произвести хорошее впечатление. Он передал им листок с именами, полученный прежде от охранника, доложил, что место преступления сохранено в неприкосновенном виде, если не считать краткого осмотра, проведенного им самим.

— Отлично, — кивнул Эйнсли. — Оставайтесь здесь, я вызову вам в помощь еще двоих. Пресса уже в отеле, очень скоро они начнут ломиться сюда. Ни один не должен прорваться на этаж. И никакой информации. Твердите им, что позже они получат ее у представителя службы по связям с общественностью. Никто не должен приближаться к двери номера без моего или инспектора Квинна разрешения. Инструкции ясны?

— Да, сэр.

— Вот и хорошо. Так... Теперь посмотрим, что мы тут имеем.

Стоило Себайосу открыть дверь восемьсот пятого номера, Квинн в отвращении наморщил нос.

— Стало быть, вот этого мне будет не хватать на пенсии?

Эйнсли только помотал головой в ответ. Это и в самом деле тошнотворно — запах смерти, прогорклая вонь, от которой никуда не деться на месте убийства, особенно если из открытых ран вытекло много крови.

Оба детектива пометили в блокнотах время, когда вошли в номер. Теперь до самого окончания следствия им предстояло фиксировать на бумаге каждый свой шаг. Трудоемко, но крайне важно — позднее в суде адвокаты не преминут поставить под сомнение их способность запоминать детали, не прибегая к записям.

Но поначалу они просто застыли, пораженные чудовищной картиной: две кровавые лужи, начавшие подпекаться по краям, два обезображенных, уже тронутых разложением трупа. Любой начинающий детектив из отдела убийств первым делом узнавал на практике, что как только жизнь покидает человеческое тело, его распад происходит поразительно быстро. Стоит сердцу перестать разгонять кровь по жилам, как мириады микробов обращают плоть в тлен. Эйнсли хорошо помнил, как один судебный медик со стажем в запале кричал: «Гниль! Дерьмо! Вот что такое труп. Мы в нем порылись и узнали все, что нужно, лучше как можно быстрее от него избавиться. Человеческие останки необходимо тут же сжигать! Это оптимально. Кому захочется развеять прах по ветру, бога ради! Никаких возражений! А вот гробы, могилы, кладбища — чистое варварство. Земле можно найти гораздо лучшее применение».

Восемьсот пятый номер был вдобавок основательно разгромлен. Стулья перевернуты, постельные принадлежности скручены жгутом, одежда убитых разбросана по всей комнате. Радиоприемник на подоконнике продолжал грохотать.

— Когда вы вошли сюда в первый раз, что передавали? — спросил Квинн, обернувшись к Себайосу.

— Примерно то же, что и сейчас. И охранник из отеля говорит, что слышал эту музыку. Сдается мне, это станция «Металл-105».

— Спасибо, — кивнул Квинн, черкнув в блокноте. — Сын обожает эту муть, а я лично от нее моментально зверею.

Эйнсли в этот момент уже настукивал кончиком пальца по кнопкам мобильного телефона. За трубку аппарата в номере восемьсот пять нельзя было браться, пока не сняли отпечатки пальцев.

Первым делом он связался с группой экспертов-криминалистов — одним из штатских подразделений управления полиции Майами, чьи сотрудники работали по контракту. На них должна лечь техническая часть осмотра места преступления. Они сфотографируют здесь все вплоть до мельчайших улик, которые неопытный глаз даже не заметит, снимут отпечатки пальцев, соберут кровь на анализ и все прочее, что может понадобиться сыщикам. Важнее всего было сохранить место преступления в неизменном виде до прибытия криминалистов. Один случайный человек, оказавшийся здесь, мог уничтожить важную улику, и конец — преступление не раскрыто, убийца разгуливает на свободе. Случалось, что такими профанами оказывались высокие полицейские чины, которые вообще любят «выезжать на убийства», движимые любопытством чистейшей воды. Поэтому уже давно действовало правило, что только ведущий следователь из отдела по расследованию убийств распоряжается на месте преступления, пусть он и самого младшего чина в полицейской табели о рангах.

Затем Эйнсли позвонил с докладом своему начальнику лейтенанту Ньюболду, который был уже в пути, чтобы лично присутствовать при начале расследования; сделал запрос в прокуратуру штата, чтобы выслали своего представителя; убедительно попросил пресс-службу взять на себя журналистов, осадивших отель.

Как только криминалистическая экспертиза закончит работать с трупами, Эйнсли отдаст их медику. Чем раньше он осмотрит тела, тем лучше для следствия.

Потом трупы отвезут в окружной морг, произведут вскрытие, при котором будет присутствовать Бернард Квинн.

Пока Эйнсли был занят телефонными звонками, Квинн натянул на правую руку резиновую перчатку и осторожно выдернул вилку из розетки, отключив гремевшее радио. Затем он принялся за методичный осмотр жертв преступления: характер ран, одежда, содержимое карманов, предметы, лежащие рядом с трупами, — все наблюдения аккуратно заносились в блокнот.

Отметил он и несколько дорогих на вид ювелирных украшений, сложенных на столике у кровати. Следующее открытие заставило его вскрикнуть:

— Ты только посмотри на это!

Эйнсли поспешил откликнуться на зов и тоже увидел, что позади трупов, невидимые поначалу, были сложены рядком четыре дохлые кошки. Непостижимая дикость! Некоторое время сыщики в изумлении разглядывали жалкие тушки.

— Этим нам хотели что-то сказать, — заметил Эйнсли после тягостной паузы. — Есть предположения, что именно?

— Вот так, сразу? Нет... — в задумчивости ответил Квинн. — Видно, придется поломать голову.

Потом месяцами почти все в их отделе ломали над этим головы. Выдвигались версии, порой весьма замысловатые, но по всестороннем рассмотрении все они отвергались как неправдоподобные. Только много позже стало очевидно, что на месте убийства Фростов присутствовала еще одна, все проясняющая улика, находившаяся в нескольких сантиметрах от несчастных мурок.

Теперь же Квинн склонился, чтобы поближе рассмотреть грубо отсеченные от тел куски плоти. Всего через несколько мгновений он шумно сглотнул. Эйнсли бросил на него встревоженный взгляд:

— Что с тобой?

— Сейчас... — только и сумел выдавить из себя Квинн, метнувшись к двери. Полминуты спустя завтрак, с аппетитом съеденный Квинном около часа назад, оказался в унитазе. Прополоскав рот и хорошенько умывшись, он вернулся к работе.

— Давненько со мной этого не приключалось, — сказал он с виноватым видом.

Эйнсли только кивнул. Квинн мог не извиняться: время от времени подобные казусы происходили с каждым из них, и никто не считал это слабостью. Действительно *непростительным* было бы сблевать прямо на месте преступления, сделав вещественные доказательства непригодными для экспертизы.

Донесшиеся из коридора громкие голоса возвестили о прибытии криминалистов. Первым вошел старший группы Хулио Верона, за ним — эксперт первого ранга Сильвия Уолден. Верона, приземистый лысоватый крепыш, с порога принялся изучать обстановку острыми темными глазками. Уолден, молоденькая длинноногая блондинка, была специалистом по дактилоскопии и имела при себе черный чемоданчик размером чуть больше обычного «дипломата».

Некоторое время все молчали. Потом Верона помотал головой и сказал со вздохом:

— У меня вот двое внучат... Сегодня утром за завтраком мы смотрели телевизор. Как раз показывали сюжет, как пара школьников убила дружка своей матери. Я и говорю малышам: «Вам от нас достанется в наследство совсем обезумевший мир». И тут как раз звонок, и теперь вот этот ужас. — Он жестом указал на обезображенные трупы. — Все страшнее день ото дня, да?

— Этот мир всегда был невеселым местом, Хулио, — задумчиво отозвался Эйнсли. — Вся разница в том, что сейчас стало больше потенциальных жертв и убийц. Да и новости распространяются все быстрее. Скоро нам будут показывать эту жуть в прямых репортажах.

— Ты в своем репертуаре... философ... — пожал плечами Верона. — А по мне, как ни крути, все равно тоска.

Он начал фотографировать трупы, делая с каждой точки по три снимка: общий, средний и крупный планы. Помимо этого, криминалисту нужно будет еще сфотографировать каждый уголок номера, коридор, лестничные клетки, лифты и само здание снаружи, уделяя особое внимание всем входам и выходам, которыми мог воспользоваться убийца. Такая съемка нередко выявляла детали, не замеченные следователями при первом осмотре. В обязанности Вероны входило к тому же составление детального плана места преступления, который позже внесут в память специального компьютера.

Сильвия Уолден пыталась выявить невидимые отпечатки пальцев, взявшись в первую очередь за входную дверь внутри и снаружи, где неосторожный преступник мог оставить след своей руки. Вламываясь в чужое жилище, нервничают самые закоренелые негодяи и нередко забывают о перчатках, правда, позже спохватываются.

Уолден наносила на деревянные поверхности смесь из черного графитного порошка и мельчайших металлических опилок, собирая излишки намагниченной щеточкой. Смесь пристает в тех местах, где попадает на влагу, липиды, аминокислоты, соли и другие химикалии, что и позволяет образоваться отпечатку.

На более гладких поверхностях — стекле, металле — применялся немагнитный порошок, притом разного цвета для лучшей видимости на том или ином фоне. Уолден умело манипулировала этим арсеналом, зная, что отпечатки получаются разными в зависимости от структуры кожи, температуры тела и веществ, которые прилипают к кончикам пальцев.

Томас Себайос тихо вошел в комнату и наблюдал теперь, как работает Уолден. Было заметно, что молодая женщина произвела на него сильное впечатление. Почувствовав на себе его взгляд, Сильвия с улыбкой обернулась и сказала:

— Добыть хорошие отпечатки труднее, чем думают многие.

— А по телевизору кажется легко, — просияв, ответил Себайос.

— По телевизору все легко. А вообще-то все дело в поверхности, — охотно пустилась в объяснения Сильвия. — Лучше всего снимать пальцы с ровной и гладкой поверхности, со стекла, например, но только чистого и сухого. Если стекло пыльное, отпечатки выйдут смазанными, такие никуда не годятся. Дверные ручки для нас безнадежны. Плоские участки слишком малы, сплошные округлости, а отпечатки практически всегда смазываются, когда ручку поворачивают. — Уолден внимательнее посмотрела на юного патрульного и нашла его симпатичным. — А знаете, что качество отпечатков пальцев зависит и от того, что человек ел?

— Шутите?

— Нисколько. — Она еще раз улыбнулась ему и продолжала свой рассказ, ни на секунду не прерывая работы: — Кислая пища способствует выделению подкожной влаги, отпечатки получаются более четкими. Так что если соберетесь совершить преступление, ни в коем случае не ешьте накануне цитрусовых. Никаких апельсинов, грейпфрутов или лимонов. Помидоры тоже лучше исключить. О, и уксус, разумеется! Уксус хуже всего.

— Но для нас-то лучше, — поправил Хулио Верона.

— Я собираюсь стать детективом, — сказал Себайос, — так что постараюсь все это запомнить. — Потом спросил у Сильвии: — Вы, случайно, не даете частных уроков?

— Вообще-то нет, — снова улыбнулась она, — хотя я могла бы сделать и исключение.

— Хорошо, тогда я с вами свяжусь. — С этими словами Себайос с довольным видом вышел из номера.

Малколм Эйнсли, невольно слышавший разговор, не удержался от ремарки:

— Я вижу, жизнь берет свое даже на месте убийства.

Уолден скорчила гримасу отвращения, еще раз посмотрев на трупы.

— Уж лучше так, а то вообще с ума сойдешь.

Сильвия сумела выделить несколько групп отпечатков пальцев, но принадлежали ли они убийце или убийцам, были ли оставлены самой покойной четой или персоналом отеля, можно будет определить только значительно позже. Теперь ей предстояло скопировать отпечатки на прозрачную пленку и поместить на карточки. С проставленной датой, местом обнаружения отпечатков и подписью эксперта такие карточки становились уликами, пригодными для предъявления в суде.

— Ты слышал про наш эксперимент в зоопарке? — спросил Верона, обращаясь к Эйнсли.

— Нет, — покачал головой тот. — Что за эксперимент?

— С разрешения нашего городского зверинца мы сняли отпечатки пальцев рук и ног у шимпанзе и других человекообразных обезьян, а потом проанализировали их... Пусть Уолден расскажет, — сделал он жест в сторону коллеги.

— Все оказалось в точности как у людей, — сказала Сильвия Уолден. — Те же бороздки, завитки, петли, сходные индивидуальные признаки, словом, никаких отличий от человеческих отпечатков.

— Так что, похоже, Дарвин был прав, а, Малколм? — не удержался от замечания Верона. — Копни под корень генеалогическое древо любого из нас, там — макака!

Верона знал о церковном прошлом Эйнсли, потому и съязвил.

Эйнсли никогда не был фундаменталистом, но и он в свое время разделял скептицизм католиков в отношении дарвиновского «Происхождения видов». Ведь Дарвин замахнулся на Промысел Божий, лишил человека права на превосходство перед остальным животным миром, ореола венца творения. Но с тех пор, как Эйнсли думал так, много воды утекло, и сейчас он ограничился замечанием:

— Да, сдается мне, старик Дарвин попал в точку.

Эйнсли прекрасно понимал, что все они в этой комнате: и Уолден, и Верона, и Себайос, и Квинн, и даже он сам — преследуют этими разговорами только одну цель — отвлечься, пусть ненадолго, от ужасающего вида трупов. Сторонний наблюдатель нашел бы их поведение цинично-хладнокровным, но их подлинные ощущения были далеко не такими. Психика человека, пусть даже психика многоопытного следователя из отдела по расследованию убийств, обладает способностью переваривать отвратительные картины лишь в крайне умеренных количествах.

Прибыл еще один эксперт-криминалист и занялся образцами крови. Он собирал кровь, которой разлилось предостаточно вокруг обеих жертв, в лабораторные пробирки. Эти пробы затем сравнят с анализом крови, сделанным во время вскрытия. Кто знает, быть может, одно из кровавых пятен оставил преступник или преступники?

Впрочем, в данном случае такое казалось маловероятным.

Затем эксперты взяли у Фростов анализы из-под ногтей на тот случай, если кто-то из них в борьбе с убийцей поцарапал его и под ногтями остались частички кожи, волоски, нитки или что-нибудь, что может навести на след. Эти образцы тщательно упаковали в пластиковые пакетики для отправки в лабораторию. В пакеты побольше уложили отсеченные руки, чтобы еще перед вскрытием снять отпечатки пальцев. Тогда можно будет поискать чужие отпечатки на телах убитых.

Тщательно изучили одежду Фростов, но не сняли ее: это будет сделано уже в морге перед вскрытием, где каждую вещь опять-таки поместят в отдельный полиэтиленовый мешок.

Все новые люди приходили сюда, гул разговора стал неумолчным, поминутно звонил телефон — в номере стало тесно, шумно, а вонь усилилась.

Эйнсли посмотрел на часы: без четверти десять. Он невольно подумал о Джейсоне, который как раз сейчас вместе со всеми третьеклашками сидит в школьном актовом зале в ожидании начала конкурса по правописанию. Карен и другие родители заняли места для зрителей, волнуясь за своих чад, но и гордясь их успехами. Эйнсли надеялся, что успеет туда, но ничего не вышло, как не выходило почти никогда.

Он заставил себя вернуться мыслями к расследованию. Быстро ли удастся раскрыть это дело? Хотелось надеяться, что да. Однако уже через несколько часов детективы столкнулись с главной проблемой: множество людей находились в отеле в ту ночь, но никто ничего подозрительного не заметил. Получалось, что убийца (или убийцы) проник в гостиницу и вышел из нее так, что не привлек к себе ни малейшего внимания. По приказу Эйнсли полицейские допросили всех постояльцев восьмого и еще двух этажей — сверху и снизу. Никто ничего не видел.

Естественно, за те семнадцать часов, которые Эйнсли провел на месте преступления в первый день, они с Квинном не раз обсуждали его возможные мотивы. Одним из вариантов было ограбление; среди вещей покойных сыщики денег не обнаружили. С другой стороны, найденные в номере драгоценности, оцененные позднее в двадцать тысяч долларов, остались нетронутыми. К тому же отобрать у пожилых людей наличность можно было, не лишая их жизни. В версию ограбления не вписывалась и ужасающая жестокость убийства, не говоря уже о дохлых кошках. Мотив преступления, таким образом, оставался не меньшей загадкой, чем личность преступника.

Первоначальная информация о Гомере и Бланш Фрост, полученная по телефону от полицейских в городке Саут-Бенд в штате Индиана, рисовала их вполне безобидной, зажиточной супружеской парой без намека на склонность к каким-либо порокам, семейные неурядицы или возможные связи с преступным миром. Впрочем, через день-другой Берни Квинну все равно предстояло вылететь в Индиану, чтобы самому навести более подробные справки.

Установить некоторые факты и выдвинуть более или менее обоснованные гипотезы сумела только судебный медик Сандра Санчес, которая обследовала трупы на месте, а потом провела вскрытие.

Она полагала, что после того как жертвы связали и заткнули рты кляпами, их усадили так, чтобы они видели мучения друг друга. «Они находились в сознании, когда их пытали, — утверждала она, — их терзали медленно и методично».

Хотя орудия убийства сыщики на месте преступления не обнаружили, вскрытие показало, что смертельные раны были нанесены ножом, оставившим характерные следы на плоти и даже на костях убитых. И еще одна ужасающая деталь: в глазницы Гомеру Фросту налили какую-то легковоспламеняющуюся жидкость и подожгли. От его глаз остались буквально головешки, окруженные обугленной кожей. Муки женщины были так чудовищны, что она от боли, несмотря на кляп во рту, откусила себе кончик языка.

Доктор Санчес, которой было уже где-то под пятьдесят, отличалась прямотой нрава и язвительностью. Она носила только строгие деловые костюмы темно-синих или коричневых тонов, седеющие волосы собирала в пучок. Бернард Квинн знал, что одним из ее увлечений была сантерия — религия афрокубинцев, получившая широкое распространение во Флориде, где в одном округе Дейд у нее насчитывалось семьдесят тысяч последователей.

Квинн припомнил, как однажды Сандра Санчес разглагольствовала при нем на эту тему. «Нет, я не то чтобы верю в оришей — богов сантерии... Но вы ведь верите в свои сказки? В Моисея, заставившего воды Красного моря расступиться, в непорочное зачатие, Иисуса с его пятью хлебами, Иону в чреве кита? Так вот, в поверьях сантерии нисколько не меньше логики. И она дает не меньшее утешение мятущимся душам, чем другие религии», — говорила она тогда.

Поскольку заклание жертвенных животных входило в число ритуалов сантерии, Квинн предположил, что с этим могут быть как-то связаны дохлые кошки, найденные рядом с трупами Фростов.

— Абсолютно исключено, — отрезала доктор Санчес. — Я осмотрела этих кошек. Их умертвили очень грубо — попросту удавили голыми руками. Жертвоприношения в сантерии совершаются благоговейно, острым ножом, животных не бросают как попало, а употребляют в пищу за праздничным столом. Кошки для этого не годятся.

Пришлось констатировать, что первоначальные результаты расследования оптимизма не внушают.

— Типичная головоломка, — доложил Эйнсли Лео Ньюболду.

«Головоломками» сыщики называли между собой дела, в которых отсутствовала всякая информация о преступнике, а иной раз и о жертве тоже. Не было ни свидетелей, ни хотя бы намека, в каком направлении вести следствие. Противоположностью «головоломкам» считались «щелкунчики» — легкие дела, когда в поле зрения полиции быстро попадали и подозреваемый, и улики, его изобличавшие. Легче всего обстояло с делами, о которых говорили: «взяли тепленьким», — что значило, что убийцу арестовали прямо на месте преступления.

Под конец, уже спустя долгое время после трагической кончины Гомера и Бланш Фрост, именно убийство из разряда «взяли тепленьким» позволило разгадать «головоломку» и закрыть дело пожилой четы из Индианы.

2

Около восьми утра в пятницу, через три дня после убийства в отеле «Ройал колониел», Бернард Квинн пришел в отдел криминалистической экспертизы, расположенный на том же пятом этаже полицейского управления, что и отдел по расследованию убийств. Здесь среди компьютеров и столов, заваленных карточками с отпечатками пальцев, работали несколько экспертов. Сильвия Уолден, сидевшая перед экраном огромного дисплея, при его приближении подняла голову. Он заметил, что ее длинные волосы слегка влажны. Должно быть, она, как и сам Квинн, попала в жуткий ливень по дороге на работу.

— Доброе утро, Бернард, — приветствовала она его с улыбкой.

— Не такое уж оно пока и доброе, — мрачно отозвался он, — но, быть может, ты сумеешь подправить картину, а?

— Что, улик маловато? — спросила Сильвия сочувственно.

— Скажи лучше, их просто нет. Я, собственно, потому и пришел, что хотел узнать, какого дьявола ты так долго возишься с отпечатками. Где твое заключение?

— Три дня — это вовсе не долго, — резко возразила она. — У меня куча отпечатков, каждый надо проверить и идентифицировать. Тебе ли не знать...

— Прости, Сильвия, — сказал Квинн примирительно. — От этого тошнотворного дела я сам не свой. Тут не до хороших манер.

— Ладно, можешь не извиняться. Я тебя понимаю.

— Так что у тебя?

— Только что поступила электронная почта из Нью-Йорка. Прислали отпечатки пальцев мужчины, который останавливался в том номере до Фростов.

— На него в Нью-Йорке есть досье?

— Нет, он чист, но согласился дать свои пальчики, чтобы помочь нам. Я как раз только начала сравнивать их с теми, что есть у нас.

Уолден пользовалась компьютером, который был последним достижением техники, он назывался АСИОП — Автоматизированной системой идентификации отпечатков пальцев. Отсканировав отпечаток с места преступления, эта машина за два часа делала работу, на которую человек, это было точно подсчитано, затратил бы сто шестьдесят лет: сравнивала его с сотнями тысяч отпечатков в банках данных по всей Америке. Если находился аналогичный, компьютер тут же выдавал информацию о его владельце. Данные заносились в память с помощью цифрового кода, получить их можно было молниеносно. С помощью АСИОП многие преступления раскрывались сразу же. Более того, как только эта техника поступила на вооружение полиции, следователи вернулись к давним нераскрытым делам и сумели привлечь преступников к ответу. Но сегодня перед Сильвией стояла задача проще: сравнить отпечатки пальцев, полученные по модемной связи из Нью-Йорка, с отпечатками, обнаруженными в номере отеля «Ройал колониел».

Ответ от компьютера поступил сразу же. Материал из Нью-Йорка полностью соответствовал полученному в гостинице.

Сильвия Уолден не сдержала вздоха:

— Боюсь, неважные новости, Берни.

Становилось ясно, что все отпечатки пальцев, которые ей удалось обнаружить в номере, принадлежали либо самим жертвам убийства, либо горничной, либо предыдущему постояльцу.

Квинн пригладил пальцами взъерошенные волосы и мрачно усмехнулся. Да, выдавались дни, когда время, остававшееся до пенсии, ползло черепашьими шагами.

— Надо признаться, я не слишком удивлена, — сказала Сильвия. — В нескольких местах я нашла лишь смазанные следы, что остаются от резиновых перчаток. Могу смело утверждать, что преступник орудовал в них. Хотя есть у меня еще кое-что...

— Что именно? — встрепенулся Квинн.

— Отпечаток ладони. Всего лишь части, но важнее, что он не принадлежит известным нам персонажам. Я специально просила снять для меня ладони у них у всех. И в картотеке полиции нет аналогичного. — Она порылась в бумагах у себя на столе и протянула Квинну листок с черно-белым оттиском фрагмента пятерни: — Вот он.

— Интересный рисуночек, — сказал Берни, повертев листок перед глазами, а затем вернув его Сильвии. — Если это портрет, то я никогда прежде не видел этого человека... Ну а кроме шуток, будет от него какой-то прок?

— Будет, Берни, если ты приведешь ко мне подозреваемого. Я обработаю ему ладонь и смогу сказать тебе точно, был ли он на месте преступления.

— Если только счастье улыбнется, — заверил он, — я примчусь к тебе со скоростью звука.

Возвращаясь к себе в отдел по коридору пятого этажа, Квинн ощутил легкий прилив оптимизма. Эта ладошка... От нее можно плясать.

В деле Фростов улик оказалось катастрофически мало. На следующий день после убийства Квинн вернулся в «Ройал колониел» с пространным списком вопросов. Он еще раз внимательно изучил место преступления, а потом вместе с главным экспертом-криминалистом Хулио Вероной они перебрали все найденные предметы, чтобы прикинуть их значимость. Одним из них был вскрытый конверт из банка «Ферст юнион». Позже в тот же день Квинн дал себе труд обойти все филиалы этого банка, что были расположены по соседству. Ему удалось установить, что в канун убийства Фросты обналичили дорожные чеки на восемьсот долларов в отделении «Ферст юнион» на Двадцать седьмой Юго-Западной авеню, то есть в двух шагах от гостиницы. Операционист, выдавший деньги, припомнил эту пожилую пару и уверенно показал, что никого больше с ними в банке не было. Точно так же ни он, ни кто-либо другой из банковских служащих не заметил, чтобы за Фростами была слежка.

Квинн отдал распоряжение провести дополнительное дактилоскопическое обследование восемьсот пятого номера, но на этот раз в темноте с использованием флюоресцентного порошка, облучаемого лазером. Эта технология иной раз выявляла отпечатки пальцев, не замеченные при обычном осмотре. Но сейчас ничего нового обнаружить не удалось.

Управляющий «Ройал колониел» снабдил его списком гостей отеля непосредственно в день убийства и еще более обширным списком постояльцев за предыдущий месяц. Полицейские должны будут переговорить с каждым — лично или по телефону. Если кто-то поведет себя подозрительно или агрессивно, старший офицер или даже сам Квинн займется этим субъектом более детально.

Охранник Кобо дал показания под присягой. Квинн устроил ему жесткий допрос, заставляя его припоминать все новые подробности на тот случай, если он упустил какую-нибудь важную мелочь. Не менее пристрастному допросу были подвергнуты и остальные работники гостиницы, так или иначе соприкасавшиеся с Фростами, но ничего нового от них узнать не удалось.

Полиция проверила все телефонные звонки, что были сделаны из номера. Они регистрировались непосредственно в отеле, звонивших Фростам помогла выявить телефонная компания, предоставившая сыщикам доступ к этим данным по постановлению властей. Но и это ничего не дало.

Квинн не преминул связаться с несколькими полицейскими информаторами, надеясь выудить что-нибудь из слухов, которыми полнится улица. «Стукачам» пообещали вознаграждение, но результат все равно оказался нулевым.

Побывал он и в Саут-Бенде, выяснил в тамошней полиции, что ничего криминального за Фростами не водилось. Выразив соболезнования родственникам, он подробно расспросил их о прошлом Фростов. В первую очередь его интересовало, были ли у них враги и вообще люди, желавшие им зла. Ответом на эти вопросы было «нет».

Вернувшись в Майами, Квинн и Эйнсли были немало удивлены отсутствием традиционных в таких случаях телефонных звонков в полицию. Убийство широко освещалось в средствах массовой информации. Его основные детали сообщил отдел по связям с общественностью, хотя, по заведенному в отделе по расследованию убийств обыкновению, некоторые подробности были опущены, чтобы их знали только детективы и сам убийца. Случись подозреваемому проговориться о них — по оплошности или делая признание, — позиции обвинения в суде значительно усиливались.

В этот раз было решено не предавать огласке, что на месте преступления были найдены четыре дохлые кошки, а глаза Гомера Фроста убийца выжег...

Потом потекли недели — одна, вторая, третья. Шансы на успех казались все призрачнее. В делах об убийствах важно получить реальные результаты в первые же двенадцать часов. Если по их истечении нет хорошей рабочей версии и подозреваемых, вероятность раскрытия убывает с каждым днем.

Здесь ведь важны три составляющие: свидетели, улики и признание подозреваемого. Без первого и второго маловероятно добиться третьего. В деле же Фростов поразительным образом не было вообще ничего.

Прошло время, в городе были совершены новые убийства, дело Фростов, естественно, потеряло первостепенность.

Преступность во Флориде росла из месяца в месяц. Все полицейские штата, не только сотрудники отдела по расследованию убийств, были завалены работой, людей не хватало. Особенно досаждала та бумажная Ниагара, что изливалась на каждого из них: входящие, исходящие, телексы, факсы, донесения, протоколы, запросы сверху и снизу, данные лабораторных экспертиз, ориентировки — конца этому не предвиделось.

Поэтому в силу необходимости приходилось делить бумаги на важные и не очень. Приоритет отдавался неотложным местным делам, а дальше документами занимались по мере убывания важности, но только определить эту меру удавалось не всегда. Некоторые сообщения и запросы лишь бегло просматривали и откладывали в сторону, рассчитывая прочитать потом. В отдельных случаях это «потом» наступало через три, шесть, а то и девять месяцев, если наступало вообще.

«Кипой вечного завтра» назвал как-то эти бумажные залежи Бернард Квинн и к месту процитировал из «Макбета»:

Мы дни за днями шепчем: «Завтра, завтра».
Так тихими шагами жизнь ползет...

Вот почему телекс из полицейского управления флоридского городка Клиэруотер, разосланный пятнадцатого марта по всем подразделениям полиции штата, провалялся в отделе по расследованию убийств Майами пять месяцев, прежде чем был прочитан.

Телекс подписал детектив Нельсон Эбреу. Потрясенный жестокостью двойного убийства, совершенного тогда в Клиэруотере, он просил информировать его обо всех сходных преступлениях на территории штата. В телексе упоминалось о «необычных предметах», оставленных на месте преступления, в том случае это был дом, где жили жертвы. Что это были за предметы, не уточнялось. Полиция Клиэруотера так же скрывала некоторые подробности, как это делала полиция Майами в деле Фростов.

Среди обитателей Клиэруотера высок был процент стариков. Там от руки убийцы погибли супруги Хэл и Мейбл Ларсен, обоим уже перевалило за семьдесят. Их связали, заткнули рты кляпами, а потом усадили друг напротив друга и мучили, пока они не умерли от потери крови. Их зверски избили и нанесли множественные ножевые раны. Удалось установить, что за несколько дней до гибели Ларсены получили по чеку тысячу долларов, но никакой наличности в доме обнаружить не удалось. Сыщики не сумели найти ни свидетелей, ни посторонних отпечатков пальцев, ни орудия преступления. За отсутствием подозреваемых следствие зашло в тупик.

Детектив Эбреу получил-таки несколько ответов на свой запрос, но ни один из них не помог продвинуться ни на шаг. Дело числилось в нераскрытых.

Прошло два с половиной месяца, и — еще одно место, где произошло убийство: Форт-Лодердейл, двадцать третьего мая.

Снова супружеская пара, чета Хенненфельд, снова пожилая — обоим было за шестьдесят; жили они в квартире на бульваре Оушен недалеко от пересечения его с Двадцать первой улицей. И в этот раз убитых обнаружили связанными, с кляпами, в сидячем положении друг против друга. Трупы носили следы жестоких побоев и были буквально искромсаны ножом.

Лишь через четыре дня после убийства, когда по всей лестничной клетке начал распространяться омерзительный запах разложения, один из соседей вызвал полицию. Помощник шерифа детектив Бенито Монтес взломал дверь, вошел и едва не потерял сознание от кровавого зрелища и невыносимой вони.

На месте этого преступления «необычных предметов» не нашли. Ужасной деталью здесь был обыкновенный комнатный электрообогреватель. Выдернутой из него спиралью убийца обернул ноги Ирвинга Хенненфельда и включил прибор в сеть. Спираль, конечно, перегорела еще до того, как обнаружили тела, но ступни и лодыжки несчастного успели полностью обуглиться. Из квартиры исчезли все наличные деньги.

И опять ни отпечатков пальцев, ни подозреваемых, ни орудия преступления.

Детектив шерифа Бенито Монтес вовремя вспомнил о схожем убийстве пожилых супругов в Кокосовом оазисе, совершенном месяца три назад. Он позвонил в отдел по расследованию убийств полиции Майами, а на следующий день приехал побеседовать с Бернардом Квинном.

В противоположность ветерану Берни Квинну Монтес был молод, коротко стрижен по моде, но столь же современно одет — в тот день на нем был темно-синий костюм и шелковый галстук в полоску. Два часа сыщики сверяли записи по делам Фростов и Хенненфельдов, изучали фотографии. Они сошлись во мнении, что почерк убийц в этих двух случаях совпадал, сходной была и зверская жестокость расправ.

И еще одна мелкая деталь: когда тела были обнаружены, в квартире играло радио, включенное скорее всего преступником.

— Ты помнишь, что это была за музыка? — спросил Квинн.

— Само собой! Тяжелый рок, такой громкий, что я голоса своего не слышал.

— У нас аналогично, — кивнул Квинн, делая пометку в блокноте.

— Это один и тот же мерзавец, — заявил Монтес решительно. — Без сомнения, один и тот же.

— А ты уверен, что это был один человек? — полюбопытствовал Квинн.

— Да, вполне. Он громадного роста, силен как бык и вдобавок умен.

— То есть из образованных?

— Нутром чую, что нет.

— Согласен, — кивнул Квинн.

— Он получает наслаждение, ловит кайф от этого, определенно садист.

— А что скажешь о наших дохлых кошках?

Монтес помотал головой:

— Могу только предположить, что ему нравится убивать. Вероятно, передушил кошек, чтобы скоротать время, а потом шутки ради принес с собой.

— А я по-прежнему думаю, что это послание. Некая зашифрованная записка, к которой мы никак не подберем ключ.

Когда Монтес собрался уезжать, Бернард Квинн извинился, что при встрече не смог присутствовать сержант Эйнсли, которого как раз направили на однодневную учебу руководящих кадров полиции. Монтес отнесся к этому легко.

— Ничего, успеется, — сказал он на прощание. — Я думаю, все, что было до сих пор, только начало.

3

Всю весну и все лето в тот год обитателей южной Флориды мучили невыносимая жара и удушливая влажность, дождь лил ежедневно, редкий день обходилось без грозы. И в самом Майами частые сбои в электроснабжении, вызванные повышенным потреблением энергии, заставили обладателей кондиционеров испытать на себе, в каком неприятно липком мире живут те, кто не может их себе позволить. Жара действовала на нервы, повышала раздражительность и агрессивность, как следствие возросла преступность. Драки стенка на стенку, убийства на почве ревности, избиения жен и детей стали делом повседневным. Даже самые миролюбивые и сверхнормальные граждане легко выходили из себя и давали волю подспудно тлевшему темпераменту. Пустякового недоразумения на улице или автостоянке было достаточно, чтобы совершенно незнакомые люди лезли друг на друга с кулаками. Если повод оказывался более серьезным, случались и смертельные исходы.

В отделе по расследованию убийств целую стену занимала огромная доска из белого тонированного стекла, которую сыщики окрестили «доской покойников». В ее четкие графы и колонки заносились имена всех жертв убийств за текущий и предшествовавший годы, а также ключевая информация о ходе расследования. Здесь же значились имена подозреваемых. Если производился арест, отметка делалась красным фломастером.

К середине июля прошлого года на этой доске были отмечены семьдесят убийств, из которых двадцать пять остались нераскрытыми. В июле нынешнего года убийств числилось девяносто шесть, а нераскрытых стало удручающе много — семьдесят пять.

Серьезный рост этих цифр во многом объяснялся увеличением числа убийств, совершенных при рутинных ограблениях, кражах автомобилей и уличных разборках. Преступники, казалось, приобретали дурную привычку пускать в ход оружие и убивать людей без особой необходимости.

Все это вызвало столь широкое общественное недовольство, что лейтенанту Лео Ньюболду пришлось несколько раз побывать «на ковре» у майора Маноло Янеса, начальника управления по борьбе с преступлениями против личности, куда, помимо отдела по расследованию убийств, входило подразделение, занимавшееся грабежами и квартирными кражами.

Во время их последней встречи майор Янес, крепкого сложения брюнет с непослушной копной волос и зычным голосом армейского сержанта, набросился на Ньюболда с порога, едва секретарша сообщила о прибытии подчиненного:

— Какого дьявола, лейтенант! Чем вы там со своими людьми занимаетесь? Баклуши бьете?!

При обычных обстоятельствах Янес обратился бы к Ньюболду по имени и предложил сесть. Но на этот раз он не сделал этого, а только смотрел свирепо снизу вверх, так и не поднявшись навстречу из-за своего рабочего стола. Ньюболд догадывался, что Янес уже получил свою порцию выволочки наверху и теперь обязан был по законам субординации повторить ее для того, кто был ниже чином, и потому не торопился с ответом.

Кабинет майора располагался на том же этаже, что и отдел по расследованию убийств. Его большое окно выходило на центр Майами, залитый в тот день ослепительным сиянием солнца. На сером металлическом столе, поверхность которого была покрыта белым пластиком, по-военному четко были разложены папки с делами и карандаши. К рабочему столу, образуя букву «Т», примыкал стол для совещаний с восемью стульями по сторонам. Как и в большинстве кабинетов полицейского руководства, обстановка казалась спартански скудной и оживлялась лишь фотографиями внучат Янеса на краешке стола.

— Вы знаете, как оно обстоит, майор, — сказал Лео Ньюболд. — Мы завалены делами. Следователи работают по шестнадцать часов в сутки, а иногда и больше. Люди переутомлены до предела.

— О, ради бога, оставьте это! — Янес сделал раздраженный жест в сторону лейтенанта, но потом сказал: — Сядь.

Когда Ньюболд уселся, Янес продолжил свой выговор:

— Сверхурочные и усталость — неизменные спутники нашей работы, и ты это отлично знаешь. Сколько бы они ни пахали, нужно еще поднажать. И старайся помнить: усталые люди легко ошибаются, а мы с тобой поставлены здесь для того, чтобы этого не было. А потому, Ньюболд, тщательно просмотри еще раз каждое дело и как можно быстрее! Лично убедись, что сделано все возможное и ничего не упущено из виду. Вникни в каждую деталь, особое внимание обрати на возможную связь между разными делами. Если мне станет потом известно, что вы проморгали что-то важное, ты у меня припомнишь, как жаловался сегодня на усталость. Они, видите ли, устали! Бог ты мой, что за лепет!

Ньюболд подавил вздох, но промолчал.

— А теперь вы свободны, лейтенант, — завершил тираду Янес.

— Слушаюсь, сэр! — Ньюболд встал, исполнил поворот кругом по всей форме и вышел, решив неукоснительно следовать директивам Маноло Янеса.

Но всего лишь через месяц после этого малоприятного разговора у Лео Ньюболда, как он сам выразился, «земля загорелась под ногами».

Одиннадцать часов двенадцать минут четырнадцатого августа стали отправной точкой для целой череды событий. В тот день в Майами ртутный столбик уперся в плюс сорок пять, а влажность перевалила за восемьдесят пять процентов. Группу оперативных дежурных возглавлял детектив сержант Пабло Грин. Он и принял вызов из центральной диспетчерской, откуда его связали с патрульным Франкелем, который оказался первым на месте убийства в жилом комплексе Сосновые террасы, что находился на бульваре Бискэйн, угол Шестьдесят девятой улицы.

На этот раз жертвой стала пожилая пара выходцев из Латинской Америки, Ласаро и Луиса Урбино. Живший по соседству мужчина долго барабанил в дверь, не услышав ответа, решил заглянуть в окно. Он увидел два связанных трупа, вышиб дверь и тут же набрал номер 911.

Тела убитых были найдены в гостиной их собственного четырехкомнатного коттеджа. На телах убитых были следы жестоких побоев и многочисленные глубокие ножевые раны; трупы плавали в лужах крови.

Сержант Грин — ветеран полиции Майами с двадцатилетним стажем, высокий поджарый мужчина, с аккуратными усиками, — приказал Франкелю никого не допускать к месту преступления, а затем беспокойно оглядел помещение, размышляя, кого бы послать на этот вызов.

Он поднялся, чтобы в поле зрения был весь отдел, и убедился, что остался в нем единственным детективом. За всеми остальными простыми металлическими столами, стоящими в шесть рядов и отгороженными друг от друга невысокими перегородками, сейчас никого не было. Каждому сыщику полагался свой рабочий стол, и каждый на свой лад вносил элемент уюта в казенную обстановку — кто фотографиями семьи, кто рисунками или карикатурами.

Сейчас в этой комнате, больше похожей на зал, помимо самого Грина, находились только две секретарши, отвечавшие на бесконечные телефонные звонки. Как и в любой другой день, звонили частные лица, и журналисты, и родственники жертв убийств, желавшие прояснить обстоятельства смерти близких, и политики, искавшие объяснений невиданному росту преступлений с применением огнестрельного оружия, и еще множество других людей, по серьезному поводу и без оного.

Впрочем, Грин знал заранее, что все детективы уже разъехались на задания — помещение отдела по расследованию убийств выглядело так пустынно все это лето. Четыре сыщика из его собственной группы занимались расследованием восьми убийств. Нагрузка на другие группы была нисколько не меньше.

Надо отправляться в Сосновые террасы самому, решил Грин. И как можно быстрее.

Он с тоской посмотрел на кипу бумаг на своем столе — накопившиеся за две недели протоколы и рапорты, с которыми лейтенант Ньюболд строжайше приказал разобраться как можно скорее, — придется их в очередной раз отложить. Набросив пиджак, он наспех ощупал висевшую на боку кобуру с пистолетом и направился к лифту. Он вызовет из машины по радио на подмогу одного из своих парней, но все заняты по горло, помощь едва ли прибудет скоро.

Что же до противной и нескончаемой бумажной работы, то, невесело сказал себе Грин, хотя бы часть ее придется разбросать, задержавшись на службе вечером.

Не более чем через пятнадцать минут после этого сержант Грин въехал на территорию жилого комплекса Сосновые террасы и остановился у коттеджа номер восемнадцать, который был уже вместе со всей прилегающей территорией обтянут желтой лентой с надписью: «ПОЛИЦЕЙСКОЕ ЗАГРАЖДЕНИЕ. ПРОХОД ЗАПРЕЩЕН». Грин подошел к патрульному, преграждавшему вход в здание небольшой толпе любопытных.

— Франкель? Я сержант Грин. Что у вас тут?

— Первыми сюда прибыли мы с моим напарником, сэр, — сказал патрульный. — На месте преступления ничего не трогали. А это, — он указал на бородатого крепыша, стоявшего чуть поодаль, — мистер Ксавьер. Он — тот сосед, что нас вызвал.

— Я как увидел этот ужас через окошко, сразу бросился ломать дверь, — сказал бородач, подходя. — Наверное, не надо было?

— Не волнуйтесь, все правильно. Был ведь и шанс, что они еще живы.

— Нет, я сразу понял, что там два трупа. Не то чтобы я был с Урбино очень дружен, но я навсегда запомню, как...

— Мистер Ксавьер воспользовался телефоном убитых и выключил радиоприемник, — перебил Франкель.

— Музыка так орала, — опять принялся оправдываться Ксавьер, — что я в трубке ничего не слышал.

— А больше вы ничего с радио не делали? — спросил Грин. — Настройку не трогали?

— Нет, сэр, — ответил Ксавьер удрученно. — Вы думаете, я отпечатки пальцев смазал?

«Смотри, как у нас теперь все в криминалистике разбираются!» — подумал Грин и сказал:

— Об этом пока рано говорить, но нам придется попросить вас дать свои отпечатки пальцев, чтобы мы могли определить, кому принадлежат отпечатки в комнате. После использования мы их отдадим вам... Поддерживайте контакт с мистером Ксавьером. Позже сегодня нам понадобится его помощь, — закончил он, обращаясь к Франкелю.

Когда Грин вошел в комнату, даже беглого осмотра места преступления было для него достаточно, чтобы понять: это не рядовое убийство, а новое, пугающее, но важное звено в цепочке серийных убийств. Подобно остальным командирам следственных групп, Грин старался следить за делами, которые вели другие группы. Ему были известны детали совершенного в январе в Кокосовом оазисе убийства Гомера и Бланш Фрост. Знал он и о трехмесячной давности деле Хенненфельдов из Форт-Лодердейла, такого схожего с делом Фростов. С ужасающей ясностью сыщик видел, что в Сосновых террасах было совершено еще одно, точно такое же, теперь уже третье зверство.

Не теряя времени даром, Грин снял с поясного ремня портативную рацию и сделал несколько звонков. Сначала вызвал экспертов-криминалистов, что в подобных делах было важнее всего, ведь серийный убийца мог в любой момент нанести новый удар. Все улики вплоть до последней ворсинки, любого волоска следовало без промедления собрать, исследовать и классифицировать. Дежурный, однако, сообщил Грину, что все эксперты на выезде по другим делам и смогут прибыть к нему не раньше чем через час. Пабло Грин нервничал, зная, как недолговечны некоторые из улик, но в перепалку с дежурным не вступил — что толку? Этим не поможешь.

Когда же и на вызов судебного медика для осмотра трупов он получил лишь обещание прислать его «по мере возможности», выдержка изменила ему.

— Нет, так не пойдет! — Он старался не кричать, но знал, что вот-вот сорвется на крик.

И следующий вызов принес такой же результат. Все представители прокуратуры штата оказались заняты. Не раньше чем через час, и точка.

Да, работа детектива изменилась сильно и не в лучшую сторону, мрачно констатировал сержант Грин. Давно ли на любой вызов по делу об убийстве моментально съезжались лучшие силы? Теперь не то... Философски настроенный полицейский отнес это за счет общего упадка общественных нравов, который вовсе не сопровождался спадом в статистике убийств.

Зато Грину удалось сразу выйти на связь с лейтенантом Ньюболдом. Тщательно выбирая выражения, поскольку переговоры по рации ловило слишком много посторонних ушей, он сумел растолковать начальнику, что случилось в Сосновых террасах. Ньюболд пообещал взять все переговоры с другими подразделениями на себя.

Грин высказал предположение, что о случившемся неплохо было бы информировать сержанта Эйнсли и детектива Квинна, с чем Ньюболд без колебаний согласился. В заключение лейтенант сказал, что примерно через полчаса прибудет на место преступления сам.

Грин снова занялся двумя жертвами убийства, их по-садистски изуродованными телами, продолжая делать записи в своем блокноте, начатые с того момента, когда он вошел в дом. Как и в двух предыдущих делах, трупы мужчины и женщины были им найдены в сидячем положении, связанные, с кляпами во рту. Их явно усадили так, чтобы каждый, онемев от ужаса и умирая в муках, мог видеть, как мучается и истекает кровью другой.

Сержант сделал в блокноте набросок расположения трупов. На столике у дальней стены он заметил вскрытый конверт. Полученное письмо хозяева прочитали и, даже не сложив, оставили рядом. Повернув страницу в более удобное положение кончиком лезвия перочинного ножа, Грин прочитал послание. Содержавшиеся в нем полные имена погибших он тоже занес в блокнот.

На небольшом бюро в углу стоял портативный радиоприемник — тот самый, который выключил Ксавьер. Вглядевшись в шкалу настройки, Грин отметил для себя волну: 105,9 FM. Он знал эту станцию. «Металл-105». Тяжелый рок.

Далее со всеми мерами предосторожности, не переставая по привычке поглаживать в задумчивости пальцем кончики усов, он обследовал остальные комнаты коттеджа. В обеих спальнях все ящики были выдвинуты наружу и оставлены в таком виде. Содержимое дамской сумочки и мужского бумажника вывалено на одну из кроватей. Денег не видно, хотя кое-какие ювелирные украшения лежали на месте.

При каждой из спален имелись отдельный туалет и ванная. Ничего примечательного Грин в них не обнаружил, впрочем, лучше в этом разберется дотошная криминалистическая экспертиза. В основной уборной дома стульчак был поднят, в унитазе — моча. Сержант и эту деталь отметил в блокноте, хотя прекрасно знал, что ни моча, ни кал для идентификации не пригодны.

Вернувшись в гостиную, он почуял еще один запах, который прежде перебивался для него омерзительной вонью из открытых ран. Стоило ему подойти к трупам ближе, как запах усилился. Потом ему стал ясен и его источник. Рядом с рукой мертвой женщины на полу стояла бронзовая ваза с человеческими экскрементами, плавающими в моче.

Именно в такие моменты своей работы Пабло Грин начинал сожалеть, что не выбрал другую профессию.

От этой улики он отшатнулся в отвращении. Вообще говоря, ничего необычного в том, что преступник нагадил на месте преступления, не было. Испражнения нередко оставляли грабители, которые вламывались в богатые дома. Это был своего рода знак презрения по отношению к отсутствовавшим хозяевам. Однако Грин никогда не видел прежде ничего подобного на месте убийства и меньше всего ожидал увидеть здесь, где так жестоко расправились с двумя несчастными стариками. «До какой же степени озверения может дойти человек!» — подумал Грин, который сам был личностью исключительно положительной: порядочным, добрым, прекрасным сыном, мужем и отцом.

— Ты о чем, Пабло? — услышал он вдруг голос из коридора. Это прибыл Лео Ньюболд. Грин понял, что говорит вслух.

Не в силах произнести ни слова от разрывающих его бешенства и ужаса, Грин жестом указал Ньюболду на два трупа и стоявший рядом с одним из них зловонный сосуд.

Лейтенант подошел поближе и осмотрел улику. Потом негромко сказал:

— Не переживай. Мы отловим этого гада. А когда он попадет в наши руки, будь уверен, обвинение против него мы сделаем таким крепким, что от электрогриля ему не уйти.

Припомнились Ньюболду и слова майора Янеса, сказанные совсем недавно: «Лично убедись, что сделано все возможное и ничто не упущено из виду. Особое внимание удели связи между разными делами».

Что ж, они и раньше подозревали связь между убийством Фростов и Хенненфельдов в Форт-Лодердейле. Теперь к тем двум добавлялось третье двойное убийство, и со всей неизбежностью должен был встать вопрос: не лучше ли было с самого начала соединить два дела вместе и вести поиск серийного убийцы? Как знать, в таком случае у них уже могли бы появиться подозреваемые.

Нет, едва ли, рассуждал про себя Ньюболд. Но упреков со стороны тех, кто задним умом крепок, в особенности газетчиков, не избежать. Давление общественного мнения на его отдел, да и на всю полицию Майами, только усилится.

Однако сейчас главное — сконцентрировать внимание на этом, самом свежем деле, просмотрев по мере возможности материалы предыдущих двух. Теперь-то сомнений не оставалось — предстояла охота на серийного убийцу в чистом виде.

— До Эйнсли и Квинна смогли дозвониться? — поинтересовался Грин.

— Да, — кивнул Ньюболд, — они едут сюда. А Квинну я велел связаться с ребятами из Форт-Лодердейла.

Буквально через несколько минут прибыла команда из четырех криминалистов, а вскоре после них судмедэксперт Сандра Санчес. Можно было догадаться, что Лео Ньюболду понадобилось дойти до самого высокого руководства, чтобы это произошло так быстро.

Следующие пять часов незаметно пролетели за рутинной работой. Под конец трупы Ласаро и Луиса Урбино поместили в пластиковые мешки и отправили в окружной морг, где тем же вечером их должны были подвергнуть вскрытию. Сержанту Грину предстояло при нем присутствовать, отложив еще на день угрожающих размеров кипу бумаг на своем столе, которая к тому же все росла.

Когда все собранные криминалистами улики были изучены до мелочей, к всеобщему разочарованию, специалист по отпечаткам пальцев Сильвия Уолден констатировала:

— Я уверена на все сто, что преступник действовал в перчатках. Здесь достаточно смазанных отпечатков, какие остаются от резиновых перчаток, таких же, кстати, как и в «Ройал колониел». Кто бы ни был убийца, он достаточно опытен, чтобы надевать две пары: к одному слою тонкой резины пальцы рано или поздно прилипают, оставляя прекрасные отпечатки. Само собой, кое-какие пальчики я тут собрала, но они скорее всего оставлены не убийцей.

— Спасибо за информацию, — поблагодарил ее Грин, покачав головой.

— Абсолютно не за что, — невесело отозвалась Уолден.

Эйнсли и Бернард Квинн, прибывшие на место преступления немногим позже криминалистов и врача, не могли не согласиться с Ньюболдом и Грином, что они имеют дело с серийным убийцей.

Прежде чем тела увезли в морг, Эйнсли еще раз осмотрел их и бронзовую вазочку, стоявшую рядом. Этот сосуд вкупе с его зловонным содержимым с самого начала вызвал в нем некую смутную ассоциацию, напомнил о чем-то забытом, что ему трудно было сразу сформулировать. Пытаясь ухватиться за эту ускользающую мысль, Эйнсли обследовал трупы вторично.

Нет, наверное, в этом не было ничего, кроме его собственной крайней нервной усталости от кровавых зрелищ, отчаянного стремления обнаружить хоть какой-то след. Нужно просто отправиться домой и провести вечер в семейном кругу... Он будет шутить за ужином... Поможет Джейсону с домашним заданием... Займется любовью с женой и... И тогда возможно, что к утру что-нибудь полезное и придет ему в голову.

Но следующим утром никаких новых идей у него не возникло. Только через четыре дня и в момент, когда Эйнсли меньше всего ожидал этого, его внезапно очнувшаяся память подсказала ему верный ответ на мучившие его вопросы.

4

Через четыре дня после преступления в Сосновых террасах лейтенант Лео Ньюболд собрал у себя всех, кто имел отношение к расследованию серийных убийств. Были вызваны руководители групп, детективы, эксперты-криминалисты, судебный медик и представитель прокуратуры штата. Информировали о собрании и высоких полицейских начальников, но только двое сочли возможным присутствовать. Именно во время этого совещания, как потом вспоминал Эйнсли, драма приобрела шекспировский размах, а на авансцену выступили новые действующие лица.

Одним из них стала Руби Боуи — детектив из группы сержанта Эйнсли. Маленькая, живая негритянка двадцати восьми лет от роду, Руби обожала блестящую бижутерию и модные тряпки, но в отделе ее ценили, потому что работала она не меньше, а часто и больше других, не требуя скидок на слабый пол. Умея быть жесткой, подчас даже жестокой, она обладала добрым чувством юмора, что коллеги ценили в ней превыше всего.

Руби была младшей из девяти детей Эрскина и Алисы Боуи из недоброй славы криминального района Майами, что назывался Овертаун. Патрульного полицейского Эрскина Боуи застрелил живший по соседству пятнадцатилетний наркоман, которого они с напарником застали при попытке ограбить местную бакалейную лавку. Руби тогда едва стукнуло двенадцать, и она была уже достаточно взрослой, помнила, с какой нежностью относился к ней покойный отец.

Эрскин считал ее необыкновенным ребенком и любил повторять приятелям: «Вот увидите, она всех удивит, эта девчушка».

Даже сейчас, спустя столько лет после его смерти, Руби втайне продолжала тосковать по нему.

Школьницей она не только прилежно осваивала учебную программу, но и была активной общественницей, с энтузиазмом работая в благотворительных и воспитательных организациях. С особым пылом и вниманием она боролась с наркоманами, памятуя о причине смерти отца.

Получив государственную стипендию, она после школы поступила в один из флоридских университетов, специализируясь в психологии и социологии. Окончив университетский курс с отличием, она смогла осуществить давнюю мечту — пошла работать в полицейское управление Майами. Отец носил форму полиции семнадцать лет. Вероятно, она подсознательно стремилась окончательно примириться с его утратой, попытавшись «изменить мир». А если не мир, то хотя бы город.

Никто особенно не удивился, когда Руби блестяще окончила полицейскую академию, но вот решение Лео Ньюболда зачислить ее прямиком в штат детективов своего отдела вызвало немало кривотолков. Назначение казалось беспрецедентным.

Отделы по расследованию убийств считаются в полиции элитными подразделениями. Предполагается, что именно в них собираются лучшие детективы, самые цепкие, самые знающие, и их высокий престиж — предмет зависти остальных коллег. Поэтому назначение Руби было встречено в штыки несколькими старшими офицерами, которые сами метили на это место. Однако Ньюболд оказался непреклонен. О Руби он придерживался чрезвычайно высокого мнения. Он сказал однажды Малколму Эйнсли в доверительном разговоре: «Я просто нутром почуял в ней хорошего полицейского».

С тех пор прошло четыре года. Репутация Руби была безупречна, послужной список — выше всяких похвал.

Будучи под началом сержанта Эйнсли, она обязана была присутствовать на совещании, которое назначили на восемь утра. Но до последнего момента, когда все уже собрались, Руби оставалась за своим заваленным бумагами столом, поглощенная телефонным разговором. Проходившему мимо Лео Ньюболду пришлось поторопить ее:

— Закругляйся-ка, Руби. Нам пора начинать.

— Да, сэр, — виновато отозвалась она и почти тут же последовала за ним, на ходу прилаживая к уху крупную позолоченную клипсу, которую прежде сняла, чтобы не мешала разговаривать по телефону.

К основному помещению отдела по расследованию убийств непосредственно примыкали кабинеты для допросов подозреваемых и свидетелей, далее следовала более уютная комната с мягкой мебелью, куда нередко приводили родственников жертв убийств, еще дальше — картотека и архив, где хранились дела за последние десять лет, а в самом конце коридора располагался небольшой зал для совещаний.

В его центре стоял прямоугольный стол, за которым сидели сейчас Малколм Эйнсли, два других сержанта — Пабло Грин и Хэнк Брюмастер, а также детективы Бернард Квинн, Эстебан Кралик, Хосе Гарсия и Руби Боуи.

Гарсия — выходец с Кубы, прослужил в полиции Майами уже двенадцать лет, из которых восемь пришлись на отдел по расследованию убийств. Чуть полноватый и лысеющий, он казался много старше своих тридцати трех лет, а потому получил от коллег прозвище «Папаша».

Незнакомым лицом для участников совещания оказался один лишь молодой детектив Бенито Монтес, приехавший в Майами из Форт-Лодердейла, получив по телефону приглашение от Бернарда Квинна. Как уже успел доложить Монтес, со времени его первого приезда в Майами прогресса в расследовании дела Хенненфельдов не наметилось.

По понятным причинам присутствовали здесь доктор Санчес, эксперты-криминалисты Хулио Верона и Сильвия Уолден, а также помощник прокурора штата Кэрзон Ноулз.

Отвечавший в прокуратуре за дела, связанные с убийствами, Ноулз создал себе славу грозного обвинителя в суде. И это при том, что разговаривал он мягко, обладал сдержанными манерами, одевался более чем скромно в старомодные костюмы с вязаными галстуками. О нем однажды сказали, что он похож на заурядного продавца обувного магазина. Очень часто в зале суда при допросе свидетелей защиты он производил впечатление неуверенного в себе человека, нетвердо знавшего, чего он хочет добиться, — впечатление, добавим, абсолютно ложное. На эту удочку попадались многие из сидевших на свидетельской скамье. Им начинало казаться, что этому интеллигентному мямле можно безнаказанно лгать, и они слишком поздно понимали, что оказались в крепко свитой паутине, откуда им уже не выбраться.

Именно эта обезоруживающая тактика в сочетании с острым умом позволила Ноулзу за пятнадцать лет прокурорской карьеры добиться поразительных восьмидесяти двух процентов обвинительных приговоров по делам об убийствах. Сыщикам нравилось работать с ним, он пользовался у них уважением.

Подчеркивая важность происходившего, во главе стола сидели сам майор Янес и еще более высокопоставленный заместитель начальника городской полиции Отеро Серрано.

Лео Ньюболд сразу перешел к сути:

— Всем нам ясно, что два наших самых громких дела, равно как и убийство в Форт-Лодердейле, следует считать серийными убийствами. Признаю, мы могли бы прийти к такому выводу до того, как было совершено третье преступление, и если руководство нас накажет за нерасторопность, то это будет вполне заслуженно. Однако оставим пока сожаления и обсудим насущные рабочие вопросы. Я хочу, чтобы мы здесь и сейчас провели полноценный анализ всех трех двойных убийств, не упуская из виду ни одной детали. Мы должны обнаружить между ними ту связь, которая привела бы нас...

Руби Боуи подняла руку. Ньюболд с недовольным видом вынужден был прерваться.

— Может, подождешь со своим сообщением, пока я окончу, Руби?

— Нет, сэр. Боюсь, что нет. — Ее голос выдавал сдерживаемое волнение, в руке у нее появился листок бумаги.

— Говори, но только, ради бога, по существу.

— Вы говорили о трех убийствах, сэр.

— Да, ну и?.. У меня что-то не в порядке с арифметикой?

— Не совсем так, сэр. — Руби подняла свой листок вверх и оглядела присутствующих. — У меня неприятная для всех нас новость: убийств было четыре.

— Как это четыре? Что ты имеешь в виду? — загудели голоса.

Только сидевший напротив нее Эйнсли сохранял спокойствие и попросил:

— Расскажи, что тебе стало известно, Руби.

Она с благодарностью посмотрела на него и заговорила, вновь обращаясь к Ньюболду:

— Помните, пару дней назад, сэр, вы распорядились разобраться с накопившимися документами?

При упоминании об этом по комнате пробежал нервный смех.

— Конечно, помню, — ответил Ньюболд. — И что ты в этих бумагах раскопала?

— Вот это я обнаружила только нынче утром. Ориентировка из Клиэруотера.

— Читай.

Голос Руби зазвенел в наступившей полной тишине:

— «Ко всем полицейским подразделениям штата! В нашем городе двенадцатого марта сего года совершено убийство пожилой супружеской пары. Исключительная жестокость. Жертвы связаны, кляпы во рту. Побои в области головы и торса, множественные ножевые ранения. Тела частично расчленены. Похищены наличные деньги, сумма не установлена. Отпечатки пальцев преступника и другие улики отсутствуют. На месте убийства преступником или преступниками оставлены принесенные извне необычные предметы. Всю информацию об аналогичных преступлениях просьба оперативно сообщить детективу Н. Эбреу, отдел по расследованию убийств полицейского управления Клиэруотера».

Все ошеломленно молчали. Потом Янес попросил:

— Повторите-ка мне дату.

— Убийства были совершены двенадцатого марта, сэр, — сказала Боуи, снова заглядывая в бумажку. — А наша входящая от пятнадцатого марта. Здесь есть штамп.

 Раздался коллективный стон.

— Боже правый! — воскликнул первым Хэнк Брюмастер. — Пять месяцев назад!

Они все знали, что такое могло случиться. Не должно было, но случалось. Нередко важные бумаги подолгу лежали непрочитанными, но такого еще не было никогда!

Нередко раньше полиции сходные черты в преступлениях, совершенных в разных концах штата, улавливали газетчики и сообщали о них, чем серьезно помогали детективам. В этот раз проморгали все — слишком велика была волна преступности, захлестнувшей Флориду.

Ньюболд спрятал лицо в ладонях, огорченный сверх всякой меры. Именно с лейтенанта строже всего спросят за безответственный недосмотр, из-за которого предельно важная информация из Клиэруотера осталась без внимания.

— Время дорого, — жестко сказал затем Янес. — Продолжайте совещание, лейтенант.

Было ясно, что настоящий разговор между ними состоится позже, но в тот же день.

— У меня еще не все, сэр, — сказала Руби Боуи.

— Говори, — кивнул ей Ньюболд.

— Перед самым началом совещания я дозвонилась в Клиэруотер детективу Эбреу. Сообщила, что у нас есть сходные дела. Он сказал, что вместе со своим сержантом они завтра же прилетят к нам и сверят подробности.

— Хорошо, — одобрил Ньюболд, к которому вернулось присутствие духа. — Узнайте, когда прибывает их рейс, и вышлите за ними машину в аэропорт.

— Позвольте задать Руби вопрос, лейтенант, — сказал Эйнсли.

— Задавайте.

Эйнсли посмотрел на Руби через стол:

— Эбреу сказал тебе что-нибудь о посторонних предметах, найденных у них на месте преступления?

— Да. Я специально спросила, что это было. Старый, помятый горн и кусок картона. — Она сверилась с записями. — Да, кусок картона, вырезанный в форме полумесяца и покрашенный в красный цвет.

Эйнсли хмурил лоб, стараясь сосредоточиться, напрягал память, припоминая вазочку из коттеджа в Сосновых террасах. Ни к кому в особенности не обращаясь, он затем спросил:

— А что, посторонние предметы были найдены везде? Я помню только четырех дохлых кошек в номере Фростов... — Эйнсли повернулся к Бернарду Квинну: — Было что-нибудь на месте убийства Хенненфельдов?

— Похоже, что нет, — покачал головой Берни и переадресовал вопрос Монтесу: — Я правильно говорю, Бенито?

Чувствуя себя чужаком, Бенито Монтес не проронил до сих пор ни слова, но на прямой вопрос Квинна поспешно ответил:

— Нет, мы не нашли там ничего, что преступник мог бы принести с собой. Был только электрообогреватель, но он принадлежал Хенненфельдам. Я сам проверял.

— Что за обогреватель? — быстро спросил Эйнсли.

— Обычный домашний рефлектор, сержант. Из него выдернули спираль, обмотали ею ноги мистера Хенненфельда, а потом включили в розетку. Когда мы обнаружили трупы, ноги у него были все черные как уголь.

— Почему же ты мне ничего об этом не сказал? — с упреком бросил Эйнсли Квинну.

— Забыл, должно быть, — пробормотал тот растерянно.

Эйнсли, похоже, устроило это объяснение.

— Могу я продолжать, лейтенант? — обратился он к Ньюболду.

— Продолжай, Малколм.

— Руби, — сказал Эйнсли, — мы можем составить список предметов, найденных во всех четырех случаях?

— Конечно. На компьютере?

— Да-да, на компьютере, — нетерпеливо вмешался Ньюболд.

Руби послушно пересела за отдельно стоявший столик с компьютерным терминалом. В отделе ее прозвали «компьютерным магом», и коллеги из других следственных групп частенько просили ее о помощи, запутавшись в мудреных программах. Пока остальные ждали, она проворно пробежала пальцами по клавиатуре и вскоре доложила:

— Я готова, сержант, диктуйте.

Сверяясь с лежавшими перед ним записями, Эйнсли начал:

— Семнадцатое января, Кокосовый оазис. Гомер и Бланш Фрост. Четыре дохлые кошки.

Пальцы Руби забегали по клавишам. Когда они замерли, Эйнсли продолжал:

— Двенадцатое марта, Клиэруотер...

— Минутку! — послышался вдруг голос Берни Квинна. — Были ведь еще глаза мистера Фроста. Их выжгли с помощью какой-то горючей жидкости. Если уж мы говорим о ступнях Хенненфельда...

— Да, Руби, занеси в первую графу глаза мистера Фроста, — согласился Эйнсли и не без ехидцы сказал Квинну: — Спасибо, Берни, теперь я запамятовал, с каждым случается, не так ли?

Они зафиксировали подробности дела в Клиэруотере с помятой трубой и картонным полумесяцем, добавили к списку Форт-Лодердейл с обогревателем и обугленными ступнями и перешли к убийству в коттедже номер восемнадцать в Сосновых террасах.

— Запиши: бронзовый сосуд, — начал Эйнсли и замолк.

Руби записала и спросила:

— В нем было что-нибудь?

— Было. Ссаки и говно, — брякнул со своего места Пабло Грин.

Руби обернулась ко всем и с невинным видом поинтересовалась:

— Мне так и записать или лучше будет «моча и фекалии»?

В ответ громыхнул смех. Кто-то сказал: «За это мы тебя и любим, Руби». Даже Ньюболд, Янес и мрачный заместитель шефа полиции Майами разделили общее веселье. Для людей, повседневно видящих смерть, любой повод посмеяться всегда был желанен, как свежесть ливня в жару.

И именно в этот момент... когда смех почти затих... болезненной вспышкой озарения, в ослепительной ясности, Эйнсли увидел вдруг все.

Да, теперь он знал. Фрагменты головоломки легли на свои места. Все до последнего. Так бывало, когда смутная гипотеза, долго и бесплодно истощавшая его мозг, внезапно приобретала смысл и четкий абрис. Волнение распирало его.

— Мне нужна Библия, — сказал он.

Остальные уставились на него непонимающими взглядами.

— Я сказал, Библия! — повторил Эйнсли громче, с командными нотками. — Мне нужна Библия!

Ньюболд посмотрел на Квинна, сидевшего ближе всех к двери.

— У меня в столе есть Библия, — сказал он. — Второй ящик снизу, с правой стороны.

Квинн поспешно отправился в кабинет лейтенанта.

Вообще говоря, в том, что в отделе сразу нашелся экземпляр Библии, не было ничего удивительного. Среди подозреваемых попадались типы, просившие принести им Священное Писание, некоторые в искреннем порыве, а иные — в расчете, что напускная набожность поможет скостить срок в суде. И расчеты эти строились не на пустом месте. Бывали случаи, когда

преступники, главным образом из тех, что пообразованнее, уходили от сурового наказания, разыграв «религиозное обращение», строя из себя «заново родившихся». Сыщики всегда относились к таким просьбам скептически, но на стадии расследования не считали себя вправе отказывать. К тому же случалось, что обращение к Библии действительно приводило к раскаянию и признанию убийцы.

Квинн вернулся с книгой в руке. Он передал ее через стол Эйнсли, который тут же стал перебирать страницы ближе к концу. Его интересовал Новый Завет, а еще точнее — Откровение Иоанна Богослова, или Апокалипсис.

Теперь, кажется, и у Ньюболда открылись глаза.

— Это ведь из Откровения, верно? — спросил он.

— И каждый из обнаруженных предметов представляет собой послание, — закивал Эйнсли. — Вот первое. — Он сделал жест в сторону Руби, которая все еще сидела за компьютером, и, оглядев присутствующих, прочитал: — Глава четвертая, стих шестой. «И перед престолом море стеклянное, подобное кристаллу; и посреди престола и вокруг престола четыре животных...»

— Кошки! — скорее выдохнул из себя слово, чем воскликнул Квинн.

Эйнсли проворно перелистнул две страницы назад, поискал указательным пальцем и прочел еще:

— Глава первая, стих четырнадцатый. «Глава Его и волосы белы, как белая волна, как снег; и очи Его — как пламень огненный...» Мистер Фрост, верно, Берни?

— Верно, — отозвался Квинн в задумчивости. — Кошки и глаза Фроста... Мы же все это видели, но никак не связали между собой... То есть так, как следовало.

Все молчали. Серрано, заместитель Янеса, подался вперед и был весь внимание. Сам Янес, который до этого непрерывно писал что-то в своем блокноте, теперь сделал паузу. Все напряженно ждали, пока Эйнсли продолжал листать страницы Библии.

— Что у нас там в Клиэруотере? Старый горн? — спросил Эйнсли у Руби.

— Труба и красный картонный полумесяц, — подтвердила она, взглянув на экран дисплея.

— Вот вам труба. Это в первой главе, стихе десятом. «Я был в духе в день воскресный, и слышал позади себя громкий голос, как бы трубный...» Мне кажется, я знаю и про красный месяц. — Он опять зашелестел страницами. — Точно! Вот, читаю в шестой главе, стихе двенадцатом. «И когда Он снял шестую печать, я взглянул, и вот, произошло великое землетрясение, и солнце стало мрачно как власяница, и луна сделалась как кровь».

Потом, обратившись прямо к Бенито Монтесу, Эйнсли сказал:

— Только послушайте вот это, коллега. Глава первая, стих пятнадцатый. «И ноги Его подобны халколивану, как раскаленные в печи...»

— Ноги мистера Хенненфельда, — завороженно пробормотал Монтес.

— А с делом Урбино какая связь, Малколм? — спросил сержант Грин.

Эйнсли еще порылся в книге.

— Кажется, нашел, — сказал он вскоре. — Там рука мертвой женщины касалась сосуда или почти касалась, так ведь, Пабло?

— Так.

— Тогда вот это место подходит. Глава семнадцатая, стих четвертый. «И жена облечена была в порфиру и багряницу... и держала золотую чашу в руке своей, наполненную мерзостями и нечистотою блудодейства ее».

Зал совещаний наполнился восхищенными возгласами. Эйнсли жестом просил тишины, отказываясь принимать признание своей заслуги. Присутствующие моментально угомонились, как только увидели, что он спрятал лицо в ладонях. Когда он отнял их, возбужденный охотничий блеск в глазах пропал, они были теперь грустны. С досадой он сказал:

— Я должен был, просто обязан был расшифровать этот код раньше. С самого начала... Сумей я — и кто-то из этих несчастных мог бы остаться в живых.

— Брось, Малколм, — пришел ему на помощь сержант Брюмастер. — Большинство из нас вообще никогда бы не догадались. С чего тебе сокрушаться?

«А с того, — хотел сказать им Эйнсли, — что из вас только я один — доктор богословия. Потому что это я грыз библейские тексты двенадцать нескончаемых лет. Потому что каждый из этих символов стучался в мою память, оживлял прошлое во мне, но только я слишком тугодум, слишком глуп и только сейчас сообразил...» Потом он решил не произносить всех этих слов. Ими ничего не изменишь. Он чувствовал горечь, стыд и опустошенность.

Лео Ньюболд слишком хорошо знал Эйнсли и понимал, что творилось у него сейчас в душе. Он поймал его взгляд и сказал спокойно:

— Главное, Малколм, что с твоей помощью мы ухватились за первую ниточку, и, по-моему, за очень важную. Теперь хотелось бы услышать, как ты истолкуешь все это.

Эйнсли кивнул и сказал:

— Во-первых, это сильно сужает поле наших поисков. Во-вторых, мы получили приблизительное представление о личности того, кого мы ищем.

— Ну, и кто же он? — спросил майор Янес.

— Одержимый, религиозный фанатик. А помимо всего прочего, он считает себя мстителем, ниспосланным на землю Богом.

— Стало быть, именно в этом смысл посланий, о которых вы говорили, сержант?

— Да, в этом, особенно если учесть, что каждый символ был оставлен на месте зверской расправы с людьми. Скорее всего убийца внушил себе, что он призван не только доставить послание Господа, но и своими руками свершить месть.

— Месть за что?

— Это мы узнаем, майор, только когда схватим убийцу и сможем его допросить.

Янес подытожил слова Эйнсли:

— Кажется, мы получили наконец отправную точку для расследования. Прекрасная работа, сержант!

— Полностью согласен с такой оценкой, — важно добавил Серрано.

Ньюболд снова взял ведение совещания на себя.

— Ты знаешь о Библии больше, чем все мы, вместе взятые, Малколм, — сказал он. — Расскажи, что еще нам предстоит разгадать в этом деле.

Прежде чем снова заговорить, Эйнсли ненадолго задумался. Ему нужно было сейчас соединить в краткой лекции свой опыт, знания, мысли, свое прошлое священника, путь к светской жизни, нынешнее мироощущение в роли сыщика из отдела по расследованию убийств. Крайне редко эти три его ипостаси сплетались в единое целое, как произошло сейчас. Он начал, стараясь говорить как можно проще:

— Первоначально Откровение было написано по-гречески. Его называют Апокалипсисом, потому что написано оно неким кодом, где использованы слова-символы, понятные только богословам. Поэтому многие воспринимают этот текст как дикую мешанину из видений, символов, аллегорий и пророчеств, причем совершенно бессвязную. — Эйнсли помедлил и затем продолжал: — Неясность Апокалипсиса раздражает даже ревностных христиан. К тому же тот факт, что цитатами из него можно подкрепить взаимоисключающие точки зрения, сделать аргументами в любом споре, объясняет, почему Откровение всегда привлекало разного рода кликуш и фанатиков. В нем они находят готовые рецепты и оправдания любому злу. Поэтому для нас важно разобраться, как тот, кого мы ищем, пришел к идеям Апокалипсиса и каким образом он приспособил его для своих целей. Получив ответы на эти вопросы, мы сумеем его вычислить.

Лейтенант Ньюболд обвел собравшихся за столом взглядом:

— Кто-нибудь еще хочет высказаться?

Руку поднял Хулио Верона. Вероятно, чтобы компенсировать свой малый рост, криминалист сидел на стуле очень прямо, в несколько напряженной позе. Получив разрешение Ньюболда, он сказал:

— Хорошо, что мы теперь более или менее знаем, кого ищем. Прими мои поздравления, Малколм. Но все же хочу напомнить, что, даже если у вас появится подозреваемый, улик у нас почти нет. Их явно недостаточно, чтобы подкрепить обвинение в суде.

При этом он искоса посмотрел на представителя прокуратуры Кэрзона Ноулза.

— Мистер Верона прав, — живо отозвался тот. — А это означает, что необходимо вновь просмотреть каждую мелочь, подобранную на местах совершения преступлений, убедиться, что ничего не укрылось от наших глаз. Убийца явный психопат. Кто знает, может, в итоге изобличить его поможет именно какой-нибудь пустяк, на который мы до сих пор не обратили внимания.

— У нас есть частичный отпечаток ладони с места убийства Фростов, — напомнила Сильвия Уолден.

— Да, но, насколько мне известно, этого отпечатка недостаточно для полноценной идентификации, — заметил Ноулз.

— По нему мы могли бы сравнить шесть признаков, а для констатации идентичности нужно девять. Лучше все десять.

— Стало быть, суд признает это лишь косвенной уликой, так, Сильвия?

— Так, — вынуждена была признать Уолден.

Слово попросила доктор Санчес. На ней был один из ее темно-коричневых костюмов, седеющие волосы стянуты в пучок.

— Я уже докладывала, что ножевые раны на четырех трупах — Фростах и Урбино — идентичны, — сказала она. — Они были нанесены одним и тем же охотничьим ножом с лезвием в двадцать пять сантиметров, с отчетливыми зазубринами и царапинами на нем. У меня есть снимки, где те же зазубрины хорошо видны на костных и хрящевых тканях жертв.

Естественно, все присутствовавшие отлично знали, о каком ноже шла речь. Это был бови-нож, в просторечии называемый иногда «арканзасской зубочисткой». Создателем этого охотничьего тесака стал в середине прошлого века один из техасских братьев Бови — то ли Джеймс, то ли Рэзин. С тех самых пор нож бессчетное число раз пускали в ход не только против зверя, но и против человека. Его невозможно было спутать ни с каким другим, он представлял собой грозное оружие. Деревянная рукоятка с крепким, заточенным с одной стороны лезвием. Обратная сторона лезвия, прямая на протяжении всех двадцати пяти — тридцати сантиметров, резко скашивалась на конце и встречалась с режущей поверхностью в одной острейшей точке. За полтора столетия бови-ножи не раз фигурировали в полицейских досье как орудия убийства.

— Сможете ли вы, доктор Санчес, доказать, что раны были нанесены конкретным ножом? — спросил Ноулз.

— Конечно, только найдите его.

— И вы готовы будете выступить свидетелем?

— Именно это я и хотела сказать, — нетерпеливо подтвердила Сандра Санчес. — Подобные улики суд обычно принимает во внимание.

— Это мне известно, но все же... — Ноулз, казалось, пребывал в нерешительности.

Хорошо знавшие прокурора сразу поняли, что он нацепил на себя маску, которой столько раз успешно пользовался в суде.

— Предположим, я представитель защиты и говорю вам: «Мною предъявлены суду свидетельства, что подобные ножи обычно производятся партиями по нескольку сотен штук каждая. Можете ли вы, доктор, быть абсолютно уверены, что именно вот этот нож — один из сотен, быть может, тысяч подобных ему, причинил раны, которые вы нам описали? И пожалуйста, доктор, отвечая на этот вопрос, ни на секунду не упускайте из виду, что на карту поставлена жизнь человека».

При этом он намеренно отвернулся от Сандры Санчес, которая медлила с ответом.

— Вообще-то... — начала она затем.

Прокурор повернулся к ней лицом и покачал головой:

— Все, у защиты больше нет вопросов к свидетелю.

Сандра Санчес покраснела и закусила губу с досады, поняв, к чему так искусно клонил прокурор. Вместо того чтобы ответить с присущей ей уверенностью, она начала колебаться, показав, что есть место и сомнению. Это не укрылось бы от присяжных, а всякий приличный адвокат знает, как усилить такое впечатление.

Санчес выразительно посмотрела на Ноулза, одарившего ее в ответ благодушнейшей улыбкой.

— Прошу прощения, доктор, за этот маленький эксперимент, но лучше пройти через него здесь, нежели на свидетельском месте в зале суда.

Затем он обратился к Хулио Вероне:

— При всем при том мы, конечно же, с максимальной эффективностью используем в суде такую улику, как нож, если представится возможность. Мне только хотелось показать, что наши возможности здесь не безграничны.

— Да и ножа у нас пока нет, — заметил криминалист, — а будет ли, зависит от вас, ребята. — Он широким жестом включил в число «ребят» даже Лео Ньюболда. — А мы с Сильвией займемся снова нашими двумя делами, раз уж теперь точно известно, что они связаны между собой. Пороемся в уликах, вдруг еще что отыщется.

— И я переберу медицинские архивы, — сказала Сандра Санчес. — Быть может, удастся напасть на нераскрытое убийство со сходным характером ран или с ритуально-религиозным мотивом. — Она помолчала и добавила задумчиво: — Всегда ведь есть вероятность, что подобные преступления имеют давнюю историю. Мне доводилось слышать о серийном убийце, который выжидал пятнадцать лет, прежде чем начал снова сеять смерть.

— Что ж, прекрасно, — сказал Лео Ньюболд. — А теперь... — он посмотрел на своего шефа, начальника управления по борьбе с преступлениями против личности Маноло Янеса, — не хотите ли вы, майор, что-нибудь добавить?

Янес начал без долгих предисловий. В глазах и голосе металла присутствовало поровну.

— Всем, я подчеркиваю, всем присутствующим здесь нужно сделать еще одно, но решающее усилие. Мы обязаны положить этому конец. Новых убийств быть не должно.

Янес посмотрел на Ньюболда:

— Сообщаю официально: вам, лейтенант, и вашим людям с этой минуты я даю карт-бланш. Принимайте любые необходимые меры. Если нужно, создайте спецподразделение. Как только прикинете, что вам нужно, обращайтесь ко мне — я передам в ваше распоряжение некоторых следователей из отдела ограблений. Что касается расходов, тратьте деньги по мере надобности, на сверхурочные не скупитесь.

Еще раз обведя всех взглядом, Янес завершил свою речь:

— Теперь у вас появилась хорошая рабочая версия, так найдите же мерзавца! Мне нужен результат. Держите меня в курсе.

— Спасибо за ваши рекомендации, сэр. Мы немедленно создадим специальное подразделение, которое будет заниматься исключительно этим делом. Те, кто войдет в него, от прочих обязанностей будут временно освобождены. Возглавит спецотряд сержант Эйнсли.

Все взгляды устремились на Эйнсли.

— Под вашей командой, сержант, — продолжал инструктаж Ньюболд, — будут две бригады следователей по шесть человек в каждой. Выбор второго сержанта оставляю за вами.

— Сержант Грин, — без лишних раздумий сказал Эйнсли. — Если он согласен, разумеется.

— Ты еще спрашиваешь! — отозвался Грин почти радостно.

— Поступаете в подчинение сержанта Эйнсли, — сказал ему Ньюболд. — Понятно?

— Так точно, сэр!

Эйнсли поспешил добавить:

— В спецподразделение я считаю необходимым включить детективов Квинна, Боуи, Кралика и Гарсию. Позже сегодня мы с Пабло назовем остальные кандидатуры. — Затем, обращаясь к майору Янесу: — Работы у нас будет очень много, сэр. Думаю, нам понадобятся по меньшей мере двое в подкрепление, а может, и четверо.

— Доложите лейтенанту Ньюболду, когда станет ясно, — кивнул Янес, — вам их выделят.

— А если и этого окажется мало, — вмешался в разговор Кэрзон Ноулз, — я направлю вам пару своих ребят из следственной группы при прокуратуре. Заодно они меня будут обо всем информировать.

— Это и в наших интересах, — заметил Эйнсли.

Ньюболд напомнил собравшимся:

— Поддерживайте связь с Форт-Лодердейлом и Клиэруотером; детективов, которые вели дела об этих убийствах, следует постоянно информировать.

Разговор продолжался еще несколько минут, и подвести под ним окончательную черту Лео Ньюболд любезно предложил промолчавшему все совещание Серрано.

Ныне большой начальник, а в свое время неплохой сыщик, Серрано говорил негромко, но веско:

— Скажу главное — в этом расследовании вы можете рассчитывать на поддержку всего управления полиции Майами. Очевидно, что, как только пресса узнает о серийном убийце, давление общественности на нас возрастет. По мере сил мы постараемся вывести вас из-под удара, чтобы вы могли работать спокойно и схватить этого маньяка. Но действуйте быстро. Думайте, думайте непрерывно. И да поможет нам Бог!

5

Как только совещание окончилось, члены вновь созданной спецкоманды собрались вокруг Эйнсли и прокурора Кэрзона Ноулза. Двадцать лет назад Кэрзон сам был полицейским, притом самым молодым сержантом Нью-Йоркского управления. Дослужился до лейтенанта и отправился изучать юриспруденцию во Флориде. Среди сыщиков Ноулз чувствовал себя своим, да и они не считали его за чужака.

— Раз уж нам предстоит работать вместе, не скажете ли, сержант, каким будет ваш первый шаг? — спросил он Малколма Эйнсли.

— Самым коротким — к компьютеру в этом самом зале. Присоединяйтесь. — Он оглянулся по сторонам. — Где Руби?

— Как всегда, на боевом посту, — отозвалась Боуи, выглядывая из-за чьей-то спины.

— Мне снова нужна твоя сноровка. — Эйнсли кивнул на компьютер, которым она уже пользовалась в тот день. — Давай переберем кое-какие архивы.

Она уселась за дисплей и набрала: ВОЙТИ В СИСТЕМУ.

УКАЖИТЕ КОД ПОЛЬЗОВАТЕЛЯ, высветилось в ответ.

— Мой или ваш? — спросила она Эйнсли.

— Набери восемь, четыре, три, девять, — продиктовал он.

ВВЕДИТЕ ПАРОЛЬ, попросила машина.

Эйнсли протянул руку к клавиатуре и сам набрал: ЛАКОМКА — так в минуты нежности он иногда называл Карен. К счастью, пароль не отображался на экране. На нем сразу появились буквы К. С. У. П. — что означало Компьютерная система уголовной полиции.

— Мы у врат волшебного царства, — провозгласила Руби. — Quo vadis?

— По-каковски это она? — раздался чей-то шепот.

— Камо грядеши, — перевел Берни Квинн.

— Это остатки моей детсадовской латыни, — лукаво улыбнулась Руби. — Мы, ребята из черного гетто, не так просты, как кажемся.

— Вот и докажи нам это, — сказал Эйнсли. — Открой «Архив» и найди директорию «Странности».

Несколько введенных команд, и на дисплее появилось: СТРАННОСТИ.

— О, да здесь куча файлов! — воскликнула Руби. — Куда дальше?

— Посмотри «Религия», «Религиозный» или что-нибудь в этом духе.

Пальцы снова забегали по клавишам, потом:

— Гляньте-ка, здесь есть «Религиозные фанатики»!

— Похоже, это именно то, что нам нужно, — заметил Эйнсли.

Если кто-то из них и надеялся увидеть россыпь имен, то его ждало разочарование. Имен оказалось только семь; каждое сопровождала краткая биографическая справка, а также сведения о приводах и отсидках. Эйнсли и Руби зачитывали их вслух, остальные тянулись, чтобы видеть дисплей через их плечи.

— Верджил не в счет, — сказал Квинн. — Он в тюрьме. Я сам его туда упек.

И верно, проверка через компьютер подтвердила, что Фрэнсис Верджил уже два года ел казенный хлеб. Ему предстояло отсидеть еще шесть лет. В местах не столь отдаленных пребывали и двое других из списка. Оставалось четыре кандидатуры.

— Орнеуса тоже придется вычеркнуть, — заметил Эйнсли. — Ниже здесь сказано, что он умер.

Сыщики знали, что досье на преступника сохранялось в памяти компьютера два года после его смерти.

— Думаю, Гектор Лонго нам тоже не подходит, — сказала Руби: Лонго исполнилось уже восемьдесят два года, он был почти слеп и к тому же сухорук.

Двоих оставшихся можно было считать «вероятными подозреваемыми», но в целом компьютерный поиск не дал ожидаемых результатов.

— А что, если попробовать посмотреть в «Модус операнди»? — предложил Ноулз.

— Уже пробовали по каждому из убийств в отдельности. Пусто, — сказал Эйнсли. Потом прибавил задумчиво: — Чем дольше мы занимаемся этим делом, тем сильнее у меня ощущение, что тот, кого мы ищем, криминального прошлого не имеет.

Следующее предложение поступило от Руби:

— Может, посмотрим в РОНах?

У Эйнсли явно были сомнения по этому поводу, но он все же согласился:

— Почему бы и нет? Терять нам нечего.

РОН — рапорт оперативных наблюдений — обычно содержал информацию, собранную патрульным полицейским, который в общественном месте стал очевидцем странного, эксцентричного или вызывающего поведения, прямо не выходящего за рамки закона. Такой же рапорт подавался на тех, кого заставали при подозрительных обстоятельствах, чаще всего глубокой ночью, хотя и без правонарушений.

РОН предписывалось заполнять сразу на месте, для чего существовали специальные бланки. Полицейским было строжайше наказано собирать о таких людях как можно более подробную информацию, включая полное имя, домашний адрес, род занятий, подробный словесный портрет, номер транспортного средства, если таковое имелось, а также обстоятельства дела. Большинство из тех, кого полиция просила дать такие данные о себе, шли на это удивительно охотно, особенно когда им сообщали, что ни арест, ни штраф им не грозят. Однако имевшие в прошлом столкновения с законом старались не упоминать об этом.

Заполненные бланки РОН полагалось сдавать в полицейское управление, где информацию загружали в компьютер. Одновременно проводилась дополнительная проверка, устранявшая пробелы в криминальном прошлом забывчивых граждан.

В полиции Майами система РОН долгое время пользовалась дурной репутацией. Поначалу некоторые патрульные, одержимые желанием выслужиться и получить повышение, буквально заполонили память компьютера вымышленными РОНами. Для заполнения форм имена брали даже с надгробий. Кое-кого удалось схватить за руку, позорный обман прекратился, однако многие в полиции все еще относились к рапортам с глубоким недоверием. Эйнсли был из их числа.

Они просмотрели файлы и имена в них, действуя методом исключения, а оставшиеся кандидатуры добавили к тем двум, что возникли раньше. Когда с этой работой было покончено, Руби распечатала полдюжины экземпляров списка и раздала их. В распечатке значились шестеро:

ДЖЕЙМС КАЛХОУН, пол муж., белый, кличка — Иисусик. Род. 10 окт. 67 г. 180 см, 90 кг. Дом. адрес: Майами, 10-я Сев.-Зап. ул., 271. На прав. стороне груди имеет татуир. в виде креста. Провозглашает близкий конец света, считает себя Христом во втором пришествии. Неосторожное убийство, вооруженное ограбление, драки.

КАРЛОС КИНЬОНЕС, пол муж., латиноамериканец, кличка — Дьяволенок. Род. 17 нояб. 69 г. 167 см, 82 кг. Креп. телосложен. Дом. адрес: Майами, 22-я Юго-Зап. ул., 2640. Говорит о себе как о единственном, подлинном Мессии, проповеднике Слова Божия. В прошлом — разбойные нападения, изнасилования, ограбления.

ЭРЛ РОБИНСОН, пол муж., черной расы, кличка — Мститель. Род. 2 авг. 64 г. 182 см, 85 кг. Дом. адрес: Майами, 65-я Сев.-Зап. ул., 1310. Спортив. сложения, быв. боксер-тяжеловес, крайне агрессивен. Проповедует на улицах и площадях, декламирует из Библии (обыч. Апокалипсис), себя считает ангелом, судящим от Господа. Имеет судимости за вооруженное ограбление, убийство без отягчающих обстоятельств, нападения с применением холодного оружия.

АЛЕК ПОЛАЙТ, пол муж., выходец с Гаити, кличка — Мессия. Род. 12 дек. 69 г. 180 см, 83 кг. Дом. адрес: Майами, 65-я Сев.-Вост. ул., 265. Трактует Священное Писание для всякого, кто согласен слушать. Заявляет, что общается с Богом. Если его слова подвергают сомнению, становится агрессивен. Склонен к насилию, но к суду не привлекался. В США проживает с 1993 г.

ЭЛРОЙ ДОЙЛ, пол. муж., белый, кличка — Крестоносец. Род: 12 сент. 64 г. 193 см, 130 кг. Дом. адрес: Майами, 35-я Сев.-Вост. ул., 189. Считает себя апостолом, которому известна воля Божья. Проповедует в общественных местах. Репутация безвредного чудака. Подрабатывает шофером.

ЭДЕЛЬБЕРТО МОНТОЙЯ, пол муж., латиноамериканец. Род. 1 нояб. 62 г. 175 см, 70 кг. Дом. адрес: Майами, 1-я Сев.- Зап. ул., 861, кв. 3. Особая примета — носит густую бороду и усы. Заявляет о себе как о новообращенном христианине, цитирует Библию, предрекает конец света. В прошлом привлекался за изнасилование, сексуальные домогательства и хулиганство.

По мере того как сыщики читали все это, общее возбуждение нарастало.

Первым не выдержал сержант Грин:

— Кажется, мы напали на верный след, Малколм!

— Нам нужен Робинсон! — загорелись глаза у Гарсии. — Я почти уверен, что это он. Только посмотрите, декламирует из Апокалипсиса и прозвище подходящее — Мститель. К тому же боксер. Значит, сильный.

— Не говоря уже о нападениях с применением холодного оружия, — добавила Руби Боуи.

— Не стоит горячиться, — сказал Эйнсли. — Не будем спешить с выводами. Займемся всеми.

— Будете кого-нибудь брать? — поинтересовался Монтес.

— У нас пока мало улик. Для начала установим за ними наблюдение.

— Вы должны быть крайне осторожны с этими людьми, сержант, чтобы они ни в коем случае не засекли слежку. — Ноулз обвел всех взглядом. — Хочу напомнить всем, насколько мало у нас сейчас улик. Если один из этих шести — тот, кто нам нужен, и он поймет, что попал к нам на заметку, то просто ляжет на дно и тогда поди прижми его!

— Пусть уж лучше ляжет на дно, — заметил Пабло Грин. — Не дай бог, пришьет еще кого-нибудь!

— Если наблюдение будет плотным, этого не случится, — рассудил Ноулз. — Хотя в идеале его лучше было бы взять на месте преступления.

— Это идеал для прокурора, — покачала головой Руби Боуи. — Для жертвы — рискованный идеал.

Эйнсли вместе со всеми рассмеялся, потом жестом призвал всех к тишине и вниманию.

— Руби права, — поддержал ее Квинн. — Слежка — это риск. Мерзавец умен и, конечно, понимает, что мы его ищем.

Эйнсли повернулся и посмотрел на Лео Ньюболда, который присоединился к ним пару минут назад:

— А вы что думаете по этому поводу, лейтенант?

— Тебе решать, Малколм, — пожал плечами тот. — Этой операцией командуешь ты.

— Значит, будем рисковать, — решительно сказал Эйнсли. — И будьте уверены, мы все сделаем так, что комар носа не подточит. — Он обратился к Пабло Грину: — Давай разработаем план наблюдения прямо сейчас.

Было решено, что для начала группа Эйнсли возьмет на себя Эрла Робинсона, Джеймса Калхоуна и Карлоса Киньонеса, а группа Пабло Грина — Алека Полайта, Элроя Дойла и Эдельберто Монтойю. Наблюдение тотальное, то есть круглосуточное.

— Нам сразу же понадобится подкрепление из отдела ограблений, сэр, — обратился Эйнсли к Ньюболду. — Пусть дадут пока хотя бы двоих детективов, я вставлю их в график дежурств.

— Я поговорю с майором Янесом, — кивнул Ньюболд.

Когда они уже собирались расходиться, дверь зала для совещаний вдруг резко распахнулась. На пороге возникла фигура сержанта Хэнка Брюмастера. Он тяжело дышал, лицо его выражало крайнюю степень ошеломленности и испуга. В тот день Брюмастер возглавлял группу оперативных дежурных, всем сразу стало ясно, что означало подобное появление.

— Плохие новости, Хэнк? — спросил Лео Ньюболд, сделав шаг навстречу.

— Хуже не бывает, сэр. — Брюмастер глубоко втянул в себя воздух. — Это городской комиссар Густав Эрнст... и его жена. Оба мертвы... Убийство. Сообщение поступило только что. И, судя по описанию, это еще одно из...

— Бог мой, неужели из той же... — перебил Эйнсли.

— Судя по всему, это продолжение той же серии. — Брюмастер повернулся к Ньюболду: — Я со своими людьми выезжаю туда сейчас же, лейтенант. Я подумал, что вам лучше сразу узнать. — Он обвел взглядом комнату. — Да и остальным лучше знать об этом, потому что репортеры уже там. Ох, и устроят они свистопляску!

В следующие несколько дней город содрогался от общественного возмущения и сенсационных материалов в масс-медиа, как от землетрясения: убийство Эрнстов стало всеобщей темой номер один.

Для репутации полицейского управления убийство Эрнста и его жены само по себе оказалось жестоким ударом: Эрнст был одним из трех городских комиссаров, которые наряду с мэром, его заместителем и казначеем управляли Майами. Что же касается Эйнсли, Ньюболда и остальных детективов, то для них трагедия была особенно страшной, потому что дочерью покойной четы была майор Синтия Эрнст — офицер полиции Майами.

В момент убийства Синтия Эрнст находилась в командировке в Лос-Анджелесе. С ней связались через лос-анджелесских полицейских. Затем «потрясенная и сраженная горем», как сообщили шестичасовые новости по телевидению, она вернулась в Майами и немедленно оказалась в центре внимания напуганного, бурлящего города.

6

Первоначальное сообщение о том, что убийство комиссара Эрнста и его жены идентично случившимся раньше кровавым расправам с тремя другими пожилыми супружескими парами — Фростами в Кокосовом оазисе, Хенненфельдами в Форт-Лодердейле и Урбино в Майами, — к великому сожалению всех, полностью подтвердилось. Полиции пришлось к тому же сделать достоянием гласности и четвертое сходное убийство, обнаруженное Руби Боуи по бумаге пятимесячной давности, — Хэла и Мейбл Ларсен в Клиэруотере.

Центр набиравшего обороты расследования переместился теперь в особняк Эрнстов — палаццо средиземноморского стиля в фешенебельном и надежно охраняемом районе Бэй-Пойнт на западном побережье залива Бискэйн.

Там-то и обнаружила горничная избитые и окровавленные тела своих хозяев. Она, по обыкновению, пришла на работу, когда все в доме еще должны были спать, приготовила утренний чай и с чашками на подносе направилась в спальню Эрнстов. Увидев два сидящих в лужах крови друг против друга трупа, она разразилась криком, уронила поднос и лишилась чувств.

Крик услышал пожилой дворецкий Тео Паласио; он вел хозяйство Эрнстов, его жена Мария занималась кухней. В то утро оба спали необычно долго, поскольку накануне с разрешения хозяев вернулись домой около часа ночи.

Паласио бросился к телефону, как только понял, что произошло.

Когда прибыл сержант Брюмастер, особняк уже взяли под охрану снаружи и внутри патрульные полицейские, а врач «Скорой помощи» выводил из обморока горничную.

Прежде шефа на место приехали детективы из его группы Дион Джакобо и Сет Уитман. Брюмастер сразу же назначил Джакобо своим заместителем по ведению расследования, чтобы дать ему дополнительные полномочия, которые в таком из ряда вон выходящем деле могли оказаться далеко не лишними.

Джакобо — суровый с виду, крепко сбитый малый, проработавший двенадцать лет в отделе по расследованию убийств, — немедленно отдал распоряжение охране опоясать дом и сад желтой лентой полицейского кордона.

Почти тут же прибыли Хулио Верона и доктор Сандра Санчес. Верона приехал с тремя коллегами в микроавтобусе, которым располагали криминалисты. Сообщили, что сам начальник полиции Майами уже в пути.

Журналисты, узнавшие о громком преступлении из оживленного радиообмена между подразделениями полиции, столпились у главных ворот Бэй-Пойнт, далее которых их не пустила частная охрана жилого комплекса, получившая на этот счет четкую директиву от Джакобо. Репортеры спорили между собой, каким образом преступнику или преступникам удалось обмануть надежнейшую систему безопасности Бэй-Пойнт и проникнуть в особняк Эрнстов.

Когда на территорию въезжал сержант Брюмастер, его пытались остановить три телегруппы, журналисты норовили просунуть микрофон в открытое окно его машины, операторы старались покрупнее взять лицо. Вопросы задавались хором: «У вас уже есть подозреваемые, детектив?.. Верно ли, что Эрнстов убили так же, как остальных?.. Их дочь, майор Эрнст, уже информировали?.. Она уже вылетела в Майами?»

Брюмастер только мотал головой, ничего не говорил и продолжал движение. Добравшись до особняка, он распорядился, чтобы вызвали кого-нибудь из пресс-службы: «Скажите, что нужны на месте преступления, чтобы отвечать на вопросы журналистов».

В некоторых полицейских управлениях убийство высокопоставленного чиновника или иной знаменитости немедленно выделили бы в особую категорию, папку с делом пометили бы красным кружком, между собой величали бы его «особой важности дерьмо». Дело с такой меткой автоматически становилось для сыщиков первостепенным. В полиции Майами официально это не практиковалось, предполагалось, что все преступления рассматриваются как «равные перед законом». Однако убийство городского комиссара Эрнста и его жены с самого начала показывало, что это далеко не так.

Чего стоил поспешный приезд на место преступления начальника полиции Фэррелла У. Кетлиджа-младшего, которого в персональном лимузине доставил в Бэй-Пойнт его адъютант-сержант! Шеф явился при полном параде — четыре звезды на погонах, означавшие, что чином он не ниже армейского генерала. «Чтобы сам начальник примчался на место?! Да за год такие случаи можно по пальцам одной руки пересчитать», — шепнул детектив Уитман одному из стоявших рядом патрульных.

Приехавший несколькими минутами раньше лейтенант Ньюболд встретил командира на пороге особняка. С ним был детектив Брюмастер.

— Я хочу все увидеть сам, лейтенант, — сказал шеф решительно.

— Да, сэр. Сюда, пожалуйста.

Они вслед за Ньюболдом сначала поднялись по просторной лестнице, а затем прошли по коридору к дверям спальни, которые были открыты. При входе они остановились, давая возможность Кетлиджу оглядеться.

Эксперты-криминалисты уже трудились здесь в поте лица. В стороне от них доктор Санчес дожидалась, пока закончит свою работу фотограф. Джакобо обсуждал с Сильвией Уолден, где ей лучше искать отпечатки пальцев.

— Кто обнаружил трупы? — спросил шеф. — Что нам вообще известно?

Ньюболд жестом дал указание Брюмастеру, который кратко пересказал, как утром пришла горничная, понесла утренний чай в спальню, как она кричала — словом, все, что узнал от дворецкого Тео Паласио. Тот заявил, что они с женой ушли вечером накануне и вернулись только глубокой ночью, что происходило всякий раз, когда они отправлялись навестить парализованную сестру Марии Паласио, жившую в Уэст-Палм-Бич. Горничная тоже покинула дом около пяти часов вечера накануне.

— Нам пока неизвестно, когда наступила смерть, — добавил Ньюболд, — но ясно, что убийство произошло, когда мистер и миссис Эрнст были в доме одни.

— Разумеется, сэр, мы проверим показания Паласио, — заверил начальника полиции Брюмастер.

Кетлидж кивнул и изрек:

— Значит, не исключена вероятность, что преступник знал распорядок жизни в доме.

Умозаключение было настолько банальным, что и Ньюболд, и Брюмастер воздержались от комментариев. Оба знали, что Кетлидж никогда сыщиком не был, звезды заработал, сидя в управленческом аппарате. Но время от времени ему, как и многим «штабистам», нравилось поиграть в детектива.

Шеф прошел в комнату, чтобы разглядеть все поближе. Он осмотрел сначала с одной, потом с другой стороны оба трупа, которыми все еще занимались криминалисты, и хотел уже было двинуться дальше, но был остановлен резким окриком Джакобо:

— Стоп! Туда нельзя!

Кетлидж порывисто обернулся на голос; в глазах одновременно читались изумление и ярость. Затем он абсолютно ледяным тоном начал:

— А кто, собственно...

— Детектив Джакобо, сэр! — Сержант ответил быстрее, чем был закончен вопрос. — Я заместитель старшего следователя по этому делу.

Теперь эти двое стояли друг против друга. Оба были чернокожими. Оба упрямы.

Первым пошел на компромисс Джакобо:

— Извините, что крикнул на вас, сэр, но я был вынужден.

Кетлидж все еще сверлил его глазами, явно обдумывая, что делать.

С формальной точки зрения Джакобо поступил совершенно правильно. Как заместитель ведущего детектива он получал на месте преступления власть над всеми, невзирая на чин. Но все же мало кто решился бы употребить эту власть по отношению к офицеру, который был на семь званий старше.

Все наблюдали за ними, и Джакобо стало немного не по себе. Прав он или нет, но не стоило, наверное, перегибать палку. Черт его знает, вдруг завтра придется снова надеть форму и отправиться в ночной патруль по улицам Майами?

Хулио Верона, деликатно кашлянув, чтобы привлечь к себе внимание, обратился к начальнику полиции:

— С вашего позволения, сэр, мне кажется, что детектив был обеспокоен тем, как бы не повредить вот это. — Он указал на место позади трупов.

— А что там такое? — первым спросил лейтенант Ньюболд.

— Дохлый кролик, — ответил Верона, еще раз посмотрев вниз. — Это может быть важно.

Брюмастер чуть заметно вздрогнул.

— Еще как важно! Опять какой-то символ. Здесь нам не обойтись без Малколма Эйнсли.

— Вы хотите сказать, что детектив Джакобо знал, что там лежит мертвое животное? — недоверчиво покосился на Верону начальник полиции.

— Этого я не могу знать, сэр, — сказал криминалист, — но только, пока осмотр не завершен, мы должны исходить из того, что улики могут быть повсюду.

Кетлидж колебался, но уже взял себя в руки. Он имел репутацию не только поборника строгой дисциплины, но и человека справедливого.

— Что ж, — шеф чуть приосанился и оглядел всех находившихся в комнате, — я приехал сюда главным образом затем, чтобы подчеркнуть своим присутствием исключительную важность данного дела. Сейчас все мы на виду у публики как никогда. Не жалейте сил, трудитесь. Мы обязаны быстро раскрыть это преступление.

Направившись к выходу, Кетлидж задержался, чтобы сказать Ньюболду:

— Лейтенант, проследите, чтобы в личное дело детектива занесли благодарность, — он чуть заметно улыбнулся, — скажем, за бдительность, проявленную при сохранении материалов следствия в сложных обстоятельствах. — С этими словами он вышел.

Прошло еще около часа, когда Хулио Верона сообщил сержанту Брюмастеру:

— Среди личных вещей мистера Эрнста найден бумажник с его водительскими правами и кредитными карточками. Денег в нем нет, хотя бумажник такой пухлый, словно его раздуло от купюр.

Брюмастер сразу же отправился выяснять этот вопрос у Паласио. Ему и его жене было велено не выходить из кухни и ничего не трогать. Мажордом едва сдерживал слезы и разговаривал с трудом. Глаза жены, сидевшей за кухонным столом, тоже покраснели от слез.

— У мистера Эрнста всегда были в бумажнике деньги, — сказал Тео Паласио. — В основном крупные... Бумажки по пятьдесят и сто долларов. Он любил расплачиваться наличными.

— У него не было привычки переписывать номера крупных банкнотов?

— Сомневаюсь, — покачал головой Паласио.

Брюмастер дал старику время привести мысли в порядок и продолжил:

— Вы говорили мне, что когда утром вошли в спальню хозяев, то сразу поняли, что уже ничем не сможете им помочь, и бросились звонить.

— Да, так и было. Я вызвал службу «Девять-один-один».

— И вы ни к чему в спальне не прикасались? Вообще ни к чему?

Паласио покачал головой:

— Я знаю, что до приезда полиции все должно оставаться на местах... — Тон у Паласио стал вдруг неуверенным.

— Вы что-то вспомнили? — сразу уловил его колебания Брюмастер.

— Нет... То есть да, я кое о чем забыл вам сказать. Там очень громко играло радио, и я его выключил. Простите, если я что-то...

— Ничего страшного, но только пойдемте прямо сейчас и посмотрим на него.

В спальне Эрнстов Брюмастер подвел Паласио к портативному приемнику.

— Когда вы его выключили, волну изменяли?

— Нет, сэр.

— С тех пор кто-нибудь мог им пользоваться?

— Не думаю.

Брюмастер натянул на правую руку резиновую перчатку и включил приемник. Звуки популярной песни «О, что за чудное утро!» из мюзикла «Оклахома!» Роджерса и Хаммерстайна наполнили комнату. Детектив внимательно вгляделся в шкалу — приемник был настроен на волну 93,1 FM.

— Это радио «Дабл'ю-Ти-Эм-Ай», — заметил Паласио. — Любимая станция миссис Эрнст, она ее часто слушала.

Чуть позже Брюмастер привел в спальню Марию Паласио.

— Постарайтесь не смотреть на тела, — сказал он сочувственно. — Я встану так, чтобы загородить их от вас, взгляните на кое-что другое.

Он хотел, чтобы она взглянула на драгоценности: кольцо с сапфиром и бриллиантом, золотое кольцо, жемчужное ожерелье, усыпанный бриллиантами золотой браслет — все это богатство лежало на самом виду, небрежно разложенное на туалетном столике в спальне.

— Да, это украшения миссис Эрнст, — сказала Мария Паласио. — На ночь она всегда оставляла их здесь, а в сейф убирала только утром. Я даже один раз предупреждала ее, что... — Голос женщины сорвался.

— На этом все, миссис Паласио, спасибо, — поспешил сказать ей Брюмастер. — Вы сообщили мне достаточно.

Позже на вопросы Брюмастера отвечала доктор Санчес:

— Да, характер побоев и телесных повреждений, нанесенных мистеру и миссис Эрнст, сходен с теми, что мы имели в случае Фростов и Урбино, а если судить по заключениям из Форт-Лодердейла и Клиэруотера, то и с теми случаями тоже.

— А что вы скажете о ножевых ранениях, доктор?

— Не могу ничего утверждать с уверенностью до вскрытия, но на первый взгляд раны были нанесены ножом такого же типа.

Что до кролика, то здесь Сандра Санчес не полагалась на свое суждение и пригласила Хезер Юбенс, с которой когда-то вместе работала. Хезер — дипломированный ветеринар, специалист по домашним животным — стала теперь владелицей зоомагазина. Она осмотрела дохлого кролика, определила его породу и сообщила, что такие во множестве приобретались у нее в последнее время. Причиной смерти зверька, по ее мнению, стала асфиксия. Проще говоря, его задушили.

Тушку кролика сфотографировали и отправили по распоряжению доктора Санчес в отделение судебно-медицинской экспертизы, чтобы сохранить в формальдегиде.

Сержант Брюмастер осведомился у Тео Паласио, держали ли Эрнсты кролика.

— Нет, что вы! Мистер и миссис Эрнст терпеть не могли домашней живности, — сказал мажордом. — Я хотел, чтобы они завели сторожевую собаку... Ну, знаете, от всех этих преступников. Но мистер Эрнст ни в какую... Я, говорит, городской комиссар, и о моей безопасности как-нибудь полиция позаботится... Вот и позаботилась.

Брюмастер предпочел пропустить последнюю фразу мимо ушей.

Позднее полиция опросила всех владельцев зоомагазинов Майами в надежде напасть на след покупателя кролика, но продано их было столько, иной раз пометами по семь-восемь особей, что поиски ни к чему не привели.

Хэнк Брюмастер рассказал о кролике Малколму Эйнсли и спросил:

— Есть в Откровении подходящее место, как было с другими уликами?

— В Откровении о кроликах нет ни слова, как и во всей Библии, — ответил Эйнсли. — И все равно это может быть неким символом. Кролик ведь зверь древний.

— Ну хоть какая-то связь с религией здесь существует?

— Не могу сказать точно. — Эйнсли помедлил, силясь припомнить курс лекций «Происхождение жизни и геологическая хронология», который он прослушал вскоре после того, как вера в церковные догматы стала в нем ослабевать. Детали послушно всплыли в памяти — он иногда сам удивлялся этой своей способности. — Кролики принадлежат к семейству зайцев, происходят из Северной Азии эпохи позднего палеоцена. — Эйнсли поневоле улыбнулся. — То есть они появились за пятьдесят пять миллионов лет до того, как был сотворен мир, согласно библейской книге Бытие.

— И ты думаешь, что наш преступник, он же религиозный фанатик, как ты его величаешь, знает все это? — изумился Брюмастер.

— Сомневаюсь. Однако мы не можем даже догадываться, что им движет и почему.

В тот же вечер дома Эйнсли уселся за персональный компьютер Карен, в память которого была заложена Библейская энциклопедия. Следующим утром он сообщил Брюмастеру:

— Я перепроверил себя по компьютеру. Кролик в Библии не упоминается вообще, а вот заяц — дважды, в Левите и Второзаконии, но не в Откровении Иоанна Богослова.

— Ты думаешь, что наш кролик символизировал зайца и все-таки связан с Библией?

— Нет. — Эйнсли помедлил, а потом сказал: — Хочешь, я скажу, что на самом деле думаю, поломав над этим голову весь прошлый вечер? Я не верю, что кролик вообще что-то символизирует. По-моему, нам подбросили фальшивку.

Брюмастер вскинул на него удивленный взгляд.

— Все символы, оставленные на местах прежних преступлений, означали что-то конкретное. В самом деле, четыре дохлые кошки — это аналог «четырех животных», красный полумесяц — это «луна сделалась как кровь», горн — «голос громкий, как бы трубный».

— Я помню, — кивнул Брюмастер.

— Ты скажешь, что кролик тоже животное, а в Откровении полно всякого зверья. Но нет, — покачал головой Эйнсли, — у меня чувство, что это не так.

— И каков твой вывод?

— Это пока только моя интуиция, Хэнк, не более, но я все же считаю, что нам предстоит еще разобраться, было ли убийство Эрнстов одним из серийных убийств или кто-то другой пытался имитировать его.

— Не забывай, что мы скрыли некоторые детали предшествовавших преступлений.

— Да, но только некоторые. У репортеров есть свои источники информации, и утечки неизбежны.

— Ты говоришь странные вещи, Малколм, я над этим поразмыслю. Хотя, признаюсь тебе сразу, после обследования места убийства Эрнстов твоя версия кажется мне маловероятной.

Эйнсли не стал переубеждать его.

Вскоре Сандра Санчес дала заключение о вскрытии трупов. Да, обе жертвы были убиты с помощью бови-ножа, как доктор и предполагала после первого, поверхностного осмотра. Однако следы, оставленные орудием убийства, отличались от тех, что фигурировали в более ранних делах. Нож был использован другой, но... Это ничего не доказывало. Подобные ножи продавались на каждом углу. У серийного убийцы их могло быть несколько.

Дни текли, и вопреки сомнениям Эйнсли становилось все более очевидным, что Эрнсты погибли от той же руки, что и восемь других жертв нераскрытых серийных убийств. Совпадали основные обстоятельства и даже детали: умерщвленный кролик, который мог все же быть библейским символом; похищение всей денежной наличности; пренебрежение преступника к дорогим ювелирным украшениям, лежавшим на виду; громкая музыка по радио. Как и в других случаях, полностью отсутствовали отпечатки пальцев убийцы.

Конечно, сыщиков насторожила одна несообразность: между убийством Урбино в Сосновых террасах и убийством Эрнстов прошло всего три дня, тогда как прежние преступления разделяло два-три месяца. Этот факт заинтересовал прессу и общественность. Сами собой напрашивались вопросы. Может, убийца решил ускорить исполнение своей смертоносной миссии, какой бы она ни была? Или у него возникло ощущение неуловимости и безнаказанности? Есть ли тайный смысл в том, что своей жертвой он избрал в этот раз городского комиссара? Не угрожает ли опасность жизни других высокопоставленных чиновников? И наконец, чем занимается полиция, пытается ли предугадать следующий ход преступника?

Хотя ответить на последний из этих вопросов публично полицейские не могли, спецподразделение под командой Эйнсли начало негласную слежку за шестью подозреваемыми. Дело об убийстве Эрнстов тоже было решено поручить им. Сержант Брюмастер, продолжая официально вести расследование дела Эрнстов, вошел в состав подразделения Эйнсли вместе с детективами Дионом Джакобо и Сетом Уитманом.

Однако спецкоманда только еще разворачивала свое наблюдение, когда произошла встреча, которая, как Эйнсли прекрасно понимал, была неизбежна.

7

Через два дня после того, как были найдены обезображенные трупы Густава и Эленор Эрнст, Эйнсли приехал к себе в отдел в восемь пятнадцать утра, по дороге он заехал в дом Эрнстов получить от сержанта Брюмастера самую последнюю информацию. К его разочарованию, ничего нового он не узнал. Итог опроса соседей о любых подозрительных незнакомцах, которых они могли заметить в последние дни, Брюмастер подвел одним испанским словом: «Nada»*.

Первым, кого Эйнсли увидел, когда вошел в отдел, был лейтенант Ньюболд.

— Тебя кое-кто хочет повидать у меня в кабинете, Малколм. Отправляйся прямо туда.

Несколько мгновений спустя с порога кабинета начальника отдела по расследованию убийств Малколм увидел в кресле Ньюболда Синтию Эрнст.

Полицейская форма была ей на удивление к лицу, и выглядела она потрясающе. Не забавно ли, подумал Эйнсли, что простецки скроенная мужская одежда может смотреться на женщине так сексапильно? Сшитый на заказ китель с майорскими золочеными дубовыми листьями на петлицах только подчеркивал идеальные пропорции ее фигуры. Темные волосы, подстриженные по уставу — четыре сантиметра над воротничком, оттеняли нежно-розовую кожу лица и выразительные зеленые глаза. Эйнсли уловил запах знакомых духов, и на него внезапно нахлынули воспоминания.

Синтия была погружена в чтение единственного листка бумаги, лежавшего перед ней на столе. Когда она подняла голову и заметила Эйнсли, на лице ее не отразилось никаких эмоций.

— Войдите и закройте дверь, — сказала она.

---

* Ничего *(исп.)*.

Эйнсли не мог не заметить ее покрасневших век. Она плакала...

Встав у края стола, он начал:

— Я хотел бы выразить свои глубочайшие соболез...

— Спасибо, — резко оборвала майор Эрнст и сразу перешла на сугубо деловой тон: — Я здесь, сержант, чтобы задать вам несколько вопросов.

— Постараюсь исчерпывающе на них ответить, — невольно в тон ей сказал Эйнсли.

Даже сейчас, когда она держалась с ним так холодно, видеть ее, слышать ее голос было для него так же радостно, как и в дни их любви. Теперь казалось, что это было очень давно — их упоительно-эротичный, волнующий, слегка безумный роман.

Он начался пять лет назад, когда они оба работали в отделе по расследованию убийств. В тридцать три (на три года моложе Эйнсли) она была необычайно хороша собой и притягательна. А сейчас она казалась ему еще более желанной. Ее подчеркнутая суровость к нему странным образом усиливала вожделение, обостряла чувство, которое овладевало им при виде этой женщины. От Синтии исходили манящие импульсы, как от радиомаяка, так было всегда. В этой совсем уж не романтической обстановке Эйнсли, к своему смущению, ощутил в себе прилив желания.

Она кивнула на кресло, стоявшее по противоположную от нее сторону стола, и сказала без улыбки:

— Можете сесть.

— Спасибо, майор. — Эйнсли все же позволил себе чуть заметно улыбнуться.

Он сел, понимая, что с первых же слов Синтия очертила рамки их отношений — строгое соответствие субординации, а в звании она была теперь значительно старше его. Что ж, отлично! Всегда лучше с самого начала знать правила игры. Жаль только, что она не позволила ему высказать искреннее сострадание по поводу страшной смерти ее родителей. Синтия опять уставилась в лист бумаги на столе. Спустя какое-то время она неспешно отложила его в сторону и снова посмотрела на Эйнсли:

— Как я поняла, именно вам поручено руководить расследованием убийства моих родителей?

— Да, это так. — Он начал рассказывать о спецподразделении и причинах его создания, но она прервала его:

— Это все мне уже известно.

Эйнсли замолк, гадая, чего хочет Синтия. В одном он не сомневался: она была в глубоком, неподдельном горе. О многом говорили покрасневшие глаза. Насколько он знал, Густава и Эленор Эрнст связывали с Синтией, их единственным ребенком, особо нежные отношения.

При других обстоятельствах он бы потянулся и обнял ее или просто погладил по руке, но догадывался, что сейчас не стоит этого делать. Уже четыре года, как между ними все кончилось, а Синтия к тому же обладала удивительной способностью возводить вдруг вокруг себя непреодолимую стену, полностью отрекаться от всего личного и становиться жестким, требовательным профессионалом, чему он не раз был свидетелем.

Работая вместе с ней, Эйнсли открыл для себя куда менее достойные восхищения черты ее характера. В своей жесткой прямолинейности она не различала мелких нюансов, а именно внимание к мелочам зачастую приводит к успеху расследования. Она предпочитала действовать быстро и наверняка, даже если приходилось для этого выходить за рамки законности — заключать закулисные сделки с преступниками или подбрасывать «улики», когда трудно было добыть доказательства иным путем. В свое время она находилась у него в подчинении, и Эйнсли порой выговаривал ей за недостойные методы, хотя высокая эффективность ее работы была бесспорна, что шло на пользу его собственной репутации.

А еще он знал близкую, нежную, яростно чувственную Синтию, хотя такой он ее никогда больше не увидит... Он поспешил отогнать от себя саму эту мысль.

Она подалась вперед, упершись в стол ладонями:

— Говорите по существу. Мне нужно знать, что конкретно вы делаете. И не скрывайте от меня ничего.

Эта сцена — точное воспроизведение множества других таких же, что были прежде, подумал Эйнсли.

Синтия Эрнст поступила в полицию Майами на год раньше Эйнсли, когда ей было двадцать семь. Она быстро продвигалась по службе, злые языки утверждали, что только благодаря отцу, городскому комиссару. Впрочем, ясно, что такое родство никак не могло повредить ей, равно как и кампания за равноправие расовых меньшинств и женщин, определенно оказавшая влияние на кадровую политику. Однако все, кто знал Синтию, сходились во мнении, что успехами она обязана исключительно собственным способностям и целеустремленности, готовности полностью выкладываться.

Таланты Синтии проявились в самом начале, во время обязательного десятинедельного курса в полицейской академии. Она обладала блестящей памятью, а столкнувшись с проблемой, умела действовать быстро и решительно. Инструктор по стрельбе оценил ее навыки обращения с оружием как «отменные». После четырех недель занятий в тире она могла разобрать пистолет молниеносно и редко выбивала меньше двухсот девяноста восьми очков из трехсот возможных.

Потом из нее получился весьма толковый офицер полиции. Начальство сразу сумело оценить ее инициативность и изобретательность, но особенно быстроту, с которой она принимала решения, — редкий талант в следственной работе, которым обладают немногие женщины. Благодаря этим исключительным способностям в сочетании с умением быть на виду Синтия недолго засиделась в патрульных. В отдел по расследованию убийств она была переведена всего через два года после окончания академии.

Там ее карьера с успехом продолжалась, она познакомилась с Малколмом Эйнсли, который уже сумел создать себе репутацию незаурядного сыщика.

Синтия получила назначение в одну с Эйнсли следственную группу, которую возглавлял тогда седовласый ветеран, сержант Феликс Фостер. Вскоре Фостер получил чин лейтенанта и был переведен в другой отдел. Новоиспеченный сержант Эйнсли принял группу под свое начало.

Интерес же Синтии и Малколма друг к другу возник раньше. Некоторое время эта взаимная тяга оставалась подспудной, но нужны были только подходящие обстоятельства, чтобы она переросла в роман.

Случилось так, что Синтии доверили быть ведущим следователем по делу о тройном убийстве, распутать которое ей помогал Эйнсли. Чтобы проверить одну версию, им вдвоем пришлось слетать в Атланту на пару дней. Версия сразу нашла подтверждение, и на закате первого — трудного, но продуктивного — дня они сняли номера в мотеле неподалеку от города.

Они ужинали в маленьком, на удивление хорошем ресторанчике, в какой-то момент Эйнсли посмотрел на сидевшую напротив Синтию и понял, что́ вскоре между ними произойдет.

— Ты очень устала? — спросил он.

— Как черт, — ответила она, но потом потянулась рукой к его руке. — Хотя не настолько, чтобы отказать себе в том, чего нам обоим сейчас больше всего хочется... я не о десерте.

В такси на обратном пути в мотель Синтия приникла к нему и провела кончиком языка по уху.

— Мне просто невтерпеж, — горячо выдохнула она. — А тебе?

Всю оставшуюся дорогу до мотеля она дразнила его рукой; он почти в голос стонал от желания. На пороге своей комнаты Эйнсли нежно поцеловал ее и спросил:

— Как я понял, ты хочешь зайти?

— Так же сильно, как ты, — ответила она, кокетливо улыбнувшись.

Эйнсли открыл дверь, и они вошли. Дверь сразу же захлопнулась. Воцарился мрак. Он всем телом прижал Синтию к стене и ощутил, как ускорилось ее дыхание, тело пульсировало от вожделения. Вдыхая аромат ее волос, Эйнсли поцеловал Синтию в шею, рука его скользнула по талии и дальше вниз за пояс брюк.

— Боже... — прошептала она. — Я так хочу тебя! Сейчас же...

— Ш-ш-ш... Замолчи, ни слова больше. — Его пальцы, уже влажные, задвигались быстрее.

Она резко и совершенно неожиданно повернулась к нему лицом.

— Какого дьявола, сержант! — И впилась губами ему в губы.

Не прерывая поцелуя, нервными рывками они стянули с себя одежду.

— Как ты красива! — повторил Эйнсли несколько раз. — Как ты чертовски красива!

Синтия опрокинула его на постель и торжествующе уселась сверху.

— Я хочу тебя, любовь моя, — сказала она, — и ты не посмеешь заставить меня ждать даже секунду...

...Разомкнув объятия, они лишь чуть перевели дух и снова погрузились в страсть. Так продолжалось всю ночь. В лихорадке мыслей отчетливо выделялась тогда одна: Синтия и в сексе взяла лидерство на себя. Она подчинила Эйнсли, завладела им, он, однако, ничего не имел против.

Через несколько месяцев Эйнсли был произведен в сержанты и мог сам планировать работу так, чтобы чаще бывать вместе с Синтией не только в Майами, но и во время случавшихся командировок в другие города. Их роману ничего не мешало. Эйнсли часто ощущал тогда всю горечь своей вины перед Карен, но неутолимый сексуальный голод Синтии и то острейшее наслаждение, которое получал с ней он сам, заставляли голос совести умолкать.

Как и в первый раз, каждая их интимная встреча начиналась с долгого поцелуя, который длился все время, пока оба раздевались. Именно в такой момент Эйнсли заметил однажды, что у Синтии под брюками, в которых обычно ходили на службу женщины-детективы, закреплена у лодыжки кобура со вторым пистолетом. Табельным оружием у них обоих был девятимиллиметровый пятнадцатизарядный автоматический пистолет системы «Глок», а для себя Синтия приобрела крошечный, весь сияющий хромом пятизарядный «смит-и-вессон»

— Это на тот случай, милый, если кто-то, помимо тебя, рискнет на меня напасть, — шепнула она. — Но меня сейчас занимает только одно оружие — твое...

Полицейским не возбранялось иметь при себе запасные пистолеты, если они зарегистрированы, а владелец доказал в тире умение владеть ими. С этим у Синтии все было в порядке. И вообще, ее второй пистолет однажды был пущен в ход настолько вовремя, что Эйнсли всегда вспоминал об этом с благодарностью.

Синтия Эрнст в роли ведущего детектива и Эйнсли, ее непосредственный начальник, расследовали запутанное дело, типичную «головоломку», где фигурировал банковский служащий, который, предполагалось, стал свидетелем убийства, но добровольно в полицию не заявил. Синтия и Малколм отправились в банк вместе, чтобы допросить этого клерка, и попали туда в самый разгар ограбления.

Время приближалось к полудню; в банке было многолюдно.

Буквально за три минуты до их приезда грабитель — высокий мускулистый белый, вооруженный пистолетом-пулеметом «узи», тихо приказал операционистке переложить всю наличность из кассы в холщовый мешок, который он сунул ей в окошко. На это почти никто не обратил внимания, пока грабителя не заметил охранник банка. Достав свой пистолет, он скомандовал:

— Эй, ты, у стойки! Брось оружие!

Бандит и не подумал подчиниться, а вместо этого резко развернулся и выпустил очередь из «узи» в охранника, который повалился на пол. Началась паника, женщины заголосили, но голос преступника перекрыл гам:

— Это ограбление! Всем оставаться на местах! Не двигаться, тогда никто не пострадает!

Затем он потянулся, ухватил кассиршу за шею и вытащил ее голову через окошко наружу. Его согнутая в локте рука действовала как удавка.

Именно в тот момент, когда крики стихли и в операционном зале воцарилась тишина, Синтия и Эйнсли вошли в банк.

Эйнсли тут же без колебаний выхватил свой «глок». Держа пистолет двумя руками, широко расставив ноги для равновесия, он взял грабителя на мушку и выкрикнул:

— Полиция! Сейчас же отпусти женщину! Пистолет на стойку, руки за голову, иначе — стреляю!

Синтия между тем сумела встать поодаль от Эйнсли, сделав вид, что не имеет к полицейскому никакого отношения. Она не привлекла внимания бандита, тем более что в руке у нее была лишь маленькая дамская сумочка.

Грабитель еще крепче сжал шею кассирши и уставил ствол ей в висок.

— Нет, это ты брось пушку, дерьмо! — рявкнул он на Эйнсли. — Или эта баба умрет первой. Брось! Ну! Считаю до десяти. Раз, два...

— Умоляю, делайте, что он говорит, — раздался сдавленный голос кассирши. — Я не хочу... — Договорить ей не дал еще крепче сжавшийся «замок» на шее.

— Три, четыре... — отсчитывал грабитель.

— Брось оружие и сдавайся! — повторил Эйнсли.

— С'час, разбежался! Пять, шесть... Сам бросай свой дерьмовый пугач, свинья! На счет десять я спущу курок.

Стоявшая в стороне Синтия, сохраняя присутствие духа, хладнокровно рассчитывала траекторию стрельбы. Она знала, что Эйнсли догадывается о ее намерениях и стремится выиграть время, хотя и без особых шансов на успех. Ограбление не удалось, преступник уже понимал, что ему не уйти, и потому был готов на все.

— Семь... — продолжал он отсчет.

Эйнсли застыл, изготовившись для стрельбы. Синтия знала, что теперь он целиком полагается на нее. В банковском зале стояла мертвая тишина, все замерли в напряжении. К этому моменту уже наверняка сработали потайные сигналы тревоги, но до приезда патрульных пройдет еще несколько минут, да и что они смогут сделать в такой ситуации?

Позади преступника никого нет, отметила про себя Синтия. Он стоял прямо напротив нее, но ее словно бы вообще не видел, не сводя глаз с Эйнсли. Голова операционистки, стиснутая рукой преступника, была слишком близко, но выбора у Синтии не оставалось.

Она успеет выстрелить лишь один раз, и этим выстрелом должна уложить громилу наповал...

— Восемь...

Одним неуловимым движением она расстегнула свою сделанную на заказ «сумочку», которая с успехом заменяла ей с недавних пор кобуру у лодыжки. Из нее она молниеносно извлекла маленький пистолетик, сверкнувший в руке, когда она подняла ее.

— Девять...

Задержав дыхание и почти не целясь, она выстрелила.

На резкий и неожиданный звук все, кто был в зале, повернулись к ней, но сама Синтия смотрела только на человека, который качнулся назад, когда из маленькой аккуратной дырочки почти точно в центре его лба брызнула кровь, и повалился навзничь. Кассирша успела вырваться из его железных тисков и рухнула на пол, содрогаясь от рыданий.

Не переставая держать поверженного противника на мушке, Эйнсли подошел к нему, осмотрел уже не подававшее признаков жизни тело и только потом убрал пистолет в кобуру. Он сказал с кривой усмешкой Синтии:

— Ну, ты дотянула... Хотя, конечно, все равно спасибо.

В помещении банка стал постепенно нарастать гул голосов, затем до них дошло, что́ же случилось, и невольные зрители устроили овацию Синтии, сопровождавшуюся возгласами восхищения. Она в ответ заулыбалась, потом прислонилась к Малколму, облегченно вздохнула и шепнула ему:

— Неделя со мной под одеялом, вот как ты меня отблагодаришь.

Эйнсли кивнул:

— Но только нам придется соблюдать особую осторожность. Ты становишься знаменитой.

Стараниями прессы она действительно пребывала в роли звезды несколько дней.

Уже много позже, когда Эйнсли мысленно возвращался к своему бурному, страстному роману с Синтией, он спрашивал себя: «Не потому ли ты сорвался с цепи, что долгие годы прожил в противоестественном священническом целибате?» Так или иначе, но время, которое он про себя называл «Годом Синтии», всегда вспоминалось ему прежде всего остротой физического наслаждения.

Временами он спрашивал себя, должны ли его мучить угрызения совести. И, словно бы уходя от ответа на этот вопрос, торопился напомнить себе сонмы исторических прецедентов — такое случалось еще в тысячном году до Рождества Христова или около того. Память клирика (избавится ли он когда-нибудь от этого наваждения?) тут же подсказывала ему и имя библейского царя Давида, и подходящие отрывки из одиннадцатой главы Второй книги Царств:

«Однажды под вечер, Давид, встав с постели, прогуливался по кровле царского дома, и увидел с кровли купающуюся женщину; а та женщина была очень красива».

Это была, конечно же, Вирсавия, жена Урии, который сражался тогда вдалеке на одной из ветхозаветных войн.

«Давид послал слуг взять ее; и она пришла к нему, и он спал с нею... Женщина эта сделалась беременною, и послала известить Давида, говоря: я беременна».

К несчастью Давида, тогда еще не было презервативов, которыми пользовались Малколм и Синтия. Не было у Эйнсли и соперника в лице мужа любовницы, каким был воин Урия, отправленный царем Давидом на верную гибель...

Удивительно, но за время продолжительного романа с Синтией любовь Малколма Эйнсли к Карен ничуть не померкла. Просто образовались словно бы две параллельные жизни: в одной, семейной, все было стабильно и постоянно; другая же была сплошной безумной авантюрой, которая — он всегда понимал это — рано или поздно закончится. Эйнсли и мысли всерьез не допускал, что может уйти от Карен и Джейсона. Мальчику тогда исполнилось три, и Эйнсли в нем души не чаял.

Знает ли, догадывается ли Карен о его второй жизни? Иной раз достаточно было какого-нибудь ее слова, случайной фразы, чтобы у него возникло пугающее ощущение, что ей все известно.

Чем дольше Эйнсли знал Синтию Эрнст, тем более неприятными казались ему некоторые черты ее личности, временами проявлявшиеся и на работе. Периодически у нее вдруг резко и без видимых причин менялось настроение, нежность и веселая игривость ни с того ни с сего уступали место холодному равнодушию к Эйнсли. Поначалу в такие моменты он начинал гадать, что произошло между ними, в чем он провинился, и лишь со временем научился видеть, что ничего и не произошло, что таков уж характер Синтии, дававший о себе знать все чаще.

Однако если с перепадами ее настроения он мог справляться, против некоторых ее профессиональных замашек был бессилен.

На протяжении своей полицейской карьеры Эйнсли всегда был убежден, что даже с закоренелыми преступниками, для которых любая этика — пустой звук, необходимо соблюдать нормы морали. Им можно было делать мелкие уступки в обмен на информацию, но не более того, считал Эйнсли. Такой точки зрения придерживались в полиции не все. С преступниками вступали в сговор, давали ложные показания, подбрасывали улики, отчаявшись добыть их иначе. Эйнсли не опускался до этого сам и предпочитал думать, что и те, кто с ним работает, никогда не пользуются такими бесчестными приемами.

Синтия была в этом смысле далеко не безупречна.

Будучи ее начальником, Эйнсли подозревал, что некоторые ее успехи в расследованиях с моральной стороны сомнительны. Схватить ее за руку не удавалось, а она, стоило заговорить с ней на эту тему, горячо все отрицала и даже сердилась, что он верит слухам. И все же Эйнсли совершенно случайно удалось выяснить детали одного такого ее дела.

Оно касалось известного в криминальных кругах вора по имени Вэл Кастельон, которого незадолго до описываемых событий выпустили из тюрьмы на поруки с испытательным сроком. Синтия вела расследование убийства. Кастельон не мог проходить по этому делу как подозреваемый, но у него, не исключено, была информация о другом бывшем заключенном, которого следствие подозревало. На допросе Кастельон заявил, что ничего не знает, и Эйнсли был склонен верить ему. Эйнсли, но не Синтия.

Вызвав Кастельона еще раз, но уже для беседы с глазу на глаз, она пригрозила подбросить ему наркотики и задержать за незаконное их хранение, если он не даст нужных показаний. Для него это означало немедленный возврат за решетку как не прошедшего испытательный срок. Подсунуть подозреваемому пакетик с марихуаной или кокаином и тут же взять его под арест — испытанная уловка полицейских, которую многие пускали в ход.

О том, что Синтия прибегла к такой угрозе, Эйнсли узнал от сержанта Хэнка Брюмастера, а тому шепнул об этом один постоянный осведомитель, приятель Кастельона. Эйнсли спросил Синтию, правда ли это, она не стала отпираться, сказав только, что еще не привела угрозу в исполнение.

— И не приведешь. — Эйнсли попытался говорить с ней строго. — Я командую группой и не допущу этого.

— Не будь занудой, Малколм! — сказала Синтия. — Этот кретин так или иначе опять загремит на нары. Велика ль беда, если мы немного это ускорим?

— Ты что, действительно не понимаешь? — Эйнсли был неподдельно удивлен. — Мы здесь для того, чтобы защищать правопорядок, а это значит, что и сами обязаны подчиняться закону.

— Ты надутый, как... как вот эта старая подушка. — Синтия метнула в него подушкой с кровати в комнате мотеля, которую они сняли тем дождливым вечером. Затем она откинулась на постели, широко развела ноги и спросила: — А законно ли то, чего ты сейчас хочешь? Мы же оба с тобой все еще при исполнении.

Она тихо посмеивалась, в точности зная, что выйдет победительницей. И действительно, лицо Эйнсли изменилось. Он подошел к постели, сняв рубашку и галстук. Синтия же вдруг сказала с подлинным чувством:

— Ну же, скорей, скорей! Трахни меня своим здоровенным беззаконным орудием преступления!

И как бывало уже много раз, Эйнсли подчинился ее воле, совершенно растворился в ней, хотя первой мыслью было отчитать за вульгарность. Грязноватый лексикон был компонентом исходившей от нее сексуальной агрессии, но, вероятно, именно эта агрессия придавала волнующую новизну их близости.

О Вэле Кастельоне в тот вечер было напрочь забыто. Эйнсли хотел вернуться к этому разговору потом, но так и не собрался. Не стал он выяснять и позднее, каким образом была добыта ключевая информация в том деле, которое стало очередным сыскным триумфом Синтии, а косвенно — и его.

Эйнсли убедился только, что Кастельону не предъявлялось обвинение в незаконном хранении наркотиков и его условно-досрочное освобождение не было отменено. Так или иначе, но предупреждение, сделанное им Синтии, возымело эффект.

Беспокоило Эйнсли и другое. В отличие от большинства офицеров полиции Синтия вполне вольготно, как среди своих, чувствовала себя в компании с преступниками, порой непринужденно болтая с ними в городских барах. Взгляды Эйнсли и Синтии радикально расходились и по фундаментальным профессиональным вопросам. Он считал, что раскрытие преступлений, а убийств — в особенности, работа для людей высокой морали. Синтия же однажды отозвалась об этом так:

— Да посмотри же правде в глаза, Малколм! Это состязание, конкурс, в котором участвуют все: преступники, полицейские, адвокаты. Победителем становится юрист, у которого больше мозгов, или подсудимый с толстым кошельком. Твои так называемые этические нормы в этой игре только помеха.

Но она не переубедила Эйнсли. Не слишком обрадовался он, узнав, что Синтию часто видят по вечерам в обществе Патрика Дженсена — преуспевающего автора бестселлеров, майамского бонвивана с подмоченной репутацией, которого в полиции недолюбливали.

В прошлом телерепортер, Дженсен написал серию ставших популярными детективных романов и к тридцати девяти годам заработал, по слухам, двенадцать миллионов долларов. Злые языки утверждали, что успех ударил Дженсену в голову, превратив в зазнайку, грубияна и бабника с необузданным темпераментом. Его вторая жена Нейоми, прежде чем уйти от него, несколько раз обращалась в полицию с жалобами на побои, но каждый раз забирала свои заявления, прежде чем делу давали ход. Дженсен сделал несколько попыток помириться с Нейоми после развода, но она решительно их отвергла.

Потом Нейоми Дженсен была найдена мертвой с пулей тридцать восьмого калибра в затылке. Рядом с ней обнаружили тело молодого музыканта Килбэрна Холмса, с которым она встречалась, застреленного из того же револьвера. По словам свидетелей, ранее в тот же день на пороге дома Нейоми между нею и Дженсеном произошла громкая ссора. Она просила оставить ее в покое и сообщила, что снова собирается замуж.

Патрик Дженсен стал главным подозреваемым по этому делу: отделу по расследованию убийств полиции Майами удалось сразу же установить, что Дженсен мог совершить преступление, алиби отсутствовало. На месте убийства нашли носовой платок, Дженсен пользовался такими же, хотя никаких следов на платке не было, чтобы можно было доказать его принадлежность. А вот обрывок бумаги, оказавшийся зажатым в мертвом кулаке Холмса, полностью подошел к другому обрывку, который нашли в мусорном баке у дома Дженсена. Следствию стало известно, что за две недели до убийства он купил револьвер системы «Смит-и-Вессон» тридцать восьмого калибра, однако Дженсен заявил, что револьвер он потерял; никакого орудия убийства найдено не было.

Как ни бились детективы из группы сержанта Пабло Грина, других улик собрать не удалось, а тех, что у них имелись, было явно недостаточно, чтобы предъявить большому жюри присяжных.

Патрик Дженсен тоже прекрасно понимал это.

Детектив Чарли Турстон, ведущий следователь по делу, рассказывал Грину и Эйнсли:

— Представляете, приезжаю я сегодня к этой высокомерной сволочи Дженсену, чтобы задать ему еще несколько вопросов, а он только рассмеялся мне в лицо и велел убираться. — Турстон, сыщик со стажем, обычно хладнокровный и сдержанный, пылал от возмущения. — Этот гад знает, что нам все известно, — продолжал он, — и смеет еще бросать нам вызов: «Ну и что с того? Вам все равно никогда ничего не доказать».

— Пусть пока потешится, — сказал Грин. — Посмотрим, кто будет смеяться последним.

— Боюсь, что он, — покачал головой Турстон. — Все кончится тем, что он вставит эту историю в новую дерьмовую книжонку и загребет кучу денег.

До известной степени Турстон оказался провидцем. Никаких других доказательств причастности Дженсена к убийству бывшей жены и ее любовника так и не появилось. Дженсен действительно выпустил новую книгу, в которой вывел сыщиков из отдела по расследованию убийств бездарями и тупицами. Тираж, однако, не разошелся. Та же судьба постигла следующий криминальный роман Дженсена. Похоже, дни его писательской славы были сочтены, что часто случается, когда на литературный небосклон восходят новые звезды, а прежние начинают меркнуть. Одновременно поползли слухи, что Дженсен занимался рискованным вложением денег и потерял на этом заработанные прежде миллионы, что он ищет дополнительный источник заработка. Болтали сплетники и о затяжной любовной интрижке между Дженсеном и детективом Синтией Эрнст.

Эйнсли решительно отмахивался от этой сплетни. Прежде всего он не мог поверить, что Синтия настолько глупа, чтобы якшаться с подозреваемым в убийстве. Еще труднее ему было допустить, что она могла иметь двух любовников одновременно, — слишком бурным был их роман, слишком часто, до полного изнеможения занимались они любовью.

И все же Эйнсли заговорил однажды с Синтией о Патрике Дженсене. Синтия, как обычно, раскусила его нехитрую уловку.

— Ревнуешь? — спросила она.

— К кому? К Патрику Дженсену?! Да никогда в жизни! — Но, поразмыслив, все же задал прямой вопрос: — А что, у меня есть основания ревновать?

— Патрик — ничтожество! — с горячностью заверила она его. — Я хочу только тебя, Малколм, но всего, целиком. Мне нужно, чтобы ты уделял мне больше времени... Все свое время! Я не желаю тебя делить... ни с кем!

Они ехали в машине без полицейской маркировки, Синтия — за рулем. Последние свои фразы она произнесла резким, почти командирским тоном.

Изумленный, он спросил бездумно:

— Ты хочешь сказать, что нам надо пожениться?

— Освободись сначала, Малколм. А там я подумаю.

Типичный для нее ответ, подумал Эйнсли. За год он успел достаточно хорошо узнать ее. Будь он свободен, скорее всего она использовала бы его, выпила бы его до донышка, а потом вышвырнула из своей жизни. Синтия и постоянство были несовместимы — это она давала понять яснее ясного.

Вот, стало быть, как! Эйнсли догадывался, что нечто подобное однажды произойдет, и теперь настал момент принять решение. Он знал, Синтии не понравится то, что он сейчас скажет, знал также, что гнев ее подобен извержению вулкана.

В подсознательном стремлении чуть задержать момент решительного объяснения Эйнсли вновь обратился мыслями к царю Давиду и Вирсавии, любовникам, которые поженились, когда Урия пал в битве, посланный на смерть Давидом. Библия свидетельствует, что сам Бог был удручен вероломством Давида.

«...И было это дело, которое сделал Давид, зло в очах Господа... И послал Господь Нафана к Давиду, и тот пришел к нему и сказал... Так говорит Господь: вот, Я воздвигну на тебя зло из дома твоего, и возьму жен твоих пред глазами твоими, и отдам ближнему твоему, и будет он спать с женами твоими...»

Как и многое другое в Библии, по мнению ученых, это было не более чем легендой, народной сказкой, которую рассказывали у костров полукочевые израильтяне, два столетия спустя легенда была записана и обросла реальными подробностями и новыми мифическими деталями, добавленными десятками тысяч пересказчиков. Но не пропорции смешения правды и вымысла были здесь важны. Куда важнее вывод: ничто в человеческих отношениях не ново под луной; они неизменно оказываются всего лишь вариациями на старые сюжеты. И теперь еще одна вариация — Эйнсли не собирается жениться на Синтии и совершенно не хочет «освободиться» от Карен.

Они ехали тихой улочкой в пригороде. Словно в предчувствии неприятного разговора, Синтия прижала машину к тротуару и остановилась.

— Ну, так что же? — испытующе посмотрела она на него.

Эйнсли взял ее руку в свои ладони и как можно мягче начал:

— Любовь моя, то, что было у нас с тобой, — это магия, волшебство... Я даже представить не мог, что может быть так хорошо, и буду всю жизнь благодарен за это. Но сейчас я должен сказать тебе... я больше не могу встречаться с тобой, нам придется это прекратить.

Он ожидал от нее взрыва эмоций, но гневной вспышки не последовало. Она только рассмеялась и спросила:

— Я надеюсь, ты шутишь?

— Нет, не шучу, — ответил Эйнсли твердо.

Некоторое время она сидела молча, уперев невидящий взор в лобовое стекло. Затем, не повернув головы, произнесла со зловещим спокойствием:

— Ты пожалеешь об этом, Малколм, ох, как пожалеешь... Я заставлю тебя вспоминать об этом всю твою никчемную жизнь.

Потом она посмотрела на него — слезы катились по щекам, в глазах сверкала ярость.

— Какая же ты сволочь! — выкрикнула она, потрясая сжатыми кулачками...

С того дня они виделись очень редко. Одной из причин послужило то, что Синтию произвели в сержанты. Она получила повышение по итогам экзамена, где показала третий результат среди шестисот испытуемых.

В новом чине она была переведена в отдел по расследованию преступлений на сексуальной почве, ее поставили во главе группы из пяти детективов, занимавшихся изнасилованиями, покушениями на изнасилования, сексуальными домогательствами, эксгибиционистами и прочими свихнувшимися на почве секса. Поле деятельности перед ней открылось широчайшее, и она быстро сумела добиться внушительных результатов. Как и в отделе по расследованию убийств, она умела ловко добывать информацию через разветвленную сеть своих контактов в преступном мире. Прирожденный лидер и трудоголик, она всех в своей группе заставляла работать на износ. Вскоре после прихода в новый отдел она прославилась тем, что уличила и посадила на скамью подсудимых серийного насильника, который два года терроризировал женщин города, записав на свой черный счет пятнадцать жертв.

Благодаря отчасти успеху в этом и других, столь же громких делах, отчасти блестяще сданному очередному экзамену на повышение Синтия уже через два года была произведена в лейтенанты и направлена в отдел по связям с общественностью, став вторым по старшинству офицером. Кру́гом ее новых обязанностей стали регулярные встречи с горожанами, присутствие на заседаниях властей города, выступления перед широкой публикой и полицейскими — во имя создания позитивного образа полиции Майами. Эта задача тоже оказалась ей по плечу.

Великолепный послужной список привлек к ней благосклонное внимание шефа полиции Фэррелла Кетлиджа, и когда начальник отдела, где служила Синтия, скоропостижно скончался, он назначил ее на его место. Поскольку же связям с общественностью стали придавать все большее значение, Кетлидж решил, что возглавлять эту работу отныне будет майор. Так Синтия получила звание майора, не проходив даже дня в капитанах.

А Эйнсли оставался сержантом до известной степени только потому, что был мужчиной, притом белым, между тем частенько и не всегда справедливо женщины и представители расовых меньшинств получали по службе быстрое продвижение. Добиться права держать экзамен на лейтенанта Эйнсли смог лишь много позже. Сдал он его на «отлично» и ожидал повышения. С чисто практической точки зрения это означало, что к его сержантским пятидесяти двум тысячам долларов в год прибавятся еще десять тысяч четыреста.

Эйнсли знал, как распорядится этими деньгами. Они с Карен смогут больше путешествовать, чаще посещать концерты — оба любили джаз и камерную музыку, — ужинать в ресторанах. Да что там, все в их жизни станет качественно лучше! С тех пор как Эйнсли порвал с Синтией, чувство вины перед Карен в нем только обострилось, исполнив его решимости быть отныне верным и заботливым мужем.

Затем ему вдруг позвонил капитан Ральф Леон из отдела кадров. Эйнсли и Леон завербовались на работу в полицию одновременно, попали в один класс полицейской академии, где сдружились, во всем помогая друг другу. Леон был чернокожим и достаточно способным малым, так что с карьерой у него все было в порядке.

По телефону он только попросил Эйнсли встретиться с ним. Они договорились попить кофейку в маленьком кафе Малой Гаваны, находившейся на приличном расстоянии от штаб-квартиры полиции.

Они не виделись давно и при встрече с улыбкой обменялись оценивающими взглядами и сердечными рукопожатиями. Леон был не в полицейской форме, а в спортивной куртке и легких брюках. Он провел Малколма Эйнсли внутрь кафе к небольшому отдельному кабинету. Что бы ни делал Ральф Леон, его неизменно отличали солидность и методичность. Вот и сейчас он перешел к сути дела, тщательно взвешивая слова:

— Запомни сразу, Малколм, этого разговора между нами никогда не было.

В глазах его застыл вопрос, в ответ на который Эйнсли вынужден был кивнуть и сказать:

— Я тебя понял, договорились.

— У себя я иногда ловлю слухи... — Он запнулся. — Ладно, к черту околичности! Вот в чем дело, Малколм. Если ты будешь продолжать работать в полиции Майами, карьера тебе не светит. Ты никогда не получишь лейтенанта, не говоря уж о более высоком звании. Это несправедливо, и мне неприятно говорить тебе об этом, но как старый друг я посчитал, что тебе лучше все знать.

Пораженный услышанным, Эйнсли молчал.

— Это все майор Эрнст. — Голос Леона выдавал теперь его эмоции. — Везде, где только может, она чернит тебя и препятствует твоему повышению. Не спрашивай меня почему, Малколм. Я не знаю. Может быть, ты догадываешься... Хотя просвещать меня на этот счет вовсе не обязательно.

— Препятствует повышению... Но на каком же основании, Ральф? У меня чистое личное дело, а послужной список вполне внушительный, это официально признано.

— Основания самые вздорные, это все понимают. Но ты же знаешь, любой майор, а такой, как она, в особенности, имеет немалый авторитет в нашей богадельне. У нас ведь как... наживешь себе влиятельного врага, и все — ты проиграл. Да что я тебе-то рассказываю!

Эйнсли действительно все прекрасно знал сам. Из чистого любопытства он все же поинтересовался:

— Что же ставится мне в вину?

— Небрежное исполнение служебных обязанностей, леность, недисциплинированность.

При иных обстоятельствах Эйнсли только рассмеялся бы в ответ.

— Похоже, она основательно порылась в досье, — продолжал Леон, припомнивший некоторые детали. Был, к примеру, случай, когда Эйнсли не явился для дачи свидетельских показаний в суд.

— Отлично помню тот день, — сказал Эйнсли. — Я как раз ехал в суд, когда пришел вызов по радио. Ограбление и убийство на одном из шоссе... Была погоня. Мы взяли мерзавца, позже его признали виновным. Но ведь я в тот же день встретился с судьей, извинился и все объяснил. Он все понял и перенес мои показания на другой день.

— К сожалению, в протокол судебного заседания занесен только факт твоей неявки. Я проверял. — Леон достал из кармана сложенный лист бумаги. — Кроме того, за тобой числится несколько опозданий на работу, пропуск совещаний.

— О боже! Да с кем не бывает! Во всем управлении не найдется детектива, которого нельзя в этом упрекнуть. Получаешь срочный вызов и мчишься, в контору всегда успеешь явиться! Я сейчас и не упомню, сколько раз со мной так было.

— А майор Эрнст припомнила и, более того, нашла соответствующие записи. — Леон просмотрел свой листок. — Я же сказал, что придирки вздорные. Продолжать?

Эйнсли покачал головой. Изменение плана на ходу, быстрое принятие решений, множество непредвиденных факторов — все это было нормой в работе сыщика, особенно в отделе по расследованию убийств. Поэтому с точки зрения бюрократической методика работы могла показаться противоречивой и внешне нелогичной. Здесь ничего не поделаешь, такова уж их профессия. Это понимали все, включая и Синтию Эрнст.

Впрочем, он не искал оправданий. От него не зависело ровным счетом ничего. На стороне Синтии — высокий ранг и власть. Все козыри у нее на руках. Эйнсли не забыл ее угроз. Теперь он убедился, насколько она мстительна и как умеет приводить свои угрозы в исполнение.

— Черт побери! — процедил Эйнсли сквозь зубы, глядя на уличное движение за окном кафе.

— Сочувствую, Малколм. Ситуация действительно сволочная.

Эйнсли кивнул.

— Спасибо, что открыл мне глаза, Ральф. Будь уверен, ни одна живая душа о нашем разговоре не узнает.

— Да, в сущности, это не так важно, — сказал Леон, не поднимая взгляда, потом вдруг посмотрел Эйнсли прямо в глаза: — Ты уйдешь?

— Не знаю... Нет, наверное, — ответил тот, отчетливо понимая, что выбора у него нет.

Так и получилось: он остался.

Разговор с Ральфом Леоном заставил Эйнсли вспомнить о другой мимолетной и неожиданной встрече за несколько месяцев до того — с миссис Эленор Эрнст, матерью Синтии.

Вообще говоря, у полицейских сержантов мало шансов столкнуться с отцами города или их супругами в светской обстановке. Эта встреча произошла во время небольшого ужина, который давал по поводу своего выхода на пенсию один из высоких чинов. Эйнсли довелось с ним работать. Принял приглашение и сам городской комиссар, приехавший с супругой. Эйнсли знал миссис Эрнст в лицо — весьма почтенная дама, изысканно одета, но с застенчивыми манерами. Тем сильнее он был удивлен, когда она подошла к нему с бокалом вина и негромко спросила:

— Вы ведь сержант Эйнсли, не так ли?

— Так точно.

— Я полагаю, вы с моей дочерью больше не... как бы это сказать... словом, вы больше не встречаетесь? Верно? — Заметив его нерешительность, она поспешила добавить: — О, не беспокойтесь, я никому не скажу. Вот только Синтия бывает иногда несдержанна на язык.

— Я практически не вижусь с ней в последнее время, — пробормотал Эйнсли неопределенно.

— Вам может показаться странным услышать это из уст матери, сержант, но мне жаль. По-моему, вы имели на нее положительное влияние. Скажите, вы расстались друзьями или?..

— Или.

— Очень жаль! — Миссис Эрнст еще понизила голос: — Не надо бы мне этого делать, сержант Эйнсли, но я хочу кое-что сказать вам. Если Синтии втемяшится, что с ней поступили дурно, она никогда этого не забудет и никогда не простит. Зарубите себе на носу. Желаю всех благ.

И миссис Эрнст с бокалом в руке смешалась с толпой гостей.

Теперь пророческие слова Эленор Эрнст сбывались. Вестником этого стал Ральф Леон. Отныне Эйнсли вечно предстояло платить жестокую цену, назначенную Синтией.

И вот снова, после стольких событий, стольких перипетий, стольких перемен в жизни обоих, Малколм Эйнсли и Синтия Эрнст столкнулись в кабинете Лео Ньюболда.

— Говорите по существу, — сказала Синтия. — Мне нужно знать, что конкретно вы делаете. И не скрывайте от меня ничего.

— Нами составлен список подозреваемых, которых мы взяли под наблюдение. Я прослежу, чтобы вам послали его ко...

— Копия у меня уже есть. — Синтия указала на лежавшую перед ней папку. — Кого из этого списка вы считаете номером один?

— Я бы выделил Робинсона. Сразу несколько деталей его досье указывают на него, но делать выводы пока рано. Понаблюдаем, соберем больше материала.

— Вы уверены, что эти убийства совершены одним и тем же человеком?

— Да, так считают все, — ответил Эйнсли, рассудив, что его собственные сомнения в данном случае несущественны.

Она задала ему еще много вопросов. Эйнсли отвечал дружелюбно, вопреки холодной официальности Синтии, но держался настороже. Он уже знал, что Синтия может использовать против него любую информацию, причем самым беззастенчивым образом.

Под конец беседы она спросила:

— Как я поняла, вы обнаружили связь между некоторыми предметами с мест преступлений и библейскими текстами?

— Да, в основном с Апокалипсисом.

— Что значит «в основном»?

— Видите ли, точность здесь относительна. Как вам известно, очень трудно определить, что именно толкнуло преступника на то или иное действие, какие мысли бродили в его голове. Убийцы часто непоследовательны. Единственное, в чем нам связь с Библией помогла, так это определить круг лиц, за которыми следует начать слежку.

— Я хочу, чтобы вы докладывали мне обо всем. Отчитывайтесь ежедневно по телефону.

— Прошу прощения, майор, но на это мне необходимо разрешение лейтенанта Ньюболда.

— Оно уже имеется. Лейтенант получил мои указания. Теперь ваша очередь их выслушать и неукоснительно им следовать.

Что ж, подумал Эйнсли, звание майора позволяет Синтии Эрнст давать такие указания, хотя, строго говоря, это выходило за рамки ее полномочий. К тому же он не считал, что ее приказа достаточно, чтобы давать ей всю информацию до мелочей даже по делу об убийстве ее родителей.

Поднявшись с кресла, Эйнсли чуть наклонился ближе к Синтии и, глядя на нее сверху вниз, сказал:

— Я сделаю все возможное, майор, чтобы своевременно информировать вас обо всем, однако мой первоочередной долг как командира спецгруппы состоит в том, чтобы раскрыть преступления. — Он дождался, пока она подняла на него взгляд, и завершил свою мысль: — Это — самое важное.

Она хотела что-то сказать, но передумала. Эйнсли чуть подался назад, неотрывно глядя ей прямо в глаза. Да, ее положение выше, и она вправе заставить его делать практически все, что входит в служебные обязанности. Но в личных отношениях он больше не позволит ей распоряжаться собой. Никогда.

Он просто-напросто не верил ей больше и не любил ни на йоту. Он догадывался, что она что-то скрывает, хотя представления не имел, что именно и была ли в этом связь с расследуемыми серийными убийствами. Зато от своих людей в ее отделе он достоверно знал, что Синтия продолжает пользоваться в своей работе неблаговидными методами и общаться со скользкими людьми, с Патриком Дженсеном в том числе.

Полиция Майами продолжала приглядывать за Дженсеном. Ходили слухи о его связи с бандой торговцев наркотиками, той самой, которая у отдела по расследованию убийств полицейского департамента округа Дейд числилась под подозрением в причастности к так называемому «убийству в инвалидной коляске». Его жертвой стал паралитик, который был ценным для полиции осведомителем. Однажды ночью его связали и в собственной инвалидной коляске завезли в приливную зону неподалеку от Хоумстеда. К коляске цепью прикрепили груз, и несчастный утонул в волнах наступившего прилива...

Впрочем, это не имело никакого отношения к самой Синтии Эрнст, которая с легким кивком сказала:

— На этом пока все, сержант. Можете быть свободны.

8

— В полиции хватает дерьмовой работенки, — сказал детектив Чарли Турстон со вздохом, — но наружное наблюдение — самая занудная.

— Хуже не придумаешь, — поддакнул Брэдфорд Эндрюз. — И еще этот чертов дождь...

Турстон из отдела по расследованию убийств и его новый напарник Эндрюз из отдела по расследованию ограблений получили для маскировки микроавтобус компании «Флорида Пауэр энд Лайт». Им поставили задачу следить за Карлосом Киньонесом, одним из шести подозреваемых из компьютерного списка.

Полицейское управление располагало для скрытого наружного наблюдения целым парком разнообразных авто: такси, машины ремонтных служб электрических и газовых компаний, мебельные и почтовые фургоны, кое-что взяли в аренду, кое-что купили. Другие, конфискованные у преступников, передавались в пользование полиции по суду. Для слежки за такими, как Киньонес, машину необходимо было менять каждый день.

Детективы, парни, которым едва перевалило за тридцать, вот уже два часа, как припарковали микроавтобус напротив совершенно безликого дома в районе, неофициально именовавшемся Свободным городом, где у Киньонеса была квартира.

Время шло к семи вечера, и Брэд Эндрюз чуть челюсть себе не вывихнул, зевая от скуки. Эндрюз любил действовать, как, собственно, все детективы, и потому он и избрал себе эту профессию. Слежка же по большей части никаким действием не является. Нужно часами сидеть в машине и пялиться сквозь лобовое стекло, за которым ровным счетом ничего не происходит. Даже в ясную погоду очень трудно сосредоточиться на выполнении задания, не позволяя себе думать о предстоящем ужине, или спорте, или сексе, или неоплаченных счетах...

Дождь, зарядивший с час назад, сильно затруднял видимость, но включить дворники значило обнаружить себя. Дробь, выбиваемая дождевыми каплями по крыше машины, тоже мешала. От ее нудного ритма начинало клонить в сон.

— Эй, приятель, не спи! — окликнул партнера Турстон, заметив, что Эндрюз снова разинул рот в зевке.

— Я и так стараюсь, — сказал Брэд Эндрюз, выпрямившись на сиденье. Он был уже офицером со стажем. Служил прежде в отделе по расследованию убийств, но затем был переведен в отдел ограблений, сотрудники которого тоже, конечно, работали сверхурочно, но хотя бы в разумных пределах. Теперь он на время вернулся.

В спецподразделение Эйнсли вошли двадцать четыре человека: два сержанта из отдела убийств —

сам Эйнсли и Грин, — их группы по четыре сыщика в каждой и еще двенадцать детективов, «одолженных» в отделе ограблений. К слежке подключились еще два человека, присланных из прокуратуры штата.

— Эй, глянь-ка! — встрепенулся Эндрюз. — Вот он, наш красавец. И представь, он опять прилизывается. Невероятно!

Киньонес — латиноамериканец с оливкового оттенка кожей — был высок, строен, узколиц и обладал густой темной шевелюрой, которую расчесывал в тридцатый, должно быть, раз за те два с половиной дня, что Турстон и Эндрюз за ним наблюдали. За ним числились грабежи, вооруженные налеты и одно изнасилование.

Он вышел из дома в сопровождении неизвестного бородатого мужчины. Оба сели в изрядно побитый «шевроле» семьдесят восьмого года выпуска и двинулись в путь. Микроавтобус с двумя детективами — Эндрюз сел за руль — пристроился следом.

Киньонес направил машину прямиком в сторону Восемьсот тридцать шестого шоссе — весьма оживленной магистрали — и поехал по нему на запад в сторону международного аэропорта Майами. На трассе Киньонес повел себя странно. Его «шевроле» двигался опасными зигзагами, он стукнул несколько автомобилей бампером сзади. Похоже, он явно пытается заставить кого-нибудь остановиться, чтобы ограбить.

Турстон сжал кулаки:

— Дьявол! Как бы мне хотелось арестовать этих двух мерзавцев!

Оба детектива понимали, перед какой встали дилеммой. В их задачу входило следить за Киньонесом как за возможным серийным убийцей, но, если бы одна из машин остановилась, профессиональный долг велел бы им защитить от бандитов тех, кто мог в ней находиться. К счастью, никто не останавливался, несомненно, потому, что полиция не раз через средства массовой информации предупреждала население о тактике, к которой могут прибегнуть преступники.

Через некоторое время детективы с облегчением увидели, что Киньонес бросил свою затею. Вскоре желтый «шевроле» съехал с шоссе в районе Пятьдесят седьмой Северо-Западной улицы и, попетляв по улочкам западных кварталов Малой Гаваны, остановился у магазина «7-Илевэн», где бородач вышел из машины. Затем Киньонес в одиночестве направился к кампусу Общественного колледжа Майами-Дейд, что был на пересечении Сто седьмой Юго-Западной авеню и Сто четвертой улицы. Путь был не близкий. Ехать пришлось почти час, и Эндрюз предпочел вести микроавтобус на почтительном удалении от «шевроле», не теряя его из виду.

Часы показывали восемь тридцать вечера, когда Киньонес остановил машину на автостоянке колледжа, мимо которой студенты группами и поодиночке шли с вечерних занятий. Проходя мимо «шевроле», некоторые девушки вдруг резко поворачивали головы в ее сторону: видно, их окликали, но ни одна не остановилась.

— За этим скотом числится изнасилование, — сказал Турстон, подаваясь вперед на сиденье, — ты не боишься, что он...

В этот момент Киньонес проворно выбрался из машины и двинул вслед за молоденькой блондинкой, направлявшейся в противоположный угол стоянки.

— А ну-ка пошли! — Турстон выскочил из микроавтобуса, Эндрюз за ним.

Киньонеса отделяли от девушки какие-нибудь пять метров, когда она добралась до своей красной «хонды», села в нее, завела мотор и рванула к выезду. Киньонес метнулся к своей машине, совершенно не подозревая о присутствии рядом двух полицейских, которые тоже поспешили вернуться к микроавтобусу.

«Шевроле» Киньонеса помчался за «хондой», преследуемый машиной детективов.

— Только не прозевай гада, — умолял Турстон напарника. — Если он тот, кто нам нужен, нельзя допустить, чтобы дело кончилось еще одним трупом.

Эндрюз молча кивнул в ответ. Он держался теперь значительно ближе к желтому «шевроле», рассудив, что Киньонес в пылу погони ничего не видит, кроме идущего впереди маленького красного автомобиля. Три машины следовали в северном направлении по Сто седьмой Юго-Западной авеню, пока «хонда» неожиданно не свернула круто вправо на Восьмую Юго-Западную улицу. Не готовый к такому маневру Киньонес резко ударил по тормозам, «шевроле» тем не менее почти проскочил широкий перекресток, но все-таки вписался в поворот.

— Лихо она его! — восхитился Турстон.

Погоню Киньонеса за девушкой еще ненадолго задержал другой автомобиль, водитель которого собирался выезжать на Сто седьмую авеню. Когда детективы увидели «хонду» в следующий раз, она уже была припаркована на стоянке рядом с высотным жилым домом. Блондинка быстро открыла ключом дверь парадного и проскользнула внутрь, захлопнув за собой дверь как раз в тот момент, когда «шевроле» Киньонеса притормозил рядом с «хондой». Эндрюз поставил микроавтобус так, чтобы детективы могли одновременно видеть и Киньонеса, не выходившего из своей машины, и дом, куда вошла молодая девушка. Через несколько минут они увидели ее в осветившемся окне одного из нижних этажей, но только на мгновение. Она сразу же задернула плотную штору.

— Она знает, что он все еще здесь, — прокомментировал Турстон.

— Да. Похоже, он увязывался за ней и раньше. Быть может, он даже знает номер ее квартиры.

— Ах ты черт! Он пошел туда! — воскликнул Турстон.

Пока детективы наблюдали за окном, Киньонес выбрался из машины, подошел к входной двери вместе с каким-то жильцом дома и, следуя за ним по пятам, проник внутрь. Детективы ринулись следом, но наткнулись на запертую дверь, которая не поддавалась даже на толчки всем телом. Сквозь стеклянную стену парадного внутри уже никого не было видно. Турстон принялся лихорадочно нажимать кнопки домофона.

— Это полиция! — выкрикивал он. — Мы преследуем преступника, откройте скорее!

Многие из жильцов дома отнесутся к этому с подозрительностью, но, может, хоть кто-то...

Этот кто-то нашелся на сей раз довольно быстро. Раздался громкий зуммер.

— Открыто! — воскликнул Эндрюз, и оба ворвались внутрь.

— На каком она этаже? — на ходу спросил Эндрюз партнера. — Мне показалось, на третьем.

Турстон кивнул:

— Скорей наверх!

Двери обоих лифтов в вестибюле были закрыты. Эндрюз нажал на кнопку вызова, двери одного сразу же открылись. Из него вышла пожилая дама с пекинесом на поводке. Собачонка упиралась, и Турстон решил эту проблему, просто подняв ее и вышвырнув из лифта. Леди открыла было рот, чтобы возмутиться, но оба полицейских уже были внутри лифта. Эндрюз ткнул в кнопку третьего этажа, затем нажал на «ход», но техника в этом доме оказалась неторопливой. Сыщики извелись, дожидаясь, пока створки дверей сойдутся и лифт поползет вверх.

На третьем этаже они бросились вправо по коридору, где, по их расчетам, должна была находиться квартира блондинки. Однако там все было тихо, все двери были закрыты. Турстон позвонил в две или три, но никто не отозвался.

— Это не здесь, — подвел он итог недолгим раздумьям. — Значит, на четвертом! Давай по лестнице.

И он бросился к двери с табличкой «Пожарная лестница». Эндрюз не отставал. Перепрыгивая через три ступеньки, они поднялись на этаж выше и оказались в точно таком же коридоре. Дверь одной из квартир была распахнутой, ее явно просто выломали. В этот момент из квартиры донеслись два громких хлопка пистолетных выстрелов. Детективы схватились за оружие. Быстро, один за другим, выстрелы прозвучали еще четырежды.

С угрюмо-сосредоточенным выражением на лице Турстон медленно двинулся вдоль той стены, где располагалась дверь. Жестом приказав Эндрюзу следовать за собой, он шепнул:

— Я пойду сам. Прикрой меня.

Из квартиры между тем донеслись новые, но уже не столь громкие звуки: сначала чьи-то легкие шаги, потом непонятного происхождения стуки. Турстон с пистолетом на изготовку осторожно заглянул в дверной проем. Почти сразу он опустил оружие и вошел внутрь.

Через небольшую прихожую он увидел, что на полу в гостиной лицом вниз в луже крови неуклюже распластался Киньонес. На полу рядом с его вытянутой правой рукой поблескивала сталь. Турстон отметил про себя, что это был нож с выкидным лезвием и перламутровой рукояткой. Девушка, которая вблизи выглядела несколько старше, сидела на овальной оттоманке. В руке она держала пистолет стволом вниз. Волосы и одежда ее были в беспорядке, взгляд отрешенный.

— Я из полиции, — сказал Турстон, подходя к ней. — Отдайте мне это.

Обойма ее автоматического пистолета «кэлрон» двадцать второго калибра была рассчитана на шесть патронов. Ровно столько и слышали они выстрелов. Она послушно протянула ему свое оружие. Осторожно, чтобы не смазать отпечатки пальцев, Турстон положил пистолет на край стоявшего в углу комнаты стола.

В квартиру нерешительно просунулся Эндрюз, оценил обстановку и первым делом склонился над Киньонесом.

— Мертв, — констатировал он. Затем чуть приподнял тело, оглядел и обратился к Турстону: — Видел, Чарли?

Он указал ему на расстегнутую ширинку брюк Киньонеса, из которой торчал член.

— Не видел, — буркнул Турстон. — Но можно было догадаться.

Любому сыщику известна склонность насильников демонстрировать свое мужское достоинство. Многие из них полагают, что это непременно должно возбудить женщину и сделать ее более сговорчивой.

— Вызови лучше «скорую», чтобы они зафиксировали факт наступления смерти, — сказал Турстон.

Эндрюз послушно взялся за портативную рацию.

— Девятнадцать-тридцать один вызывает диспетчера.

— Диспетчерская слушает.

— Пришлите мне бригаду спасателей для проверки возможного варианта сорок пять. Даю адрес. Дом семь-два-ноль-один по Тамайами-Кэнел-роуд, квартира четыре-два-один. Нужны также два патрульных для охраны места преступления и группа экспертов-криминалистов.

— Принято.

Не прошло и минуты, как с улицы донеслись приближающиеся звуки сирен. Медики из пожарно-спасательной службы и патрульная полиция реагировали на подобные вызовы быстро. Криминалисты, конечно, приедут позже, но можно было не сомневаться, что они уже в пути.

Турстон вызвал по радио командира спецподразделения сержанта Малколма Эйнсли и сообщил ему о том, что произошло.

— Я неподалеку от вас, — сказал Эйнсли. — Буду через несколько минут.

Эндрюз тем временем приступил к работе, достав блокнот для заметок.

— Будьте любезны назвать ваше имя, мисс, — обратился он к женщине, сидевшей все в той же позе.

Не без труда она сумела сосредоточиться, хотя руки ее все еще заметно дрожали.

— Дульсе Гомес. Незамужняя, тридцать шесть лет, в квартире живу одна, — кратко отвечала она на вопросы. — В Майами перебралась десять лет назад.

Эндрюз мысленно отметил, что она привлекательна, но какая-то вся слишком жесткая, огрубевшая.

Гомес работала техником по ремонту телефонов в компании «Сазерн белл». Вечером училась в колледже Майами-Дейд на факультете телекоммуникаций.

— Хочу получить работу получше, — объяснила она.

Подошедший к ним Турстон указал на тело Киньонеса и спросил:

— Вы знаете этого человека? Видели его раньше?

— Никогда в жизни! — мотнула головой Дульсе Гомес.

— Мы наблюдали за ним. Похоже, он увязывался за вами и раньше, но только вы не замечали.

— Да?.. Хотя у меня пару раз действительно было чувство, что кто-то... — Она осеклась, раздумывая. — Постойте-ка, ведь этот пендехо в точности знал, в какой квартире я живу! Он ведь поднялся прямиком ко мне.

— И высадил дверь? — спросил Турстон.

Гомес кивнула:

— Он ворвался, как взбесившийся бульдог. Глаза сумасшедшие, член наружу, в руке нож.

— И тогда вы стали в него стрелять? — спросил Турстон.

— Нет, я не сразу взяла пистолет. Я встретила его приемом карате. Он выронил нож.

— Вы каратистка?

— Имею черный пояс. Потом я приложила его еще два раза — в голову и по корпусу. Он и грохнулся. Я взяла пистолет и пристрелила его.

— А где был пистолет?

— В другой комнате. В тумбочке у меня в спальне.

Турстон озадаченно уставился на нее:

— Вы хотите сказать, что всадили в этого типа всю обойму, когда он уже лежал на полу?

На этот раз женщина помедлила с ответом:

— Ну да... Я боялась, что этот гнус поднимется. У него же был нож, и он начал шевелиться... Я еще пару раз стукнула его ногой по голове, когда патроны кончились.

Вот, стало быть, что означали глухие стуки, которые детективы слышали, когда подбирались к двери ее квартиры.

— Но ведь он уже не шевелился, а вы всадили шесть пуль? — недоуменно спросил Эндрюз.

— Нет, должно быть, но я все равно еще очень его боялась.

Медики из бригады спасения прибыли, пока шла беседа. Им понадобилось лишь несколько секунд, чтобы констатировать смерть Киньонеса. В коридоре дежурили двое рядовых патрульной службы, которые втолковывали собравшимся на шум жильцам, что ничего интересного не происходит и все волнения излишни.

Малколм Эйнсли приехал вовремя — он услышал последние фрагменты разговора сыщиков с Дульсе Гомес.

— Повторите для полной ясности еще раз, мисс Гомес, — вмешался он в допрос. — Вы занимаетесь карате и сумели сбить нападавшего с ног, а потом, когда он уже лежал на полу, произвели в него шесть выстрелов из пистолета?

— Да, так все и было.

— В таком случае я хотел бы видеть разрешение на пистолет.

Ей впервые явно стало не по себе.

— Разрешение?.. У меня его нет. Пистолет мне подарил мой парень на прошлое Рождество. Завернул в подарочную бумагу и положил под елку. Я даже не думала, что...

— Он, должно быть, из НОА, этот ухажер, — сказал Турстон негромко, словно сам себе. — Только с таким складом ума можно додуматься положить пистолет под рождественскую елочку.

У полицейских, которым не раз доводилось становиться свидетелями перестрелок и самим рисковать жизнью из-за легкодоступности огнестрельного оружия, Национальная оружейная ассоциация популярностью не пользовалась.

— Как зовут вашего парня, Дульсе? — осведомился Эндрюз.

— Хусто Ортега. Только он уже больше не мой парень.

Эйнсли легко прикоснулся к руке Брэда Эндрюза:

— Дело, я вижу, усложняется. Мне кажется, пора ознакомить леди с ее правами.

— Я и сам так подумал, сержант. — Эндрюз снова обратился к хозяйке квартиры: — Существует так называемое «правило Миранды», Дульсе. Согласно ему, я должен предупредить вас, что вы не обязаны разговаривать со мной и отвечать на мои вопросы. С этого момента все, что вы скажете, может быть запротоколировано и использовано против вас в качест...

— Мне прекрасно известны мои права, — оборвала его Дульсе Гомес. — Не напрягайтесь. Я не приглашала этого подонка вламываться в мое жилье. И все, что я сделала, была самооборона.

— И тем не менее я обязан выполнить эту формальность, так что дослушайте, пожалуйста.

Когда Эндрюз закончил, Эйнсли сказал:

— Это не в наших правилах, мисс Гомес, но я бы очень рекомендовал вам связаться с адвокатом прямо сейчас.

— Почему?

— Я не утверждаю, что это случится непременно, но кое-кто может посчитать, что у вас не было необходимости убивать человека, что вы уже сделали все для самозащиты, когда...

— Чушь собачья! — оборвала она его резко, но потом вдруг задумалась. — Хотя я, кажется, начинаю понимать, к чему вы клоните.

— Я только лишь посоветовал вам обратиться к адвокату.

— Послушайте, я ведь просто работяга. Расходов на адвоката мне не потянуть. Оставьте меня хоть ненадолго в покое. Я сяду и обдумаю, как мне быть.

— Ты вызвал представителя прокуратуры? — негромко спросил Эйнсли Турстона.

— Нет еще.

— Поторопись. Нам нужно быстрое решение по этому делу.

Турстон кивнул и взялся за рацию.

Приехали эксперты-криминалисты и сноровисто взялись за свою работу. Турстону дали только записать номер пистолета, после чего двадцатидвухмиллиметровый «кэл-рон» тщательно упаковали в пластик. После того как криминалисты обследовали телефонный аппарат в квартире Гомес, Турстон позвонил в полицейское управление.

— Мне нужно проверить пистолет. — Он дал описание оружия и его серийный номер, а потом в ответ на вопрос сказал: — Начните с округа Дейд. Если понадобится, возьмете потом шире.

Компьютерная служба имела доступ не только к местным спискам владельцев оружия, но и к национальному и даже международному регистрам.

Турстон ждал молча, потом вдруг вскинулся:

— Вот это да! Эй, повторите-ка, чтобы я успел записать... Так... Так... Спасибо, записано.

Он сразу позвонил к себе в отдел. Во время всего разговора, который продлился минут десять, голос Турстона оставался негромким, но взволнованным. Закончив, он сделал знак Эйнсли и Эндрюзу. Троица отошла в дальний угол гостиной.

— Сейчас я вас удивлю, — сказал Турстон. — Помните убийство Айшема? Старое дело — ему уже года полтора.

— Конечно, помню, — отозвался Эйнсли задумчиво. — Его застрелили из собственного пистолета, но орудие убийства так и не нашли. Расследование вел Дион Джакобо. У него был подозреваемый, но без пистолета улик оказалось недостаточно. Убийство осталось нераскрытым.

— Скажем лучше: оставалось до сегодняшнего дня. Мы с вами только что обнаружили орудие убийства Айшема.

— Неужели это ее пистолет? — Эндрюз глазами указал на Дульсе Гомес.

Турстон кивнул и с явным удовольствием продолжал:

— Компьютерщики идентифицировали пистолет и установили имя его первоначального владельца. А теперь угадайте имя человека, который проходил у Диона подозреваемым по делу Айшема.

— Ортега? — первым высказал предположение Эйнсли.

— Именно! Некий Хусто Ортега — идиот, которому взбрело в голову подарить замазанный пистолет своей подружке Дульсе. Я только что говорил с Дионом Джакобо. Ему известно, где сейчас Ортега, и он уже помчался за ордером на арест. Имея пистолет, он добьется обвинительного приговора.

— Где найдешь, где потеряешь... — заметил Эйнсли. — Отличная работа, Чарли. Но сейчас я хотел бы выяснить другое. — Он указал на накрытое простыней тело Киньонеса. — Привлекать нам девушку или нет? Какие будут мнения?

— Лично мне этого совершенно не хочется, — признался Турстон. — Она, конечно, перегнула палку, но я бы воздержался привлекать ее за убийство Киньонеса. По-моему, мерзавец получил по заслугам.

— Я тоже так думаю, — заявил Эндрюз.

— И я готов с вами согласиться, — сказал Эйнсли, — хотя мы не должны упускать из виду, что руки и ноги опытных каратистов считаются смертоносным оружием. Обладателей черных поясов, каким похвалилась нам Гомес, даже заставляют вставать на учет в полиции. Так что прокуратура может попытаться отдать ее под суд за превышение пределов необходимой самообороны или даже непредумышленное убийство. Впрочем, скоро мы все узнаем.

Он кивнул в сторону входной двери, в проеме которой возникла низкорослая полноватая фигура пятидесятилетней женщины, с любопытством оглядывавшейся по сторонам. Вновь прибывшую даму в синей полотняной юбке и ярко-желтой блузке звали Мэтти Бисон, она была помощником прокурора штата. Эйнсли нравилось работать с ней в одной связке. В суде она умело и жестко доводила до логического конца работу следователей, хотя бывала подчас чересчур придирчива к детективам до суда, если собранные ими улики не казались ей достаточно вескими.

— Ну и что мы здесь имеем? — спросила Бисон с порога.

Турстон вызвался рассказать ей все с самого начала. Как они с Эндрюзом следили за Киньонесом, как тот увязался за Дульсе Гомес, как они искали нужную квартиру и как застали в ней Киньонеса уже покойником.

— А вы ведь упустили его, а, ребята? — Бисон попрокурорски точно указала на самое слабое место в отчете Турстона.

— Что мне остается? Только согласиться с тобой, — скорчил гримасу детектив.

— Что ж, сказано по крайней мере честно. Не волнуйся, тебя судить не будут.

— А кого будут? — не сдержал любопытства Эндрюз.

Оставив вопрос без ответа, прокурорша бросила взгляд на Дульсе Гомес, сидевшую в стороне, предоставив событиям происходить своим чередом. Потом Бисон сама задала вопрос:

— Полагаю, всем здесь известно, что каратисты могут представлять общественную опасность?

— Мы как раз обсуждали это, когда ты вошла, — сказал Эйнсли.

— Ты все такой же дотошный, Малколм, — бросила она, а затем обратилась вдруг к Эндрюзу: — Прежде чем ответить на ваш вопрос, детектив, я попрошу вас дать ответ на мой. Допустим, мы приняли во внимание, что эта женщина мастер карате, и обвинили ее в превышении пределов самообороны, какие аргументы, говорящие в ее пользу, вы бы перечислили в суде?

— О'кей, давайте прикинем. — Эндрюз принялся загибать пальцы. — Во-первых, у нее есть постоянная работа и еще она учится по вечерам. Стало быть, благонадежна. Во-вторых, этот кусок дерьма с криминальным прошлым стал ее навязчиво преследовать без какого-либо повода с ее стороны. Он нарушил неприкосновенность ее жилища и ворвался к ней в квартиру, когда она находилась в ней одна. Далее, он напал на нее, обнажив половой член, угрожая холодным оружием. И что же она? Она запаниковала и в страхе за свою жизнь зашла в самообороне чересчур далеко — с юридической точки зрения. Но только никакой суд присяжных не вынесет ей на этом основании обвинительного приговора. Напротив, присяжные из кожи вон вылезут, чтобы оправдать ее.

Выслушав его, представительница прокуратуры позволила себе улыбку.

— Совсем неплохо, детектив. Не податься ли вам в адвокаты, а? — Потом она обратилась к Эйнсли: — А ты как думаешь?

— Поддерживаю Эндрюза. С точки зрения здравого смысла он прав.

— И я так считаю. Поэтому вот тебе мое слово, Малколм. Прокуратура умывает руки. Официально зафиксируем как смерть в результате несчастного случая.

К драме гибели Карлоса Киньонеса жизнь дописала свой постскриптум.

Обыск, произведенный полицией в его квартире, помог обнаружить свидетельства, что его попросту не было в Майами в те дни, когда были совершены три серийных убийства. Никаких улик, которые связали бы его с остальными преступлениями, найдено не было.

Имя Киньонеса, таким образом, стало первым вычеркнутым Эйнсли из списка подозреваемых.

Сержанту Терезе Даннелли и детективу Хосе Гарсии не пришлось в ходе слежки иметь дела с убийством.

Шла уже вторая неделя наблюдения, в тот день их «подопечным» был Алек Полайт, гаитянец, который жил в том районе Майами в конце Шестьдесят пятой Северо-Восточной улицы, который в народе прозвали Малым Гаити.

Сержант Даннелли, высокая тридцатипятилетняя брюнетка, временно прикомандированная к подразделению Эйнсли из отдела по расследованию ограблений, несла полицейскую службу уже десятый год и считалась способным руководителем группы. За бюст внушительных размеров ее прозвали Большой мамой, да она и сама иногда добродушно называла себя так. Хосе Гарсию из отдела по расследованию убийств она знала восемь лет; им и прежде случалось работать вместе.

Что же до Алека Полайта, то, как мы помним, в рапорте оперативных наблюдений его назвали самозваным проповедником, утверждающим, что он общается с Богом. Отмечались его агрессивность и склонность к насилию, хотя на скамью подсудимых он пока ни разу не угодил. Он жил в двухэтажном блочном доме еще с четырьмя семьями, включая не то шесть, не то семь детей.

Даннелли и Гарсию первый раз послали следить за Полайтом. До этого они «вели» Эдельберто Монтойю, но ничего подозрительного за ним не заметили.

Свою машину им пришлось поставить в непосредственной близости от дома, и, к немалому огорчению обоих детективов, она почти сразу привлекла внимание прохожих, но особенно ее появление на Шестьдесят пятой Северо-Восточной улице взволновало стайку любопытной местной детворы.

В качестве маскировочного транспортного средства сыщикам достался ярко-голубой микроавтобус «Джи-Эм лумина» последней модели. Он был нашпигован всевозможной техникой: камерами, телефонами, звукозаписывающими устройствами и суперсовременными приемниками-передатчиками, антенны которых крылись за обивкой салона. Тонированные стекла не позволяли заглянуть и посмотреть, есть ли кто внутри. Микроавтобус считался экспериментальным и предназначался для спецопераций, но в этот день других колес для Даннелли и Гарсии не нашлось.

— О боже! Этого нам только не хватало, — простонал Гарсия, когда им показали сверкающий новенький автомобиль и его мудреную начинку. — Я обожаю такие игрушки, но в Малом Гаити мы в нем будем торчать, как кусок дерьма на свадебном торте.

— Скорее наоборот — как свадебный торт среди дерьма, — рассмеялась Тереза Даннелли. — Когда мне сказали, что́ они нам дают, я пыталась переиграть, но только сегодня без вариантов. Либо берем, либо отправляемся на задание пешком.

И вот теперь на месте наблюдения стали сбываться их худшие опасения, потому что из двухэтажного дома вышли сразу несколько мужчин и подошли к голубому микроавтобусу.

— Придется сматывать удочки, — сказал Гарсия. — Мы светимся здесь, что твой прожектор.

— Давай попробуем хоть что-то предпринять сначала. — Рация Даннелли была настроена на специальный канал, выделенный участникам скрытого наблюдения. — Тринадцать-двадцать один вызывает диспетчера.

— Слушаю, — откликнулся оперативный дежурный из полицейского управления.

— Направьте патрульную машину к дому два-шесть-пять по Шестьдесят пятой Северо-Восточной. Проинструктируйте, чтобы действовали без шума. Никаких сирен и мигалок. Пусть рассеют небольшую толпу у дома, но не обращают внимания на голубой микроавтобус, припаркованный рядом.

— Вас понял. — И через несколько секунд добавил: — Выслал к вам подразделение три-два-четыре.

Двое из тех, что вышли из дома, стали всматриваться в окна машины, но явно ничего не могли разглядеть.

— Дурацкое положение, — прошипел Гарсия.

В это время к двоим присоединился третий, сухопарый и лысоватый. Даннелли поспешно сверилась с фотографией для опознания и сказала:

— Этот плешивый и есть объект нашего наблюдения.

— Кто за кем наблюдает... — пробормотал Гарсия.

Тот тип, что подошел к микроавтобусу первым, подергал за ручку двери. Когда дверь не поддалась, он полез в карман и вытащил приличных размеров отвертку. Затем до детективов донеслась его приглушенная, но вполне отчетливая реплика:

— Да нету там никого.

Трое сгрудились у двери; малолетки отошли в сторону.

— Господи! — прошептал Гарсия. — Они собираются вскрыть машину.

— Пусть только попробуют. Их ждет большой сюрприз. — Даннелли взялась за рукоятку табельного револьвера.

Дело могло принять совсем нежелательный оборот, если бы тип с отверткой не решил оглядеться по сторонам, не видит ли кто. И тут в поле его зрения попала приближавшаяся полицейская машина.

— Вот и мои патрульные, — сказала Даннелли торжествующе.

В одно мгновение все трое отпрянули от микроавтобуса. Тот, кого Даннелли опознала, поскользнулся и вынужден был опереться на короткий капот их машины, прежде чем исчезнуть.

Полицейский автомобиль остановился, из него выбрались двое патрульных. Как всегда при появлении полиции, в Малом Гаити все бросились врассыпную. Лишь один из полисменов окинул «лумину» взглядом, но сразу равнодушно отвернулся. Еще несколько мгновений спустя патрульная машина уехала.

— Мы уезжаем или остаемся? — спросил Гарсия.

— Это я смогу сказать тебе через минуту.

Даннелли по рации вызвала командира их спецподразделения. Когда сержант Эйнсли ответил, она сказала:

— Тереза Даннелли. У меня вопрос.

— О'кей, Терри, спрашивай.

— Помнится мне, что на месте первого серийного убийства, в отеле «Ройал колониел», взяли частичный отпечаток ладони, но его не удалось идентифицировать, так? — С типичной для нее скрупулезностью Даннелли просмотрела все рапорты о серийных убийствах, прежде чем приступить к наблюдению.

— Верно. Нам до сих пор неизвестно, чья там была ладошка.

— Так вот, по-моему, мы получили отпечаток ладони Алека Полайта. Но только он оставил его снаружи на нашей машине, а скоро может полить дождь. Ты сможешь быстро проверить отпечаток, если мы сейчас снимемся с места?

— Конечно, — ответил Эйнсли. — Отправляйтесь в отстойник для автомобилей и укройте машину под навесом. Я попрошу направить туда кого-нибудь из криминалистов.

— Поняла. Спасибо, Малколм. — Затем она отключила связь и сказала сидевшему за рулем Хосе Гарсии: — Все, поехали!

— Что я могу тебе сказать на это?.. Ура!

Автомобильный отстойник полиции Майами, расположившийся рядом с Девяносто пятым шоссе и окруженный высоким металлическим забором, был тем местом, куда отгоняли машины, захваченные обычно в качестве улик в ходе рейдов, чаще всего на торговцев наркотиками.

— Какая ты молодчина, что подумала об этом отпечатке! — сказал Гарсия по дороге туда. — Я и не заметил, как это случилось. Как считаешь, он четкий?

— Уверена. — Она показала пальцем сквозь лобовое стекло: — Он где-то здесь.

Вскоре по приезде в отстойник к сыщикам присоединилась Сильвия Уолден.

— Это я сняла отпечаток в «Ройал колониел», — объяснила она. — Говорят, у вас есть такой же?

— Если он не совпадет, у нас по крайней мере станет одним подозреваемым меньше. — Даннелли указала место на поверхности микроавтобуса, на которое оперся Алек Полайт. Уолден достала свои кисточки с порошками и приступила к работе.

Всего через час после этого Малколму Эйнсли позвонили.

— Это Сильвия Уолден. Я сравнила отпечаток с микроавтобуса сержанта Даннелли — отличный, между прочим, по качеству и полный — с частичным отпечатком, что мы обнаружили в «Ройал колониел». Ничего общего, к сожалению.

— Тут жалеть не о чем, — сказал Эйнсли. — Одного подозреваемого можно вычеркнуть из списка, что облегчает нашу задачу.

Он позвонил потом Даннелли, сообщил о полученном результате и добавил:

— Молодец! Мы снимаем наблюдение за Алеком Полайтом. Он вообще-то и не был у нас главным подозреваемым. Так что передохни немного, Терри. Позже сегодня мы дадим вам с Хосе знать, кто у вас следующий.

В подтверждение мнения многих сыщиков, что наружное наблюдение сродни импровизированному театру, где может родиться и высокая драма, и дешевая буффонада, на другом конце города с детективами Гектором Флейтесом и Огденом Джолли приключилась необычная история.

Обоих «одолжили» у отдела по расследованию ограблений. Молодой и энергичный Флейтес строил смелые планы — открыть собственное охранное агентство, поднабравшись за несколько лет опыта в полиции. Как только прошла информация о создании спецподразделения, он сразу изъявил желание войти в него. Джолли был солиднее, сдержаннее, а главное, обладал куда лучше развитым чувством юмора.

В объекты наблюдения им достался Джеймс Калхоун, прозванный Иисусиком за татуировку в виде креста на груди и назойливые рассказы всем и каждому, что он — Христос во втором пришествии и готовится вновь вознестись на небеса.

— Значит, сейчас по горло занят, — пошутил по этому поводу детектив Джолли.

И правда, за Калхоуном числились непредумышленное убийство, вооруженное ограбление и хулиганство. Он дважды сидел. Условно-досрочно освобожденный, он жил сейчас в Черномазвилле — так назывался, само собой неофициально, прилегающий к торговому центру Нортсайд квартал, населенный исключительно негритянской и латиноамериканской беднотой. Строго говоря, райончик этот находился за чертой Майами, а потому и вне юрисдикции полиции города. Однако при проведении спецопераций было не до жестов вежливости в адрес местных полицейских. Посему детективы Флейтес и Джолли сидели теперь в фургоне ремонтных рабочих телефонной компании «Сазерн белл», припаркованном у входа в популярную дискотеку «Кампала стереофоник», без чьей-либо санкции.

Третий вечер подряд сыщики незаметно следовали за Калхоуном, который был завсегдатаем одного и того же бара, где каждый раз он основательно накачивался спиртным. К девяти часам они покончили с купленными в соседнем супермаркете бутербродами и успели выпить по нескольку чашек кофе; дежурство казалось утомительным и скучным. Флейтес вслух сокрушался, что добровольно ввязался в эту, по его собственному выражению, «пустейшую трату времени».

Вдруг появилась группа проституток. Встревоженно оглядевшись по сторонам, они проскользнули внутрь дискотеки. Наши детективы знали этих девиц еще с тех времен, когда патрулировали улицы Майами. Одновременно на тускло освещенную автостоянку рядом с входом в «Кампалу» въехал «кадиллак». Сутенер... Он будет присматривать за девицами, руководить их распределением по клиентам. Место «работы» такая группа обычно меняла ежевечерне, чтобы не привлекать внимания полицейских. Сыщикам эта тактика была отлично известна.

Клиентуру явно подобрали заранее, потому что вскоре одна за другой к дискотеке стали прибывать машины, владельцы которых ненадолго заходили в «Кампалу» и вскоре появлялись в сопровождении проституток, разбредаясь по окрестным темным углам. Словом, то был бойкий, но невысокого пошиба сервис.

— Вот черт! — с досадой сказал Флейтес. — Если хоть одна из этих шлюх нас узнает, вся маскировка псу под хвост.

— Откинься подальше, они нас и не заметят, — посоветовал Джолли.

— Пойду отолью, кофе перепил, уже невтерпеж.

Улучив момент, когда ни одной парочки не было видно, Флейтес выбрался из фургона и поспешил по аллее к задворкам дискотеки. Там он облегчился, застегнул молнию и направился было назад, но заметил знакомую проститутку, шедшую прямо на него под руку с клиентом. Флейтес хотел ретироваться, но аллея позади него через несколько метров тупиком упиралась в кирпичную стену.

К счастью, он заметил большой контейнер для мусора, стоявший чуть поодаль, и метнулся к нему, подтянулся и перебросил тело через край. Едва приземлившись, он с ужасом понял, что попал в какую-то склизкую и вонючую массу. Прислушиваясь к разговору парочки, которая как раз расположилась рядом, он брезгливо пытался стряхнуть с себя заплесневелые картофельные очистки, куриные кости, кожуру от бананов, гнилые помидоры и еще что-то мягкое на ощупь и крайне зловонное — он догадывался, что это было, но гнал от себя саму мысль.

В отличие от прочих парочек эта занималась сексом долго, сопровождая его звучным сопением, наигранными возгласами «еще! еще!» и удовлетворенными вздохами, перешедшими в негромкий разговор. Уходить они не торопились, и Флейтес, знавший порядки в этом бизнесе, мог сообразить, что клиенту пришлось приплатить за столь душевное отношение. Изнывавшему в контейнере Флейтесу казалось, что они не уберутся оттуда никогда. Они-таки убрались через двадцать минут, показавшихся ему вечностью.

Когда Гектор Флейтес открыл дверь грузовичка телефонной компании и влез на сиденье, Джолли сначала изумленно посмотрел на него, а потом зажал ладонями нос и рот.

— Господи, как же от тебя воняет!

Приглядевшись и заметив ошметки мусора, покрывавшие напарника с головы до пят, он разразился громким хохотом. Флейтес только грустно кивал, понурив плечи. Он знал, что теперь есть две вещи, с которыми ничего не поделаешь. Первая: предстояло вынести еще добрых шесть часов дежурства. И второе: Огден Джолли станет пересказывать всем коллегам по отделу, как он, Флейтес, вел наружное наблюдение.

В начале третьей недели слежки детективы Руби Боуи и Бернард Квинн зашли в здание полицейского управления, чтобы встретиться с Малколмом Эйнсли. В смену с двумя сыщиками из отдела ограблений они «пасли» Эрла Робинсона.

Поначалу Робинсон считался главным подозреваемым, уж очень многое в его характеристике совпадало с особенностями почерка серийного убийцы. В РОНе о нем отзывались как о человеке крайне агрессивном. В прошлом боксер-тяжеловес, он переквалифицировался в уличного проповедника, причем декламировал исключительно из Апокалипсиса, а себя величал ангелом мщения Господня. Да и кличка, прилипшая к нему, была Мститель. В его уголовном прошлом значились вооруженное ограбление, преднамеренное убийство и угрозы холодным оружием, то есть ножом.

Можно было понять удивление Эйнсли, когда Руби Боуи с порога заявила:

— Мы все четверо считаем, что Робинсона нужно исключить. Мы убедились — он безвредный. Все свободное время помогает бездомным в приюте «Камиллас хаус».

— Все верно, — поддакнул Бернард Квинн.

По словам Боуи, Робинсон разом покончил с криминальным прошлым, когда год назад обратился к религии. С той поры он стал добропорядочным гражданином, имеющим постоянную работу и принимающим участие в благотворительных акциях.

— Я раньше не верил этим новообращенцам, — поддержал ее Квинн. — Думал, притворяются. Но у этого парня, я теперь уверен, все по-настоящему.

— У нас был разговор с директором приюта Дэвидом Дэксменом, — сообщила Боуи.

— Знаю его, — заметил Эйнсли. — Славный малый.

— Дэксмен говорит, что знаком с Робинсоном много лет, сейчас это совершенно другой человек. — Руби заглянула в свои записи. — «Он стал достойной личностью и поставил себе целью жизни помогать ближним», вот как он о нем отзывается. А подопечные Робинсона просто души в нем не чают.

— Что ж, прекратите наблюдение за ним, — распорядился Эйнсли, — вычеркните из нашего списка.

С этими словами он откинулся на спинку кресла и вздохнул.

9

Позже, когда Малколм Эйнсли вспоминал об этих трех неделях, они всплывали в памяти калейдоскопическим мельтешением событий, временем, когда внешние обстоятельства, чаще всего совершенно непредвиденные, постоянно грозили вмешаться и нарушить ход нормальной работы каждого в спецподразделении, но больше всех — самого Эйнсли.

В первый же день его поставили перед фактом, что, будучи гвардейцем роты почетного караула полиции Майами, он должен ближайшие двое суток отдежурить на панихиде и похоронах городского комиссара Густава Эрнста и его жены Эленор. В роту почетного караула, которой командовал капитан Уоррен Андерхилл, бывший армейский майор, а ныне — ветеран полиции с двадцатилетним стажем, входило шестьдесят отборных сотрудников — мужчин и женщин, заслуживших эту честь успехами в работе, отличной физической формой и выправкой.

Надобность в почетном карауле возникала так редко, что состоять в роте было необременительной обязанностью. Однако для Эйнсли сейчас это было совершенно некстати. Отказаться же он не мог, о чем его в первом же телефонном разговоре уведомил капитан Андерхилл.

— Я и так давно не назначал тебя дежурить, Малколм. И мне в заместители как раз нужен сейчас сержант. К тому же я знаю, что расследование убийства Эрнстов поручено тебе, значит, твое присутствие просто необходимо. Да-да, я понимаю, как чертовски ты загружен, но работы у всех много, надеюсь, ты не станешь напрасно тратить время на отговорки?

— Если бы вы подсказали мне, сэр, какая из них сработает, — усмехнулся Эйнсли, — я бы наверняка попробовал.

— Стало быть, договорились?

— Вы же знаете, что договорились, сэр, — обреченно ответил Эйнсли.

— Спасибо, сержант. Мне нравится твое отношение к делу. И само собой, с нас причитаются сверхурочные.

Панихида по Эрнстам, чьи тела поместили в закрытые гробы, проходила в Доме похоронных ритуалов Кламера в самом центре Майами и должна была продлиться от полудня до восьми вечера. На протяжении всего этого времени у гробов стоял караул из шести гвардейцев. Их выделили в две группы, менявшиеся каждые два часа. На сержанте Эйнсли, который и сам постоял в карауле, лежали к тому же обязанности разводящего. Таким образом, отлучиться из похоронного дома было невозможно, но он получал по телефону и радио информацию о ходе наблюдательной операции.

Во время панихиды Эйнсли наблюдал Синтию Эрнст среди непрерывного потока из более чем девяти сотен людей, пришедших проститься с ее родителями. Со многими она разговаривала, соболезнования принимала с большим достоинством. Синтия была в полицейской форме. Эйнсли она не могла не заметить, но никакого внимания на него предпочла не обращать.

Когда панихида закончилась, Эйнсли переоделся в цивильное платье и отправился к себе в отдел, чтобы ознакомиться с отчетами о наблюдении, поступившими за день.

На следующий день времени заниматься расследованием выдалось еще меньше.

В девять утра почетный караул собрался в Доме похоронных ритуалов, где гвардейцы по-военному четко установили два гроба на площадку открытого катафалка. Траурная процессия, во главе которой ехали два десятка полицейских мотоциклистов, а замыкали тридцать патрульных машин с включенными проблесковыми маячками, медленно двинулась затем в сторону церкви Святой Марии, где на десять часов была назначена панихида.

Несмотря на внушительные размеры, эта церковь на углу Норт-Майами-авеню и Семьдесят пятой улицы уже к половине десятого была полностью заполнена публикой, а опоздавшим пришлось сесть снаружи и по трансляции выслушать последнее прости Эрнстам, которое поочередно произнесли мэр, губернатор, старейшина сенаторов от штата Флорида и настоятель церкви.

Эйнсли наблюдал и слушал все это с нарастающим раздражением. Конечно, думал он, городской комиссар заслуживает почетных похорон, но это уж чересчур.

По окончании службы процессия направилась к Вудлоунскому кладбищу. К траурному кортежу присоединились теперь многочисленные лимузины представителей соболезнующей общественности и дополнительный эскорт, присланный прочими полицейскими управлениями округа вкупе с дорожной полицией штата Флорида. Поговаривали, что кавалькада растянулась почти на пять километров.

На кладбище под аккомпанемент молитв гвардейцы почетного караула опустили оба гроба в одну могилу. Перед тем как все было кончено, Синтии Эрнст вручили два национальных флага США, которыми были покрыты гробы.

В общей сложности погребальная церемония продлилась семь часов.

Любой комиссар Майами, погибший или умерший на своем посту, мог рассчитывать на пышные похороны, но прощание с Густавом Эрнстом и его женой, как заметил какой-то циник, казалось сопродукцией Голливуда, Уолта Диснея при участии управления полиции Майами, стремившихся создать экстравагантное шоу. Крупномасштабное участие полицейских в похоронах обозреватель «Майами геральд» объяснял на следующее утро осознанием ими своей вины в том, что они не сумели уберечь комиссара и его супругу, усугубленной тем фактом, что убийца не только разгуливал на свободе, но, похоже, даже не был установлен.

Впрочем, этот газетчик только повторил вопросы, раздававшиеся в те дни со всех сторон. Что делает полиция, чтобы раскрыть преступления, которые она сама теперь квалифицировала как серийные убийства? И почему следствие так затянулось?

Последний вопрос в равной степени терзал и Малколма Эйнсли на протяжении долгих часов почетного караула. Каждый раз, когда его взгляд невольно задерживался на двух закрытых гробах, он вспоминал обезображенные трупы, которые лежали в них, и мысленно твердил: «Кто? Почему? Где следующий?»

Через два дня после похорон Эрнстов было опубликовано заявление Городской комиссии Майами, которая теперь, после того как выбыл Густав Эрнст, состояла из четверых членов: мэра, его заместителя и двух комиссаров. В заявлении напоминалось, что, в соответствии с уставом, в случае смерти одного из членов комиссии, управляющей городом, остальные члены голосованием вправе назначить преемника, который дослужил бы остаток положенного срока. В случае Густава Эрнста речь шла о двух годах, то есть ровно половине отведенного комиссарам времени.

Далее в заявлении говорилось, что единогласным решением членов комиссии полномочия Густава Эрнста передаются его дочери Синтии. В отдельно опубликованном меморандуме сообщалось о том, что майор Эрнст приняла это назначение, в связи с чем оставляет службу в полиции Майами.

По окончании срока действия полномочий отца мисс Эрнст сможет, если захочет, выставить свою кандидатуру на очередных выборах.

— Само собой, она будет баллотироваться, — прокомментировал Бернард Квинн, когда новость обсуждалась среди детективов отдела убийств. — И вряд ли проиграет.

Эйнсли двойственно отнесся к новому положению Синтии. С одной стороны, с облегчением, что она ему больше не командир в полиции, а значит, он не обязан докладывать ей о результатах расследования серийных убийств. А с другой, он с тревогой предчувствовал, что ее влияние в полицейском управлении только возрастет.

Эйнсли был слишком опытен, чтобы ожидать от операции внешнего наблюдения скорых результатов. Но и он к началу третьей недели ощущал дискомфорт при мысли, что единственный прогресс, если только это можно так назвать, — снятие подозрений с Карлоса Киньонеса, Алека Полайта и Эрла Робинсона.

Потом у них возникли сомнения и в обоснованности подозрений против Элроя Дойла. За ним вели слежку детективы Дан Загаки и Луис Линарес. Их отчеты подтверждали данные рапортов оперативных наблюдений.

Хотя Дойл нигде постоянно не числился, он регулярно подрабатывал шофером в транспортных компаниях. Его поведение внушало доверие, соглядатаям он казался маловероятным кандидатом в серийные убийцы. Загаки вскоре предложил снять с Дойла наблюдение, но на этот раз Эйнсли воспротивился.

При том, что оставались всего лишь Джеймс Калхоун и Эдельберто Монтойя, против которых тоже пока ничего не было, в душах поскучневших детективов поселилось сомнение, которое втайне разделял и сам Эйнсли. Неужели компьютерный метод поиска подозреваемых, показавшийся поначалу отличной идеей, завел их в тупик? Эйнсли поделился сомнениями с лейтенантом Ньюболдом, заключив так:

— Самое легкое сейчас сдаться, потому-то мне так ненавистна сама мысль об этом. Я склоняюсь к тому, чтобы продолжать еще неделю. Если конкретного результата не получим, операцию прекратим.

Лейтенант в задумчивости начал раскачиваться в кресле, по временам достигая небезопасного угла наклона.

— Я всегда поддерживаю тебя, Малколм, потому что доверяю твоей рассудительности и знаю, что любые проблемы ты всегда прежде обсудишь со мной. Если ты считаешь, что нужно продолжать, я на твоей стороне. Но пойми, на меня давит отдел ограблений. Они хотят поскорее вернуть людей.

Эйнсли дважды замечал лейтенанта Даниэла Уэрту в кабинете Ньюболда, без труда догадываясь, что привело туда начальника отдела по расследованию ограблений. Приближалось Рождество — время, когда количество краж увеличивалось на пятьдесят процентов, а значит, и нагрузка на отдел, который занимался этими преступлениями. Да и из отдела убийств слишком значительные силы были отвлечены на слежку, увеличивая бремя, лежавшее на остальных сотрудниках.

Посовещавшись, Ньюболд и Эйнсли пришли к компромиссному решению. Наблюдение будет продолжено, но, поскольку в списке оставалось тремя подозреваемыми меньше, четверо из отдела ограблений, включая двух сержантов, вернутся в отдел. Под конец третьей недели Эйнсли решит, понадобится ли четвертая неделя, и каким бы ни было решение, лейтенант Ньюболд поддержит его.

— В конце концов, подкрепление нам дал лично майор Янес, — сказал он Эйнсли. — Придет нужда, я напомню ему об этом.

Как они договорились, так и работали еще два дня, а потом произошли события, затмившие на время все остальное.

Началось это незадолго до полудня в четверг.

К отделению банка «Барнетт», расположенному на углу Корал-Вэй и Тридцать второй авеню, подъехал бронированный автомобиль с наличными деньгами. Едва охранник открыл дверь машины, перед ним выросли трое — как показали свидетели, один белый и двое латиноамериканцев с автоматами наперевес.

В этот момент из-за угла выехала патрульная машина полиции Майами и оказалась прямиком на месте преступления. Грабители первыми заметили полицейских и открыли огонь прежде, чем те сообразили, что происходит. Один из патрульных погиб на месте, получив в грудь струю свинца. Второго ранили, когда он, выдергивая из кобуры пистолет, попытался выскочить из автомобиля. Бандиты уложили на месте охранника фирмы «Уэлз Фарго», перевозившей деньги, забрали мешок с наличностью, сели в поджидавший автомобиль и были таковы. Весь этот эпизод занял не более минуты.

Когда преступники скрылись, случайный прохожий по имени Томас Рамирес, рослый, спортивного сложения парень, подбежал к раненому полицейскому. Заметив у него на ремне портативную рацию, парень взял ее и нажал кнопку вызова.

Вызов был немедленно принят в полицейском центре связи, включился на запись магнитофон.

— Алло, алло! Говорит Том Рамирес. Кто-нибудь слышит меня?

— Да, я вас слушаю, — ответила диспетчер невозмутимо. — Как у вас оказалась полицейская рация? Что-то случилось?

— Еще как случилось! Ограбление и перестрелка у банка! Пострадали два полицейских. Пришлите помощь, скорее!

— Хорошо, сэр. Только не надо нажимать боковую кнопку, когда говорю я. Где вы находитесь? Дайте адрес.

Диспетчер заносила информацию в память компьютера по ходу разговора. Сообщение дублировалось на дисплеях еще шести дежурных диспетчеров в том же центре связи.

— Значит, так... Я на углу Корал-Вэй и Тридцать второй авеню, на стоянке перед банком «Барнетт». Один полицейский и охранник, по-моему, мертвы. Еще один патрульный истекает кровью. Поторопитесь, пожалуйста!

Дежурные направили на место опергруппы.

— Помощь уже в пути, сэр, — сказала диспетчер. — Преступники скрылись?

— Да, на своей машине... Серый «бьюик-сенчери». Они вооружены! Застрелили полицейских... Насмерть!

— Поняла вас, сэр. Постарайтесь успокоиться. Нам понадобится ваша помощь.

Другой дежурный между тем подготовил краткий текст оперативной ориентировки, которую через несколько секунд получат все полицейские подразделения округа и штата, а также прочие правоохранительные органы. Ориентировку передали по радио, ей предшествовал пятисекундный зуммер, сама длительность которого говорила, насколько важно и первостепенно сообщение.

— Вниманию всех подразделений! Вариант три-два-девять только что произошел на углу Корал-Вэй и Тридцать второй авеню, банк «Барнетт». Пострадали двое полицейских. Подозреваемые скрылись на «бьюике-сенчери» серого цвета.

На кодированном языке полицейских «три» означало срочность или важность, а «два-девять» — ограбление.

Патрульные машины из разных районов города незамедлительно устремились к банку «Барнетт» на Корал-Вэй. Чуть позже один из телерепортеров прокомментировал это так: «Очень трудно собрать всех полицейских города в одном месте, но именно так происходит, когда убивают кого-нибудь из них. Они слетаются отовсюду, и ничто не в силах их удержать. Такая начинается суматоха!»

Еще один дежурный тем временем вызвал к месту преступления «скорую помощь».

— Вы на связи, мистер Рамирес? — спросила диспетчер.

— Да. Я уже слышу сирены. Слава богу, они приближаются.

— Вы запомнили какие-нибудь приметы преступников?

— Я запомнил номер машины. «НЗД шесть-два-один». Номер здешний, флоридский.

«Этот парень просто находка!» — подумала диспетчер, поспешно выводя информацию на дисплей компьютера. Ее коллега за соседним столом моментально выдал новую ориентировку, включавшую номерной знак машины грабителей.

— Мистер Рамирес, вы запомнили, как выглядели преступники?

— Да, я успел их хорошо разглядеть и могу описать.

— Превосходно, сэр! Пожалуйста, оставайтесь на месте и расскажите все нашим детективам, когда они прибудут.

— Они уже здесь. Слава богу!

Начальник отдела по расследованию убийств лейтенант Ньюболд всегда держал рацию в своей машине настроенной на третий канал и потому услышал зов Рамиреса о помощи. Он незамедлительно переключился на частоту, выделенную спецкоманде Эйнсли, тот отозвался тоже из машины:

— Да. Слушаю вас, лейтенант.

— Немедленно сними всех людей с наблюдения, Малколм. Приказ всем прибыть на угол Корал-Вэй и Тридцать второй. Вооруженное ограбление инкассаторского фургона. Пострадали два сотрудника полиции и охранник. Один из полицейских и охранник скорее всего убиты. Возьми это дело на себя. Руководителя следствия назначишь сам.

«Дьявол!» — про себя чертыхнулся Эйнсли, понимая, что новое громкое дело с успехом похоронит его спецоперацию. В радиомикрофон же он только сказал:

— Слушаюсь, лейтенант. Отдам распоряжение немедленно.

Группы наблюдения постоянно прослушивали ту же волну и едва ли могли пропустить их разговор, но Эйнсли все равно послал им вызов:

— Тринадцать-десять ко всем группам. Вы слышали приказ лейтенанта?

— Тринадцать-одиннадцать на связи. Слышали.

Остальные группы наблюдения тоже подтвердили получение информации.

— Тогда вперед на Корал-Вэй и Тридцать вторую, ребята. Встретимся там.

Переключившись на другую частоту, Эйнсли вызвал диспетчера.

— Сделайте так, чтобы любое из подразделений на месте преступления связалось со мной на тактическом первом.

Тактическим первым назывался канал, зарезервированный за отделом по расследованию убийств.

— Один-семь-ноль вызывает тринадцать-десять. Прием, — вскоре услышал он знакомый голос.

— Это ты, Барт? — спросил Эйнсли.

Он узнал Бартоло Эспозито, сержанта патрульной службы, но фамилии по радио не назывались, опять-таки из-за репортеров.

— Да, это я, Малколм. Ну и заваруха у нас здесь! Какие указания?

— Организуй полицейский кордон. Захвати как можно большую территорию и никого не допускай.

— Там и так никого, кроме медиков. Они готовят раненого патрульного к транспортировке.

— Благодарю, Барт. Скоро буду.

Эйнсли снова перенастроился на третий канал и попросил диспетчера вызвать на место экспертов-криминалистов.

— Уже сделано, тринадцать-десять, не беспокойтесь.

В последнюю очередь Эйнсли оповестил о происшедшем прокуратуру.

Прибыв к отделению банка «Барнетт», Эйнсли назначил ведущим следователем Руби Боуи. Она сразу приступила к опросу нескольких свидетелей, включая Томаса Рамиреса, который помог набросать удивительно подробные словесные портреты вооруженных грабителей, охота за ними шла полным ходом. Впрочем, несмотря на ранее распространенную информацию о преступниках и машине, никто пока не докладывал, что заметил их. Это скорее всего означало, что бандиты спрятались и затаились где-то неподалеку.

Не успел к месту событий приехать лейтенант Ньюболд, как появился лейтенант Даниэл Уэрта, начальник отдела по расследованию ограблений. Он обратился к Ньюболду:

— Я знаю, что здесь сегодня командуешь ты, Лео, но мне нужно, чтобы ты вернул мне всех людей, и немедленно.

— Считай, что сделано, — заверил Ньюболд.

Они договорились, что отдел ограблений попытается помочь установить личности преступников, у которых это наверняка был уже не первый налет.

Хотя вслух об этом не говорилось, в отношениях между отделами по расследованию убийств и ограблений всегда присутствовал элемент соревнования. При этом ни те, ни другие не допускали, разумеется, чтобы мелочная ревность к чужим успехам мешала работе.

Взявшись за расследование одновременно с разных сторон, полицейские постепенно накапливали информацию и улики. Сразу несколько свидетелей опознали троих преступников, полистав альбомы с фотографиями рецидивистов из архива полиции. К тому времени речь шла уже о тройном убийстве, поскольку и второй патрульный скончался от ран в больнице.

По наводке осведомителей полицейские провели рейды по всем «малинам» и прочим укромным местечкам, где могли попытаться лечь на дно убийцы. Облавы успеха не принесли, пока двоих из подозреваемых не заметили у домов заброшенного жилого комплекса в квартале Дип-Гроув, бедняцкого гетто, непосредственно примыкавшего к относительно благополучному Кокосовому оазису. Сигнал в полицию поступил от местных обитателей.

И едва забрезжил рассвет третьего после преступления дня, усиленная группа задержания ворвалась в дом, где спали крепким сном все трое. Оружие не помогло — их застали врасплох и в одно мгновение скрутили. Мешок с деньгами был обнаружен в целости, а чуть позже в двух кварталах оттуда нашли и серый «бьюик-сенчери».

Эйнсли понимал, что теперь ему едва ли удастся восстановить свое спецподразделение. Да он и не рвался, памятуя о неудачах, которые преследовали их в первые три недели. Вместо этого он занялся внимательным изучением всех прошлых дел о серийных убийствах. Но его ожидания вновь не оправдались. Он ничего из этого не извлек: ни новых версий, ни свежих идей.

Потом случилось непредвиденное.

Прошло три дня после ареста налетчиков на фургон инкассаторов у банка «Барнетт», служба в отделе убийств уже вернулась в нормальную колею, когда Эйнсли позвонила заместитель главного судмедэксперта округа Дейд.

— Помнишь, Малколм, — услышал он голос Сандры Санчес, — при нашей последней встрече я обещала, что покопаюсь в медицинских архивах по нераскрытым убийствам и посмотрю, нет ли сходных по характеру ран? Я не забыла об этом, но понадобилось очень много времени, потому что пришлось просматривать старые материалы, которые никто не удосужился занести в компьютер...

— Можешь не оправдываться, — сказал Эйнсли. — Говори сразу, нашла что-нибудь?

— Да. Мне кажется. Это было в огромном по объему досье, я уже отправила его тебе с курьером. Дело древнее. Нераскрытое убийство, совершенное семнадцать лет назад. Убили двоих пожилых людей по фамилии Эсперанса — Кларенса и Флорентину.

— Подозреваемые были?

— Только один. Я не хочу сейчас ничего обсуждать, прочитай сначала бумаги. Позвони, когда закончишь.

Вскоре ему доставили досье. Санчес не преувеличивала: это была огромная кипа документов. Без особого оптимизма Эйнсли открыл выцветшую от времени обложку и погрузился в чтение.

Супруги Эсперанса — обоим уже перевалило за семьдесят — жили в Хэппи-Хейвен-Трейлер-Парк на западе округа Дейд. Их трупы обнаружил сосед. Они были связаны, в рот забит кляп, сидели лицом друг к другу. Обоих жестоко избили и нанесли множественные глубокие ножевые раны. Официальной причиной наступления смерти была названа потеря крови — в результате полученных ран.

Эйнсли не стал обременять себя излишними медицинскими подробностями, а перешел к рапортам и протоколам, составленным сыщиками. Ими было установлено, например, что имущественное положение четы Эсперанса позволяло отнести их к числу вполне состоятельных, хотя и небогатых людей. На их банковском счету хранилось около трех тысяч долларов, а живший по соседству племянник показал, что дома у них почти всегда лежало несколько сотен наличными на случай необходимости. При осмотре места убийства ни доллара обнаружить не удалось.

Перелистывая страницы дела ближе к концу, Эйнсли увидел знакомую форму триста один — протокол допроса подозреваемого в отделе убийств. В связи с убийством супругов Эсперанса допрошен был несовершеннолетний парень, которого затем отпустили за недостатком улик.

В Эйнсли словно выстрелили этим именем. Элрой Дойл.

10

В соответствии с законодательством штата Флорида, когда Элрою Дойлу исполнилось восемнадцать, его подростковое дело было опечатано и положено под замок. С этого момента для следователей оно было доступно только с санкции суда, получить которую было непросто. Сходные законы действовали в большинстве остальных штатов страны.

Малколму Эйнсли, чье мнение разделяли в полиции многие, это представлялось откровенным юридическим анахронизмом, абсурдом, который противоречит интересам законопослушных граждан. Встретившись с лейтенантом Ньюболдом в его кабинете на следующее утро после того, как он обнаружил имя Дойла в старом деле об убийстве, Эйнсли выложил документы перед начальником и сказал, с трудом сдерживая злость:

— Безумие какое-то! Нам нужно было знать обо всем этом еще год назад!

За час до встречи с Ньюболдом он отыскал еще одну папку с делом об убийстве Эсперанса, но уже в архиве собственного отдела. Досье оказалось неполным, поскольку преступление было совершено за пределами Майами и попало под юрисдикцию полиции Метро-Дейд. Однако расследование не могло обойти стороной огромный город, и в отделе по расследованию убийств полиции Майами завели свое досье, куда подшивали, в частности, все меморандумы, поступавшие от коллег из Метро-Дейд. Именно среди них Эйнсли обнаружил новое упоминание о допросе Дойла. Не наведи его Сандра Санчес, он никогда не догадался бы поднять архивную папку!

— Но ведь Дойла не арестовали и не предъявили ему никакого обвинения, — попытался урезонить подчиненного Ньюболд.

— Только потому, что у мамаши хватило ума не позволить снять отпечатки пальцев Элроя. На месте преступления нашли нож с отменными отпечатками. Бови-нож, между прочим. Детективы из Метро-Дейд очень хотели сравнить их с пальчиками Дойла. Они были уверены, что нож принадлежал ему. Но сделать этого им не дали, потому что Элрой Дойл был тогда несовершеннолетним, а улик для ареста подростка оказалось маловато.

— Да, похоже на наши дела, — признал Ньюболд.

— Да не просто похоже! Полюбуйтесь на «почерк» убийцы супругов Эсперанса. Трупы обнаружили связанными, с кляпами во рту, сидящими друг против друга... И потом — побои, ножевые раны, похищенные деньги. Будь у нас возможность хоть глазком взглянуть на подростковое дело Дойла, мы бы не прошли мимо таких совпадений! Мы бы занялись им уже давно. — Эйнсли привстал с кресла и подался вперед, сверля лейтенанта яростным взглядом. — Вы знаете, сколько жизней можно было сохранить?!

Ньюболд тоже поднялся, смерив Эйнсли ответным злым взглядом:

— Эй, сержант, не я придумал эти законы! Сядь на место!

Эйнсли откинулся назад и вздохнул:

— Извините. Но разве вы не видите, Лео, что наша система борьбы с так называемой подростковой преступностью — полный бред? И не только здесь, во Флориде, но и по всей стране. Подростковой преступности вообще больше не существует. Есть просто преступность, и возраст совершенно ни при чем — вы это знаете не хуже, чем я. Чуть не каждый день мы сталкиваемся с убийствами, которые совершают дети: четырнадцати-, пятнадцати-, шестнадцатилетние. Или даже младше! Половина из тех, кого задерживают за незаконное ношение оружия, — подростки. В Детройте убита женщина. Кем? Детишками! Одному четырнадцать, второму — одиннадцать. В Чикаго два двенадцатилетних оболтуса сбросили пятилетнего малыша с крыши небоскреба. В Англии два десятилетних убили и вовсе двухлетнего несмышленыша. Та же картина с ограблениями, грабежами, изнасилованиями, угонами машин, да что там — любые преступления. А у полиции руки связаны нелепейшим, вздорным законом, который давным-давно следовало выбросить на свалку.

— Ты считаешь, что дела подростков вообще не следует закрывать?

— Да, черт возьми! Каждое преступление должно фиксироваться в досье и оставаться там навсегда, чтобы сыщик в любой момент мог поднять старое дело. А родителей и подростковых активистов, которым это может не понравиться, нужно послать куда подальше! Нарушил закон — это занесено в твое личное дело. Навсегда. Вот какой должна быть расплата за преступление независимо от возраста, в котором человек его совершает!

— У нас в управлении давно собираются послать по этому поводу петицию в правительство штата, — сказал Лео Ньюболд. — Подготовь мне памятную записку со всеми деталями дела Дойла и своим заключением. Я передам ее в руководящие инстанции. Если будут назначены публичные слушания, порекомендую тебя в качестве свидетеля. Там и выскажешь, что наболело.

— Записку я, конечно, напишу, — усмехнулся Эйнсли, — но только сомневаюсь, что они дадут мне высказаться.

Ньюболд посмотрел Эйнсли прямо в глаза и сказал:

— Не надо сразу сдаваться. И на себе тебе еще рано ставить крест. Мое влияние, конечно, не так велико, как у некоторых других людей, которых мы с тобой знаем. Но и у меня есть друзья наверху, на самом верху, которые прислушиваются к моему мнению.

Стало быть, подумал Эйнсли, Ньюболду известно о том, что Синтия Эрнст препятствует его продвижению по службе. Вероятно, он и о причинах догадывается. Что ж, ничего удивительного. Полицейское управление иногда казалось Эйнсли чем-то вроде маленького городишки, где все про всех известно, а слухи и сплетни гуляют, не ведая преград.

— Что ты планируешь делать? — спросил Ньюболд. — Попросишь ордер на вскрытие подросткового досье Дойла?

— Да, я уже кое-что предпринял. Кэрзон Ноулз взялся по моей просьбе написать заявление. С ним я поеду к судье Пауэллу. Нам пока не нужна огласка, а он не будет задавать лишних вопросов.

— Твой приятель Фелан Пауэлл? — улыбнулся Ньюболд. — Что-то уж больно его честь к тебе благоволит. На какой крючок ты его подцепил? Э, да ты все равно не скажешь.

— Я его внебрачный сын, — вяло отшутился Эйнсли.

Ньюболд рассмеялся:

— Тогда он должен был охмурить твою мамашу, когда ему было лет двенадцать! Нет, здесь что-то другое. Ну да ладно. В нашем деле у каждого есть маленькие секреты.

Вот здесь Лео Ньюболд был абсолютно прав.

Несколько лет назад, когда детектив Эйнсли только привыкал выезжать на дежурство в штатском, однажды вечером они с напарником Йеном Дином случайно заехали в темную аллейку, где увидели припаркованный голубой «кадиллак». Когда полицейские приблизились, из-за руля машины выскочил белый мужчина, путавшийся в приспущенных брюках, а с противоположной стороны — полуголая чернокожая девчонка. Сыщикам были знакомы оба персонажа. Девушка называла себя Вандой и работала профессиональной проституткой, а перед мужчиной обоим детективам не раз случалось давать показания, потому что это был окружной судья Фелан Пауэлл. Высокий, атлетически сложенный Пауэлл обладал властным характером и привык командовать. Однако сейчас был явно не тот случай.

Оба прикрывали глаза от слепящих фар, силясь разглядеть столь внезапно появившиеся фигуры. Когда Эйнсли и Дин приблизились, спинами заслонив свет фар своей машины, Ванда всплеснула руками и взвизгнула: «О, мать вашу!» Судья соображал медленнее, но постепенно и до него дошел весь ужас ситуации.

«Боже мой, полиция! — воскликнул он сдавленно. — Прошу вас, умоляю... Не давайте этому делу хода! Я просто свалял дурака... Поддался мимолетному соблазну. Это совсем на меня не похоже, но если вы составите протокол, вы меня на всю жизнь опозорите. Тогда я конченый человек!»

Он запнулся, глядя на полицейских взглядом побитой собаки.

«Прошу вас, забудьте об этом эпизоде. Отпустите меня на первый раз, а?.. Я... я так вам буду благодарен. Я никогда этого не забуду, если вам что-нибудь от меня понадобится, только попросите...»

Эйнсли подумал тогда, как бы сам судья отнесся к таким мольбам, случись им поменяться ролями.

Если бы Эйнсли и Дин произвели задержание и составили протокол, то судью обвинили бы в поощрении проституции и оскорблении общественной нравственности — правонарушениях мелких, при которых обычно отделываются штрафом. Учитывая же, что Пауэлл в этом замечен впервые, его вообще могли отпустить с миром, но вот на своей карьере в юриспруденции он должен был смело поставить жирный крест.

Эйнсли, который был в тот вечер старшим, некоторое время колебался. Он знал главный принцип: справедливость слепа и не знает различий. Но с другой стороны...

Не вдаваясь в дальнейший анализ ситуации, Эйнсли интуитивно принял решение. «По-моему, нас вызывают по рации, — сказал он Дину. — Нужно вернуться к машине».

И полицейские уехали.

С тех пор об этом инциденте между Эйнсли и судьей Пауэллом не было сказано ни слова. Эйнсли помалкивал, а детектива Йена Дина вскоре убили в перестрелке во время облавы на торговцев наркотиками из Овертауна.

Свое обещание судья выполнил. Когда бы ни приходилось Эйнсли предстать перед ним в роли офицера, произведшего арест, или свидетеля, его всегда выслушивали с глубочайшим и почтительным вниманием. Иногда Эйнсли обращался к Пауэллу, когда ему нужно было оперативно решить в судебной инстанции важный для расследования вопрос, и неизменно получал необходимую помощь. Рассчитывал он на нее и сейчас.

Прежде чем выйти из отдела, Эйнсли позвонил в приемную судьи. За эти годы Фелан Пауэлл поднялся на несколько ступенек карьерной лестницы и был сейчас членом апелляционного суда третьей инстанции. Эйнсли объяснил суть дела секретарю. После непродолжительной паузы он услышал: «У его чести с минуты на минуту начинается слушание. Однако если вы явитесь в суд, он объявит перерыв и встретится с вами в своем кабинете».

По дороге Эйнсли остановился у прокуратуры, где забрал подготовленное по всей форме Кэрзоном Ноулзом заявление. После того как на нем поставит свою визу судья Пауэлл, Эйнсли сможет получить доступ к досье Дойла-подростка. Процедура была выматывающе долгой, что служило еще одним объяснением, почему к ней прибегали так редко.

Судебный пристав Третьего округа, явно получив четкие инструкции, проводил Эйнсли прямиком к первому ряду кресел в зале заседаний. Судья Пауэлл поднял взгляд, заметив его, кивнул и сразу провозгласил:

— Объявляется пятнадцатиминутный перерыв. Возникло неотложное дело, требующее моего внимания.

Все, кто был в зале, при этом поднялись, а судья проскользнул в дверь, располагавшуюся прямо позади его кресла. Тот же пристав проводил Эйнсли к нему в кабинет.

Судья уже сидел за рабочим столом и встретил Эйнсли радушной улыбкой.

— Входите, входите. Рад вас видеть, сержант. — Он указал гостю на стул. — Как я догадываюсь, отдел по расследованию убийств полиции Майами весь в трудах?

— И пребудет в них во веки вечные, ваша честь.

Эйнсли кратко изложил суть проблемы. Судья все еще был импозантен, хотя за несколько лет поднабрал лишнего веса, а в шевелюре преобладала теперь седина. Сказывался не только возраст, предположил Эйнсли, но и постоянный профессиональный стресс. На судьях апелляционных судов лежала огромная нагрузка, причем приговоры даже таких многоопытных ветеранов, как Пауэлл, то и дело отменялись в более высоких инстанциях, показывая, по мнению многих, как мало изменился мир со времен Диккенса, который писал, что «закон — это осел».

Выслушав аргументы Эйнсли, Пауэлл кивнул и сказал:

— Хорошо, сержант, я буду счастлив помочь вам. Однако чтобы соблюсти необходимые формальности, я должен спросить: зачем вы хотите получить доступ к давнему досье этого человека?

— Его дело было опечатано двенадцать лет назад, ваша честь. Сейчас мистер Дойл подозревается в крайне серьезном преступлении, и у нас есть основания полагать, что знание некоторых деталей его криминального прошлого поможет расследованию.

— Тогда будь по-вашему. Снимем эту печать. Как вижу, бумаги у вас с собой?

Эйнсли протянул ему папку.

Он прекрасно понимал, что любой другой судья посчитал бы предоставленную им информацию недостаточной. Неизбежны были бы другие вопросы — все более неприятные, пристрастные. Многие судьи упивались своими полномочиями; редкое решение принималось ими без словесной дуэли. Для Эйнсли сейчас важнее всего было свести к минимуму число людей, которые знали бы, что Элрой Дойл — основной подозреваемый по делу о серийных убийствах. Чем меньше придется ему вдаваться в детали, тем меньше вероятность, что будут обсуждать интерес, проявленный отделом по расследованию убийств к Дойлу. Главное, сам Дойл не должен почувствовать, что он под подозрением.

— Кажется, бумаги в порядке, — сказал Пауэлл после беглого просмотра. — Закон велит, чтобы я привел вас к присяге, но мы так давно знаем друг друга, что эту формальность можно опустить. Вы присягнули мне, если спросят, так ведь?

— Я готов поклясться в этом, ваша честь.

Пауэлл сноровисто подмахнул бумаги, и дело было сделано.

— Мне очень хотелось бы с вами потолковать, — сказал судья, — но меня ждут. Адвокаты берут почасовую оплату, вы же знаете.

— Знаю, — кивнул Эйнсли. — Спасибо.

Они пожали друг другу руки. В дверях Пауэлл обернулся:

— Когда вам понадобится моя помощь, обращайтесь без колебаний. Вы знаете, я всегда на вашей стороне...

Пауэлл шагнул в зал заседаний, и Эйнсли услышал, как судебный пристав провозгласил:

— Встать, суд идет!

Главный архив по уголовным делам располагался в здании полицейского управления Метро-Дейд к западу от международного аэропорта Майами. Понадобилось заполнить еще несколько бланков и расписаться в многочисленных бумажках, прежде чем перед Эйнсли вскрыли подростковое досье Элроя Дойла. Для ознакомления с ним Эйнсли предоставили отдельный кабинет. Он имел право снять копии с любых документов из дела, но ни листа не смел вынести из помещения архива.

Папка оказалась толще, чем Эйнсли ожидал. А вчитавшись в документы, он сразу увидел, до какой степени не ладил с законом юный Элрой Дойл.

Эйнсли насчитал тридцать два привода в полицейские участки (слово «арест» к подросткам не применялось), двадцать раз за этим следовало обвинение в мелком хулиганстве, но и это было лишь ничтожной частью правонарушений, которые совершил юный Дойл.

Дело завели, когда Элрою едва минуло десять лет, — кража в часовом магазине «Таймекс». В одиннадцать его взяли за уличное попрошайничество, но полиция доставила малолетку домой к мамочке, хотя именно она отправила его клянчить деньги. В двенадцать он избил учительницу: результат побоев — синяки и разорванная губа, на которую пришлось накладывать швы. И снова после непродолжительного допроса Элроя выпустили под поручительство его матери Бьюлы. Так продолжалось годами, и если бы только с одним Элроем Дойлом! Прошло всего несколько месяцев, и его поймали в группе юных карманников, но в деле снова появилась формулировка «отпущен по просьбе матери». В тринадцать лет попытка вытащить кошелек у пожилой дамы сопровождалась явным насилием, но итог оказался тем же.

По мнению Эйнсли, досье Дойла наглядно демонстрировало, что ни полиция, ни суды не принимали подростковую преступность всерьез. Он по собственному опыту знал, что если утром патрульный производил задержание малолетнего правонарушителя, тот снова оказывался на улице раньше, чем у полицейского заканчивалась смена. В участок просто вызывались родители, дитя выдавалось на поруки, и инцидент считался на этом исчерпанным.

Даже если и доходило до суда, то наказания юнцам назначались минимальные — обычно несколько дней в Молодежном исправительном центре, который был местом, не лишенным приятности, подростки там жили в уютных комнатах, а время коротали за телевизором и видеоиграми.

Очень многие считали поэтому, что вся эта система — или, вернее, ее отсутствие — воспитывает закоренелых преступников, которые сызмальства убеждены, что любое преступление сходит им с рук. Работавшие с несовершеннолетними правонарушителями адвокаты разделяли это мнение и подтверждали его фактами в своих отчетах.

По закону каждому проблемному подростку после второго привода полагался адвокат. Эти юристы были низшей адвокатской кастой, низкооплачиваемые, перегруженные работой, для них не требовалось никакой специальной подготовки и даже диплома колледжа. Они должны были оказывать юридическую поддержку малолеткам и их родителям, давать советы, но на советы этих заваленных делами людей мало кто обращал внимание.

У Элроя Дойла на всем протяжении его бурной подростковой преступной деятельности адвокат был один и тот же, некий Херберт Элдерс. В деле хранилось несколько отчетов в одну страничку, каждый с пометкой «Только для информации», собственноручно написанных Элдерсом, который добросовестно исполнял свои обязанности в крайне сложных обстоятельствах. В одном из таких документов, относившихся к периоду, когда Дойл был «крупнее своих тринадцатилетних сверстников и очень силен», говорилось об его «уже сложившейся склонности к насилию и жестокости». В этом отчете отмечалось «равнодушие» матери Дойла к преступным замашкам сына.

Эйнсли заинтересовал эпизод с тринадцатилетним Дойлом, когда его задержали за то, что он истязал до смерти кошку. Он по одной отрезал ей лапы, а потом и хвост, используя нож, с которым, как указывалось в отчете, никогда не расставался. Элроя застали наблюдающим за предсмертной агонией кошки. Против него выдвинули обвинение в «жестоком обращении с животным» и наложили штраф в сто долларов. В отчете не упоминалось, кто внес требуемую сумму.

В еще одном отчете «Только для информации» Элдерса рассказывалось о том, что в двенадцать лет Элрой Дойл был вовлечен в проект «Поводырь» — финансируемую городскими властями программу для детей из малоимущих семей. Священник Кевин О'Брайен возглавлял эту программу при церкви Иисуса в Майами, на территории которой каждое воскресенье собирали детишек, чтобы покормить, дать возможность заниматься спортом и изучать Библию. Элдерс с некоторой надеждой записал, что в Элрое Дойле им замечены симптомы «пробуждения интереса к религии и Библии».

Однако в отчете, составленном полтора года спустя, уже признавалось, что религия нисколько не поколебала преступных наклонностей Дойла, а его понимание библейских текстов, по словам отца О'Брайена, было «ложным и путаным».

Эйнсли переписал в свой блокнот номер телефона и адрес священника.

Годы, остававшиеся Дойлу до восемнадцатилетия, описывались в досье как калейдоскоп бесконечных правонарушений, но у него ни разу тем не менее не взяли отпечатков пальцев. Получить их у подростка можно только в случае ареста по подозрению в серьезном преступлении, да и то лишь с согласия родителей. Протоколы зафиксировали множественные отказы Бьюлы Дойл.

Последним делом в досье было то самое убийство Кларенса и Флорентины Эсперанса, где Дойл проходил наиболее вероятным подозреваемым. Не имея отпечатков его пальцев или других явных улик, полицейские так и не выдвинули против него обвинения.

«Можно представить злость парней тамошнего отдела расследования убийств», — подумал Эйнсли, закрывая папку с досье и направляясь с ней к копировальной машине.

Воспользовавшись телефоном в управлении полиции Метро-Дейд, Эйнсли набрал записанный номер. Отец О'Брайен сам снял трубку. Да, сказал он, Элроя Дойла он помнит хорошо и согласен побеседовать о нем. Более того, если сержант пожелает приехать в церковь Иисуса, то священник как раз сейчас свободен.

Отец Кевин О'Брайен, ясноглазый ирландец, уже в годах и с поредевшей шевелюрой, пригласил Эйнсли сесть на деревянный стул против своего рабочего стола.

Эйнсли поблагодарил священника за согласие встретиться с ним и кратко объяснил причину своего интереса, закончив так:

— Я здесь не для того, чтобы получить какие-то улики, святой отец. Я просто подумал, что вы могли бы немного рассказать мне о нем.

О'Брайен кивнул и ненадолго задумался.

— Да, — сказал он, — я помню Элроя так живо, словно это было вчера. Думаю, поначалу наша программа привлекла его бесплатной едой, но прошло несколько недель, и мне показалось, что Библия захватила его. Она подействовала на него гораздо сильнее, чем на других детей.

— Он был умен?

— В высшей степени. Но только на свой лад. А как жадно он читал! Я поражался этому, зная, что он почти не ходил в школу. Но по правде сказать, увлекали его прежде всего истории, связанные с преступлениями и насилием. Сначала в газетах, а потом и в Библии. — О'Брайен усмехнулся. — В этом смысле его интересы полностью удовлетворял Ветхий Завет с его «священными войнами», Божественным проклятием, преследованием, местью, убийствами. Вам знакомы эти сюжеты, сержант?

— О да! — кивнул Эйнсли. Он даже сейчас готов был процитировать стихи, которые легко могли возбудить любопытство Дойла.

— У парня были большие способности, — сказал О'Брайен. — Какое-то время мне даже казалось, что мы с ним начали понимать друг друга. Этого, к сожалению, так никогда и не случилось. Мы много беседовали с ним о Библии, но он всегда извращал любые слова, мои тоже, чтобы придать им тот смысл, который был ему угоден. Ему хотелось стать орудием отмщения Господня, но мстить он жаждал всего лишь за те обиды, которые претерпел в жизни сам. Я спорил с ним, объяснял, что Бог исполнен любви и прощения. Он не слушал и высказывал все более странные мысли. Остается пожалеть, что мне отпущено так мало искусства убеждения.

— По-моему, вы сделали все, что могли, святой отец, — сказал Эйнсли. — Вам никогда не казалось, что Дойл душевнобольной? Или это слишком сильно сказано?

— Вероятно, слишком. — Священник тщательно обдумывал свои слова. — Мы все не без отклонений. Каждый странен по-своему, и только специалист может определить, где кончаются странности и начинается душевная болезнь. Впрочем, в одном я могу быть уверен: Элрой уже тогда был патологическим лжецом. Он врал без всякой необходимости. Он рассказывал мне сказки, даже когда знал, что мне все известно. Казалось, правда ненавистна ему сама по себе, какой бы очевидной она ни была. — О'Брайен снова сделал большую паузу и сказал затем: — Я едва ли смогу что-то еще добавить. Для меня он был тогда сбившимся с пути мальчишкой. Сам факт, что вы здесь, означает, что он так и не исправился.

— Не могу ничего утверждать определенно, — уклонился Эйнсли. — Но у меня есть еще один вопрос. Вы когда-нибудь подозревали, что у Дойла может быть пистолет? Или любое другое оружие?

— Конечно. — На этот раз отец О'Брайен не затянул с ответом. — Мальчики только и говорили что о пистолетах, хотя я строго-настрого запретил им приносить что-нибудь подобное сюда. Дойл огнестрельное оружие презирал и высказывался на этот счет открыто. Мне говорили, что он таскал с собой нож. Да, здоровенный нож, которым хвастался перед приятелями.

— Вы сами этот нож видели?

— Нет, конечно. Я бы его тут же отобрал у него.

Пожимая на прощание руку священнику, Эйнсли сказал:

— Спасибо за помощь. Элрой Дойл — фигура загадочная, но вы кое-что для меня прояснили.

Эйнсли вернулся к себе в отдел, когда до конца рабочего дня было еще далеко. Он накрутил километров пятьдесят, объезжая точки, где ему могли предоставить информацию. Сразу по прибытии он назначил на шестнадцать часов собрание отдельных сотрудников своего спецподразделения. В список, который он передал секретарю, вошли сержанты Пабло Грин и Хэнк Брюмастер, а также детективы Бернард Квинн, Руби Боуи, Эстебан Кралик, Хосе Гарсия, Дион Джакобо, Чарли Турстон, Сет Уитман, Гэс Янек и Луис Линарес. Все они были участниками операции внешнего наблюдения.

А вот Дана Загаки, тоже принимавшего участие в слежке за подозреваемыми, он в список не включил. Когда Загаки в тот день появился в отделе, Эйнсли увел молодого детектива в пустую комнату для беседы с глазу на глаз. Еще до начала разговора было заметно, что Загаки нервничает.

Он был в отделе новичком. За два месяца до того его повысили в звании и перевели в сыщики из патрульной службы, где за пару лет работы он показал себя с наилучшей стороны. Происходил он из семьи потомственных военных — отец дослужился до армейского генерала, а старший брат был подполковником в морской пехоте. В отделе по расследованию убийств Загаки успел продемонстрировать служебное рвение и энергию, но того и другого было у него через край, как понимал теперь Эйнсли.

— Когда проводилось наблюдение, — сказал Эйнсли, — вы доложили мне, что Элрой Дойл, по вашему мнению, скорее всего не тот, кого мы ищем. Вы рекомендовали исключить его из списка подозреваемых и снять за ним наблюдение. Я правильно излагаю факты?

— Да, но, сержант... Мой партнер Луис Линарес тоже так думал.

— Не совсем. Я разговаривал с Линаресом. Он соглашался с вами в том, что Дойл — кандидатура маловероятная, но был против прекращения слежки за ним. «Так далеко я бы зайти не решился» — вот его собственные слова.

— Я совершил ошибку? — спросил Загаки с убитым видом. — Вы это хотите сказать?

— Да, вы ошиблись, и очень серьезно. — Эйнсли говорил теперь резче. — Это была опасная ошибка. К рекомендациям детективов у нас привыкли относиться внимательно. К счастью, к вашей я не прислушался. А сейчас ознакомьтесь вот с этим.

Эйнсли подал ему пачку бумаг. Среди них была найденная Сандрой Санчес форма триста один — протокол из дела семнадцатилетней давности, где Дойл значился основным подозреваемым в убийстве супругов Эсперанса, и копии нескольких страниц из подросткового досье Дойла.

После долгой паузы Загаки поднял взгляд, в котором читалось отчаяние.

— Господи, ну надо же было так промахнуться! — воскликнул он. — Что вы предпримете, сержант? Потребуете, чтобы меня вышвырнули из отдела?

Эйнсли покачал головой:

— Нет, все это останется сугубо между нами. Но если вы хотите продолжать работать в отделе по расследованию убийств, извлеките из случившегося хороший урок. Нельзя торопиться с подобными суждениями, они должны быть глубоко обдуманными. Мы с вами обязаны быть скептиками. Всегда и во всем. Не все в жизни так, как кажется на первый взгляд.

— Будьте уверены, я хорошо запомню ваши слова, сержант. Спасибо, что не даете этому делу хода.

Эйнсли кивнул.

— Есть еще кое-что, о чем я хотел вам сообщить. Сегодня позже я созываю собрание, чтобы решить, как возобновить наблюдение за Элроем Дойлом. Вас я исключил из списка участников операции.

Лицо Загаки исказилось, словно от боли.

— Я понимаю, сержант, что получил от вас по заслугам. Но прошу вас: дайте мне еще один шанс! Я больше вас не подведу, обещаю!

Эйнсли колебался. Интуиция подсказывала ему, что лучше не отменять принятого решения. Но потом он вспомнил свои первые шаги в сыске, когда сам совершал ошибки... И заповедь о прощении — от своего прошлого он так до конца и не избавился.

— Хорошо, — сдался он. — Собрание в четыре. Приходите.

11

— Как я понял, теперь мы все сошлись на том, кто у нас основной подозреваемый, — резюмировал Эйнсли.

Двенадцать членов спецподразделения, набившиеся в кабинете Ньюболда, ответили ему дружным согласием. Сам лейтенант встал поодаль у стены, предоставив Эйнсли свое кресло за рабочим столом.

Команда из трех сержантов, включая Эйнсли, и десяти детективов была взволнована, чтобы не сказать вдохновлена, перспективами, которые открывала информация, полученная Сандрой Санчес и извлеченная из подросткового досье Элроя Дойла.

Узнав криминальное прошлое Дойла, сержант Грин взорвался:

— Да будь она проклята, эта система! Свихнуться можно, как подумаешь, что...

— Мы с лейтенантом уже обсудили этот вопрос, Пабло, — перебил его Эйнсли, — и полностью согласны с тобой. Многие думают так же, и, надеюсь, положение скоро изменится. Пока же нам придется с этой системой мириться. Как бы то ни было, но мы сумели заполучить досье на Дойла.

Грин, все еще кипевший от возмущения, только выдавил:

— О'кей.

— Первое, что мы должны сделать, — сказал собравшимся Эйнсли, — это немедленно возобновить наблюдение за Дойлом. Поэтому я прошу тебя, Пабло, и тебя, Хэнк, составить расписание дежурств на ближайшие сорок восемь часов, хорошо было бы иметь его прямо сейчас, прежде чем мы разойдемся. Я буду дежурить с остальными. Поставьте меня в пару с Загаки.

— Будет сделано, Малколм, — сказал Брюмастер.

— Две вещи следует помнить, — продолжал Эйнсли. — Во-первых, мы должны быть дьявольски осторожны, чтобы Дойл не почуял слежки. Но при этом нам придется держаться близко к нему, чтобы не упустить из-под наблюдения, то есть предстоит балансировать на грани, но ведь мы все знаем, какова ставка в этой игре. И вот еще что. — Эйнсли снова обратился к сержантам. — Не пишите в график дежурств детектива Боуи. У меня есть для нее другая работа.

Он посмотрел на Руби Боуи, которая стояла у двери.

— Руби, поближе познакомься с трудовой биографией Дойла. Нам известно, что он водит грузовики и работает на разные компании. Хорошо бы выяснить, на какие именно. И еще конкретнее: кто был его работодателем, где он находился и что делал в каждый из дней, когда были совершены серийные убийства. Наводить справки придется скрытно, нельзя, чтобы кто-нибудь выболтал Дойлу, что мы им интересуемся.

— В таком случае, — сказала Руби, — мне полезно будет иметь всю информацию, которая есть на Дойла, включая отчеты о наблюдении за ним на первом этапе операции.

— Я прослежу, чтобы для тебя сняли с них копии сразу после окончания собрания. — Эйнсли оглядел всех, кто был в комнате. — Кто-нибудь еще хочет высказаться? Может, есть вопросы?

И когда таковых не оказалось, подвел итог:

— Значит, пора браться за дело.

Наблюдение за Элроем Дойлом продолжалось три недели и два дня. По большей части круглосуточное бдение детективов оказалось, как обычно и бывает, монотонным и даже скучным. Впрочем, порой слежка хотя бы ставила перед ними интересные профессиональные задачи, в тех, например, случаях, когда нужно было вести наблюдение в местах, где трудно было не попасться на глаза подозреваемому. А вот погода детективам не благоприятствовала, почти все время она была просто омерзительная. Как раз к началу операции на южную Флориду надвинулся холодный фронт, пришедший из Техаса, который определял погоду целых две недели. Было ветрено. Почти без перерывов лил дождь, крайне затруднявший слежку за Дойлом, который много времени проводил в разъездах на грузовиках. Когда автомобиль детективов долго сидел у него на хвосте, возникала опасность, что Дойл обратит на него внимание, заметив в зеркале заднего вида. С другой стороны, видимость в дождь становилась такой ограниченной, что нельзя было и отпускать объект наблюдения далеко вперед, чтобы не потерять его.

Эту проблему отчасти удавалось решать, используя для слежки две, а то и три машины, экипажи которых держали непрерывную радиосвязь между собой. Машины попеременно шли следом за грузовиком Дойла, на жаргоне полицейских это называлось «лягушачьими прыжками».

Вариант с тремя транспортными средствами —

 обычно использовался фургон какой-нибудь

коммерческой фирмы и две заурядные с виду легковые машины — применялся в тех случаях, когда Дойлу поручали междугородные рейсы. Во время поездки в Орландо все шесть детективов в трех автомобилях наблюдения упустили грузовик Дойла из виду, как только он в пелене дождя въехал в черту города. Они долго кружили по Орландо, кляня погоду. И все же Чарли Турстону и Луису Линаресу, которым достался в тот день почтовый фургон, удалось обнаружить Дойла. Они сумели разглядеть подозреваемого сквозь витрину пиццерии, где он обедал в одиночестве, склонив мощные плечи над тарелкой. Грузовик он припарковал поблизости.

После того как Турстон по рации информировал остальных, что пропажа нашлась, Линарес не выдержал:

— Черт побери! Этот верзила нас просто измотает. Так ведь может продолжаться годами!

— Знаешь, Луис, — невозмутимо отозвался Турстон, — поди и скажи об этом самому старине Дойлу. Так, мол, и так, надоело нам за тобой таскаться, хватит дурака валять, пора уже убить кого-нибудь.

— Тоже мне комик выискался, — обиженно проворчал Линарес.

Если не считать нескольких дальних поездок, наблюдение по большей части приходилось вести вблизи дома, где жил Дойл, но здесь возникали свои сложности.

Еще когда мать Элроя Дойла Бьюла была жива, они поселились в двухкомнатной деревянной хижине, стоявшей рядом с железнодорожными путями на пересечении Двадцать третьей Северо-Восточной улицы и Тридцать пятой в Уинвуде. В этой никогда не ремонтировавшейся хибаре Дойл обитал и сейчас, держа в маленьком дворике свой старый пикап.

Посторонний автомобиль, припаркованный в таком месте продолжительное время, неизбежно привлек бы к себе нежелательное внимание; машины для наблюдения приходилось днем менять очень часто, а ночью и в особо скверную погоду чуть пореже. Тонированные стекла машин позволяли надеяться, что лица детективов не примелькаются местному населению.

А еще были вечера, когда группам наблюдения приходилось часами просиживать у облюбованных Дойлом захолустных злачных мест. Одним из них был стриптиз-бар «Театр кошечек», другим — ночной клуб «Гарлем». Оба заведения числились у полицейских рассадниками наркомании и проституции.

— Боже мой! — взвыл Дион Джакобо, сидя третий дождливый вечер подряд в машине, припаркованной через дорогу от входа в «Кошечки». — Ну что бы этому гаду хоть раз в кино не сходить? Уж тогда один из нас смог бы фильм посмотреть ряда через два от него.

В бары и другие освещенные места детективы вслед за Дойлом не заходили, понимая, что там их кто-нибудь может узнать в лицо.

После без малого трех недель круглосуточной слежки ни один из детективов не заметил за Дойлом никакого криминала, никаких странностей в поведении. Эйнсли, прекрасно понимавший, что люди все более тяготятся скучной работой, пытался поддерживать в них боевой дух с помощью новой информации, поступавшей в основном от Руби Боуи.

Боуи начала свои поиски с посещения отдела социального обеспечения, расположенного в центре Майами, где ей предоставили доступ к записям о всех этапах трудового пути Элроя Дойла. Ограничившись двумя последними годами, она выяснила, что в этот период Дойлу давали работу пять фирм, находившихся в Майами или его окрестностях: «Оверлэнд тракинг», «Прието фаст деливери», «Сьюперфайн транспорт», «Поркиз тракинг» и «Суарез моторз энд эквипмент». Долго он нигде не задерживался, предпочитая переходить от одного хозяина к другому. Боуи посетила все эти компании, каждый раз основательно промокнув, потому что от ливней не спасали ни зонтик, ни плащ.

Охотнее всех вызвался ей помочь Элвин Травино, хозяин «Оверлэнд тракинг», крошечный, как бы ссохшийся человечек лет около семидесяти, который многократно извинялся, что его «книги в страшном беспорядке», хотя на самом деле велись они безупречно. Без малейших затруднений он сумел разыскать все путевые листы Элроя Дойла за последние два года, где были четко проставлены даты, время, километраж и расходы по каждому рейсу. Хозяин даже не позволил Руби утруждаться перепиской, а позвал секретаршу и велел снять копии.

Старика не пришлось принуждать и к разговору об Элрое Дойле.

— Да, до меня доходили слухи, что у него были неприятности, но я сразу решил: это не моего ума дело, лишь бы он не натворил чего-нибудь здесь у меня. А такого никогда не бывало. Нет, было, конечно, пару раз, но ничего серьезного... На его работу это не влияло. Важнее всего для меня, что он чертовски хороший шофер. Может загнать длинномерный автопоезд задним ходом в самый узкий проезд и даже на секунду не задумается. Это не так легко, поверьте мне. Я и сам бы так не смог. И потом, на него можно положиться. Ни одной аварии, ни хотя бы царапинки — машины всегда возвращает в идеальном виде.

— А что это были за случаи, о которых вы упомянули? — повернула разговор в нужное ей русло Боуи.

Элвин Травино усмехнулся:

— Странная история. Не знаю, стоило ли вообще говорить об этом... Словом, иногда после него в кабине оставались разные следы — один раз семь мертвых птах, в другой — пара собак, а потом еще дохлая кошка.

— Это более чем странно! — воскликнула Руби, сделав большие глаза. — И что же вы сказали Дойлу на это?

— Что сказал?.. — Маленький хозяин большегрузных машин помедлил с ответом. — Однажды мы с ним крупно на этой почве поссорились.

— В самом деле? Как же это произошло?

— Сначала-то я думал, что его дохлые твари — это что-то религиозное. Знаете, как козлы у гаитян. Но потом мое терпение лопнуло. Нет, решил я, больше никакой дряни в моих грузовиках, и сказал об этом Дойлу.

— А он что?

Теперь Травино вздохнул:

— Уже жалею, что начал с вами об этом, потому что начинаю понимать, к чему вы клоните. Ну, да уж ладно... Короче, этот стервец рассвирепел, аж весь красный сделался. Потом выхватил огромный нож, стал им размахивать и поносить меня почем зря. Признаться, перепугался я здорово.

— Вы помните, как выглядел его нож? — спросила Руби.

Травино кивнул:

— Длинный такой и блестящий... с чуть изогнутым лезвием.

— Он напал на вас?

— Нет, я дал ему отпор. Посмотрел ему прямо в глаза и сказал громко и четко, что он уволен. Велел ему убираться, чтобы ноги его здесь больше не было. Он спрятал нож и ушел.

— Но потом он все-таки вернулся?

— Да. Позвонил мне через пару недель и сказал, что ему нужна работа. И я ему ее дал. С тех пор — никаких проблем. Водитель он, повторяю, классный.

Вернулась секретарша с копиями путевок. Травино бегло просмотрел их и передал детективу Боуи.

— Вы очень мне помогли, — сказала она. — Прошу только ничего не говорить Дойлу о моем к вам визите.

— Уж в этом будьте уверены. Если узнает, он, чего доброго, опять за нож схватится, — хихикнул на прощание Элвин Травино.

В фирме «Сьюперфайн транспорт» Руби Боуи побеседовала со старшим менеджером и двумя работниками, знавшими Элроя Дойла. Здесь, как и в других компаниях, на ее вопросы отвечали с готовностью, словно желая подчеркнуть, что проблемы с полицией никому не нужны.

Сообразительный и подвижный чернокожий управляющий по имени Ллойд Свэйз сформулировал общее мнение о Дойле:

— Этот парень — одиночка. Друзья ему не нужны. Оставьте его в покое, дайте спокойно работать — а дело свое он знает, — и все будет о'кей. Но норов у него бешеный. Я сам был свидетелем, как он взорвался, стоило одному из наших шоферов подколоть его. Дойл готов был убить его, клянусь!

— Между ними вышла драка?

— Они бы подрались, но только мы этого не допускаем. Я быстро отправил того шофера в рейс, а Дойлу сказал, что, если мигом не угомонится, вылетит с работы. Помню, с минуту мне казалось, что он мне вмажет, но нет, сдержался. Однако да, он может быть опасен, если вы об этом хотели меня спросить.

— Спасибо, — сказала Боуи. — Вопрос отпал сам собой.

Разбитной и грубоватый Мик Лебо, водитель «Сьюперфайн», подтвердил почти все, сказанное Свэйзом о Дойле, а от себя прибавил:

— Мужик он с гнильцой. Я ему не верю ни на грош.

А нет ли среди шоферов кого-нибудь, поинтересовалась Руби, кому Дойл особенно доверял, с кем подолгу беседовал? Вопрос стандартный. Многие убийцы попадались, потому что хвастались содеянным перед теми, кого считали друзьями. «Друзья» их потом и закладывали, давали показания против них в суде.

— А он вообще ни с кем не разговаривает! — ухмыльнулся Лебо. — Словом ни с кем не перекинется. Встанешь, бывало, с ним рядом отлить в сортире, так шутки от него не дождешься. Разве что башмак тебе обделает.

Лебо пихнул Руби локтем в бок и разразился хохотом, довольный собственным остроумием.

Как и в «Оверлэнд тракинг», детектив Боуи получила в «Сьюперфайн транспорт» копии путевых листов Элроя Дойла за последние два года и взяла со всех, с кем общалась, слово, что ее посещение они сохранят в тайне.

В отличие от других фирм из ее списка «Суарез моторз энд эквипмент» занималась не перевозками, а ремонтом автомобилей и небольших грузовиков, а также продавала запчасти к ним. Элрой Дойл подрабатывал здесь иногда автомехаником. Однако с месяц назад он внезапно ушел с работы и не явился даже забрать чек — свою последнюю зарплату. Когда Педро Суарез, молодой владелец этого бизнеса, показал Руби Боуи чек, она сразу попросила снять с него копию.

— Он хороший механик? — спросила она Суареза.

— Очень хороший, работает быстро, но сколько от него неприятностей! Чуть что — лезет в драку. Я как раз собирался увольнять его, когда он ушел сам.

— Как по-вашему, Элрой Дойл умен?

— Да, в том смысле, что он быстро всему обучается. Достаточно объяснить один раз или показать, и он уже усвоил. Но он совершенно не контролирует себя.

Суарез добавил, что его фирма имела небольшие побочные заработки, занимаясь доставкой запчастей в окрестные магазины, у которых не было собственного транспорта. Для этого использовались два малогабаритных грузовика.

— Элрой Дойл привлекался когда-нибудь к этой работе? — спросила Руби.

— Конечно. Он подменял иногда ребят, которые занимались доставкой постоянно.

— У вас сохранились записи, когда и куда он ездил?

Суарез скорчил гримасу:

— Так и знал, что вы спросите об этом. То есть записи у нас должны быть, но вот чтобы их найти...

Он провел Руби куда-то на задворки в маленькую затхлую комнатенку с заваленными бумагами полками, несколькими канцелярскими шкафами и копировальной машиной. Суарез указал ей на шкафы:

— Вам ведь нужна документация за последние два года? Тогда все должно быть здесь. Боюсь только, что искать вам придется самой.

— Это ничего. Если вы не возражаете, я попользуюсь вашим ксероксом?

— Пользуйтесь на здоровье. — Потом Суарез нахмурился: — Если Дойлу вздумается заехать за своим чеком именно сейчас, проводить его к вам?

— Ни в коем случае! — Боуи еще раз повторила просьбу хранить тайну.

Большую часть дня ей пришлось копаться в счетах, накладных и ведомостях выдачи зарплаты, зато в итоге она получила полную картину работы Элроя Дойла в фирме «Суарез моторз».

В компаниях «Прието фаст деливери» и «Поркиз тракинг» тоже не отказались помочь детективу Боуи, и ее визиты туда помогли пролить дополнительный свет на некоторые черты характера Дойла, например, на его нежелание работать постоянно. Когда ему хотелось немного поработать, скорее всего просто кончались деньги, он звонил в одну из компаний и временно нанимался в ту из них, где требовались услуги. У него хватало ума не обманывать хозяев и не красть у них, но необузданная, агрессивная натура была ему неподвластна.

Теперь перед Руби Боуи встала задача сверить полученную информацию с хронологией серийных убийств.

Вернувшись на свое рабочее место в отделе, она в первую очередь занялась преступлениями, совершенными за пределами Майами. Двенадцатого марта Хэл и Мейбл Ларсен были убиты в Клиэруотере, то есть почти за четыреста километров к северо-западу от Майами. В этот день, работая на «Оверлэнд тракинг», Элрой Дойл привел трейлер, нагруженный мебелью, из Майами в Клиэруотер, куда прибыл, согласно путевому листу, уже ближе к вечеру, переночевав в мотеле «Будь как дома». Взволнованная этим открытием, Боуи позвонила в мотель и выяснила, что расположен он всего в четырех кварталах от дома, где жили Ларсены. Дойл вернулся в Майами на следующий день, доставив несколько тонн гофрированного железа и пластиковых труб.

«Оверлэнд» уже посылала Дойла в Клиэруотер двумя неделями ранее, и останавливался он в том же мотеле. Итак, в первый приезд он наметил своих жертв, рассуждала Руби Боуи, а во второй — разделался с ними.

Затем последовало убийство Ирвинга и Рэйчел Хенненфельд в Форт-Лодердейле. О нем стало известно двадцать третьего мая, хотя предполагалось, что смерть наступила четырьмя днями раньше, то есть девятнадцатого.

В мае Дойл выезжал в Форт-Лодердейл дважды, теперь уже за рулем грузовика с эмблемой «Поркиз тракинг» на тенте. В первый раз второго мая, во второй — девятнадцатого. Путевой лист второй поездки зафиксировал, что он выехал из Майами в половине четвертого пополудни, развез грузы по трем адресам в Форт-Лодердейле и вернулся незадолго до полуночи. Поскольку расстояние между двумя городами не превышало сорока километров, восьми с половиной часов на такой маршрут было многовато. Между тем предыдущая поездка второго мая, когда ему пришлось разгружаться в Форт-Лодердейле в четырех разных местах, заняла всего пять часов. Что ж, подумала Руби, на выбор жертв требуется меньше времени, чем на почти ритуальное их заклание.

В хронологии трех серийных убийств в Майами не было столь поразительных совпадений, но в каждом прослеживалась отчетливая связь с передвижениями Дойла, и отмахнуться от нее как от случайной было бы затруднительно.

Утром накануне убийства Гомера и Бланш Фрост в отеле «Ройал колониел» Дойл на машине «Прието фаст деливери» развез груз по восьми адресам и загрузился по четырем в районе Корал-Гейблз. Два получателя грузов располагались на Двадцать седьмой Юго-Западной авеню, там же, где и отделение банка «Ферст юнион», в котором Фросты в то утро обналичили дорожные чеки на восемьсот долларов.

Вероятно, подумала Боуи, — нет, наверняка! — Элрой Дойл приметил пожилую пару в самом помещении банка и проследил за ними до гостиницы. Ему было просто подняться с Фростами на этаж, сделав вид, что он тоже из этого отеля, запомнить номер комнаты, а потом вернуться туда поздно вечером. Все это не более чем версия, но какой же правдоподобной делали ее совпадения, обнаруженные чуть раньше!

Сходная картина вырисовывалась и с другими убийствами в Майами — Ласаро и Луисы Урбино в Сосновых террасах и комиссара Густава Эрнста и его жены Эленор в Бэй-Пойнте. В обоих случаях документы, полученные в «Прието фаст деливери» и «Суарез моторз энд эквипмент», показывали, что Дойл доставлял грузы по соседним с их домами адресам.

Фирма «Прието» дважды отправляла Дойла в окрестности дома Урбино — было это в разные дни за три недели до того, как произошло убийство. Что касается обнесенного оградой и хорошо охраняемого жилого комплекса Бэй-Пойнт, то и туда Дойл выезжал дважды по поручению «Суарез моторз» — не к Эрнстам, разумеется, а в другие дома. Последний раз это было более чем за месяц до убийства Эрнстов, но Руби напомнила себе, что «Суарез» использовал Дойла больше как механика и лишь иногда в качестве водителя. В то же время двух посещений комплекса было бы достаточно, чтобы уяснить систему охраны и суметь проникнуть туда потом незамеченным.

Заметила Руби Боуи и еще одну любопытную деталь. Копия чека компании «Суарез моторз», так и не полученного пока Дойлом, показывала, что он неожиданно бросил работу на следующий день после убийства Густава и Эленор Эрнст. Не потому ли он ушел, думала Руби, что начал опасаться попасть под подозрение в совершении серийных убийств?

Закончив сбор и анализ информации, детектив Руби Боуи поспешила поделиться своими открытиями с сержантом Эйнсли. Тот просиял, выслушав ее новости, и поспешил поделиться ими, за вычетом некоторых деталей, со всеми сотрудниками спецподразделения.

— Дойл — тот, кого мы ищем. Теперь в этом нет сомнений, — сказал он. — Наберитесь терпения и будьте начеку, какой бы паршивой ни была погода. Рано или поздно он себя выдаст, и нам останется только схватить его.

Эйнсли сообщил обо всем и заместителю прокурора штата Кэрзону Ноулзу, но тот прореагировал без особого энтузиазма.

— Руби отлично поработала, согласен. Да, мы знаем теперь, что у Дойла была возможность совершить все эти убийства. Но ведь нужно доказать, что он их действительно совершил, а у вас во всем ворохе бумаг нет ни одной настоящей улики. С тем, что вы собрали, вам даже ордера на арест не выдадут.

— Я прекрасно это понимаю и хочу только, чтобы вы были в курсе. Во всем этом есть ведь и положительная сторона. Зная, что нам нужен Дойл, мы не станем тратить время на других подозреваемых.

— Согласен.

— Так что будем продолжать висеть у него на хвосте, — сказал Эйнсли. — Развязки ждать уже недолго, я твердо верю.

— А вот по части веры, Малколм, — хихикнул Ноулз, — вы действительно у нас самый большой авторитет.

12

Словно мало было дурной погоды в те три недели, что велось наблюдение за Элроем Дойлом, так в придачу Майами охватила эпидемия кишечного гриппа. Многие полицейские не избежали заразы, включая двоих детективов из спецподразделения — Хосе Гарсию и Сета Уитмана. Их отправили по домам с предписанием соблюдать постельный режим, а у оставшихся в строю сыщиков с лихвой прибавилось работы.

Малколму Эйнсли и Дану Загаки пришлось в тот день отдежурить две смены подряд. Девять часов наблюдения были позади, оставались еще пятнадцать. В шестнадцать двадцать они сидели в фургоне с маркировкой универмага «Бердайнс», припаркованном наискосок от хижины Элроя Дойла на Тридцать пятой Северо-Восточной улице.

Дождь лил не переставая. Из-за этого рано наступали сумерки.

В этот день Дойл работал на «Оверлэнд тракинг» и уже в семь утра отправился за рулем большегрузного трейлера из Майами в Уэст-Палм-Бич и далее в Бока-Рейтон, вернувшись в Майами около трех пополудни после двухсоткилометрового рейса в сложных погодных условиях. Три группы наблюдения, включая Эйнсли и Загаки, сопровождали его в поездке. Ничего из ряда вон выходящего снова не произошло. Загаки, правда, в какой-то момент поделился с Эйнсли наблюдением:

— Какой-то Дойл сегодня не такой, сержант. Не уверен, что смогу объяснить, но...

— Он нервничает, — кивнул Эйнсли. — Это было заметно по манере вести машину. А когда он останавливается, то не находит себе места, словно ему необходимо все время двигаться.

— И что это значит, сержант?

Эйнсли пожал плечами:

— Быть может, наркотики, хотя прежде за ним этого не замечалось. Или потому, что он просто псих... Только он сам знает причину.

— Хорошо бы и нам понять.

— Хорошо бы. — Эйнсли прекратил разговор, но почувствовал, как нервное напряжение нарастает в нем самом. Так с ним бывало, когда он интуитивно понимал, что приближается кульминация.

И вот теперь, проводив Дойла от гаража «Оверлэнд тракинг» до дома, Эйнсли и Загаки ждали дальнейшего развития событий.

— Ничего, если я чуток вздремну, сержант? — спросил Загаки.

— Конечно, вздремните.

В долгую сдвоенную смену нужно отдыхать хотя бы урывками. Тем более что Дойл наверняка завалился дома спать после восьмичасового рейса.

— Спасибо, сержант. — Загаки откинулся на спинку сиденья и закрыл глаза.

Сам Эйнсли спать не собирался. Он все еще не до конца полагался на молодого детектива и взял его себе в напарники главным образом потому, что хотел приглядывать за ним по ходу операции. Впрочем, надо отдать должное Загаки, напомнил себе Эйнсли, вел он себя безупречно, честно нес службу, по нескольку часов сидел за рулем. И все же...

Что-то в манерах Загаки ему смутно не нравилось, хотя он не смог бы четко сформулировать, что именно. Наработанный годами опыт подсказывал Эйнсли, что подчеркнутая подобострастность Загаки по отношению к нему — слишком уж часто он использовал официальное обращение «сержант» — на самом деле неискренна и граничит с насмешкой.

Или он чересчур придирчив?

— Тринадцать-два нуля вызывает тринадцать-десять, — неожиданно ожило радио. Это был позывной лейтенанта Ньюболда.

— Тринадцать-десять слушает, прием, — ответил Эйнсли.

Из-за нехватки людей Ньюболд и сам выходил теперь на задания в паре с Дионом Джакобо. Сегодня эти двое подстраховывали Эйнсли и Загаки, сидя в нескольких кварталах от них в стареньком «форде» с помятым бампером и облупившейся краской, но зато с форсированным двигателем, который позволял им состязаться в скорости с машинами последних моделей.

— У вас что-нибудь происходит? — спросил Ньюболд.

— Ничего, — ответил Эйнсли. — Объект наблюдения находится... — Здесь он осекся. — Объект только что вышел из дома! Направляется к своему пикапу.

Эйнсли протянул руку и потряс за плечо Загаки. Тот открыл глаза, встрепенулся и сразу завел мотор.

Дойл пересек двор — обе руки глубоко в карманах джинсов, взгляд уперт в землю.

Через несколько мгновений Эйнсли доложил:

— Объект отъехал от дома. Двигается быстро. Следуем за ним.

Маневр Дойла оказался для всех неожиданностью, но Загаки уже пристроился за старым пикапом, стараясь не упускать его из поля зрения.

— Мы следом за вами, — сообщил Ньюболд. — Дайте направление движения.

— Объект добрался до Норт-Майами-авеню и повернул в южном направлении, — передал Эйнсли. — Пересекает Двадцать девятую улицу.

— Мы двигаемся по Второй авеню, параллельно вам, — сказал Ньюболд. — Держите нас в курсе, какие улицы он пересекает. Готовы сменить вас у него на хвосте, если понадобится.

Две машины наблюдения, следовавшие параллельными улицами и периодически менявшиеся местами, — такой метод слежки использовался часто, хотя бывал сопряжен с непредвиденными осложнениями.

Дождь усилился, поднялся ветер.

Снова включился Ньюболд:

— Это твое шоу, Малколм, и я не хочу влезать, но не пора ли вызвать третью машину?

— Пока нет, — ответил Эйнсли. — Не думаю, что он выедет из города на этот раз... Он пересекает Одиннадцатую улицу. Мы в квартале от него. Давайте поменяемся на пересечении с Флаглер.

— Понял тебя.

Потом снова Эйнсли:

— Приближаемся к Флаглер. Объект продолжает движение на юг. Принимайте его у нас, лейтенант. Мы слегка поотстанем.

— Мы на Флаглер... Выполняем левый поворот на Саут-Майами-авеню... Вижу его... Он позади нас... Он нас обогнал. Между нами две машины. Будем сохранять эту дистанцию.

И еще через несколько минут:

— Объект пересекает Тамайами-Трэйл. Он едет целеустремленно, по-моему, на запад. Предлагаю снова поменяться у перекрестка с Бэйшор.

— Понял. Начинаю сближаться с вами.

Так и получилось, что именно машина Эйнсли и Загаки шла непосредственно за пикапом Элроя Дойла, который, проехав немного в западном направлении по оживленной Бэйшор-драйв, притормозил у больницы «Мерси» и свернул вправо в глубь респектабельного жилого района Бэй-Хайтс.

— Объект ушел с Бэйшор-драйв, — доложил Эйнсли, — и двигается в северном направлении по Хелисси-стрит. Здесь почти нет транспортного потока... Отпустите его вперед, — это было уже указание для Загаки, — но только так, чтобы мы его не потеряли.

А видимость между тем все ухудшалась. Дождь стал потише, но на город быстро опускалась ночь.

Хелисси-стрит, как и весь Бэй-Хайтс, была застроена большими элегантными домами в густо поросшей лесом местности. Впереди виднелся перекресток с еще одной, столь же фешенебельной улицей — Тайгертэйл-авеню, так она называлась, вспомнил Эйнсли. Однако, не доехав до перекрестка, пикап прижался к тротуару и остановился под огромным фикусом, который рос перед одним из особняков. Габаритные огни пикапа погасли. Загаки остановил фургон у универмага «Бердайнс» и тоже выключил габариты. Они находились метрах в ста — ста двадцати от пикапа. Между ними было припарковано несколько автомобилей, но сиденья в их фургоне располагались достаточно высоко, так что поверх их они могли видеть голову и плечи Дойла, которые четко обрисовывались в пикапе при свете уличных фонарей.

— Объект остановился на Хелисси, не доезжая Тайгертэйл, — сообщил Эйнсли по рации. — Находится в машине, выходить пока не собирается.

— Мы в квартале позади вас, — сказал Ньюболд. — Тоже стоим.

И они стали ждать.

Прошло десять минут. Дойл не двигался.

— По-моему, он перестал дергаться, сержант, — заметил Загаки.

Еще через несколько минут по рации вновь прорезался Ньюболд.

— У вас что-нибудь происходит? — спросил он.

— Ничего. Пикап по-прежнему стоит, объект — в кабине.

— Я получил сообщение, мне надо обсудить его с тобой, Малколм. Переберись-ка ненадолго к нам. Если что случится, ты всегда сможешь быстро вернуться.

Эйнсли задумался. Ему не по душе была идея оставить Дойла под наблюдением одного Загаки, и он склонялся к тому, чтобы остаться на месте. Однако он понимал, что лейтенант не вызвал бы его к себе без веской причины.

— Хорошо, я иду, — передал он по рации и обратился к Загаки: — Я обернусь быстро. С Дойла глаз не спускать! Вызовете меня по рации, если он выйдет из машины или поедет дальше. Вызовите, что бы ни случилось! Если он тронется с места, следуйте за ним, но самое главное — держите связь.

— Не беспокойтесь, сержант, — просиял Загаки. — Все мои помыслы будут только о нем.

Эйнсли выбрался наружу, отметив, что дождь перестал. В почти полной темноте он быстро зашагал в направлении, откуда они приехали.

«Боже ж мой, ну и зануда ты, сержант! Не спеши возвращаться!» — думал Дан Загаки, глядя ему в спину.

Загаки с самого начала жалел, что ему не достался в напарники кто-нибудь повеселей, посовременней. По его мнению, Эйнсли был старомодным перестраховщиком и особым умом не отличался. Будь он умнее, дослужился бы до лейтенанта или капитана — Загаки ставил себе такие цели. Он был уверен, что у него хватит мозгов, чтобы добраться до самых верхов. Разве не быстро сменил он мундир заурядного патрульного на штатский костюм детектива из самого важного подразделения в полиции — отдела по расследованию убийств? Чтобы сделать карьеру, военную ли, полицейскую — все равно, нужно, чтобы на уме было только *повышение, повышение и еще раз повышение.* Необходимо помнить, что продвижение по службе само по себе не происходит, его для себя *подготавливают*! Важно также уметь всегда быть на виду у высокого начальства.

Дан Загаки хорошо усвоил эти правила и тактические приемы, наблюдая, как резво шагал вверх по ступенькам карьерной лестницы в армии его отец, а теперь пример ему подавал старший брат Седрик, служивший в морской пехоте. Седрик не скрывал, что в один прекрасный день станет генералом, как и отец, и презрительно называл полицию, куда пошел служить Дан, «паскудной братией». Отец-генерал был сдержаннее на язык, но Дан чувствовал, что и он не одобряет выбора, сделанного младшим сыном. Что ж, скоро он им обоим докажет, что они ошибались.

Он улыбнулся, вспомнив, как искусно он, Хитроумный Детектив Дан, умасливает в последние две недели Эйнсли, величая его «сержант» буквально через слово, а этот дундук и бровью не ведет. Загаки удалось даже вернуться в спецподразделение по расследованию серийных убийств, разыграв раскаяние. И Эйнсли поверил. Болван! «О черт! — Загаки заерзал на водительском кресле фургона. — Мне нужно сбегать опять. В который это раз сегодня?»

Как и многие в Майами, включая детективов Уитмана и Гарсию, Дан Загаки подцепил кишечный грипп. Температура у него пока не подскочила, но жесточайший понос он уже испытал на себе в полной мере. Однако в отличие от своих коллег он не доложил о недомогании, решив держаться в строю любой ценой. Был шанс поучаствовать в раскрытии крупного дела, и он не мог его упустить. Справляться с проблемами в этот день ему помогли несколько остановок, которые случились в пути, но сейчас ему нужно было, ой как нужно было найти укромное местечко... И он заприметил такое — густые заросли кустов справа от дороги. Ему нужно туда, раз суетность природы человеческой проявляется так не вовремя.

Бросив взгляд вперед через лобовое стекло фургона, он снова увидел силуэт Дойла. Если уж этот мерзавец просидел там так долго, просидит и еще минуту, которая всего-то и нужна... Но только прямо сейчас!

Связаться с Эйнсли по радио и доложить? Вздор какой! Неустрашимый Дан привык сам принимать решения!

Стараясь двигаться быстро, Загаки выбрался из фургона, тихонько прикрыл дверь и бросился к кустам... «О, какое облегчение! — думал он всего несколько мгновений спустя. — Но нужно торопиться». Он не мог просидеть здесь всю ночь...

— Я буду по необходимости краток, Малколм, — сказал Лео Ньюболд, когда Эйнсли подошел к его машине и сел на заднее сиденье. — Мне только что позвонили из отдела по расследованию убийств полиции Филадельфии. Мы же объявили Дадли Рикинза в общенациональный розыск, верно?

— Да, сэр, это было сделано с моего ведома. Дело ведет Берни Квинн, и Рикинз у него основной подозреваемый. Нам надо допросить его, и, думаю, преступление будет раскрыто.

— Так вот, они взяли Рикинза в Филадельфии и имели право продержать его под арестом семьдесят два часа. Не знаю, кто виноват в том, что нам не сообщили раньше, но теперь осталось всего двенадцать часов, после чего они вынуждены будут его выпустить. Я понимаю, что тебе твои люди нужны сейчас здесь...

— И все равно Берни следует вылететь туда незамедлительно.

— Я тоже так подумал, — вздохнул Лео Ньюболд.

Оба ясно осознавали, что едва ли могут позволить себе лишиться еще одного детектива из спецподразделения, но это был тот случай, когда ничего нельзя было поделать. Придется как-то выкручиваться.

— О'кей, Малколм, я отправлю Берни в Филадельфию. Спасибо. А теперь тебе лучше вернуться. Что там Дойл, пока на том же месте?

— Да, иначе Загаки уже доложил бы нам.

Выбравшись из машины лейтенанта, Эйнсли вернулся к фургону тем же путем.

«Вот дьявол!» — мысленно выругался Загаки, оправляя одежду. Долго же он облегчался! Теперь бегом к фургону.

К машине он вернулся одновременно с Эйнсли.

— Где, черт побери, вас носило?! — Эйнсли глазам своим не мог поверить.

— Понимаете, сержант, мне всего лишь понадобилось...

— Мне не нужны дурацкие оправдания! Неужели вы думаете, что я вас еще не раскусил? Вам было велено глаз не спускать с Дойла и докладывать мне по радио обо всем, так или нет?

— Так, сержант, но...

— Никаких «но»! После сегодняшнего дежурства я отстраняю вас от дальнейшего участия в операции.

— Прошу вас, выслушайте меня, сержант, — взмолился Загаки. — Я почувствовал недомогание и...

Эйнсли не слушал. Он посмотрел в сторону пикапа Дойла и воскликнул:

— О боже, его там нет!

Действительно, силуэта фигуры Элроя Дойла не было больше видно в кабине пикапа.

После краткого замешательства Эйнсли бросился к грузовичку, высматривая в темноте Дойла. Никаких следов. И ни одного прохожего. От пикапа он быстро добежал до Тайгертэйл-авеню. Обе улицы были освещены лишь тусклым светом фонарей. Эйнсли понимал, как легко мог Дойл спрятаться в этой тьме, воспользовавшись любым закутком.

Дан Загаки бежал за ним по пятам, не переставая канючить:

— Сержант, я только...

Эйнсли резко остановился и повернулся к нему.

— Закрой пасть! — рявкнул он на Загаки. — Сколько тебя не было в фургоне?

— Минуту или две, не больше, клянусь!

— Только не лги мне, мерзавец! — Эйнсли сгреб его за лацканы пиджака и встряхнул. — Так сколько тебя не было? Столько же, сколько отсутствовал я, так ведь?

— Да, почти, — выдавил из себя готовый расплакаться Загаки.

Брезгливо оттолкнув его от себя, Эйнсли стал подсчитывать время. Получалось, что Дойл оторвался от них минут десять, а то и двенадцать назад. Даже если предположить, что он где-то по соседству, район поисков все равно слишком велик, чтобы обойтись своими силами. Другого выхода нет, нужна помощь. Он взялся за рацию.

— Тринадцать-десять вызывает диспетчера.

— Слушаю вас, тринадцать-десять, — отозвался невозмутимый женский голос.

— Немедленно направьте несколько групп на Тайгертэйл-авеню к дому... — он сделал небольшую паузу, чтобы найти глазами номер ближайшего дома, — к дому шестнадцать-одиннадцать. Ушел из-под наблюдения белый мужчина, рост выше среднего, вес — более ста двадцати килограммов, одет в красную рубашку и темные джинсы. Вооружен, представляет опасность.

— Вас поняла.

Всего через несколько секунд Эйнсли услышал звук приближающихся сирен. Опергруппы быстро откликнулись на сигнал «315», где «3» означало срочность, а «15» — «полицейский нуждается в помощи».

Эйнсли знал, что Ньюболд и Джакобо тоже приняли сигнал и уже приближаются. Больше он пока не мог ничего предпринять.

Затем вдруг на связь с ним вышел сержант из центра связи, который отвечал за все полицейские переговоры по радио. Говорил он спокойно, но быстро:

— Случайно услышал твой вызов, Малколм. А у меня тут как раз на связи мальчишка. Он позвонил по телефону и сообщил, что какой-то большой мужчина избивает и колет ножом его бабушку с дедушкой у них в доме.

— Это Дойл! Быстро давай мне адрес!

— Тебе придется подождать, пока мальчик мне его скажет. Ему приходится шептать.

Эйнсли мог слышать, как сержант терпеливо задает вопросы, называя своего собеседника Айвеном.

— Он говорит, что фамилия дедушки Темпоун, дом стоит на Тайгертэйл, — снова заговорил с Эйнсли связист. — Номера дома он не знает, но мы его сейчас вычислим... Есть! Номер шестнадцать-сорок три... Я уже вызвал «Скорую», Малколм, а код операции меняю с трехсот пятнадцати на триста тридцать один.

Это означало: «Срочно! Происходит убийство».

Впрочем, Эйнсли не слышал последнюю фразу, потому что уже бежал вниз по Тайгертэйл-авеню. Дан Загаки семенил следом, но Эйнсли было наплевать.

Оба они увидели номер 16-43 одновременно. Он был прикреплен к воротам большого двухэтажного дома с колоннами по фасаду и широкой мощеной дорожкой, которая вела к резной деревянной двери. Участок земли, где стоял дом, был обнесен по периметру высокой металлической оградой, по обе стороны которой высились подстриженные в человеческий рост кусты. С улицы внутрь можно было попасть через двойные ворота, одна створка была приоткрыта.

Когда Эйнсли и Загаки подбежали к воротам, там же с визгом тормозов остановились две патрульные машины. С оружием на изготовку из них выскочили четверо полицейских. С противоположных сторон Тайгертэйл-авеню к месту приближались еще два автомобиля с включенными проблесковыми маяками.

Эйнсли представился прибывшим и дал краткое описание Дойла.

— Мы предполагаем, что он в доме и именно в эту минуту *убивает*. Вы пойдете со мной, — сделал он жест в сторону двоих патрульных. — Остальным образовать заградительный кордон на четыре квартала со всех сторон. Никого не впускать и не выпускать, пока не получите моих указаний.

— Смотрите, сержант! — Один из патрульных кивнул в сторону боковой стены дома, вдоль которой крадучись двигалась тень человека. Другой полицейский направил туда луч мощного фонаря, который высветил со спины фигуру крупного мужчины в красной рубашке и коричневых джинсах.

— Это он! — выкрикнул Эйнсли. Сжимая рукоятку пистолета, он шагнул сквозь ворота и побежал наискось через лужайку. Остальные следовали за ним. Дойл тоже бросился бежать.

— Стой, Дойл! — крикнул Эйнсли. — Стой, или я тебе мозги из башки вышибу!

Дойл остановился и обернулся.

— Пошел ты... — процедил он сквозь зубы с ухмылкой.

Приблизившись, Эйнсли заметил, что у него обе руки в резиновых перчатках, а в правой — нож.

Продолжая держать Дойла на мушке, Эйнсли приказал:

— Брось нож! Брось немедленно! — Он видел, что Дойл колеблется, и добавил: — Сними перчатки! Брось их рядом с ножом!

Медленно, очень медленно Дойл подчинился. Эйнсли не упускал инициативы:

— Так, а теперь сам падай на брюхо, сволочь, и руки за спину! Быстро!

Под прицелом пистолета Дойл медленно выполнил и эту команду. В ту же секунду к нему подскочил Загаки и нацепил наручники. Наручники еще не успели защелкнуться, когда эту сцену откуда-то сзади на мгновение осветила вспышка.

Инстинктивно Эйнсли резко обернулся и вскинул пистолет, но сразу услышал женский голос:

— Извините, командир, но моя газета мне платит за такую работу.

— Будь ты проклята! — пробормотал Эйнсли, убирая оружие. Он знал, что репортеры подслушивают переговоры полицейских и приезжают на место преступления практически вместе с детективами, но каждый раз эта оперативность бесила его. Он обратился к патрульным полицейским: — Эй, кто-нибудь... организуйте заграждение метров на пятнадцать вокруг всего дома. И никого не пропускайте.

Желтая лента с надписью «ПОЛИЦЕЙСКОЕ ЗАГРАЖДЕНИЕ. ПРОХОД ЗАПРЕЩЕН», рулон с которой имелся в любой полицейской машине, была быстро растянута от дерева к дереву, от одного фонарного столба к другому, образовав видимость границы между сыщиками и быстро увеличивавшейся толпой зевак и журналистов.

Стоявший на коленях рядом с Дойлом Загаки окликнул Эйнсли:

— Эй, да он весь в крови! Нож и перчатки тоже!

— О, только не это! — простонал Эйнсли, понимая, что случилось самое страшное. Быстро совладав с эмоциями, он отдал распоряжение двоим патрульным: — Разденьте задержанного до нижнего белья. Носки и ботинки тоже снимите. Не кладите одежду на землю и старайтесь не смазать пятен крови. Как можно скорее упакуйте все в пластиковые пакеты, особенно нож и перчатки... Будьте начеку! Он зверски силен и очень опасен.

Нужно было раздеть Дойла, чтобы сохранить кровавые пятна на его рубашке и джинсах в их нынешнем виде. Если анализ на ДНК подтвердит, что это кровь жертв, в суде такую улику невозможно будет оспорить.

— Вы уже были внутри? — спросил лейтенант Ньюболд, подъехавший пару минут назад вместе с Дионом Джакобо.

— Нет, сэр. Я только туда собираюсь.

— Мы пойдем с тобой, хорошо?

— Конечно.

Но сначала Эйнсли подошел к одному из патрульных, который прибыл сюда в числе первых, и сказал:

— Пойдете с нами в дом, будьте начеку.

В сторону Загаки он только бросил зло:

— А вам оставаться на месте. Чтобы ни шагу отсюда!

Предводительствуемая Эйнсли четверка направилась к дому.

Черный ход оказался не заперт. Вероятно, именно этим путем Дойл и выбрался наружу. За дверью находился темный коридор. Эйнсли включил свет, и они пошли дальше, попав из коридора в холл с отделанными деревянными панелями стенами. Здесь перед ними открылась широкая, устланная ковровой дорожкой мраморная лестница с перилами. На нижней ее ступеньке сидел мальчишка, на вид лет двенадцати. Глаза его были уставлены в одну точку, все тело била крупная дрожь.

Эйнсли присел на одно колено рядом с ним, обнял за плечо и как можно мягче спросил:

— Ты Айвен?.. Это он позвонил по 911, — пояснил он остальным.

Мальчик едва заметно кивнул.

— Скажи нам, пожалуйста, где...

Айвен весь сжался, но сумел повернуться всем телом и посмотреть вверх вдоль лестницы. Дрожать он стал после этого заметно сильнее.

— Извините, сержант, но у него шок, — вмешался патрульный полицейский. — Мне знакомы симптомы. Его нужно отправить в больницу.

— Вы не могли бы отнести его на руках?

— Разумеется.

— «Скорую» вызвали, — сказал Эйнсли. — Она должна быть уже здесь. Если они повезут парнишку в больницу «Джексон мемориал», поезжайте с ним и доложите по радио, где будете находиться. Ни при каких обстоятельствах не оставляйте его. Позже мы должны с ним побеседовать. Вам все ясно?

— Так точно, сержант. Пойдем-ка, Айвен. — Полисмен приподнял мальчика и подхватил на руки. По дороге к выходу из дома он приговаривал: — Ничего, ничего... Все будет хорошо, сынок. Ты только держись за меня покрепче.

Эйнсли, Ньюболд и Джакобо поднялись по лестнице на второй этаж. Уже с лестничной площадки они прямо перед собой увидели открытую дверь, а за ней — ярко освещенную комнату. Они замерли на пороге, созерцая представшую их глазам картину.

Дион Джакобо, ветеран, повидавший на своем веку много убийств, издал звук, словно подавился воздухом, закашлялся, а потом смог только вымолвить:

— Боже мой! Господи Всемогущий!

Как и подумал Эйнсли в тот момент, когда увидел окровавленную одежду Дойла, это было точным повторением предыдущих серийных убийств. В этот раз жертвой стала пожилая негритянская супружеская пара. Единственное отличие заключалось в том, что Дойл творил свое жуткое дело в спешке и не так методично, как прежде, поскольку услышал, должно быть, звук полицейских сирен.

Он связал несчастных, заткнул им рты и усадил лицом друг к другу. Оба трупа носили следы жестоких побоев, особенно досталось лицам. У женщины была вывернута и сломана рука; правый глаз мужчины вытек, проколотый чем-то острым. Ножевые раны здесь оказались не столь многочисленными, но более глубокими. По всему чувствовалось, убийца знал, как мало у него времени.

Эйнсли стоял будто громом пораженный, стараясь подавить рвавшийся наружу звериный вой. Он уже понимал, что, сколько будет жив, никогда не забудет этой ужасающей сцены и сокрушительного чувства собственной вины. Он стоял так, наверное, целую минуту, когда его вернул к реальности голос Ньюболда:

— Что с тобой, Малколм?

— Со мной?.. Все в порядке.

— Я догадываюсь, о чем ты думаешь, — сказал Ньюболд с участием, — и я не допущу, чтобы ты все валил на себя. Впрочем, это мы обсудим отдельно, а сейчас не хочешь ли отправиться домой и поспать? Ты совершенно измотан. Дион возьмет пока это дело на себя.

Эйнсли помотал головой:

— Нет, лейтенант. Спасибо, но я сам займусь этим делом, хотя буду признателен, если Дион останется и поможет мне.

Он по привычке потянулся к своей рации, чтобы сделать стандартный набор вызовов.

Домой Эйнсли добрался во втором часу ночи. Он успел позвонить Карен, и она ждала его, сидя в бледно-зеленой ночной рубашке. Едва увидев мужа, она протянула к нему руки и крепко обняла. Потом отстранилась, посмотрела на него снизу вверх и погладила по щеке.

— Что-то очень страшное, да? — спросила она.

— Страшнее некуда. — Он медленно опустил голову.

— О, милый, сколько же еще ты сможешь выносить это?

— Если будет так, как сегодня, то недолго, — со вздохом ответил Эйнсли.

Она опять прижалась к нему:

— Как хорошо, что ты дома. Хочешь поговорить?

— Не сейчас... Завтра, быть может.

— Тогда отправляйся прямо в постель, а я тебе кое-что принесу...

Этим «кое-чем» был с детства любимый фруктовый напиток. Выпив бокал до дна, он откинулся на подушку, а Карен сказала:

— Вот так. Это поможет тебе заснуть.

— И не видеть кошмаров?

— Об этом я позабочусь. — Карен улеглась с ним рядом.

Малколм спал крепко и без сновидений, а к Карен сон никак не шел. Она лежала и думала. Долго ли, размышляла она, смогут они еще выдержать такую жизнь? Рано или поздно Малколму придется окончательно сделать выбор между домом, семьей и демоном своей работы. Подобно столь многим женам сыщиков, прошлым и нынешним, Карен не верила в возможность счастливой супружеской жизни в сочетании с работой мужа.

На следующий день к этой истории был дописан анекдотичный постскриптум.

Случилось так, что рядом с Темпоунами в Бэй-Хайтс жила профессиональная фотожурналистка, работавшая на несколько агентств. Вот почему она так быстро оказалась у дома и сумела сделать снимок во время ареста Дойла.

На фото можно было увидеть Дойла, лежащего ничком и словно бы сопротивляющегося, и детектива Дана Загаки, который защелкивает у него на запястьях наручники. Распространенный по каналам Ассошиэйтед Пресс снимок попал во все основные газеты страны с таким сопроводительным текстом:

ГЕРОИЗМ ПОЛИЦЕЙСКОГО

После исполненной драматизма погони детектив Дан Загаки из полиции Майами захватывает и берет под арест Элроя Дойла, обвиняемого в убийстве пожилой чернокожей супружеской пары, а также ряде других серийных убийств. На вопрос об опасностях своей работы Загаки ответил только: «Да, бывает, что приходится рисковать. Главное — всегда исполнять свой долг». Отважный полицейский — сын генерала Тадеуша Загаки, командира первой армейской дивизии, расквартированной в Форт-Стюарте, штат Джорджия.

13

Элрою Дойлу предъявили обвинение в предумышленном убийстве Кингсли и Нелли Темпоун и поместили в тюрьму округа Дейд. В соответствии с законом в соседнем с тюрьмой здании окружного суда была проведена краткая встреча обвинения с защитой по поводу меры пресечения. Никаких заявлений со стороны Дойла здесь не требовалось; он должен был либо признать свою вину, либо объявить о своей невиновности на предварительном слушании две-три недели спустя. Во время встречи адвокат чисто формально обратился с просьбой выпустить обвиняемого под залог, которая так же формально была сразу отклонена.

Дойла эта процедура интересовала мало. Он отказался от переговоров со своим защитником и откровенно зевал в лицо судье. Однако, когда пришло время вывести Дойла из зала заседаний и судебный пристав ухватил его за запястье, Дойл с такой силой врезал ему в живот, что несчастный сложился пополам. В ту же секунду на подсудимого навалились двое других приставов и тюремный надзиратель. Они опрокинули его на пол, стянули цепями и выволокли из зала. В помещении для содержания подсудимых они продолжали молотить Дойла кулаками, пока не привели его в полную покорность.

С этого момента официально рассмотрение дела перешло под контроль прокуратуры штата, но эксперты-криминалисты и детективы из отдела по расследованию убийств все еще продолжали сбор улик.

Орудие убийства — боуи-нож, который держал Дойл во время задержания, был от кончика лезвия до рукоятки покрыт кровью обеих жертв. Более того, Сандра Санчес могла под присягой показать, что именно этим ножом, судя по характеру зазубрин и царапин на лезвии, были причинены смертельные раны Кингсли и Нелли Темпоун.

Вместе с тем Санчес настаивала, что не это орудие было пущено в ход при убийстве Фростов, Урбино и Эрнстов. Детальное описание ран, нанесенных жертвам убийств в Клиэруотере и Форт-Лодердейле, пока не поступило, чтобы дать материал для сравнения.

— Это ни в коем случае не означает, что Дойл не совершал этих убийств, — признала судебный медик в частных разговорах с детективами. — Напротив, если принять во внимание манеру нанесения ножевых ударов, я склонна думать, что убийца именно он. Вероятно, он купил несколько одинаковых ножей, и вы их найдете при обыске.

Но к глубокому разочарованию детективов и представителей прокуратуры, которые надеялись обнаружить при обыске свидетельства причастности Дойла к совершенным прежде убийствам, ни ножей, ни других улик среди его скудных пожитков отыскать не удалось.

Зато в уликах по делу Темпоунов недостатка не ощущалось. Кровь на одежде и перчатках Дойла была, вне всякого сомнения, кровью погибшей супружеской пары. Он успел изрядно наследить на месте преступления своими кроссовками. Но важнее всего были показания двенадцатилетнего Айвена Темпоуна. Оправившись от потрясения, мальчик стал достоверным и убедительным свидетелем. Сначала детективу Диону Джакобо, а затем прокурору штата он спокойно и обстоятельно описал, как через щелку в двери видел Дойла, зверски убивавшего несчастных стариков.

— Даже не припомню, когда еще у меня на руках было столь сильное обвинение, — заключила прокурор Адель Монтесино, объявив о своем неоднозначном решении привлечь Элроя Дойла лишь по одному из нескольких серийных убийств.

Но если прокуратуре понадобилось шесть месяцев для обработки улик и подготовки к судебному процессу, то в полиции штата Майами оценку происшедшему дали значительно быстрее. При наблюдении за Элроем Дойлом был допущен грубый просчет, повлекший за собой смерть супругов Темпоун. Хотя вся правда о событиях того вечера стала известна лишь нескольким высокопоставленным офицерам, детективам отдела по расследованию убийств строго наказали не обсуждать этого дела ни с кем, включая собственные семьи, не говоря уже о прессе.

Несколько дней после убийства Темпоунов полицейское начальство затаив дыхание ожидало, что какой-нибудь проницательный репортер сумеет заглянуть в подоплеку события, внешние обстоятельства которого были драматичны сами по себе. Проблема могла только усугубиться от того, что Темпоуны были чернокожими. Само собой, ошибка группы наблюдения не носила расового характера и жертвами вполне могли оказаться белые, но все же подобной ситуацией охотно воспользовались бы активисты движения за права негритянского населения, всегда готовые настраивать друг против друга людей с разным цветом кожи.

Однако непостижимым образом худшего не случилось, информационная плотина не прорвалась. Репортеры, которые, естественно, уделили много внимания ужасному преступлению, акцентировали его в основном на том факте, что в итоге удалось арестовать серийного убийцу. Помогло и то, что пресса сразу же сделала национальным героем малолетнего Айвена Темпоуна, который, как изложил один из журналистов, «нашел в себе мужество вызвать полицию, рискуя быть услышанным преступником и тоже пасть от его руки».

Ни на что другое не нашлось уже ни эфирного времени, ни газетных колонок.

Между тем в полицейском управлении тихо, закулисно обсуждали, как наказать тех, кто допустил «убийство, которого могло не быть». Поскольку тема дискуссии потенциально была опасна для имиджа правоохранительных органов, обсуждение велось за закрытыми дверями кабинета самого начальника полиции Майами. Последнее слово оставили за майором Марком Фигерасом, командиром всех следственных подразделений, который недвусмысленно обрисовал свои намерения:

— Я хочу знать абсолютно все, до самой последней детали.

Лео Ньюболд всерьез воспринял слова начальника и провел длительный допрос Малколма Эйнсли и Дана Загаки, который записывался на магнитную ленту.

Эйнсли рассказал правду о поведении Загаки, но винил только себя: он не должен был отменять своего первоначального решения и допускать молодого детектива к работе в спецподразделении.

— Я совершил ошибку, — сказал он Ньюболду, — и должен понести наказание, которое заранее признаю справедливым.

Загаки же, напротив, пытался выгородить себя и даже обвинил Эйнсли в неумении четко сформулировать приказ. Ньюболд в этот вздор не поверил, что нашло отражение в магнитофонной записи.

Свой доклад вкупе с кассетой Ньюболд доставил майору Маноло Янесу, начальнику объединенного отдела по расследованию преступлений против личности, а тот передал материалы вверх по инстанции майору Фигерасу. Через несколько дней до сведения всех заинтересованных лиц были негласно доведены принятые решения.

Детектив Загаки получил выговор за «пренебрежение служебными обязанностями», в виде штрафа удерживалась треть его должностного оклада, и в довершение всего его разжаловали из детективов в патрульные полицейские.

— Я бы вообще вышвырнул сукина сына из полиции, — говорил потом Фигерас Янесу, — но положение о государственной службе не позволяет. Пренебрежение служебным долгом в нем не считается непростительным проступком.

Сержанту Эйнсли вынесли выговор за «ошибки в работе с подчиненными». Он воспринял наказание как должное, хотя прекрасно понимал, что выговор навсегда останется черным пятном в его личном деле. Но это совершенно не устраивало лейтенанта Ньюболда.

Явившись в кабинет майора Янеса, он попросил аудиенции у своего непосредственного начальника совместно с Фигерасом.

— Твоя просьба звучит слишком официально, Лео, — заметил Янес.

— Я здесь по официальному вопросу, сэр.

— Повод?

— Сержант Эйнсли.

Янес с любопытством посмотрел на Ньюболда, потом снял трубку телефона, переговорил негромко и кивнул:

— Хорошо, прямо сейчас.

Вдвоем они прошли в молчании длинным коридором и были препровождены секретарем в кабинет майора Фигераса. Выйдя, секретарь плотно закрыл за собой дверь.

— Я крайне занят, лейтенант, — сказал Фигерас не без раздражения. — Что бы ни привело вас ко мне, давайте покороче.

— Я обращаюсь к вам, сэр, с просьбой пересмотреть взыскание, наложенное на сержанта Эйнсли.

— Он сам попросил вас об этом?

— Нет, сэр. Это моя инициатива. Эйнсли ничего об этом не знает.

— Решение принято, и я не вижу причин отменять его. Проступок Эйнсли очевиден.

— Он сознает это и сам склонен более всех винить себя.

— Тогда за каким чертом вы здесь?

— Сержант Эйнсли — один из наших лучших сотрудников, майор. Отличный сыщик и руководитель группы. Полагаю, вам это известно, как и майору Янесу. К тому же... — Здесь Ньюболд запнулся.

— Договаривайте же, черт возьми! — не выдержал Фигерас.

Ньюболд поочередно посмотрел в глаза обоим своим командирам.

— Не так давно с Эйнсли поступили вопиюще несправедливо, о чем знают почти все в управлении. Полагаю, мы перед ним в некотором долгу.

На мгновение воцарилось молчание. Фигерас и Янес переглянулись; каждый из них отлично понимал, о какой несправедливости говорил Ньюболд.

— Я присоединяюсь к просьбе лейтенанта, сэр, — сказал Янес негромко.

— Хорошо, чего вы добиваетесь? — спросил Фигерас.

— Выговора без занесения, — ответил лейтенант.

Фигерас ненадолго задумался, потом сказал:

— Согласен. А теперь оставьте помещение!

Ньюболд незамедлительно подчинился приказу.

Наказание Эйнсли сводилось теперь к выговору, срок действия которого ограничивался девяноста днями, после чего никаких записей о нем в личном деле не оставалось.

Прошли еще недели, потом месяцы, и Элрой Дойл со всеми приписываемыми ему убийствами перестал быть центром внимания как для широкой публики, так и для сотрудников отдела по расследованию убийств.

Интерес вспыхнул снова, когда в ходе судебного разбирательства давали свидетельские показания

Эйнсли, доктор Санчес, Айвен Темпоун и другие участники событий. Потом присяжные вынесли вердикт «виновен» и судья приговорил Дойла к смертной казни. Еще через несколько месяцев о Дойле опять заговорили, потому что его апелляция в первой инстанции была отклонена, а сам он отказался от подачи новых прошений о помиловании, что позволило окончательно назначить дату казни.

Затем о Дойле вновь забыли до того самого дня, когда сержанту Малколму Эйнсли позвонил из Рэйфордской тюрьмы отец Рэй Аксбридж.

Странное дело — всего за восемь часов до того, как ему предстояло закончить жизнь на электрическом стуле, Элрой Дойл пожелал встретиться с детективом Эйнсли...

ЧАСТЬ ТРЕТЬЯ

1

Элроя Дойла привели в скудно обставленную комнатушку без окон. Он выглядел бледным, с осунувшимся лицом. Этот человек, сидевший на привинченном к полу стуле, закованный в кандалы и наручники, являл собой такой разительный контраст с драчливым здоровяком Дойлом из недавнего прошлого, что Эйнсли даже засомневался поначалу, тот ли это матерый преступник, для встречи с которым он сюда приехал. Впрочем, свойственная Дойлу манера себя вести быстро развеяла эти сомнения.

После того как по настоянию Дойла из комнаты вывели отца Рэя Аксбриджа, здесь воцарился покой. Дойл опустился перед Эйнсли на колени, а в воздухе все еще звенела последняя фраза лейтенанта Хэмбрика: «Если вы вообще хотите успеть его выслушать, делайте, как он просит».

— Сейчас совершенно не имеет значения, когда вы последний раз ходили к исповеди, — сказал Эйнсли Дойлу.

Дойл кивнул и ожидал в молчании. Эйнсли знал, чего он ждет. Ненавидя сам себя за эту клоунаду, он произнес:

— Да пребудет Бог в твоем сердце и на устах твоих, чтобы ты мог искренне покаяться в своих прегрешениях.

— Я убивал людей, святой отец, — сразу же выпалил Дойл.

Эйнсли подался вперед:

— Каких людей? Сколько их было?

— Четырнадцать.

Помимо воли Эйнсли ощутил облегчение. Маленькая, но крикливая группа, которая настаивала на невиновности Дойла, вынуждена будет заткнуться, когда обнародуют только что сделанное им заявление. Эйнсли бросил быстрый взгляд на Хэмбрика — будущий свидетель! Диктофон работал непрерывно.

Сыщики из отдела по расследованию убийств полиции Майами, которые должны были поставить точку в расследовании четырех двойных убийств, и их коллеги из Клиэруотера и Форт-Лодердейла с еще двумя формально нераскрытыми делами смогут наконец получить подтверждение своей правоты. Хотя... Тут его посетила неожиданная мысль.

— Первое убийство... Кто это был? — спросил он.

— Семейка Икеи... япошки из Тампы.

— Как-как?! — Эйнсли вздрогнул. Этой фамилии он прежде не слышал.

— Пара старых пердунов... И-к-е-и. — Произнеся фамилию по буквам, Дойл непонятно чему улыбнулся.

— И ты их убил? Когда?

— Не помню... А! Это было за месяц или два до того, как я разделался с латинами...

— Эсперанса?

— Во, точно!

Услышав от Дойла число четырнадцать, Эйнсли логически предположил, что в него включены Кларенс и Флорентина Эсперанса, убитые семнадцать лет назад в Хэппи-Хейвен-Трейлер-Парк, что в Западном Дейде. По молодости лет Дойлу тогда не смогли предъявить обвинения, хотя полученные позже доказательства подтвердили его виновность. Теперь он сам признался в совершенном преступлении.

И все же, если считать Икеи — а Эйнсли был уверен, что в отделе убийств Майами об этом деле и не слыхивали, — то цифры не сходились.

Эйнсли лихорадочно соображал. Мог ли Дойл вообще взять на себя убийство, которого *не совершал*? И особенно сейчас, на пороге смерти? Нет, этого просто не может быть! Значит, если он убил супругов Икеи и всего признал за собой четырнадцать жертв, то откуда еще две? Ведь все: полицейские, прокуратура, журналисты, публика — были убеждены, что Дойл совершил *семь двойных* убийств: Эсперанса, Фросты, Ларсены, Хенненфельды, Урбино, Эрнсты и Темпоуны. Если Дойл сказал правду, то одна из этих пар стала жертвой другого преступника. Какая же?

Эйнсли сразу вспомнил, как интуитивно с самого начала не поверил, что убийство Эрнстов было делом рук того же самого серийного убийцы, которого они искали. Первым, с кем он поделился этой мыслью, был сержант Брюмастер. Но тогда он почти сразу отмел ее: не было времени заниматься разработкой собственной версии. Коллеги не согласились с ним, и он принял точку зрения большинства. И вот теперь настал момент, когда от этого уже ничего не зависело. Он должен был добиться от Дойла правды.

Эйнсли посмотрел на часы. *Катастрофически мало времени!* До казни Дойла осталось меньше тридцати минут, а заберут его отсюда еще раньше... Эйнсли собрался и мобилизовал всю жесткость, какая была в его характере, памятуя о словах отца Кевина О'Брайена, что Элрой Дойл *патологический лжец и врет, даже когда в этом нет необходимости.*

Что ж, Эйнсли вообще не хотел напускать на себя вид священника. Настало время полностью сбросить с себя эту личину.

— Да врешь ты все про Икеи и Эсперанса! — с вызовом сказал он. — Почему я должен тебе верить? Чем докажешь?

Дойл задумался, но ненадолго.

— У Эсперанса я вещицу одну посеял. Зажимчик золотой для денег. На нем буквы были «Х» и «Б». Взял его в наскоке за пару месяцев до того... Должно быть, обронил, когда сваливал.

— А в Тампе? Там есть какое-нибудь подтверждение?

Дойл расплылся в своей обычной полубезумной улыбке:

— Икеи жили рядом с кладбищем. Мне от ножичка нужно было избавиться, так я спрятал его в одну могилу. Знаете, отец мой, что на камне было написано? Такая ж фамилия, как моя... Я еще подумал, что легко найду, если перо мне понадобится, да уж не собрался.

— Ты зарыл нож в могилу? Глубоко?

— Не-а.

— Почему ты всегда убивал стариков?

— Чересчур долго зажились в грехе, святой отец. Я делал богоугодное дело. Сначала выслеживал, конечно... Все богачи, сволочи...

Эйнсли устроило такое объяснение. В нем заключалось не больше и не меньше здравого смысла, чем можно было ожидать от человека с такими изломами психики, как у Дойла. Вопрос в том, можно ли верить его словам хотя бы в такую минуту. Отчасти можно, конечно, но Эйнсли все равно показалась неправдоподобной история про нож в могиле. Да и про зажим для банкнот тоже. Но самое главное — цифры не сходились, и нужно было успеть задать конкретные вопросы.

— Это ты убил мистера и миссис Фрост в отеле «Ройал колониел»?

Дойл кивнул несколько раз.

— Какого дьявола ты киваешь?! Если да, то так и скажи! — взвился Эйнсли.

— Что, кассета крутится, а? — Дойл смотрел на детектива на удивление ясным взором.

Злясь на себя, что так легко попался, Эйнсли ответил:

— Да, я пишу разговор на магнитофон.

— Мне без разницы... пиши. Да, это я их прикончил.

Когда трюк с диктофоном был разоблачен, Эйнсли бросил взгляд в сторону лейтенанта Хэмбрика. Тот только пожал плечами, и детектив смог продолжать:

— Я должен задать тебе тот же вопрос про остальных.

— О'кей.

Эйнсли прошелся по списку — Ларсены, Хенненфельды, Урбино. И каждый раз ответ был утвердительным, Дойл подтверждал, что преступления совершил он.

— Комиссар Эрнст и его жена...

— А вот это уж нет! Я потому вас и...

— Ну-ка стоп! — резко перебил его Эйнсли. В этот момент он чувствовал себя представителем того самого большинства своих коллег, с кем ранее вынужден был согласиться. — Элрой, ты не можешь лгать сейчас... В преддверии Судного часа. Эрнстов убили точно так же, как и остальных... А ты бывал в Бэй-Пойнте, где они жили, ездил туда от «Суарез моторз», знал, как работает тамошняя служба безопасности и как туда проникнуть. А сразу после убийства ты от Суареза ушел. Даже зарплату не получил...

Теперь Дойл в самом деле разволновался.

— Да потому, что я узнал про это убийство, о нем передавали по ящику. Я сразу подумал, что на меня спишут. Но я не делал этого, святой отец! На мне нет этого греха. Потому я и решил исповедаться, чтобы с меня его сняли. *Я не убивал их!*

— Брось, вероятно, ты просто понял потом, что Эрнсты были важными птицами...

— Нет! Нет, нет! Это вранье, мать твою! Я грохнул других, мне хватит и этого. Я не хочу тащить с собой в могилу чужой грех.

Ложь это или правда? Первым побуждением Эйнсли было поверить Дойлу, хотя он прекрасно понимал, что эта реакция сродни жребию, когда подбрасывают монетку.

— Давай-ка кое-что проясним, — сказал он. — Ты сознаешься, что убил Темпоунов?

— Да, это моя работа.

Во время суда, несмотря на всю тяжесть улик, Дойл отрицал свою виновность.

— А теперь будем говорить о всех твоих жертвах. О всех четырнадцати. Ты хоть чуть-чуть сожалеешь о том, что натворил?

— Мне их жалеть?! Ни хрена я не жалею! Да если хотите знать, я кончал их с наслаждением. Но только вот что, отец мой... Вы должны снять с меня грех за тех, кого я не убивал!

В этом настойчивом требовании было так мало здравого смысла, что Эйнсли невольно подумал: экспертиза совершила ошибку, Дойл и в самом деле ненормальный.

— Но послушай, — сказал Эйнсли, стараясь все же вернуть разговор в плоскость формальной логики, — если ты не убивал мистера и миссис Эрнст, как сам утверждаешь, то тебе не нужно прощение. И в любом случае без искреннего и глубокого раскаяния во *всех* совершенных преступлениях ни один священник не смог бы отпустить тебе грехи, а ведь я даже не ношу сана.

Он еще не закончил тирады, как выражение глаз Дойла стало приниженно-умоляющим. Когда он опять заговорил, голос звучал сдавленно от страха.

— Мне прямо с'час умирать... Сделайте для меня что-нибудь! Дайте хоть эту малость!

Первым не выдержал лейтенант Хэмбрик. Совершенно неожиданно этот молодой чернокожий офицер тюремной стражи ополчился на Эйнсли:

— У вас осталось меньше пяти минут. Не знаю, кем вы там были в прошлом и кто вы сейчас, это не имеет никакого значения, у вас достаточно опыта, чтобы помочь ему в такой момент. Хватит тешить свою гордыню, дайте ему последнее утешение.

Хороший он малый, этот Хэмбрик, подумал Эйнсли. Он и сам понял, что врет Дойл или нет, но ничто теперь не заставит его изменить показания. Эйнсли чуть напряг память и велел:

— Повторяй за мной. «Отче, предаю себя в руки Твои, чтобы Ты поступил со мною по воле Своей».

Дойл простер руки, насколько позволяли пристегнутые к поясу наручники, Эйнсли подался вперед, Дойл положил свои руки в его. Текст Дойл повторял четко, не сводя глаз с лица своего «исповедника»:

— «Какая бы участь ни ожидала меня, я приму ее с благодарностью. Я готов ко всему. Я приму все».

Это была «Покаянная молитва» Фуко, оставленная всем грешникам Земли французским аристократом, виконтом Шарлем-Эженом де Фуко, некогда отважным воином, а позднее смиренным служителем Бога, проведшим остаток дней своих в ученых трудах и молитвах среди песков Сахары. Эйнсли произносил строки молитвы, надеясь, что память его не подведет:

— «Да свершится воля Твоя обо мне и о всех тварях, сотворенных Тобой. И желание мое одно, Господи, в руки Твои предать дух мой».

Молчание длилось не более секунды, Хэмбрик объявил:

— Время! В коридоре вас ожидает мистер Бетел, — сообщил он Эйнсли. — Я попросил его проводить вас на места для свидетелей. Нужно торопиться.

Двое надзирателей уже подняли Дойла на ноги. Он странным образом преобразился, как-то распрямился и не был похож на самого себя пять минут назад. Он покорно дал себя увести, неуклюже прошаркав к двери. Эйнсли вышел следом. Ожидавший снаружи охранник с именем БЕТЕЛ на пристегнутом к нагрудному карману рубашки значке обратился к нему:

— Прошу следовать за мной, сэр.

Быстрым шагом они направились в ту сторону, откуда Эйнсли пришел, по длинным железобетонным коридорам, потом обогнули зал казней и остановились перед гладкой стальной дверью. Рядом с ней стоял охранник в чине сержанта, державший папку для бумаг.

— Назовите свое имя, пожалуйста, — попросил он.

— Эйнсли. Малколм Эйнсли.

Сержант нашел его в списке и сделал отметку со словами:

— Вы последний, все уже в сборе. Но мы приберегли для вас горяченькое местечко.

— Не пугай человека, сержант, — пробасил Бетел. — Никакое оно не горяченькое, мистер Эйнсли.

— Ах, в этом смысле! — расплылся в улыбке сержант. — Тогда, конечно, такое местечко забронировано за самим Дойлом. Но он лично просил посадить вас так, чтобы вам было лучше всех видно. — Он смерил Эйнсли оценивающим взглядом. — А еще он считает, что вы — ангел отмщения Господня. Это верно?

— Я только помог ему попасть на электрический стул, и таким, вероятно, он меня теперь видит. — Эйнсли этот разговор не доставлял удовольствия, но он должен был сделать скидку на то, что этим парням приходится ежедневно работать в казематах, так что желание иной раз почесать языки им простительно.

Его провели внутрь зала. Здесь все было так же, как три года назад. Пять рядов металлических кресел с откидными сиденьями были уже почти заполнены — присутствовали двенадцать официально назначенных свидетелей, которых Эйнсли встретил по своем прибытии сюда, примерно столько же журналистов и несколько специально приглашенных гостей, чьи кандидатуры утвердил губернатор штата.

По трем сторонам помещения для свидетелей стены были до половины стеклянные, сделаны из особо прочного, звуконепроницаемого стекла. Сквозь него открывался вид на зал казней, центром которого был сам электрический стул. Сработанный из дубового бруса, о трех ногах, он действительно напоминал «взбрыкнувшую лошадь», с которой его не раз сравнивали. Стул, который изготовили сами заключенные в тысяча девятьсот двадцать четвертом году, когда по новому закону штата Флорида смертную казнь через повешение сменил электрошок, был намертво привинчен к полу. Его высокую спинку и широкое сиденье покрывал толстый слой черной резины. Два вертикальных деревянных столбика образовывали подголовник. Шестью широкими кожаными ремнями приговоренного прочно прихватывали к стулу, чтобы он не смог пошевелиться.

В полутора метрах от стула возвышалась кабина палача, полностью закрытая, с узкой прямоугольной прорезью-окошком. К этому времени палач должен был уже находиться на месте в мантии и закрытом наглухо капюшоне — личность его сохранялась в строжайшей тайне. В нужный момент, получив сигнал снаружи, он повернет красную рукоятку рубильника и пронзит двумя тысячами вольт электрический стул и того, кто имеет несчастье его занимать.

В зале казней крутилось несколько человек. Тюремный надзиратель сверял свои часы с большими настенными, на которых было уже шесть пятьдесят три. Негромкий гул голосов в комнате свидетелей постепенно затих, и большинство из тех, кто там находился, не без любопытства проследили, как сержант из охраны проводил Эйнсли к креслу в самом центре первого ряда.

Эйнсли сразу заметил, что рядом с ним по левую руку сидит Синтия Эрнст, но она ничем не показала, что заметила его, глядя прямо перед собой. Посмотрев дальше вдоль ряда, Эйнсли, к немалому своему удивлению, увидел Патрика Дженсена; тот встретился с ним глазами и чуть заметно ему улыбнулся.

2

Неожиданно все в зале казней пришло в движение. Те пятеро, что уже находились там, построились в колонну по одному в затылок друг другу. Первым встал лейтенант, руководивший всей процедурой, за ним — два надзирателя, врач, державший небольшой кожаный саквояж, последним — юрист из прокуратуры штата. Тюремный электрик разместился за спинкой электрического стула рядом с толстыми кабелями, по которым скоро должен пойти ток.

Надзиратель, находившийся в помещении для свидетелей, громко распорядился:

— Прошу прекратить разговоры и соблюдать тишину!

После этого шепот окончательно смолк.

Несколько мгновений спустя дверь зала казней отворилась и вошел высокий мужчина с заостренными чертами лица и коротко подстриженными седеющими волосами. Эйнсли узнал в нем начальника тюрьмы Стюарта Фокса.

За ним следовал Элрой Дойл, который не отрывал взгляда от пола, словно не желал сразу увидеть то страшное, что ожидало его.

Эйнсли краем глаза заметил, что Патрик Дженсен взял Синтию за руку. Очевидно, это означало утешение в ее скорби по родителям.

Снова переведя взгляд на Дойла, Эйнсли еще раз невольно поразился контрасту между могучим здоровяком, каким он был в прошлом, и жалкой, трясущейся фигурой, представшей перед ним сейчас.

На Дойле по-прежнему были кандалы, из-за них он передвигался мелкими, неуклюжими шажками. Двое тюремных надзирателей сопровождали его по бокам, сзади шел третий. Оба запястья Дойла были схвачены «стальной клешней» — одиночным наручником с длинной металлической ручкой, держась за которую шедший рядом надзиратель мог полностью контролировать руку заключенного, исключая всякую возможность сопротивления.

Дойла облачили в свежую белую сорочку и черные брюки; при похоронах на него наденут пиджак в пару к брюкам. Его обритая голова поблескивала в тех местах, где был чуть ранее наложен электропроводящий гель.

В конце концов Дойл поднял взгляд, и при виде стула глаза его округлились, лицо исказила гримаса страха. Он замер на месте и импульсивно сделал движение головой и телом, словно хотел отпрянуть, но длилось это какую-то секунду. Надзиратели по бокам тут же рванули на себя ручки «клешней», и Дойл взвыл от боли. Потом все три охранника взялись за него, подтащили к стулу и, несмотря на его тщетные попытки высвободиться, усадили на этот зловещий трон.

Осознав бессмысленность сопротивления, Дойл принялся сверлить взглядом красный телефон, прикрепленный к стене справа от электрического стула. Как каждый приговоренный к смерти, он знал, что это единственный путь, которым в последний момент могло прийти помилование от губернатора. Дойл так смотрел на аппарат, словно умолял зазвонить.

Потом он неожиданно резко повернулся в сторону стекла, отделявшего комнату свидетелей, и начал что-то истерично выкрикивать. За звуконепроницаемым стеклом ни Эйнсли, ни остальные ничего не могли слышать. Они видели только искаженное злобой лицо Дойла.

Вероятно, последняя декламация из Апокалипсиса, подумал Эйнсли мрачно.

В прежние времена в свидетельской комнате можно было слышать все происходившее в комнате казни благодаря микрофонам и динамикам. Теперь же свидетелям давали только выслушать, как начальник тюрьмы оглашает текст приговора, предоставляет последнее слово смертнику и заявление последнего, если он в состоянии говорить.

Дойл прекратил истерику и стал пристально рассматривать лица в помещении для свидетелей, заставив нескольких из них беспокойно заерзать в креслах. Когда же взгляд Дойла упал на Эйнсли, на лице его вновь появилось выражение мольбы, губы стали складывать слова, которые Эйнсли без труда разобрал: «Помоги мне! Помоги мне!»

Эйнсли почувствовал, что на лбу у него выступила испарина. «Зачем я здесь? — спрашивал он себя. — Я не должен в этом участвовать. Что бы ни совершил Дойл, нельзя убивать его подобным образом». Но уйти Эйнсли не мог. По иронии судьбы он и все остальные тоже превратились в узников тюрьмы до тех пор, пока не свершится казнь Элроя Дойла. Тут, к счастью, дюжий надзиратель заслонил собой Дойла, и Эйнсли постарался отогнать от себя вздорные мысли. Для этого ему достаточно было напомнить себе, что Дойл только что сознался в зверских убийствах четырнадцати человек.

Он понял, что ненадолго позволил себе впасть в заблуждение, обуявшее толпу крикунов-демонстрантов за стенами тюрьмы, — пожалел убийцу, забывая о замученных им жертвах. И все же, если говорить о жестокости, то ничто не могло быть более жестоким, чем эти последние минуты перед казнью. Как ни сноровисты были тюремные надзиратели, последние приготовления длились долго. Сначала охранники вдавили Дойла в спинку стула и удерживали, пока поперек груди не был закреплен широкий ремень. Потом ступни приговоренного втиснули в деревянные колодки и прихватили ремнями у лодыжек — он не мог теперь даже пошевелить ногами. Опять в ход был пущен электропроводящий гель: им смазали предварительно обритую правую ногу, после чего в десяти сантиметрах над лодыжкой был закреплен нижний контакт — заземление. Тем временем окончательно затянули остальные кожаные путы, в том числе и у подбородка. Голова Дойла неестественно задралась, затылок уперся в деревянные планки, заменявшие подголовник. Коричневая кожаная шапка, напоминавшая шлемы древних викингов, внутри которой находилась медная пластина электрода, нависала над стулом, подобно готовому обрушиться вниз дамоклову мечу...

Эйнсли и прежде задумывался, такой ли дикой и варварской была казнь на электрическом стуле, как ее расписывали многие. То, что он видел сейчас, подтверждало это мнение, а ведь были и просто вопиющие случаи. Эйнсли припомнил один из них, произошедший несколько лет назад...

Четвертого мая тысяча девятьсот девяностого года в тюрьме штата Флорида некий Джозеф Таферо, приговоренный к смерти за убийство двоих полицейских, получил свои две тысячи вольт. Раздался треск, повалил дым, появились языки пламени, потому что загорелась губка у него под головным электродом, хотя ей полагалось быть влажной. Палач немедленно отключил ток. Потом в течение четырех минут рубильник то включали, то отключали, и каждый раз из-под черной маски, скрывавшей лицо приговоренного, появлялись огонь и дым. Все это время он дышал и чуть заметно поводил головой, пока после очередной подачи тока не был признан наконец мертвым. Свидетелей тошнило; одна дама упала в глубокий обморок. Позднее в официальном сообщении признавалось, что произошла «неполадка в головном контакте», но одновременно приводилось заключение, что Таферо «потерял сознание при первом ударе током», чему никто из присутствовавших при казни не поверил.

Вспомнил Эйнсли и о тех, кто утверждал, что казнь *должна быть* варварской, жестокой, такой же, как преступления, за которые к ней приговаривают. В газовых камерах, все еще использовавшихся в США, преступники задыхались в парах цианида, и, по отзывам свидетелей, это была ужасная, зачастую медленная смерть. Практически все соглашались, что казнь путем инъекции яда более гуманна, хотя, когда очередь доходила до бывших наркоманов, час уходил только на поиски вены.

Что же до личного отношения Эйнсли к смертной казни, то он был ее противником, когда носил сутану, и оставался им сейчас, хотя в силу других причин.

Во время оно Эйнсли почитал каждую человеческую жизнь даром Божьим. Теперь не то. Он полагал теперь смерть по приговору суда моральным падением тех, кто допускал ее, да и самого общества, во имя которого казни совершались. К тому же любая смерть была все же избавлением. Пожизненное заключение без права на помилование — наказание куда более суровое...

Размышления Эйнсли прервал голос начальника тюрьмы. Были включены динамики, транслировавшие для публики, как он зачитывал приговор с листа бумаги с траурной каймой, под которым стояла подпись губернатора штата.

— *«Поскольку... вышеупомянутый Элрой Селби Дойл был признан благородным судом присяжных виновным в совершении убийства при отягчающих вину обстоятельствах, его приговорили к смерти, каковую должен причинить разряд электрического тока, пропущенный через тело...»*

Начальник тюрьмы монотонно дочитал до конца этот длинный документ, написанный старомодным языком и перегруженный юридическими терминами. Когда с этим было покончено, надзиратель поднес к лицу Дойла микрофон.

— Хотите сказать последнее слово? — спросил начальник тюрьмы.

Дойл сделал усилие пошевельнуться, но путы оказались слишком тугими для этого. Затем сдавленным голосом он сказал:

— Я не совершал... — Засим последовало что-то нечленораздельное, Дойл без успеха попытался повернуть голову и под конец выдавил лишь из себя: — Пошли все на ...!

Микрофон тут же убрали. Без секунды промедления были возобновлены последние приготовления к казни. Эйнсли попытался не смотреть, но процесс обладал гипнотической притягательностью; ни один из свидетелей не отвел глаз.

Раздвинув Дойлу зубы, под язык втиснули большой ватный тампон, чтобы он не мог больше говорить. Затем электрик запустил руку в ведерко с крепким раствором соли и достал из него медную пластину и кусок натуральной губки. Смоченная соленой водой губка — превосходный проводник электричества, но главное ее назначение — предохранить череп Дойла от ожогов, а свидетелей от тошнотворного зрелища горящей плоти.

Контактную пластину и губку поместили в шлем, который затем был водружен на голову Дойла. Спереди у этого головного убора свисал широкий квадрат черной кожи, заменявший маску, и лица приговоренного теперь нельзя было видеть.

Эйнсли не столько услышал, сколько почувствовал общий вздох облегчения в комнате свидетелей. Он подумал, что, должно быть, созерцание казни стало для них менее тягостным после того, как обреченный стал фигурой безликой.

Но только не для Синтии, заметил Эйнсли. Их с Патриком Дженсеном пальцы переплелись так крепко, что у Синтии костяшки побелели. «Как же глубока ее ненависть к Дойлу!» — подумал Эйнсли. Это отчасти объясняло, почему она пожелала присутствовать при казни, хотя едва ли зрелище смерти Дойла принесет ей хоть какое-то облегчение в ее горе. Может, сказать ей, размышлял Эйнсли, что Дойл, сознавшись в убийстве четырнадцати человек, отрицал свою причастность к смерти Густава и Эленор Эрнст? Кстати, сам Эйнсли был склонен этому верить. Вероятно, он обязан ей сообщить эту информацию хотя бы потому, что она сама в прошлом была офицером полиции, его коллегой. Как поступить?

Оставалось подсоединить два толстенных кабеля: один к шлему на голове Дойла, другой — к контакту на правой ноге. Клеммы быстро поставили на место, прочно закрепив массивными винтами-барашками.

Как только это было сделано, надзиратели и электрик разом проворно отступили от электрического стула на почтительную дистанцию, словно боясь заслонить обзор начальнику тюрьмы.

Некоторые из находившихся в помещении для свидетелей журналистов принялись что-то быстро писать в своих блокнотах. Какая-то свидетельница совершенно побледнела и прижимала ладонь к губам, словно ее могло в любой момент стошнить. Еще один свидетель то и дело покачивал головой, откровенно потрясенный увиденным. Зная, какая борьба шла за места, Эйнсли изумлялся: почему все эти люди так хотели попасть сюда?! Вероятно, ими двигал свойственный многим подсознательный интерес ко всему, что связано со смертью, думал он.

Затем внимание Эйнсли вновь переключилось на начальника тюрьмы. Свернув текст приговора в трубочку, он держал его в правой руке, как жезл уличного регулировщика. Сквозь прорезь в кабинке палача за ним следила пара глаз. Начальник опустил свиток и чуть заметно кивнул.

Глаза пропали из прорези. Мгновение спустя зал казней словно дрогнул: включили рубильник, и ток чудовищного напряжения пронизал все соединения цепи. Даже в помещении для свидетелей, где репродукторы теперь молчали, можно было расслышать глухой стук. Резко потускнело освещение.

Тело Дойла конвульсивно дернулось, хотя общий эффект первоначального удара током был подавлен, потому что, как написал об этом один из репортеров в газете на следующий день, «Дойл был пристегнут плотнее, чем пилот сверхзвукового истребителя». Однако конвульсии продолжались и потом, когда в течение двух минут автоматика ритмично отрабатывала убийственный цикл, снижая напряжение до пятисот вольт, а потом вновь поднимая до двух тысяч, и так восемь раз. Бывали случаи, когда начальник тюрьмы подавал палачу сигнал отключить ток до окончания полного цикла, если был уверен, что дело уже сделано. Но сегодня он не вмешался, и Эйнсли ощутил вдруг мерзкий запах паленого мяса, который проникал из зала казней через систему кондиционирования воздуха. Все, кто был рядом с ним, скорчили гримасы отвращения.

Когда доктору сделали знак, что электричество отключено, он подошел к Дойлу, расстегнул рубашку и стал прослушивать сердце. Менее чем через минуту он обернулся и кивнул начальнику тюрьмы. Дойл был мертв.

Остальное выглядело совершенно обыденно. Кабели, ремни и застежки быстро убрали. Ничем больше не удерживаемый труп Дойла качнулся вперед и упал на руки стоявшим наготове надзирателям, которые сноровисто упаковали его в черный мешок. На нем так ловко застегнули молнию, что никто из свидетелей не успел разглядеть, остались ли на теле ожоги. Затем на больничной каталке останки Элроя Дойла вывезли в ту же дверь, куда он совсем недавно вошел еще живой.

Большинство из присутствовавших в комнате свидетелей поспешно поднялись со своих мест. Отбросив все колебания, Эйнсли наклонился к Синтии Эрнст и тихо сказал:

— Комиссар, я должен сообщить вам, что непосредственно перед казнью я говорил с Дойлом о ваших родителях. Он заявил, что...

Она резко повернулась к нему и посмотрела невидящим взглядом.

— Я не желаю ничего слушать, — сказала она. — Я пришла посмотреть на его муки. Надеюсь, они были велики.

— В этом не приходится сомневаться, — заметил Эйнсли.

— В таком случае, сержант, я полностью удовлетворена.

— Я понял вас, комиссар.

Но понял ли он? Вслед за другими Эйнсли вышел из комнаты, погруженный в раздумья.

Сразу за дверью, где публика ожидала, когда всех проводят к выходу из тюрьмы, к Эйнсли подошел Дженсен.

— Хотел познакомиться с вами, — сказал он. — Я...

— Мне известно, кто вы такой, — холодно оборвал его Эйнсли. — Но почему вы здесь?

Писатель улыбнулся:

— В моем новом романе описывается смертная казнь. Вот я и решил, что называется, увидеть воочию. Комиссар Эрнст помогла мне попасть сюда.

В этот момент появился лейтенант Хэмбрик.

— Вам нет нужды дожидаться всех, — обратился он к Эйнсли. — Следуйте за мной. Я прослежу, чтобы вам вернули оружие и проводили к машине.

Коротко кивнув Дженсену, Эйнсли удалился.

3

— Я заметил, как огни во всех окнах словно бы притухли, — сообщил Хорхе, — и понял, что это на гриль для Дойла все электричество уходит.

— Правильно понял, — кратко подтвердил Эйнсли.

Это были первые слова, которыми они обменялись с тех пор, как десять минут назад выехали за ворота тюрьмы. По пути они миновали демонстрантов, ряды которых заметно поубавились, хотя многие все еще держали горящие свечи. Эйнсли молчал.

На него сильно подействовала мрачная церемония умерщвления Дойла. В то же время он не мог не сознавать, что Дойл получил по заслугам. И в этой мысли его окончательно утверждала непоколебимая теперь уверенность, что на совести Дойла были не только две загубленные жизни, за которые его казнили, но по меньшей мере еще двенадцать.

Он опять тронул внутренний карман пиджака, где лежала драгоценная кассета с записью признания Дойла. Не ему решать, где и как обнародовать эту информацию, если ее вообще стоит делать достоянием гласности. Эйнсли вручит кассету лейтенанту Ньюболду, а там пусть ею занимаются руководство управления полиции Майами и прокуратура штата.

— А что, Зверю пришлось-таки...

Эйнсли не дал Хорхе закончить.

— Не уверен, что мы можем и дальше называть его Зверем, — сказал он. — Животные убивают только по необходимости, а Дойл делал это потому... — На этом Эйнсли и сам осекся. В самом деле, *почему* совершал убийства Дойл? Удовольствия ради? Или на почве религиозного фанатизма? Или в состоянии аффекта? Вслух он подытожил: — Почему это делал Дойл, мы уже никогда не узнаем.

— И все же, сержант, удалось вам вытащить из него что-нибудь? — Хорхе быстро посмотрел на своего пассажира. — Что-то, о чем можно мне рассказать?

— Нет, я сначала должен поговорить с лейтенантом, — покачал головой Эйнсли.

Он посмотрел на часы: семь пятьдесят. Лео Ньюболд скорее всего еще дома. Эйнсли взял телефон и набрал номер. После второго гудка Ньюболд снял трубку.

— Я знал, что это ты, — сказал он. — Полагаю, все кончено?

— Да, Дойл мертв, но вот в том, что все кончено, я сильно сомневаюсь.

— Он сообщил тебе хоть что-нибудь?

— Достаточно, чтобы оправдать высшую меру.

— Мы и не нуждались в оправдании, но всегда хорошо знать наверняка. Стало быть, ты добился признания?

Эйнсли ответил не сразу.

— Мне многое нужно вам рассказать, сэр, но не в прямом эфире, если можно так выразиться.

— Ты прав, — согласился лейтенант, — нам всем нужно соблюдать осторожность. Мобильный здесь не годится.

— Если останется время, — сказал Эйнсли, — я позвоню вам из Джексонвилла.

— Жду с нетерпением.

Эйнсли отключил мобильный телефон.

— Времени у вас будет навалом, — заверил Хорхе. — До аэропорта всего девяносто километров. Возможно даже, позавтракать успеете.

— Меньше всего мне хочется есть, — скривился Эйнсли.

— Я знаю, вы не можете со мной особо откровенничать сейчас... Но, как я понял, Дойл сознался по крайней мере в одном убийстве?

— Да.

— Он обращался к вам как к священнику?

— Ему хотелось так думать, а я до известной степени ему это позволил.

Хорхе помолчал, а потом задал и вовсе неожиданный вопрос:

— А как по-вашему, Дойл попал на небеса? Или он жарится на сковородке у сатаны?

Эйнсли не сдержал улыбки и спросил:

— Что, тебя это беспокоит?

— Нет. Просто хотел узнать ваше мнение. Ад и рай... существуют?

Воистину, от прошлого никогда до конца не избавишься, подумал Эйнсли. Сколько раз ему когда-то задавали этот же вопрос прихожане, но он так и не нашел абсолютно искреннего ответа. Сейчас он серьезно посмотрел на молодого детектива и ответил:

— Скажем, в рай я с недавних пор больше не верю, а в ад не верил никогда.

— Ну, а в сатану?

— Это не более реальный персонаж, чем Микки-Маус. Вымышленное действующее лицо Ветхого Завета. В Книге Иова он совершенно безвреден. Его демонизировала во втором веке до нашей эры одна экстремистская иудаистская секта. Так что здесь, по-моему, опасаться нечего.

Выйдя из лона Церкви, Эйнсли годами отказывался потом говорить о вере и вступать в богословские дискуссии, хотя это было нелегко, потому что его как автора книги по сравнительной истории религий часто пытались в такие диспуты втянуть. Иными словами, ему не позволяли забывать, что «Эволюция религий человечества» весьма читаемый труд. Позднее он перестал чураться религиозных тем, особенно в беседах с такими людьми, как Хорхе, которому нелегко было самому разобраться в столь сложных материях.

Они отъехали от Рэйфорда на приличное расстояние. Яркое сияние рассветного солнца предвещало великолепный день. Их машина легко пожирала километры четырехполосного хайвея, который вел к Джексонвиллу, где Эйнсли предстояло сесть в самолет. Он с удовольствием предвкушал встречу с Карен и Джейсоном и все маленькие радости семейного праздника.

— Можно еще один вопрос? — не унимался Хорхе.

— Спрашивай.

— Как вообще получилось, что вы стали священником?

— Я никогда и не думал, что им стану, — сказал Эйнсли. — К этому готовился мой старший брат. Но его застрелили.

— Простите. — Хорхе не ожидал такого поворота. — Преднамеренное убийство?

— Юридически получилось, что так, хотя убившая его пуля предназначалась другому.

— Где это было?

— В маленьком городке к северу от Филадельфии. Там мы с Грегори и выросли...

Нью-Берлинвилл получил статус города ближе к концу девятнадцатого века. Своим возникновением он был обязан месторождению железной руды и нескольким сталеплавильным заводам. Они в основном и давали работу местному населению, включая шахтера Идриса Эйнсли, отца Грегори и Малколма. Он умер, когда сыновья едва вышли из пеленок.

Разница в возрасте между братьями составляла всего год, они были по-настоящему дружны.

Грегори рос крупным мальчиком. Ему нравилось быть для Малколма защитой. Их мать Виктория замуж больше не вышла и растила мальчиков сама. Она перебивалась случайными заработками, и ей жилось бы совсем худо, если бы не скромная пожизненная рента, доставшаяся в наследство от родителей. Каждую свободную минуту она проводила с детьми. Они составляли смысл ее существования и отвечали на ее любовь самой нежной привязанностью.

Виктория Эйнсли была хорошей матерью, добродетельной женщиной и глубоко верующей католичкой. Она лелеяла мечту увидеть одного из своих сыновей в сутане священника. По старшинству выбор пал на Грегори, который и сам проявлял склонность к этой стезе.

С восьми лет Грегори и его лучший друг Рассел Шелдон были служками при алтаре церкви Св. Колумбкилла, к приходу которой принадлежала семья. На первый взгляд трудно было представить себе двух более несхожих между собой мальчишек, чем Грегори и Рассел. Грегори рос высоким и крепким светловолосым красавчиком с характером добрым и прямым; церковь привлекала его, в особенности своей ритуальностью. Рассел, напротив, был приземист, сбит по-бульдожьи, а характер его лучше всего проявлялся в шалостях и розыгрышах. Был случай, когда он налил краски для волос в бутылочку из-под шампуня, которым пользовался Грегори, превратив его на некоторое время в жгучего брюнета. В другой раз он поместил в местной газете объявление о продаже любимого велосипеда приятеля. А однажды подкинул картинки из «Плейбоя» в спальни Грегори и Малколма, где они попались на глаза их матери.

Отец Рассела работал следователем у шерифа округа Беркс, мать учительствовала.

Через год после того, как Грегори и Рассел стали приалтарными служками, к ним добровольно присоединился Малколм, и несколько лет эта троица была неразлучна. Если Грегори и Рассел были несхожи между собой, то и Малколм обладал своеобразной натурой. Его пытливый ум ничего не принимал на веру. «Вечно ты задаешь свои вопросы! — раздраженно бросил ему как-то Грегори, но тут же вынужден был признать: — Хотя добывать ответы ты умеешь неплохо». Любопытство в сочетании с решительностью во многих ситуациях делали Малколма, младшего из них, заводилой и лидером.

Впрочем, находясь в церковных стенах, все трое были усердными католиками — признавались на исповедях в своих грехах, а главным образом — в «греховных плотских помыслах».

Приятели увлекались спортом и играли за футбольную команду средней школы Саут-Вебстер, которую на общественных началах тренировал Кермит Шелдон — отец Рассела.

Ближе к концу второго сезона участия троих друзей в футбольной команде возникла проблема, подобная, как позднее определил ее Малколм в библейских терминах, «малому облаку с моря как руце человеческой». Тайком от школьной администрации кое-кто из футболистов-старшеклассников пристрастился к Cannabis sativa*, и вскоре уже почти вся команда познала блаженную нирвану марихуанного дыма. До известной степени это была подготовка к повальному увлечению кокаином в восьмидесятые и девяностые годы.

Братья Эйнсли и Рассел Шелдон приобщились к травке в числе последних, и только после того, как старшие товарищи их задразнили трýсами. Малколм выкурил только одну самокрутку, после чего в своей

---

* Конопля *(лат.)*.

обычной манере начал задавать вопросы: откуда происходит растение? из чего состоит? как воздействует на организм? Полученные ответы убедили его, что конопля — дело пустое, и он никогда больше не пробовал ее. Рассел продолжал покуривать, а вот у Грегори это вошло в привычку, поскольку он сумел убедить себя, что не грешит перед Богом.

Поначалу Малколм хотел серьезно поговорить с Грегори, но потом махнул рукой, решив, что у брата мимолетная прихоть и скоро это пройдет. Эйнсли-младший ошибался, в чем ему предстояло раскаиваться всю жизнь.

Пакетики с небольшим количеством марихуаны шли у торговцев в районе школы Саут-Вебстер по пять долларов. Спрос среди молодежи быстро возрастал, наркотика нужно было все больше, на рынке постепенно возникла конкуренция.

В то время наркодельцы начали объединяться в организованные банды; поначалу потребности школьников Нью-Берлинвилла удовлетворяла одна из них — «бритоголовые» из соседнего Аллентауна. С ростом потребления здесь стали крутиться серьезные деньги, и чужая территория стала все чаще привлекать завистливых конкурентов — «крипториканцев» из Ридинга. В один из дней они решили взять ее под свой контроль.

И так случилось, что именно в этот день Грегори и Рассел прямо после школы вздумали сами отправиться за травкой. Грегори, проделавший этот путь уже не раз, прекрасно знал, куда идти.

Когда они входили в один из пустовавших домов на окраине, перед ними выросла фигура тучного белого мужчины с наголо обритым черепом.

— Куда это вы, молокососы?

— Четыре дозы травы есть?

— Для кого есть, а для кого и нет. Сначала зелень давай.

Грегори достал двадцатидолларовую бумажку, толстяк цепко вцепился в нее, и через секунду банкнота уже присоединилась к толстой пачке, которая ненадолго показалась из его брючного кармана. Кто-то невидимый из-за его спины подал четыре пакетика. Грегори поспешно спрятал их под рубашку.

В этот момент с визгом тормозов к дому подлетела машина, из которой выскочили трое вооруженных пистолетами «крипториканцев». На войне как на войне, «бритоголовые» тоже взялись за оружие. Уже через несколько секунд, когда Грегори и Рассел бросились наутек, стрельба поднялась нешуточная.

Они помчались сломя голову, но вскоре Рассел обнаружил, что Грегори не следует за ним. Он обернулся. Грегори лежал на асфальте. Перестрелка оборвалась так же быстро, как и возникла; бойцов из обеих банд и след простыл. «Скорая помощь», которую вызвал кто-то из обитателей квартала, прибыла раньше полиции. Врач осмотрел рану в левой стороне спины Грегори и констатировал смерть.

По стечению обстоятельств как раз проезжал неподалеку Кермит Шелдон. Он принял сообщение из дежурной части и оказался первым полицейским на месте перестрелки. Он отвел сына в сторону и потребовал:

— Ну-ка, расскажи мне все и быстро! *Все без утайки,* в точности, как это произошло, понял?

Рассела, потрясенного и зареванного, не пришлось долго уламывать. Он рассказал отцу все, закончив словами:

— Мать Грега не перенесет этого, папа... Его смерть да еще марихуана... Она же не знает ничего.

— Где та дрянь, что вы купили? — сквозь зубы процедил отец Рассела.

— У Грега под рубашкой.

— Себе ты взял что-нибудь?

— Нет.

Кермит Шелдон усадил Рассела в свою машину, а сам направился к трупу Грегори. Медики закончили свою работу и набросили на тело покрывало. Патрульные полицейские еще не появились. Детектив Шелдон осторожно осмотрелся. Затем, приподняв покрывало, он нашарил у Грегори злополучные пакеты и переложил в свой карман. Позднее он спустил их в унитаз.

Вернувшись в машину, он кратко проинструктировал Рассела:

— Слушай меня. Слушай внимательно. Вот твоя история. Вы двое просто шли мимо, когда услышали выстрелы. Вы испугались и побежали. Если ты разглядел кого-то из участников перестрелки, опиши их полиции. Но не более того — ни слова. Держись своих показаний, не меняй их. А нам с тобой, — он метнул в сына сердитый взгляд, — предстоит серьезный разговор, и для тебя он будет очень неприятным, обещаю.

Рассел внял этим наставлениям, а потому и полиция, и репортеры посчитали Грегори Эйнсли случайной жертвой бандитской разборки.

Едва ли удивительно, что с той поры Рассел Шелдон навсегда покончил с марихуаной. Своей тайной он поделился только с Малколмом, который и сам догадывался, что произошло в действительности. Этот общий секрет, горе и чувство вины еще более сблизили двух подростков. Их дружбе суждено было длиться многие годы.

Для Виктории Эйнсли смерть Грегори стала тяжелым ударом. Однако придуманная Кермитом Шелдоном простенькая легенда о невиновности Грегори и ее собственная религиозность послужили ей некоторым утешением в горе. «Он был таким чу́дным ребенком, что Бог призвал его к себе, — говорила она знакомым. — А кто я такая, чтобы подвергать сомнению промысел Божий?»

И Малколму уже через несколько дней после гибели его брата она сказала:

— Должно быть, Господь не знал, что Грегори станет священником. Если бы знал, не стал бы забирать его на небо.

Малколм погладил ее руку.

— Я думаю, мамочка, Бог предвидел, что в лоне Церкви Грегори заменю я.

Виктория вскинула на него удивленный взгляд. Малколм кивнул:

— Да, мама, я решил поступить в семинарию Святого Владимира вместе с Расселом. Мы с ним уже все обсудили. Я заменю там вакансию Грегори.

Вот так это случилось.

Филадельфийская семинария, где Малколму Эйнсли и Расселу Шелдону пришлось учиться последующие семь лет, располагалась в недавно капитально отремонтированном здании, построенном в конце прошлого столетия. Все в ее стенах располагало к одухотворенности и преумножению знаний, и в этой атмосфере оба юноши с первых дней почувствовали себя своими.

Решение Малколма посвятить себя Церкви ни в малейшей степени не было с его стороны самопожертвованием. Он принял его обдуманно и с легким сердцем. Он верил в Бога, в божественность Иисуса и святость Католической церкви — именно в таком порядке. А на основе этой фундаментальной веры можно было привести в порядок и остальные свои убеждения. Только много позже он понял, что, когда станет приходским священником, ему придется несколько поменять местами приоритеты в своей вере, в точности как сказано у Матфея в девятнадцатой главе, тридцатом стихе: «Многие же будут первые последними, и последние первыми».

Семинарское образование, где углубленно изучали теологию и философию, было равнозначно курсу колледжа. Потом последовали еще три года богословских занятий, венцом которых стала ученая степень. В двадцать пять и двадцать шесть лет соответственно отец

Малколм Эйнсли и отец Рассел Шелдон были назначены младшими приходскими священниками. Малколму досталась церковь Святого Августина в Потстауне, штат Пенсильвания, а Расселу — Святого Петра в Ридинге. Оба прихода относились к одной епархии и располагались всего в тридцати километрах друг от друга.

«Мы будем видеться с тобой через день», — весело предположил Эйнсли. Рассел тоже не сомневался в этом — за семь лет учебы узы их дружбы не раз подвергались испытаниям, но не стали от того менее прочными. Жизнь не оправдала ожиданий. Обоим пришлось слишком много работать. Нехватка католических священников в США, как и по всему миру, становилась все более острой. Они встречались редко. Только через несколько лет по-настоящему кризисная ситуация снова сблизила их.

— Вот так примерно я и стал священником, — сказал Эйнсли молодому попутчику.

Несколько минут назад их сине-белый автомобиль пересек Джексонвилл, и на горизонте уже проступили очертания построек аэропорта.

— А как тогда получилось, что вы вышли из Церкви и стали полицейским? — спросил Хорхе.

— Это несложно, — ответил Эйнсли. — Просто я утратил веру.

— Как вы могли перестать верить? — не унимался Хорхе.

— Вот это уже сложный вопрос! — рассмеялся Эйнсли. — А я могу опоздать на самолет.

4

— Нет, я все равно не верю, — сказал Лео Ньюболд. — Негодяй просто решил, видимо, посмеяться над нами. Подбросил пару глупых вещиц вместо улик, чтобы заморочить нам головы и сбить со следа.

Такой оказалась реакция лейтенанта, когда Эйнсли позвонил ему из здания аэровокзала в Джексонвилле и сообщил, что Дойл признался в убийстве четырнадцати человек, но отрицал свою причастность к убийству комиссара Эрнста и его жены Эленор.

— Слишком многое свидетельствует против Дойла, — продолжал Ньюболд. — Почти все детали убийства Эрнстов совпадают с подробностями других убийств. А ведь мы их не разглашали, никто, кроме самого Дойла, не мог знать о них... Да-да, я наслышан о твоих сомнениях, Малколм. Ты же знаешь, я всегда прислушивался к твоему мнению, но на этот раз, по-моему, ты заблуждаешься.

Эйнсли словно обуял дух противоречия.

— А чертов кролик, что был оставлен в доме Эрнстов... Он никак не вяжется... Все остальное было из Апокалипсиса. А кролик... Нет, здесь что-то не то.

— Признайся, больше ты ничем не располагаешь, — напомнил Ньюболд. — Верно?

— Да, — со вздохом согласился Эйнсли.

— Тогда вот что. Как вернешься, займись проверкой дела этих... Ну, новая для нас фамилия?

— Икеи из Тампы.

— Правильно. И убийством Эсперанса тоже. Но только много времени я тебе не дам, потому что на нас повисли еще две «головоломки», мы просто задыхаемся. И если начистоту, для меня дело Эрнстов закрыто.

— А как быть с записью признания Дойла? Отправить срочной почтой из Торонто?

— Нет, привезешь кассету сам. Мы перепишем с нее копии и расшифруем, а потом уж решим, как быть дальше. Желаю приятно провести время с семьей, Малколм. Ты заслужил передышку.

Эйнсли приехал намного раньше вылета рейса авиакомпании «Дельта» в Атланту, которая была связующим звеном на пути в Торонто. Самолет взлетел полупустым, и — о блаженство! — он один занял три кресла в экономическом классе, разлегся, вытянулся и прикрыл глаза, собираясь проспать и взлет, и посадку.

Но заснуть мешал вопрос Хорхе, занозой сидевший в мозгу: «Как вы могли перестать верить?»

Простого ответа на этот вопрос не было, понимал Эйнсли, все происходило исподволь, для него самого почти неосознанно. Малозначащие события и происшествия в его жизни, накапливаясь, незаметно придали ей новое направление.

Впервые это проявилось, пожалуй, еще в годы учебы в семинарии. Когда Малколму было двадцать два, отец Ирвин Пандольфо, преподаватель и священник-иезуит, пригласил его помочь работать над книгой по сравнительному анализу древних и современных религий. Молодой семинарист с жаром взялся за работу и последующие годы совмещал научные изыскания для труда своего наставника с занятиями по обычной учебной программе. В итоге, когда «Эволюцию религий человечества» предстояло наконец передать издателю, оказалось весьма затруднительно определить, чей вклад в написание книги был больше. Отец Пандольфо, человек физически немощный, обладал мощным интеллектом и обостренным чувством справедливости, и он принял неординарное решение. «Твою работу нельзя оценить иначе как выдающуюся, Малколм, и ты должен стать полноправным соавтором книги. Никаких возражений я не приму. На обложке будут два наших имени одинаковым шрифтом, но мое будет стоять первым, о'кей?»*

---

* В английском написании Эйнсли — Ainslie, соответственно Pandolfo — Пандольфо — должен в алфавитном порядке стять вторым.

Это был один из немногих случаев в жизни Малколма Эйнсли, когда от переполнивших его чувств он лишился дара речи.

Книга принесла им изрядную известность. Эйнсли стал признанным авторитетом в религиоведении, но вместе с тем новые познания заставили его по-иному взглянуть на ту единственную религию, служению которой он собирался посвятить всю жизнь.

Припомнился ему и еще один эпизод, случившийся ближе к концу их с Расселом семинарского курса. Просматривая как-то конспекты лекций, Малколм спросил друга:

— Ты не помнишь, кто написал, что малознание — опасная вещь?

— Александр Поуп*, а что?

— А то, что он с тем же основанием мог бы написать, что многознание — опасная вещь, особенно для будущего священника.

Нужно ли пояснять, что имел в виду Малколм?**

Часть их богословских штудий была посвящена истории Библии, как Ветхого, так и Нового Заветов. А именно в этой области в новейшее время — особенно после тысяча девятьсот тридцатого года — светскими учеными и теологами были сделаны многочисленные открытия и установлены ранее неизвестные факты.

Библию, которую большинство непосвященных считают единым текстом, современная наука рассматривает как собрание разрозненных документов, почерпнутых из разных источников. Многие из них были «одолжены» израильтянами — в то время маленьким и отсталым народом — из религий своих более древних

---

* Александр Поуп (1688–1744) — известный английский поэт, автор переводов «Илиады» и «Одиссеи» Гомера на англ. яз.

** См. строки из Екклесиаста 1:16–18: «...Потому что во многой мудрости много печали; и кто умножает познания, умножает скорбь».

соседей. По общему мнению, книги Ветхого Завета охватывают тысячелетний период примерно с одна тысяча сотого года до н. э. — начало железного века — до начала третьего века н. э.

Историки предпочитают применять сокращенное «до нашей эры» церковному «до Рождества Христова», хотя на порядок летосчисления это никак не влияет. «Какое счастье, что не надо ничего переводить, как градусы Цельсия в систему Фаренгейта!» — в шутку заметил однажды Эйнсли.

— Библия — вовсе не священная книга и, уж конечно, никакое она не Слово Божие, как утверждают ортодоксы, — говорил он Расселу. — Они не понимают или, скорее, отказываются понимать, как она на самом деле была составлена.

— А твоя вера страдает от этого?

— Нет, потому что истинная вера основывается не на Библии. Она проистекает из нашего интуитивного понимания, что все сущее не возникло случайно, а было создано Богом, хотя наверняка не таким, как рисует Его Библия.

Обсуждали они между собой и тот научно установленный факт, что первое письменное упоминание об Иисусе Христе появилось только полвека спустя после его смерти, в Первом послании апостола Павла к фессалоникийцам, самой ранней книге Нового Завета. Даже четыре Благовествования — первым стало Евангелие от Марка — были написаны позднее: между семидесятыми и стодесятыми годами н. э.

До тысяча девятьсот тридцать третьего года особой папской буллой католикам запрещалось заниматься «святотатственными изысканиями касательно Библии», но затем просвещенный папа Иоанн XXIII снял запрет. Католические богословы ныне так же хорошо информированы, как и другие их коллеги. По основным вопросам библейской датировки и источниковедения они сходятся с протестантскими исследователями Великобритании, Америки и Германии.

— Сами-то они сняли шоры, — объяснял Малколм свою точку зрения Расселу, — а вот пастве сообщить новые данные библеистики не торопятся. К примеру, совершенно очевидно, что Христос существовал и был распят; это эпизод из истории Римской империи. Но вот все эти истории о нем: непорочное зачатие, звезда на востоке, явление ангела пастухам, волхвы, чудеса, тайная вечеря и, уж само собой, воскресение из мертвых — все это легенды, которые пятьдесят лет передавались изустно. Что же до точности пересказа... — Эйнсли помедлил, подбирая что-нибудь наглядное для иллюстрации своих слов. — Вот! Скажи, сколько лет прошло с того дня, когда в Далласе был убит Кеннеди?

— Без малого двадцать.

— И ведь это произошло у всех на глазах. Газетчики, радио, телевидение... Все записывалось и потом многократно воспроизводилось. Потом заседала комиссия Уоррена...

— И все равно нет единого мнения, как это произошло и кто что делал, — кивнул Рассел.

— Именно! А теперь представь новозаветные времена, когда не существовало средств связи и по крайней мере пятьдесят лет не велись никакие записи. Сколько вымысла и искажений вносили в пересказ легенд об Иисусе все новые и новые рассказчики!

— Ну а сам-то ты в эти легенды веришь?

— Я отношусь к ним скептически, но это сейчас не имеет значения. Был он фигурой легендарной или реальной, но Христос оказал на мировую историю больше влияния, чем кто-либо другой, и оставил после себя более ясное и мудрое учение, чем любое другое.

— Но был ли Он Сыном Божьим? Был ли Он сам Богом? — допытывался Рассел.

— Мне очень хочется в это верить... Да, пожалуй, я до сих пор верю в это.

— Я тоже.

Не обманывались ли они? Ведь уже тогда веру Малколма Эйнсли точил червь сомнения.

Некоторое время спустя во время семинара по догматике, который проводил приезжий архиепископ, Малколм спросил:

— Ваше преосвященство, почему наша Церковь не делится с паствой новыми данными, которые мы теперь имеем о Библии, а также о жизни и эпохе Иисуса?

— Потому что это могло бы поколебать веру многих честных католиков, — быстро ответил архиепископ. — Теологические дебаты и толкования лучше предоставить тем, кто обладает для этого достаточным интеллектом и мудростью.

— Вы, стало быть, не верите в сказанное у Иоанна в главе восьмой, стихе тридцать втором? — атаковал прелата Эйнсли. — «И познаете истину, и истина сделает вас свободными».

— Я бы предпочел, — процедил архиепископ, почти не разжимая губ, — чтобы молодые священники затвердили стих девятнадцатый из главы пятой Послания к римлянам. «Послушанием одного сделаются праведными многие».

— А еще лучше стих пятый из главы шестой Послания к ефесянам. «Рабы, повинуйтесь господам своим», не так ли, ваше преосвященство?

Аудитория реагировала на это взрывом смеха. Даже архиепископ снизошел до улыбки.

По выходе из семинарии Рассел и Малколм отправились каждый в свой приход на роли помощников настоятелей; с течением времени их взгляды на религию и ее связь с современной мирской жизнью продолжали эволюционировать.

В церкви Святого Августина в Потстауне Малколм Эйнсли стал подчиненным отца Андре Куэйла. Тому было шестьдесят семь лет от роду, он страдал эмфиземой и редко покидал стены своего дома. Вопреки традиции ему даже пищу подавали отдельно.

— Ты, значит, всем здесь заправляешь? — предположил Рассел во время одного из своих редких визитов к приятелю.

— Нет, свободы у меня гораздо меньше, чем ты думаешь, — сказал Малколм. — Крепкозадый уже закатал мне два выговора.

— Кто, наш всемогущий владыка епископ Сэнфорд?

— Он самый, — кивнул Малколм. — Кто-то из местных старожилов пересказал ему пару моих проповедей. Ему они сильно не понравились.

— О чем они были?

— Одна — о перенаселении и контроле над рождаемостью, другая — о гомосексуалистах, презервативах и СПИДе.

— Ну, ты и нарываешься! — Рассел не сдержал смеха.

— Согласен, просто я прихожу в отчаяние, когда вижу, какие насущные вопросы жизни упорно не желает замечать наша Церковь. Меня, допустим, тоже передергивает при мысли о физиологии гомосексуализма, но ведь наукой уже давно установлено, что это заложено в людях генетически и они не смогли бы измениться, даже если бы захотели.

— И тут ты вопрошаешь: «Кто же сотворил людей такими?» — продолжил его мысль Рассел. — И если все мы созданы Богом, то и гомосексуалистов тоже сотворил Он, пусть цель Его при этом остается нам непонятна?

— Но еще больше меня злит отношение Католической церкви к презервативам, — продолжал Эйнсли. — Скажи, как я могу прямо смотреть своим прихожанам в глаза и в то же время запрещать им пользоваться средством, которое сдерживает эпидемию СПИДа? Но отцам Церкви мое мнение безразлично, они хотят только, чтобы я заткнулся.

— Ну и как, заткнешься?

Малколм упрямо помотал головой:

— Ты все поймешь, когда узнаешь, что я заготовил на следующее воскресенье.

Намеченная на десять тридцать утра месса началась с сюрприза. Без предупреждения за несколько минут до начала службы прибыл епископ Сэнфорд. Престарелый и многоопытный прелат передвигался, опираясь на трость; во всех поездках его сопровождал секретарь. Епископ снискал себе славу ригориста, неукоснительно следовавшего линии Ватикана.

Эйнсли в самом начале службы во всеуслышание приветствовал епископа. Волнение его нарастало. Неожиданный приезд начальства встревожил его — ведь содержание сегодняшней проповеди заведомо не могло Сэнфорду понравиться. Малколм знал, что епископу все преподнесли бы позднее под соответствующим соусом, и был готов к этому. Но излагать свои мысли непосредственно перед этим могущественным князем Церкви было гораздо труднее, впрочем, теперь уже Эйнсли не мог ничего изменить.

И когда пришла критическая минута, он вложил в проповедь всю силу убеждения, на какую был способен:

— Каждому из нас необходима абсолютная вера в реальность существования Бога и Иисуса Христа как Его ипостаси. Но в той же степени нужна стойкость, чтобы эта вера выдержала испытания на прочность, которые столь часто посылает нам жизнь. Я намереваюсь подвергнуть вашу веру проверке.

Он обвел взглядом заполненные прихожанами ряды скамей перед собой и продолжал:

— Истинная вера не нуждается в подпорках в виде всякого рода материальных доказательств, ибо если бы доказательства существовали, не было бы никакой нужды верить. Но все мы тем не менее пытаемся по временам укрепиться в своей вере с помощью одной сугубо материальной вещи. Я говорю о Библии.

Малколм сделал небольшую паузу и спросил:

— А если бы вы узнали, что отдельные разделы Библии, при этом важные, касающиеся Иисуса Христа, содержат в себе неточности, искажения и преувеличения? Были бы вы и тогда по-прежнему тверды в своей вере?

Он снова помедлил. Потом улыбнулся и продолжал:

— Мне кажется, я вижу недоумение на ваших лицах. Уверяю вас, мой вопрос абсолютно оправдан, потому что современной наукой достоверно установлено: Библия содержит множество неточностей, причем по причине достаточно банальной. Библейские сказания передавались из поколения в поколение не на письме, а устно. А этот способ передачи информации, как всем нам известно, крайне ненадежен... И это уже далеко не новость. Историкам и исследователям Библии об этом известно давно, так же как и иерархам нашей с вами Церкви.

Эти слова вызвали оживление на скамьях, люди обменивались удивленными взглядами, епископ хмурился и озабоченно качал головой.

Но Малколм уже не мог остановиться.

— Приведу конкретные факты. Знаете ли вы, например, что после распятия Христа прошло пятьдесят лет, прежде чем появился первый письменный источник, где рассказывалось о Его рождении, жизни, учении и апостолах, о Его чудесном воскресении, наконец? Полвека! И если что-то и было написано за это время, то до нас не дошло ни строчки.

Несмотря на начавшиеся кое-где перешептывания, внимание большинства прихожан было приковано к Эйнсли, который изложил сжато факты. Все это в общем-то были вещи достаточно известные, но в церкви они не обсуждались так открыто: что Евангелия были написаны в разное время и с разными целями... Что Благовествования от Матфея и Луки почти несомненно скопированы с Евангелия от Марка... Что все четыре были написаны неизвестными авторами, несмотря на то что поименованы... Что книги Нового Завета были сведены вместе только в четвертом веке н. э. ...Что ни один из оригинальных текстов, написанных по-гречески на свитках папируса, не сохранился.

— Искажения и ошибки возникали также при переводе Ветхого и Нового Заветов с греческого и иврита на латынь, а позднее — и на другие языки, включая английский. Таким образом, можно не сомневаться, что Библия в том виде, в каком она существует сейчас, не является даже точным воспроизведением своих первоначальных источников.

— Я рассказал вам все это, — завершил проповедь Эйнсли, — вовсе не для того, чтобы оказать воздействие на ваш образ мыслей или поколебать вашу веру. Я просто изложил факты, поскольку считаю, что нельзя утаивать правду, даже если это делается с самыми благими намерениями.

По окончании службы, когда священники встали у выхода из церкви, чтобы на прощание обменяться рукопожатиями с прихожанами, Малколм выслушал немало слов одобрения. «Очень интересная проповедь, отец мой»... «Прежде ничего об этом не слышал»... «Вы совершенно правы, необходима широкая гласность в этих вопросах».

Епископ Сэнфорд держался с достоинством и расточал пастве улыбки. Когда же все разошлись, он сделал повелительный жест тростью, подзывая Малколма к себе для разговора. Ласковая улыбка улетучилась. Ледяным тоном епископ произнес свои распоряжения:

— Отец Эйнсли, отныне вам запрещается проповедовать здесь. Я вновь выношу вам выговор. О решении вашей дальнейшей судьбы вас скоро уведомят. Пока же я призываю вас молиться о ниспослании вам смирения, мудрости и послушания — то есть качеств, которых вам столь явно не хватает. — С каменным выражением на лице он поднял руку для формального благословения. — Да поможет вам Бог встать на путь истины и добродетели.

В тот же вечер Малколм по телефону обо всем рассказал Расселу, подытожив так:

— Нами руководят закоснелые догматики.

— Конечно, чего можно ждать от людей, всю жизнь не ведавших радостей плотской любви!

Малколм вздохнул:

— Можно подумать, что мы с тобой их получаем. Нет, это какое-то извращение, честное слово.

— О, по-моему, у тебя зреет в голове новая проповедь!

— Куда там! Крепкозадый надел-таки на меня намордник. Представляешь, Рассел, он считает меня бунтарем!

— Он забыл, вероятно, что Христос сам был бунтарем и задавал вопросы, подобные твоим.

— Пойди и скажи это Крепкозадому.

— Как думаешь, какую епитимью он на тебя наложит?

— Понятия не имею, — сказал Эйнсли. — Сказать правду, мне на это наплевать.

Выяснилось все довольно быстро.

О решении епископа Сэнфорда Малколм узнал через два дня от отца Андре Куэйла, на чье имя поступило письмо из епархии. Малколму Эйнсли надлежало незамедлительно отправляться в монастырь траппистов в горах северной Пенсильвании и оставаться в этом уединенном месте вплоть до дальнейшего уведомления.

— Меня приговорили к ссылке во Внешнюю Монголию, — доложил Малколм другу. — Что ты знаешь о траппистах?

— Немного. Они ведут аскетический образ жизни и соблюдают обет молчания.

Рассел припомнил кое-что из прочитанной когда-то статьи. Католический орден цистерцианцев строгого обряда, как именовались трапписты официально, положил в основу своей доктрины обет самоотречения — ограничения в еде, воздержание от употребления мяса, тяжкий физический труд и полное молчание. Основанный в тысяча шестьсот шестьдесят четвертом году во Франции, орден имел семьдесят монастырей по всему миру.

— Да, Сэнфорд обещал меня наказать, и он держит слово, — сказал Малколм. — Мне предстоит томиться там, предаваясь молитвам — про себя, разумеется, — пока не созрею для полного подчинения Ватикану.

— Ты поедешь?

— А куда деваться? Если откажусь, они лишат меня сана.

— Что может стать не самым худшим вариантом для нас обоих. — Похоже было, что эта случайно вырвавшаяся импульсивная реплика испугала самого Рассела.

— Вполне возможно, — сказал Малколм.

Он отправился в монастырь и там с удивлением ощутил, как в его душе воцаряется мир. Трудности он всегда воспринимал спокойно. А что до молчания... Он ожидал, что блюсти его будет нелегко, но на самом деле нисколько им не тяготился. Напротив, когда позднее Малколм вернулся в мир, его поразило, как много и бессмысленно люди болтают. Малколм понял, что они боятся тишины и торопятся заполнить ее звуками своих голосов. В горах он осознал, что молчание, сопровождаемое точными и понятными жестами, которым он быстро обучился, во многих ситуациях предпочтительнее любых слов.

Малколм не подчинился только одному предписанию его епитимьи. Он не молился. Пока окружавшие его монахи возносили молчаливые молитвы Господу, он думал, предавался игре воображения, восстанавливал в памяти накопленные знания, пытался разобраться с прошлым и заглянуть в будущее.

Через месяц напряженной работы ума он сделал для себя фундаментально важный вывод. Он не верил больше ни в какого Бога, не верил в божественность Христа, в особую миссию Католической церкви. Среди множества прочих причин его неверия важнейшей стало понимание, что все существующие в мире религии имеют исторические корни, уходящие в прошлое не глубже, чем на пять тысяч лет. В сравнении с необъятными толщами геологических эпох существования Вселенной история религий выглядела песчинкой в пустыне Сахара.

Точно так же Малколм склонен был теперь согласиться с доводами науки, утверждавшей, что *гомо сапиенс* произошел от человекообразных обезьян миллионы лет назад. Научные доказательства этого, по сути, неопровержимы, но клерикалы большинства конфессий предпочитают от них отмахиваться, поскольку стоит признать правоту научной теории, как они окажутся не у дел.

Таким образом, многочисленные боги и религии оказывались всего лишь сравнительно *недавними* выдумками.

Тогда почему же в мире так много верующих? Эйнсли не раз задавал себе этот вопрос и находил только одно объяснение. Люди подсознательно стремятся уйти от мыслей о тщете бытия, от концепции «из праха — в прах», которая по иронии судьбы так ясно высказана именно в Екклесиасте: «Потому что участь сынов человеческих и участь животных — участь одна... и нет у человека преимущества перед скотом; потому что все — суета! Все идет в одно место; все произошло из праха, и все возвратится в прах»*.

Так что же, разубеждать верующих? Ни в коем случае! Тем, кто находит в религии утешение, нужно не только предоставить свободу, но и при необходимости отстаивать их право на это. Малколм дал себе зарок никогда не смущать искренних убеждений других.

Как же ему самому жить дальше? Ясно, что служение Церкви больше не для него. Оглядываясь назад, он понимал, что ошибся в выборе профессии: теперь, когда прошел год по смерти матушки, Малколму легче было взглянуть правде в глаза. При их последней встрече, уже зная, что близится ее последний час, Виктория Эйнсли взяла сына за руку и прошептала: «Ты стал священником, потому что я так хотела. Я не была уверена, что ты действительно стремишься к этому, но меня переполняла гордость. Моя мечта сбылась... Боюсь, Бог теперь зачтет мне этот грех». Малколму удалось убедить ее тогда, что греха на ней нет и что он сам нисколько не сожалеет о сделанном выборе. Уход Виктории Эйнсли был безмятежен. Теперь ее не было, и Малколм счел себя вправе изменить свое отношение к Церкви.

Голос стюардессы прервал размышления Малколма:

— Капитан просит сообщить вам, что мы приближаемся к Атланте. Пожалуйста, убедитесь, что вы застегнули ремни, закрепили столики для подносов и подняли кресла.

Малколм постарался не слышать эти слова, вновь заныривая в прошлое.

* *См.* Екклесиаст, 3–20.

Он пробыл потом в обители еще один месяц — достаточный срок для проверки зрелости принятых решений. За это время он в своих новых убеждениях только укрепился, а к концу второго месяца написал заявление о сложении с себя сана и попросту ушел из монастыря.

С чемоданчиком в руке, куда легко поместились все его пожитки, Малколм протопал с десяток километров, а потом шофер попутного грузовика подбросил его до Филадельфии. Автобусом он добрался до аэропорта и, не имея никакого определенного плана, наугад попросил в кассе билет на ближайший самолет. Ему выпало лететь в Майами. Там он и начал жизнь с нуля.

Вскоре после переезда во Флориду Малколм встретил Карен — девушку из Канады, проводившую в Майами отпуск.

Познакомились они в очереди в прачечной. Эйнсли пришел сдать в стирку несколько рубашек и был озадачен вопросом приемщицы, какими он хочет получить свои вещи — сложенными или на вешалках? Его сомнения разрешил голосок из-за спины:

— Если едете куда-нибудь, попросите сложить, а если нет — лучше на вешалках.

— Нет, больше никаких поездок. — Он обернулся и увидел привлекательную молодую девушку, которая дала ему этот совет. Потом ответил приемщице: — Пусть будут вешалки.

Пока Карен сдавала свое платье, Малколм дожидался у двери.

— Хотел поблагодарить вас за помощь, — сказал он.

— Интересно, а почему это вы так не любите путешествовать? — неожиданно спросила девушка.

— Здесь не самое лучшее место для долгих рассказов. Быть может, пообедаете со мной?

Карен колебалась всего лишь мгновение, а потом тряхнула челкой:

— Конечно. Почему бы и нет?

Так начался роман, который развивался стремительно, и через две недели Малколм сделал ей предложение.

Примерно в то же время он наткнулся в «Майами геральд» на объявление о приеме на работу в полицию. Ему вспомнился отец Рассела, детектив Кермит Шелдон, который был другом семьи Эйнсли, и это помогло ему решиться. Он поступил на службу в полицейское управление Майами, после того как с отличием окончил десятинедельный курс обучения.

Карен не только не возражала против переезда из Торонто в Майами, но сделала это с радостью. Многое узнав в первые дни о прошлой жизни Малколма, она с пониманием отнеслась и к его выбору нового поприща.

— В каком-то смысле ты будешь заниматься прежним делом, — сказала она. — Удерживать человечество на прямой, но узенькой стезе добродетели.

Он рассмеялся в ответ:

— Нет, это работа куда более трудоемкая, зато плоды ее гораздо ощутимее.

Жизнь показала, что он не ошибался.

Через несколько месяцев Малколм узнал, что Рассел Шелдон тоже покончил со служением Католической церкви. Причина, заставившая его сделать это, была донельзя простой: он хотел жениться и завести детишек. В письме к Малколму Рассел писал:

«Известно ли тебе, что таких, как мы с тобой, священников, покинувших лоно официальной Церкви по собственному желанию, в большинстве своем тридцатилетних, примерно семнадцать тысяч в одних только Соединенных Штатах? И это данные католической статистики!»

В отличие от Эйнсли Рассел не утратил веры и присоединился в Чикаго к независимой католической организации, в которой снова стал священником, несмотря на то что официально считался расстригой. Он писал далее:

«Мы верим в Бога и Сына Его Иисуса Христа, но Ватикан и курию считаем сборищем одержимых жаждой власти толстокожих эгоистов, которые идут по пути неизбежного саморазрушения.

И мы не одиноки. По всей Америке уже почти три сотни католических приходов, которые полностью порвали с Римом. Есть еще такие приходы у нас в Иллинойсе, целых пять — в южной Флориде и еще несколько — в Калифорнии. Полного списка нет, потому что отсутствует централизация, да она и не нужна. У нас все считают, что нам менее всего потребен еще один «непогрешимый» директивный орган с «наместниками Бога» во главе.

Уж будь уверен, много из того, что мы делаем, Риму не понравилось бы! Мы даем Причастие всем желающим, потому что Бога, по нашему мнению, не нужно от кого-либо ограждать. Мы венчаем разведенных католиков и даже людей одного пола, если они желают соединиться узами брака. Мы не поощряем абортов, но, с другой стороны, полагаем, что право выбора всегда должно оставаться за женщиной.

У нас и церкви-то нет как таковой со всеми ее пышными одеяниями, статуями, витражами и позолотой, и мы не собираемся заводить эту мишуру. Все свободные средства наша община тратит на пропитание для обездоленных.

По временам мы подвергаемся нападкам со стороны Римской католической церкви, и тем чаще, чем быстрее растут наши ряды. Кажется, в Ватикане занервничали. Один архиепископ сказал репортерам, что ни одно из наших дел не получит благословения Божия. Нет, ты только вдумайся: они присвоили себе прерогативу единственных слуг Господа!»

Малколм и теперь получал иногда весточки от Рассела, который оставался независимым католическим священником и был счастлив в семейном союзе с бывшей монахиней, в последнем письме он сообщил, что у них двое детей.

Шасси авиалайнера компании «Дельта» мягко коснулись посадочной полосы аэропорта Атланты. Теперь Эйнсли оставалось только совершить двухчасовой перелет до Торонто.

Он не без удовольствия заметил, что мысли непроизвольно переключились с событий прошлого на приятные дни, которые ждали его впереди.

5

По выходе из таможенной зоны аэропорта Торонто Малколм сразу увидел табличку с надписью ЭЙНСЛИ, которую держал в вытянутой вверх руке молодой человек в шоферской униформе.

— Вы мистер Эйнсли из Майами? — спросил он учтиво, когда Малколм замедлил шаг.

— Да, но я никак не ожидал, что...

— Генерал Гранди прислал машину встретить вас. Позвольте вашу сумку, сэр.

Джордж и Вайолет Гранди, родители Карен, жили в Скарборо-Тауншип, на самой восточной окраине Большого Торонто. Поездка заняла час с четвертью, то есть дольше обычного; виной тому был прошедший накануне обильный снегопад, снег успели убрать лишь с магистрали — Четыреста первого шоссе, над городом висело унылое серое небо, слегка подмораживало. Как многие обитатели Флориды, попадающие зимой в северные широты, Малколм с удивлением обнаружил, что одет слишком легко. Если Карен не догадалась захватить его теплые вещи, придется одолжить или купить что-нибудь.

А вот прием, который ожидал его в скромном доме семьи Гранди, своей теплотой превзошел все его ожидания. Как только машина остановилась у крыльца, входная дверь распахнулась, и вся семья высыпала на улицу встретить его. Карен первой обняла и поцеловала его, шепнув:

— Господи, как хорошо, что ты приехал!

Эта ласка стала для него приятной неожиданностью, а тут еще Джейсон тянул его за полу плаща с криком: «Папа! Папочка приехал!» Эйнсли высоко поднял его и весело крикнул: «С днем рождения!» А потом сгреб в охапку их обоих, троица переплела руки в дружном объятии.

Торжество по случаю двойного дня рождения продолжалось глубоко за полночь. Утро следующего дня они проспали, а после обеда Малколм, Карен и Джейсон отправились на прогулку вдоль озера Онтарио, на берегу которого располагался Скарборо. С высоких утесов они видели противоположный берег, но соседний штат Нью-Йорк, находившийся в нескольких десятках километров, не был виден. Ночью опять шел снег, и вся семья вдоволь наигралась в снежки. Попав с третьей попытки в цель, которую он наметил для себя, — голову отца, Джейсон воскликнул:

— Эх, нам бы в Майами хоть немножко снега!

Он получился у них с Карен маленьким здоровячком, широкоплечим и длинноногим. В его огромных карих глазах уже в этом возрасте нередко читалась взрослая задумчивость, словно мальчишка знал, сколько интересных открытий ему предстоит совершить в жизни, хотя не вполне понимал, как он это сделает. Но гораздо чаще лицо его озарялось ослепительной улыбкой, словно напоминая взрослым с их проблемами, что этот солнечный мир все-таки создан для счастья.

Отряхнув друг друга от снега, они пошли дальше. Как редко им доводится побродить вот так втроем, подумал Эйнсли, обнимая жену и сына за плечи.

Когда непоседливый Джейсон убежал от них вперед, Карен сказала:

— Наверное, самое время сообщить тебе интересную новость. Я беременна.

Малколм остановился и удивленно посмотрел на нее:

— Но я думал...

— Я тоже так думала. Видишь, как ошибаются иногда врачи. Я проверялась дважды. Во второй раз позавчера. Не хотела говорить тебе прежде, чтобы не подавать нам обоим пустых надежд. Только подумай, Малколм, у нас будет еще один маленький!

Они давно хотели завести второго ребенка, но гинеколог сказал Карен, что у нее это вряд ли получится.

— Я хотела все рассказать тебе в самолете по пути сюда...

Услышав это, Малколм с досадой хлопнул себя ладонью по лбу:

— Представляю, как я испортил тебе вчера настроение! Милая, прости.

— Я больше не сержусь на тебя. Ты не мог поступить иначе. А теперь мы вместе и ты все знаешь. Ты счастлив?

Вместо ответа Малколм крепко обнял ее и поцеловал.

— Эй вы, двое! — окликнул их Джейсон и рассмеялся. И когда они обернулись, в них уже летел пущенный меткой рукой снежок.

6

В первый рабочий день Малколму не удалось даже подумать о деле Элроя Дойла. Его стол оказался завален папками и бумагами, накопившимися за четыре дня.

Прежде всего он должен был разобраться со счетами, которые выставили его детективы за сверхурочную работу. Он положил их перед собой. Сидевший за соседним столом Хосе Гарсия приветствовал его так:

— С возвращением, сержант. Приятно видеть, что вы умеете выделять действительно важные бумаги. — И кивком указал на счета.

— Знаю я вас, парни, — усмехнулся Эйнсли. — Вам бы только побольше деньжат заколотить.

Гарсия изобразил обиду:

— А как иначе семью-то прокормишь?

Оба шутили, но на самом деле оплата сверхурочной работы составляла важную часть бюджета семьи каждого из них. Как ни парадоксально, но при том, что в детективы производили только лучших из лучших, такое повышение в полицейском управлении Майами не сопровождалось увеличением жалованья.

Каждый час переработки сыщики детально описывали в докладной, к которой прилагался счет; эти бумаги подавались на утверждение сержанту, который командовал группой. Эйнсли ненавидел арифметику и поспешил закончить подсчеты как можно быстрее.

Но на очереди были бланки полугодовой аттестации сотрудников — на каждого сыщика из своей команды Эйнсли писал от руки характеристику, передавая затем секретарше, чтобы она их перепечатала. А потом еще и еще бумаги: рапорты детективов по текущим расследованиям, включая ряд новых дел об убийствах, — со всем этим он должен был ознакомиться, завизировать и в случае необходимости дать оперативные указания.

— В такие минуты, — пожаловался Эйнсли сержанту Пабло Грину, — я чувствую себя занудой клерком из романов Диккенса.

Вот почему только ближе к концу рабочего дня он смог переключиться на дело Дойла. Захватив с собой диктофон, он отправился в кабинет Лео Ньюболда.

— Почему ты явился ко мне только сейчас? — спросил лейтенант. — Впрочем, я и сам догадываюсь.

Пока Эйнсли возился с диктофоном, Ньюболд отдал распоряжение секретарю ни с кем его не соединять и плотно закрыл дверь.

— Давай включай запись, мне не терпится ее прослушать.

Эйнсли поставил запись с самого начала, с того момента, как он включил магнитофон в маленькой комнате в непосредственной близости от зала казней. Сначала ничего не было слышно, потом раздался звук открывающейся двери, когда Хэмбрик, молодой офицер тюремной стражи, привел закованного в цепи бритоголового Элроя Дойла вместе с двумя надзирателями, затем послышались шаги капеллана Аксбриджа, вошедшего последним. Эйнсли тихо комментировал.

Ньюболд внимательно вслушивался в голос — пронзительные реплики тюремного священника... потом едва различимый голос Дойла, обращающегося к Эйнсли: «Благословите меня, святой отец...» Вопль Аксбриджа: «Это богохульство!»... Слова Дойла: «Уберите эту мразь отсюда!»

Ньюболд покачал головой:

— Невероятно.

— Подождите, то ли еще будет.

Чтобы расслышать «исповедь» Дойла, пришлось напрягать слух, так тихо он говорил.

«Я убил нескольких человек, святой отец...»

«Первое убийство... Кто это был?»

 «Япошки из Тампы...»

Ньюболд — весь внимание — стал быстро делать заметки.

Дойл между тем признавался в убийствах... *Эсперанса, Фросты, Ларсены, Хенненфельды, Урбино, Темпоуны...*

— Цифры не сходятся, — сказал Ньюболд. — Знаю, ты говорил мне об этом, но я все же надеялся...

— Что я не умею считать? — Эйнсли с улыбкой покачал головой.

Запись дошла до того места, когда Дойл начал яростно отрицать свою причастность к убийству Эрнстов: «...Я не делал этого, святой отец!.. Это вранье, мать твою!.. Я не хочу тащить с собой в могилу чужой грех».

— Останови-ка! — скомандовал вдруг Ньюболд.

Эйнсли нажал на кнопку «пауза». В кабинете со стеклянными стенами установилась тишина.

— Боже, до чего все это похоже на правду! — Ньюболд поднялся из-за стола и нервно зашагал из угла в угол. Потом спросил: — Сколько Дойлу оставалось жить в тот момент?

— От силы десять минут. Едва ли больше.

— Просто не знаю, что и думать. Я был уверен, что не поверю его словам... Но когда смерть так близка... — Лейтенант в упор посмотрел на Эйнсли: — Ну, *а ты-то сам* поверил ему?

Эйнсли постарался хорошенько взвесить свой ответ.

— Вам известно, сэр, что по поводу этого убийства у меня с самого начала возникли сомнения, и потому... — Он не закончил фразу.

— И потому тебе легче было поверить ему, — завершил ее Ньюболд.

Эйнсли молчал. Что он мог добавить к этому?

— Давай дослушаем кассету, — сказал Ньюболд.

Эйнсли включил воспроизведение и услышал собственный голос:

«...Ты хоть чуть-чуть сожалеешь о том, что натворил?»

«Ни хрена я не жалею!.. Вы должны дать мне прощение за тех, кого я не убивал!»

— Он безумен, — заметил Ньюболд. — Вернее, был.

— Я тоже так подумал тогда и до сих пор так считаю. Но ведь и безумец не всегда лжет.

— Он был патологическим лжецом, — напомнил Ньюболд.

Они помолчали, слушая, как Эйнсли говорит Дойлу:

«...Ни один священник не смог бы отпустить тебе грехи, а ведь я лишен сана».

И выпад лейтенанта Хэмбрика:

«Хватит тешить свою гордыню, дайте ему последнее утешение».

Пока звучала молитва Фуко, которую Эйнсли зачитывал, а Дойл повторял, Ньюболд не сводил глаз с подчиненного. Потом, заметно взволнованный, он быстро провел ладонью по лицу и тихо сказал:

— Ты молодчина, Малколм.

Вернувшись за стол, Ньюболд некоторое время посидел молча, словно взвешивал, что перетянет: его собственная предубежденность или только что услышанная исповедь Дойла. После паузы он сказал:

— Ты возглавлял наше спецподразделение, Малколм, так что это дело по-прежнему твое. Что предлагаешь?

— Мы проверим все детали в показаниях Дойла — золотой зажим для денег, ограбление, семья Икеи, нож в могиле. Я поручу это Руби Боуи, как раз для нее работа. Только так мы сможем выяснить, солгал ли мне Дойл.

— Допустим на минуту, что не солгал. — Ньюболд посмотрел на Эйнсли испытующе. — Что тогда?

— А что нам в таком случае останется? Заново расследовать убийство Эрнстов.

Ньюболд сделался мрачнее тучи. В полицейской работе едва ли есть что-либо более неприятное, чем необходимость заново открывать дело об убийстве, которое считалось окончательно раскрытым. Особенно такое громкое дело.

— Хорошо, — сказал Ньюболд поразмыслив. — Пусть Руби берется за работу. Мы должны выяснить все до конца.

7

— Проверку можешь проводить в каком угодно порядке, — наставлял Эйнсли Руби Боуи. — Но так или иначе, придется тебе слетать в Тампу.

Их разговор происходил в семь часов на следующее утро после беседы Эйнсли с Ньюболдом. Эйнсли сидел за своим рабочим столом в отделе, Руби пристроилась рядом. Накануне вечером он дал ей кассету с копией записи и попросил прослушать ее дома. Когда они встретились утром, она все еще выглядела потрясенной.

— Не думала, что это будет так тяжело. Почти не спала потом. Я словно влезла в вашу шкуру. Закрою глаза, и чудится, что я там, в тюрьме.

— Значит, ты усекла, что́ именно в показаниях Дойла мы должны проверить?

— Выписала для себя. — Руби подала Эйнсли блокнот.

Он проглядел записи и отметил, что, по своему обыкновению, она ничего не упустила.

— Тогда принимайся за работу. Я знаю, ты справишься.

Когда Руби ушла, Эйнсли с тоской принялся разбирать бумаги на своем столе — он еще не знал, что в тот день ему было отпущено на это всего лишь несколько минут.

В семь тридцать две на пульт оперативного дежурного полиции Майами поступил телефонный звонок.

— Девять-один-девять слушает, чем могу быть полезен? — ответил диспетчер.

Сработал автоматический определитель, указавший номер аппарата и имя владельца: Т. ДАВАНАЛЬ.

— Пожалуйста, пришлите кого-нибудь на авеню Брикелл, дом двадцать восемь ноль один. В моего мужа стреляли! — сообщил запыхавшийся женский голос.

Дежурный занес адрес в компьютер и нажатием кнопки передал его на дисплей женщины-диспетчера, которая сидела в противоположном углу того же зала.

Диспетчер сразу определила, что преступление совершено в семьдесят четвертой зоне. Она вывела на экран список находившихся поблизости патрульных машин, выбрала из них одну и вызвала ее по радио:

— Диспетчерская вызывает один-семь-четыре.

Когда сто семьдесят четвертая патрульная группа ответила, диспетчер послала в эфир один длинный гудок, обозначавший крайнюю степень важности последующего сообщения, а потом сказала:

— Вариант три-тридцать по авеню Брикелл, дом двадцать восемь ноль один.

Тройка в этом коде означала срочность и предписывала воспользоваться мигалкой и сиреной, а тридцаткой, на языке полицейского радиообмена, было преступление с применением огнестрельного оружия.

— Понял вас. Нахожусь неподалеку, в районе парка Элис Уэйнрайт.

Закончив переговоры с патрульными, диспетчер сделала знак Харри Клементе, сержанту, отвечавшему за работу центра связи управления полиции, который тут же оставил свое место за центральным пультом и подошел к ней. Она показала ему адрес на своем дисплее:

— Что-то знакомое. Как ты думаешь, это действительно у них?

Клементе, склонившись, прочитал адрес и почти сразу ответил:

— Черт меня побери, ты права! Это у Даваналь.

— Вариант три-тридцать.

— Ничего себе! — Сержант пробежал глазами остальную информацию. — Похоже, у них неприятности. Спасибо, что сказала. Держи меня в курсе и дальше.

Дежурный тем временем продолжал разговор с женщиной, которая вызвала полицию:

— Патрульная группа уже к вам выехала. Мне нужно проверить, правильно ли записана ваша фамилия. Д-а-в-а-н-а-ль, так?

— Да, да! — ответили нетерпеливо. — Это фамилия моего отца, а моя — Мэддокс-Даваналь.

Дежурного так и подмывало спросить: «Вы из *той самой* семьи Даваналь?» — но он лишь сказал:

— Пожалуйста, мэм, не кладите трубку до приезда полицейских.

— Не могу. У меня полно дел. — После чего в телефонной трубке раздался щелчок и линия разъединилась.

В семь тридцать девять патрульная группа сто семьдесят четыре вышла на связь с диспетчерской.

— У нас тут стреляют. Соедините меня с отделом по расследованию убийств на первом тактическом, — потребовал патрульный.

— Ждите, соединяю.

Малколм Эйнсли сидел за своим столом, когда его портативная рация подала признаки жизни, и он выслушал диспетчера. Не отрываясь от бумаг, он повернулся к Хорхе:

— Займись этим ты.

— Слушаюсь, сержант. — Хорхе Родригес по своей рации сказал диспетчеру: — Говорит тринадцать-одиннадцать, переключите один-семь-четыре на меня.

Через несколько секунд его соединили.

— Один-семь-четыре, говорит тринадцать-одиннадцать. Что случилось?

— Тринадцать-одиннадцать, у нас стрельба при невыясненных обстоятельствах. Возможно, вариант тридцать один. Авеню Брикелл, дом двадцать восемь ноль один.

Услышав этот адрес и код «тридцать один», означавший убийство, Эйнсли вскинул голову. Потом отодвинул от себя бумаги, резко поднялся, с грохотом толкнув стул, и кивнул Хорхе. Тот понял его без слов и передал:

— Выезжаем к вам, один-семь-четыре. Обеспечьте неприкосновенность места преступления. Если необходимо, вызовите подмогу. — Выключив рацию, он спросил: — Это в особняке той самой богатой семьи?

— Именно. У Даваналей. Я этот адрес прекрасно знаю, да он известен чуть ли не каждому.

Действительно, в Майами едва сыскалась бы фамилия более знаменитая. Даваналям принадлежала сеть универмагов, покрывавшая всю Флориду. Они же владели телевизионным каналом, делами которого Фелиция Мэддокс-Даваналь заправляла самолично. Но самое главное, что эта семья выходцев из Центральной Европы, перебравшихся в США после Первой мировой войны, была местным символом престижа и власти, обладая как финансовым, так и экономическим могуществом. Пресса уделяла Даваналям огромное внимание. Их называли иногда «наша королевская семья», к чему не столь раболепные журналисты спешили добавить: «члены которой и ведут себя соответственно».

Зазвонил телефон. Родригес снял трубку, потом передал ее Эйнсли:

— Это сержант Клементе из центра связи.

— Привет, Харри... Да, мы в курсе. Сейчас выезжаем туда.

— Между прочим, погибшего зовут Байрон Мэддокс-Даваналь. Это зятек. Его жена позвонила по девять-одиннадцать. Тебе о нем что-нибудь известно?

— Напомни.

— Он был просто Мэддоксом, пока не женился на Фелиции. Семья настояла, чтобы он взял двойную фамилию. Им невыносима была мысль, что род Даваналей может в один прекрасный день оборваться.

— Спасибо. Нам сейчас любые крохи информации дороги.

Положив трубку, Эйнсли сказал Родригесу:

— За этим делом будут следить все столпы города, Хорхе. Нужно провести следствие безукоризненно. Ступай вниз к машине и жди меня. Я доложу лейтенанту.

Ньюболд, который только что явился на службу, встревоженно бросил взгляд на вошедшего к нему Эйнсли:

— Что случилось?

— Байрон Мэддокс-Даваналь погиб при загадочных обстоятельствах в семейном особняке. Возможно, это тридцать первый вариант.

— Боже милостивый! Это не тот ли, который женился на Фелиции?

— Он самый.

— А она — внучка старика Даваналя, так?

— Совершенно верно. Она сама вызвала полицию. Я подумал, вам нужно сообщить об этом.

Когда Эйнсли поспешно вышел из кабинета, Ньюболд схватился за телефон.

— Похоже на замок какого-нибудь феодала, — заметил Хорхе, когда они подъехали к роскошной усадьбе Даваналей в машине без полицейской маркировки.

Многоэтажный дом с башенками под черепичной крышей и прилегающая территория занимали добрый гектар. Окруженный высокой, почти как крепостная, стеной из крупных каменных блоков с контрфорсами по углам, особняк и в самом деле отдавал Средневековьем.

— Остается только удивляться, что нет рва и подъемного моста, — согласился Эйнсли.

Позади усадьбы открывался вид на залив Бискейн-Бей и дальше — на Атлантический океан.

К громоздкому, нелепейшей планировки особняку, лишь верхняя часть которого виднелась за оградой, можно было попасть через ворота из кованого железа с геральдическими гербами на обеих створках. Сейчас ворота были закрыты, но было видно, что за ними тянется к дому изгиб подъездной дорожки.

— Вот ведь черт! Неужели они уже здесь? — раздраженно воскликнул Эйнсли, заметив телевизионную передвижку неподалеку от ворот и сообразив, что репортеры пронюхали про громкое дело, подслушивая переговоры полицейских по радио. Но нет, на этом микроавтобусе ясно читались буквы WBEQ — эмблема собственной телекомпании Даваналей. Их скорее всего навел кто-то из усадьбы, и они оказались на месте первыми.

Ближе к воротам были припаркованы три сине-белые патрульные машины с поблескивающими маячками на крышах. Либо сто семьдесят четвертые вызвали себе массированную подмогу, либо сюда слетелись все, кто принял сообщение по радио. Второе — вероятнее. Нет ничего хуже зеваки-полицейского, досадливо поморщился Эйнсли. У ворот происходила перепалка между двумя патрульными и телегруппой, которую возглавляла Урсула Феликс, привлекательная чернокожая журналистка, знакомая Эйнсли. Желтая лента полицейского кордона уже была натянута поперек въезда, но один из патрульных узнал Эйнсли и Родригеса и пропустил их внутрь.

Хорхе поневоле пришлось сбавить ход, и Урсула Феликс буквально повисла у них на капоте, чтобы остановить. Эйнсли опустил стекло со своей стороны.

— Малколм, послушай! — взмолилась репортерша. — Ты должен вразумить этих парней. Наш босс, леди Даваналь, просила нас приехать. Она так и сказала по телефону. Наш канал принадлежит Даваналям, и, что бы там у них ни случилось, мы должны сообщить об этом в утреннем выпуске новостей.

Стало быть, их действительно навели изнутри, подумал Эйнсли. И не кто-нибудь, а сама Фелиция Мэддокс-Даваналь, то есть женщина, ставшая вдовой всего за несколько минут до того.

— Послушай, Урсула, — сказал он, — сейчас этот дом — место преступления, и тебе прекрасно известно, что это значит. Скоро сюда прибудет сотрудник из пресс-службы. Он сообщит тебе все, что мы сочтем нужным сделать достоянием гласности.

Вмешался оператор, торчавший за спиной у журналистки:

— Миссис Даваналь не признает полицейских установлений, когда речь идет о собственности семьи. А тут все принадлежит им — и по ту, и по эту сторону от ворот. — Он указал сначала на дом, а потом на телевизионный микроавтобус.

— И характер у нашей леди крутой, — добавила Урсула. — Если мы не прорвемся внутрь, можем запросто вылететь с работы.

— Я буду иметь это в виду. — Эйнсли сделал знак, чтобы Хорхе въезжал в ворота. — Назначаю тебя ведущим детективом по этому делу, — сказал он ему. — Я тоже подключусь к расследованию.

— Слушаюсь, сержант.

Колеса их машины зашелестели по гравию подъездной аллеи, они миновали несколько высоких пальм и фруктовых деревьев, затем припаркованный ближе к дому белый «бентли» и остановились у помпезного парадного входа с затейливой дверью, одна из створок которой была распахнута. Когда Эйнсли и Родригес выбрались из машины, входная дверь открылась полностью и на пороге возник высокий немолодой мужчина, который держался с таким чувством собственного достоинства, что нельзя было не распознать в нем дворецкого. Он посмотрел на их полицейские значки и заговорил с британским акцентом:

— Доброе утро, джентльмены. Прошу вас войти. — В просторном, обставленном дорогой мебелью холле он снова повернулся к ним: — Миссис Мэддокс-Даваналь сейчас говорит по телефону. Она просила вас подождать здесь.

— Нет, так дело не пойдет, — резко возразил Эйнсли. — Поступило сообщение, что в доме была стрельба, и мы пройдем на место преступления немедленно.

Вправо от холла уходил застланный ковровой дорожкой коридор, в дальнем конце которого маячила фигура полицейского в форме.

— Тело здесь! — окликнул он детективов.

Заметив, что Эйнсли готов направиться туда, дворецкий издал протестующий возглас:

— Но миссис Даваналь особо просила...

— Как вас зовут? — перебил Эйнсли.

— Холдсворт.

— А имя? — вмешался Хорхе, сразу заносивший все в блокнот.

— Хэмфри. Но вы должны понять, что...

— Нет, Холдсворт, — с нажимом сказал Эйнсли, — это вы должны понять, что этот дом — место преступления и тут сейчас распоряжаемся мы. Сюда скоро прибудет еще много наших людей. Не чините им препятствий, но и не уходите, нам нужно будет вас допросить. Просьба также оставить все вещи в доме на своих местах и ничего не трогать. Ясно?

— Предположим, — ответил Холдсворт обиженно.

— И передайте миссис Мэддокс-Даваналь, что она нам скоро понадобится.

Эйнсли прошел коридором. За ним следовал Хорхе.

— Сюда, пожалуйста, сержант, — указал им путь патрульный, на нагрудном значке которого можно было прочитать фамилию НАВАРРО, подведя к дверям комнаты, являвшей собой странное сочетание спортзала и кабинета. Эйнсли и Хорхе с блокнотами в руках остановились на пороге и осмотрелись.

Это было очень большое и светлое помещение, залитое лучами рассветного солнца сквозь проемы настежь распахнутых французских окон, с видом на заросшее цветами патио и дальше — на синеву залива и океан вдалеке. Ближе всего к детективам, подобно спартанцам-караульным, выстроились в ряд с полдюжины тренажеров — сияющий хром, черная кожа. Командиром выделялся среди них тренажер с грузами, рядом располагался имитатор академической гребли, бегущая дорожка со встроенным компьютером, шведская стенка и еще два снаряда, назначение которых невозможно было определить сразу. Всего тысяч на тридцать долларов, прикинул на глазок Эйнсли.

И тут же располагался элегантный, нет — совершенно роскошный кабинет с удобными стульями, бюро, конторками, рядами дубовых книжных полок, тесно уставленных переплетенными в натуральную кожу фолиантами. А в центре всего — красивый, современный письменный стол и далеко отодвинутое кресло с подвижной высокой спинкой.

Между столом и креслом на полу распласталось тело мужчины. Труп лежал на правом боку, левая верхняя часть черепа была полностью снесена, по плечам расползлось багровое пятно с вкраплениями раздробленной кости и мозговых тканей. Огромная лужа полусвернувшейся крови растеклась по ковру, пропитав легкие брюки и белую рубашку мертвого человека.

Орудия убийства нигде не было видно, но по всем приметам это было огнестрельное оружие.

— С тех пор как вы прибыли сюда, здесь никто ничего не трогал? — Хорхе адресовал этот вопрос патрульному Наварро.

— Нет, я службу знаю, — мотнул головой молодой полисмен, но почти сразу его осенило. — Но вообще-то я застал здесь жену покойного. Она могла... Спросите лучше у нее самой.

— Спросим непременно, — заверил Хорхе. — Но на этот вопрос вы сами должны ответить для протокола. Насколько можно судить, отсутствует орудие убийства. Вы видели его в этой комнате или где-либо еще?

— Искал как проклятый. Ничего.

— А что миссис Мэддокс-Даваналь, — вмешался Эйнсли, — как она вам показалась по первому впечатлению?

Наварро задумался, потом неуклюжим взмахом руки указал на труп:

— Вообще-то, если подумать, что это был ее муж и все такое... она что-то была странно спокойна, почти равнодушна. Я даже удивился. И потом она...

— Что она? — нетерпеливо спросил Эйнсли.

— Она сказала мне, что приедут телевизионщики WBEQ. Это их собственный канал.

— Это всем известно. Дальше что?

— Она хотела, чтобы я, то есть она приказала мне пропустить их сюда. Я сказал ей, что надо дождаться детективов из отдела убийств. Ей это очень не понравилось.

Молодой полицейский снова замялся, и Хорхе пришлось слегка поднажать на него:

— Ну, что там у вас еще, выкладывайте!

— Понимаете, у меня создалось впечатление, что эта леди привыкла всем и вся командовать и не любит, когда ей перечат.

— Приятно встретить наблюдательного патрульного, — пробормотал Хорхе, делая пометку в своем блокноте.

И он принялся за обычную процедуру вызовов на место экспертов-криминалистов, судебного медика и представителя прокуратуры. Это значило, что скоро в этой комнате и по всему дому станет многолюдно, начнется кропотливая работа.

— Пойду осмотрюсь, — сказал Эйнсли.

Стараясь ступать осторожно, он подошел к балконной двери. Он еще с порога заметил, что одна из ее створок чуть приоткрыта. Приглядевшись, он заметил с наружной стороны свежие следы взлома. Внутри патио он увидел коричневые следы, какие мог оставить человек, ступивший во влажную землю или грязь. В дальнем конце двора у самой стены была разбита цветочная клумба, на которой Эйнсли ясно различил те же следы, словно кто-то перемахнул через стену и подобрался к дому с тыла. Отпечатки были оставлены кроссовками или другой спортивной обувью.

Между тем за несколько минут ясное с утра небо заволокли угрожающие тучи, в любой момент мог пойти дождь. Эйнсли поспешил вернуться в дом и дать Наварро указание обнести полицейским заграждением задворки и выставить патрульного охранять улики.

— Как только прибудет группа криминалистов, — сказал он Хорхе, — заставь их сразу же сфотографировать следы в патио, пока не смыло дождем. И пусть сделают гипсовые слепки с отпечатков подошв на клумбе. Похоже, кто-то проник в дом, — продолжал Эйнсли. — Сделать это можно было только до того, как покойный пришел в эту комнату.

Хорхе взвесил услышанное и сказал:

— Так или иначе, но Мэддокс-Даваналь видел незваного гостя, в него ведь стреляли в упор, значит, тот подошел к нему совсем близко. Судя по всем этим штуковинам для накачки мускулов, парень должен был оказать сопротивление, однако никаких следов борьбы что-то не видно.

— Его могли застигнуть врасплох. Преступник спрятался, а потом неожиданно напал сзади.

— Но где же он прятался?

Оба сыщика еще раз оглядели просторную комнату. Хорхе первым указал на зеленые бархатные шторы по обеим сторонам балконной двери. Правая штора была собрана и закреплена в углу петлей декоративного шнура, зато левая свисала свободно. Эйнсли подошел к ней и осторожно потянул на себя. Позади шторы на ковровом покрытии были видны следы грязи.

— Я прослежу, чтобы криминалисты их обработали, — сказал Хорхе. — А сейчас неплохо было бы разобраться с хронологией. Когда наступила смерть, в котором часу обнаружен труп...

В этот момент появился дворецкий Холдсворт и обратился к Эйнсли:

— Миссис Мэддокс-Даваналь готова принять вас. Извольте следовать за мной.

Эйнсли заколебался. Вообще говоря, при расследовании убийства сыщик вызывал к себе для допроса свидетелей, а не наоборот. Хотя, с другой стороны, вполне понятно, что несчастная женщина предпочла бы не идти в комнату, где до сих пор лежит труп ее мужа. Разумеется, Эйнсли имел право допросить любого, включая и членов семьи Даваналь, в здании управления полиции, но только что это могло ему дать?

— Хорошо, пойдемте, — кивнул он Холдсворту, а Хорхе сказал: — Я вернусь с информацией о том, что и когда произошло.

Гостиная, куда препроводили Эйнсли, по своим размерам, стилю и роскошной обстановке была совершенно под стать остальному дому. Фелиция Мэддокс-Даваналь сидела в большом, обитом парчой кресле с подголовником. Это была красивая женщина лет сорока, с породистыми, аристократическими чертами лица: прямым носом, широкими скулами, высоким лбом и выдававшим преждевременную в таком возрасте подтяжку подбородком. Ее густые светло-русые волосы, в которых играли лучи солнца, были свободно распущены по плечам. Короткая кремовая юбка, ничуть не скрывавшая точеных ног, сочеталась с того же оттенка шелковой блузкой и широким, украшенным золотым орнаментом поясом. Все в ее облике: лицо, прическа, маникюр — было тщательно ухоженным, холеным, одежда — безукоризненной, и она отлично осознавала это, отметил про себя Эйнсли.

Молчаливым жестом она пригласила его сесть в стоявшее перед ней антикварное французское кресло без подлокотников — шаткое и, как не без удивления обнаружил Эйнсли, решительно неудобное. Впрочем, если это была попытка с самого начала заставить его испытывать неловкость, то она не увенчалась успехом.

Эйнсли начал беседу, как делал обычно при подобных обстоятельствах:

— Позвольте выразить вам глубочайшие соболезнования в связи с гибелью вашего мужа...

— Не надо, — оборвала его Даваналь тоном, в котором не слышалось ни малейших эмоций. — Я сама справлюсь с личными проблемами. Давайте ограничимся рамками официального разговора. Вы, я полагаю, сержант?

— Сержант Малколм Эйнсли. — Он чуть не добавил «мэм» к этой фразе, но сдержался. Характер на характер, посмотрим, чья возьмет.

— Что ж, тогда прежде всего позвольте узнать, по какому праву телевизионной группе с моего собственного канала, а он принадлежит Даваналям полностью, не дают войти в дом, который также является собственностью нашей семьи?

— Миссис Мэддокс-Даваналь, — сказал Эйнсли негромко, но твердо, — в виде любезности я отвечу на ваш вопрос, хотя думаю, что ответ вам и так ясен. Но затем мы перейдем к допросу, и вести его буду я. — Он почувствовал на себе холодный, немигающий взгляд ее серых глаз и выдержал его с завидным спокойствием. — Так вот, по поводу телегруппы, — продолжил он. — В этом доме при не выясненных пока обстоятельствах погиб человек, и, кому бы дом ни принадлежал, на данный момент здесь распоряжается полиция. Властью, данной нам законом, мы имеем полное право не допускать к месту преступления журналистов. Подчеркну, любых журналистов. А теперь, когда с этим покончено, я хотел бы услышать все, что вам известно о смерти вашего мужа.

— Минуточку! — В него был уставлен изящный указательный пальчик. — Кто ваш непосредственный начальник?

— Лейтенант Лео Ньюболд.

— Всего лишь лейтенант? Тогда прежде чем продолжить нашу беседу, я обсужу ваши методы с начальником полиции Майами.

Эйнсли понял, что неожиданно и на пустом месте произошел конфликт. Он мог бы отнести его за счет стресса, в который обычно повергает людей убийство, но слишком живо помнил слова патрульного Наварро: *эта леди привыкла всем и вся командовать и не любит, когда ей перечат.*

— Конечно, мадам, — сказал он, — вы свободны в любой момент воспользоваться телефоном и позвонить мистеру Кетлиджу. Только не забудьте проинформировать его, когда закончите свою беседу с ним, что вы задержаны, а за отказ оказать полиции содействие в расследовании смерти вашего супруга я буду вынужден в наручниках доставить вас для допроса в управление полиции города.

Они сидели друг против друга. Эйнсли кожей ощущал, до какой степени он ей ненавистен. Фелиция Даваналь отвела взгляд в сторону, потом снова посмотрела на Эйнсли и произнесла уже совершенно другим тоном:

— Задавайте свои вопросы.

Он не получил, да и не мог получить удовольствия от своей тактической победы. Строго официальным тоном он спросил:

— Когда и как вам стало известно, что ваш муж мертв?

— Примерно в половине восьмого утра я зашла в спальню мужа — она на том же этаже, что и моя. Мне нужно было его кое о чем спросить. Когда его там не оказалось, я спустилась в кабинет. Он часто просыпался ни свет ни заря, а кабинет был его любимым местом. Так я обнаружила труп и сразу же вызвала полицию.

— О чем вы хотели его спросить?

— О чем?

К такому вопросу Даваналь не подготовилась, а Эйнсли упрямо повторил его.

— Я собиралась... — Спесь улетучилась, ей теперь не хватало слов. — Сейчас уже не помню.

— Ваши с мужем спальни соединены между собой?

— Нет... — Наступила неловкая пауза. — Вообще-то странно спрашивать о таких вещах.

«Так уж ли странно?» — подумал Эйнсли. Пока было совершенно неясно, зачем миссис Даваналь в такой час понадобилось увидеться с мужем. А отсутствие двери между спальнями супругов многое проясняло в их отношениях.

— В вашего мужа стреляли, — сказал он вслух. — Вы слышали выстрел или похожий звук?

— Нет, ничего.

— Значит, не исключена вероятность, что вашего супруга убили задолго до того, как вы обнаружили тело?

— Не исключена.

— У мистера Мэддокс-Даваналя были неприятности или враги? Вы знаете кого-то, кто мог желать его смерти?

— Нет. — Миссис Даваналь, полностью овладев собой, продолжала: — Мне лучше сообщить вам сразу то, что вы все равно рано или поздно узнаете. Мы с мужем не были близкими людьми в полном смысле этого слова. У него были свои интересы, у меня — свои, и они никак не пересекались.

— И давно вы с ним жили разными интересами?

— Примерно шесть лет. А женаты мы были девять.

— Между вами случались ссоры?

— Нет, — решительно ответила она, но тут же поправилась: — У нас были, конечно, размолвки по разным пустякам, но никогда ничего существенного.

— Кто-то из вас собирался подать на развод?

— Нет, нас обоих вполне устраивала такая жизнь. Мне самой статус замужней женщины давал определенные преимущества, в какой-то степени делал меня свободнее. Что же до Байрона, то он извлекал из всего этого вполне ощутимые выгоды.

— Какие же?

— Видите ли, до того как мы поженились, Байрон был очень привлекательным и популярным у слабого пола молодым мужчиной, но и только — ни денег, ни блестящей карьеры. После женитьбы на мне он добился и того и другого.

— Нельзя ли более конкретно?

— Ему дважды доверяли важные руководящие посты. Сначала в правлении универмагов Даваналей, затем — на телеканале WBEQ.

— И он занимал один из них до сих пор? — спросил Эйнсли.

— Нет. — Фелиция чуть помедлила с объяснением. — По правде говоря, Байрон ни на что не годился. Он был ленив, да и особых способностей за ним не замечалось. Под конец пришлось полностью отстранить его от всякого участия в нашем бизнесе.

— А что же потом?

— Потом семья просто стала платить ему что-то вроде пенсии. Поэтому я и сказала про ощутимые выгоды.

— Не могли бы вы назвать мне сумму?

— Это имеет какое-нибудь значение?

— Быть может, и не имеет, хотя на одном из этапов следствия эта информация все равно всплывет.

Помолчав несколько секунд, Фелиция сказала:

— Ему причиталось двести пятьдесят тысяч в год. К тому же он жил здесь совершенно бесплатно, и даже все эти его любимые тренажеры достались ему даром.

Четверть миллиона долларов в год за то, чтобы ничего не делать! Смерть Байрона Мэддокса этой семье была, безусловно, выгодна, заметил про себя Эйнсли.

— Если я правильно угадала, о чем вы подумали, то должна вам сразу сказать, что вы глубоко заблуждаетесь, — сказала миссис Мэддокс-Даваналь. Эйнсли промолчал, и она закончила свою мысль: — Послушайте, я не буду понапрасну тратить слова и время, убеждая вас, но вы должны понять, что для такой семьи, как наша, эти деньги — пустяк, карманная мелочь. — Она помедлила. — Гораздо важнее, что хотя я и не любила Байрона, давно уже не любила, он был мне по-своему дорог. Можно сказать, что я буду тосковать.

Последняя фраза была произнесена доверительно, как неожиданное признание. С тех пор как началась их беседа, враждебность хозяйки куда-то улетучилась. Потерпев поражение в открытом противостоянии, она сдалась и превратилась в доброжелательного союзника, подумал Эйнсли. Впрочем, он не принял на веру всего, что сообщила ему Фелиция Мэддокс-Даваналь. Особенно сомнительным представлялся ее рассказ о том, как она обнаружила труп мужа. В то же время чутье подсказывало ему, что она его не убивала, хотя, вероятно, знала или догадывалась, кто это сделал. Так или иначе, но что-то она скрывала.

— Кое-чего я по-прежнему не понимаю, — сказал Эйнсли. — Вы уверяете меня, что муж вам был дорог, несмотря на то что вы отдалились друг от друга. Но в то же время, когда вы обнаруживаете его тело, вас больше всего беспокоит, чтобы сюда побыстрее прибыла съемочная группа с вашего телевидения. Создается впечатление...

— Я понимаю, что вы имеете в виду! — перебила она. — Что я вела себя чересчур хладнокровно, не так ли? Должно быть, я действительно хладнокровный человек, но прежде всего я прагматик.

Она замолчала.

— Договаривайте, раз уж начали, — сказал Эйнсли.

— Я сразу поняла, что Байрон мертв, хотя не имела понятия, кто мог убить его. Передо мной был факт, и ничего изменить я уже не могла. Зато я реально могла сделать так, чтобы именно WBEQ — моя телекомпания, в которую я вкладываю всю душу, опередила конкурентов и сообщила новость первой. Так я и поступила. Вызвала группу, а когда ее сюда не пустили, позвонила на студию и передала в отдел новостей все, что мне было известно. Сейчас о случившемся уже знает вся Флорида, быть может — вся страна, и мы дали эту новость первыми, что *крайне важно* при той жесткой конкуренции, какую ведут между собой телевизионщики.

— Но ведь с вашим немалым опытом вы не могли не знать, что телегруппу к месту преступления не допустят?

— Конечно, я это знала, — скорчила гримасу Фелиция. — Попытка не пытка, так ведь? Я всегда стремлюсь к невозможному. Это у меня в крови.

— Достойно восхищения при любых других обстоятельствах, но не при расследовании убийства.

Они обменялись долгими взглядами.

— А вы не совсем обычный полисмен, — сказала она затем. — Что-то в вас есть такое... Я пока не поняла, что именно, но вы отличаетесь от своих коллег, и... это будоражит мое любопытство. — Она впервые за все время улыбнулась, и в этой улыбке таился легкий намек на чувственность.

— У меня еще остались к вам вопросы, если не возражаете, — сказал Эйнсли по-прежнему сугубо официальным тоном.

— Спрашивайте, раз нужно, — вздохнула она.

— Кто еще находился в доме прошлой ночью, конкретно — в семь тридцать нынче утром, когда вы, по вашим словам, обнаружили труп мужа?

— Дайте подумать...

Она ответила; в процессе разговора открылись новые факты.

Ее родители — Теодор и Юджиния Даваналь — жили в этом же доме, но сейчас находились в Италии. Теодор, собственно говоря, и являлся ныне царствовавшим монархом династии Даваналей, хотя многие свои полномочия уже возложил на Фелицию. Его камердинер и горничная Юджинии тоже имели в доме свои комнаты, но сейчас улетели в Италию вместе с хозяевами.

Старейшим из Даваналей был Вильгельм. Этот патриарх, которому уже исполнилось девяносто семь лет, занимал верхний этаж дома. За ним ухаживали слуга и его жена, исполнявшая обязанности сиделки.

— Дедушка и сейчас здесь, а мистер и миссис Васкезес при нем, хотя их почти не видно и не слышно, — пояснила Фелиция.

По ее словам, несмотря на старческий маразм, у Вильгельма Даваналя случались периоды просветления, «хотя теперь все реже и реже».

Еще в доме жил дворецкий Хэмфри Холдсворт вместе с женой-поварихой. Для двух садовников и шофера, у каждого из которых была семья, отвели отдельную постройку на задах усадьбы.

Эйнсли понимал, что всех этих людей придется допросить о событиях прошедшей ночи.

— Давайте вернемся к тому моменту, когда вы обнаружили, что ваш муж мертв, — сказал он Фелиции. — Как я понял, вы находились в его кабинете, когда прибыл патрульный Наварро?

— Да. — Она не торопилась с ответом, явно обдумывая его. — То есть, как только я обнаружила Байрона, я сразу бросилась вызывать полицию по телефону в холле. А потом... Не могу сразу объяснить этого, но что-то заставило меня туда вернуться. Вероятно, я просто еще была в шоке. Это случилось так внезапно и так испугало меня...

— Я могу вас понять, — сказал Эйнсли с сочувствием. — Меня интересует другое. В этих двух случаях, когда вы оставались наедине с телом мужа, вы ничего не трогали у него в комнате? Ничего не передвигали и не меняли в обстановке?

— Абсолютно ничего, — покачала головой Фелиция. — Наверное, я чисто инстинктивно понимала, что не должна ничего трогать. К тому же я не могла, просто не в силах была себя заставить даже близко подойти к несчастному Байрону или к его столу... — Голос ее сорвался.

— Спасибо, — сказал Эйнсли. — С вопросами пока все.

Фелиция Мэддокс-Даваналь поднялась. Она уже снова полностью контролировала свои эмоции.

— Мне искренне жаль, — сказала она, — что наш разговор начался на неприятной ноте. Быть может, со временем мы сумеем больше понравиться друг другу.

Неожиданно она протянула руку и прикоснулась к руке Эйнсли, пробежав кончиками пальцев по тыльной стороне его ладони. Это продолжалось секунду или две — не больше. Затем она резко повернулась и вышла из комнаты.

Оставшись в одиночестве, Эйнсли прямо из гостиной сделал два звонка по радиотелефону. Потом вернулся в тренажерный зал и кабинет Байрона Мэддокса, где было теперь оживленно. Прибыла и уже принялась за дело группа криминалистов, медэксперт Сандра Санчес склонилась над трупом. Представитель прокуратуры Кэрзон Ноулз наблюдал, задавал вопросы, вел записи.

Эйнсли сразу заметил, что за окнами идет дождь, но Хорхе Родригес успокоил его:

— Они успели сделать снимки следов и гипсовые отливки тоже.

Фотограф устанавливал штатив, чтобы заснять грязные пятна за опущенной шторой, после этого грязь подотрут, а образец пошлют на анализ. По всему помещению шел поиск отпечатков пальцев.

— Нужно поговорить, — сказал Эйнсли. Отведя Хорхе в сторонку, он передал ему содержание своей беседы с Фелицией Мэддокс-Даваналь и продиктовал имена людей, которых надлежало допросить. — Я вызвал папашу Гарсия. Он поможет тебе в работе со свидетелями и во всем остальном. А мне нужно ехать.

— Уже? — Хорхе посмотрел на него с любопытством.

— Да. Нужно повидать кое-кого, кто знает подноготную наших династических семей, в том числе и этой. Может, что-нибудь мне присоветует.

8

Само ее имя было легендой. В свое время она считалась известнейшим криминальным репортером страны. Ее слава распространялась далеко за пределы Флориды и столицы штата Майами, где она по большей части черпала информацию для своих репортажей. Она была ходячей энциклопедией фактов и имен — не только в преступном мире, но и в политике, бизнесе, богеме, что неудивительно, если учесть, насколько часто нити преступлений вели именно в эти социальные слои. Ныне она почти отошла от дел. «Почти» в данном случае означало, что если ее вдруг обуревало желание поработать, она писала книгу, за которой издатели заранее выстраивались в очередь, а публика расхватывала в считаные дни, хотя в последнее время писательством она занималась все реже, предпочитая просто сидеть в окружении своих воспоминаний и собак — трех китайских мопсов, Эйбла, Бейкера и Чарли. Но ни острота интеллекта, ни память не изменили ей.

Звали ее Бет Эмбри, и хотя возраст свой она скрывала так тщательно, что он не был указан даже в самом подробном справочнике «Кто есть кто в Америке», ей перевалило за семьдесят. Жила она в высотном жилом комплексе Оукмонт-Тауэр в Майами-Бич в квартире с видом на океан. Малколм Эйнсли был одним из ее многочисленных друзей.

Он позвонил ей из дома Даваналей и попросил о встрече.

— Знаю, знаю, зачем я тебе понадобилась, — приветствовала она его с порога. — В новостях показали, как ты въезжал к Даваналям и, как обычно, сцепился с репортерами.

— С тобой я никогда не ссорился, — напомнил он.

— Это потому, что ты меня побаивался.

— Я до сих пор тебя боюсь.

Оба рассмеялись. Эйнсли приложился к ее щеке. Эйбл, Бейкер и Чарли подпрыгивали вокруг них и заходились лаем.

Хотя Бет Эмбри никогда не была красива в общепринятом смысле, живая естественность каждого ее движения и неподражаемая мимика делали ее привлекательнее иных красавиц. Высокорослая и худая, она держала спортивную форму, несмотря на возраст, а в одежде отдавала предпочтение джинсам и ярким рубашкам из хлопка — в этот день на ней была ковбойка в желто-белую клетку.

Они познакомились десять лет назад, когда пожилая газетчица стала навязчиво появляться везде, где следствие вел Эйнсли, и настаивать на личной встрече с ним. Поначалу это безумно его раздражало, но потом он обнаружил, что беседы с ней дают ему не меньше новых идей и информации, чем он мог дать ей. Научившись ей доверять, Эйнсли стал подкидывать Бет сенсационные сюжеты, убедившись, что она отлично маскирует свои источники. Ему случалось не единожды обращаться к ней за помощью и советом, так было и в этот раз.

— Подожди секундочку, — сказала она, сгребла своих собачонок в охапку и отнесла в соседнюю комнату. Вернувшись, спросила: — Слышала я, ты был при казни Элроя Дойла. Что, захотелось увидеть торжество справедливости?

— Я был там не по своей воле, — покачал головой Эйнсли. — Дойл захотел поговорить со мной.

Ее брови взлетели высоко.

— Предсмертное признание? Тянет на недурной очерк.

— Вполне возможно, но только не сейчас.

— Я все еще пописываю. Обещаешь отдать мне этот материал?

Эйнсли раздумывал, но не долго.

— О'кей, если буду вести это дело и дальше, постараюсь, чтобы ты первая узнала подробности. Но пока никому ни слова.

— Само собой! Разве я подводила тебя когда-нибудь?

— Нет, — признал он, хотя с Бет Эмбри нужно всегда оставлять за собой свободу маневра.

Разговор о Дойле напомнил Эйнсли, что Руби Боуи уже должна была начать свое расследование. Он надеялся как можно быстрее раскрыть свалившееся на него новое преступление.

— Ну что, поговорим о Даваналях не для печати? — спросил он Бет.

— Поговорим, но только тогда уж и не для протокола, — кивнула она. — Пишу я сейчас редко — нахальная молодежь потеснила старушку, но за историю с Даваналем могу и побороться.

— Я был уверен, что ты о них знаешь немало. Не волнуйся, твое имя ни в каких протоколах фигурировать не будет.

— Даванали — это наша история. А судьба Байрона Мэддокс-Даваналя, как они заставили его именоваться, сложилась весьма печально. Я нисколько не удивлена, что его убили, но еще меньше удивилась бы, узнав, что он сам наложил на себя руки. Кстати, у тебя есть подозреваемые?

— Пока нет. На первый взгляд убийца проник в дом извне. Но объясни же мне, чем судьба Байрона была так уж печальна?

— Ему на собственной шкуре довелось познать ту истину, что не хлебом единым жив человек, даже если это не простой хлеб, а бутерброд с толстым слоем масла. — Бет хихикнула. — Узнаешь, откуда я это цитирую?

— Конечно. А сама-то ты знаешь, что цитируешь из разных источников? Начало из Второзакония, а конец из Матфея и Луки.

— Ну ты даешь! Все-таки семинария — это как пожизненное клеймо, а? Не хочешь снова влезть в сутану? Она будет тебе к лицу. — Прилежная прихожанка, Бет никогда не упускала случая пройтись по поводу прошлого Эйнсли.

— Издевайся... Тебе я всегда подставлю другую щеку. Это, между прочим, тоже из Матфея и Луки. А теперь расскажи мне о Байроне.

— Так и быть. Сначала он стал для семьи символом надежды на продолжение славных традиций Даваналей в новом поколении, потому они и заставили его после женитьбы на Фелиции взять двойную фамилию. Она — единственный отпрыск Даваналей, и если у нее не будет детей, что теперь вполне может случиться, их род прервется. Судя по тому, сколько спермы разбазарил Байрон по всему Майами, Фелиции тоже ее перепало немало, но только что-то без толку.

— Я слышал, что и в семейном бизнесе он не преуспел.

— Не то слово! Это была просто катастрофа. Наверняка тебе об этом рассказала сама Фелиция, как и про отступные, которые они ему платили, чтобы он только не лез больше в дела фирмы, так?

— Угадала.

— Было нетрудно. Фелиция всем плачется. Она до такой степени презирала его, что он должен был чувствовать себя последним ничтожеством.

— Как ты думаешь, Фелиция могла убить мужа?

— А ты сам как считаешь?

— По-моему, нет.

Бет решительно помотала головой:

— Верно, она не стала бы его убивать. Во-первых, Фелиция слишком умна, чтобы сотворить такую колоссальную глупость. Во-вторых, Байрон был ей нужен.

Эйнсли припомнились слова Фелиции о том, что такая жизнь вполне устраивала их обоих, а ей давала в некотором смысле больше свободы.

Нетрудно было догадаться, что это за «свобода».

Бет посмотрела на него испытующе:

— Ты ведь все и сам понял, я надеюсь? Имея Байрона в тылу, ей не приходилось опасаться, что один из ее многочисленных мужчин чересчур возомнит о себе и начнет склонять ее к замужеству.

— У нее так много любовников?

Бет зашлась от смеха:

— Со счета собьешься! Фелиция просто пожирает мужчин. Как только очередной надоедает, следует смена караула. А стоит какому-нибудь выскочке пристать к ней с серьезными намерениями, ей достаточно сказать: «Прости, дорогой, но я замужем».

Бет снова смерила его лукавым взглядом.

— Послушай, а с тобой она, часом, не заигрывала?.. Я так и знала! Она попробовала на тебе свои чары. И не отпирайся, ты уже покраснел.

— Это длилось всего мгновение, — покачал он головой. — И вообще, скорее всего мне просто показалось...

— Ничего тебе не показалось, друг мой. Учти, если ты ей хотя бы немного понравился, она от тебя так не отстанет. И тогда берегись: медок у этой пчелки сладок, но и жалит она пребольно.

— Поговорим лучше о династии Даваналей. Давно ли она возникла?

— В конце прошлого века... — Бет ненадолго задумалась. — Да, я почти уверена: в тысяча восемьсот девяносто восьмом году. Они выпустили о самих себе книжку, я кое-что из нее запомнила. Сайлас Даваналь и его жена Мария эмигрировали сюда из Верхней Силезии. Это где-то между Германией и Польшей. У него водились какие-то деньги, хотя и немного, на них он открыл лавку, которая к концу его жизни превратилась в универмаг «Даваналь», составивший основу богатства семьи. У Сайласа и Марии родился сын Вильгельм...

— Который сейчас уже на ладан дышит, не так ли?

— О, это опять Фелиция тебе нашептала. Жена Вильгельма умерла много лет назад, но сам он, несмотря на сверхпочтенный возраст, еще держится молодцом. Я слышала, в их доме ничто не ускользает от его внимания. Рекомендую тебе с ним потолковать.

А Фелиция говорила о старческом маразме, отметил про себя Эйнсли.

— Поговорю с ним непременно, — сказал он вслух.

— Как бы то ни было, — продолжала Бет Эмбри, — с течением десятилетий семья Даваналей становилась все богаче и влиятельнее. В этом смысле вершин достигли Теодор и Юджиния Даваналь. Оба они по характеру типичные тираны...

— По-моему, этим отличаются все богачи.

— Здесь ты не совсем справедлив. Некоторые из них просто болезненно самолюбивые и гордые люди.

— А чем им гордиться?

— Всем. Они всегда тщательно оберегали свою репутацию. В глазах других они должны выглядеть безукоризненно, казаться воплощенным совершенством, своего рода высшей расой. И потому свои маленькие грешки и пороки они прячут от чужих глаз так надежно, что даже тебе, опытному сыщику, будет нелегко до них докопаться.

— Судя по тому, что ты мне рассказала, — заметил Эйнсли, — Фелиция ведет себя совсем не безупречно.

— Это потому, если угодно, что она более современный человек. Но и она тоже весьма дорожит честью семьи хотя бы по той причине, что этого требуют от нее родители, которые все еще крепко держат семейные деньги в своих руках. Они долго не могли ей простить Байрона. Этот малый потому и получал от них щедрую подачку, что они стараются сохранить в тайне нелады в семейной жизни Фелиции. По большому счету им плевать, какой образ жизни ведет дочь, главное, чтобы все было шито-крыто.

— И что же, удается все скрывать?

— К большому огорчению Теодора и Юджинии, не совсем. По моим сведениям, недавно в семье был грандиозный скандал, и старики выдвинули ультиматум: если Фелиция еще раз посмеет запятнать позором имя Даваналей, она лишится возможности руководить своей обожаемой телекомпанией...

Они разговаривали еще какое-то время. В обмен на информацию Эйнсли поделился с Бет Эмбри некоторыми деталями дела Мэддокс-Даваналя.

— Спасибо, Бет, — сказал он, когда настало время прощаться, — беседы с тобой всегда дают мне пищу для размышлений.

Освобожденные из заточения Эйбл, Бейкер и Чарли проводили его заливистым лаем.

Когда Малколм Эйнсли вернулся в усадьбу Даваналей, пластиковый мешок с останками Байрона Мэддокс-Даваналя как раз укладывали в машину, чтобы отправить на вскрытие в морг округа Дейд. Сандра Санчес уехала раньше, оставив следственной группе заключение, что смерть наступила между пятью и шестью часами утра, то есть примерно за два часа до того, как Фелиция сообщила о случившемся в полицию.

В комнате покойного уже было не столь оживленно, хотя ведущий криминалист Хулио Верона продолжал рыскать в поисках улик.

— Найдите для меня минутку позже, — сказал он Эйнсли. — Мне нужно будет вам кое-что показать.

— О'кей, Хулио.

Но сначала он поговорил с детективами Хорхе Родригесом и Хосе Гарсией.

— Какие новости? — спросил он.

— Он думает, что это сделал дворецкий. — Хорхе с ухмылкой кивнул на Гарсию.

— Очень смешно! — вяло парировал тот. — Просто я не верю этому Холдсворту, вот и все. Я допросил его и нутром чую, он лжет.

— В чем же?

— Во всем. Что не слышал выстрела или другого шума, хотя живет на этом же этаже. Что не заходил в эту комнату, пока его не позвала жена покойного уже после того, как позвонила в полицию. Голову готов отдать на отсечение, он что-то скрывает от нас.

— Вы уже проверили его прошлое? — спросил Эйнсли.

— Само собой. Он все еще британский подданный. У нас в Штатах живет по грин-карте уже пятнадцать лет. Ничего криминального за ним не водится. Я позвонил также в иммиграционную службу Майами, где на него заведено досье.

— Есть что-нибудь интересное?

— Как это ни странно, за Холдсвортом числилось правонарушение в Англии, и у него хватило ума сообщить об этом, когда он подавал на грин-карту. Такие вещи рано или поздно все равно всплывают, хотя в его случае это сущие пустяки.

— И все-таки, что же?

— Когда ему было восемнадцать — то есть тридцать три года назад, — он стащил бинокль из чужой машины. Это дело заметил полисмен и задержал его. Он сразу признал свою вину, получил два года испытательного срока и больше ни в чем замечен не был. Парень из иммиграционной службы сказал, что при выдаче видов на жительство они закрывают глаза на мелкие правонарушения, тем более совершенные так давно, если о них честно заявляют. Словом, я только попусту потратил время.

— Ничто никогда не бывает зря, сохрани свои записи, — покачал головой Эйнсли. — Опрос других свидетелей что-нибудь дал?

— Почти ничего, — ответил Хорхе. — Двое — жена шофера и садовник — припомнили, что слышали звук, похожий на выстрел, но решили, что это выхлопная труба машины. Они не в состоянии сколько-нибудь точно определить, в котором часу это случилось. Говорят только, что было еще совсем темно.

— Со стариком кто-нибудь разговаривал? Я имею в виду Вильгельма Даваналя.

— Нет.

— Тогда я сам это сделаю, — подытожил Эйнсли.

Потом он, Хорхе и Гарсия подошли к Хулио Вероне, находившемуся в дальнем углу комнаты.

— Посмотрите-ка на это. — Командир группы криминалистов запустил руку в резиновой перчатке внутрь пластикового пакета и достал маленький позолоченный будильник, поставив его на письменный стол Байрона Мэддокс-Даваналя.

— Мои люди обнаружили эти часики именно там, куда я их сейчас поставил, — пояснил он. Потом достал снимок, сделанный «Полароидом». — Вот, это хорошо видно на фотографии. Теперь, если вы посмотрите на заднюю крышку будильника, то увидите следы крови. Для такой маленькой поверхности ее там достаточно много. А между тем... — Он выдержал эффектную паузу. — ...Между тем, если предположить, что это кровь убитого, она никак не могла испачкать тыльную сторону будильника, если он тут стоял.

— Ну, и какой отсюда вывод? — спросил Эйнсли.

— В момент убийства или сразу после него часы уронили со стола на испачканный кровью пол. Позже некто — это мог быть сам убийца — заметил часы, поднял и поставил на то место, где их и снял наш фотограф.

— Остались отпечатки пальцев?

— Да, и вполне четкие. Но что еще важнее — на будильнике только два кровавых следа пальцев и больше никаких других отпечатков.

— Стало быть, если мы найдем обладателя этих пальчиков, можно считать, что убийца у нас в руках! — обрадованно воскликнул Хосе Гарсия.

— А вот это уже вам решать, парни, — пожал плечами Верона. — Скажу только, что к тому, кто оставил отпечатки на часах, у меня нашлись бы весьма неприятные вопросы. Но в любом случае мы сверимся с картотекой, и если там найдутся такие же отпечатки, к утру это будет известно. Еще сутки уйдут на анализ крови и сравнение ее с кровью покойного. Впрочем, я думаю, следующая наша находка заинтересует вас еще больше. Прошу взглянуть.

Он подвел детективов к шкафчику из полированного дуба, стоявшему поблизости от тренажеров.

— Эта штука была заперта, но в ящике стола нашелся к ней ключик. — Верона жестом фокусника распахнул створки, обнажив внутренность, обитую красным бархатом, на котором особенно эффектно смотрелась сталь оружия. Здесь были дробовик системы «Браунинг», полуавтоматический охотничий «винчестер» и карабин-автомат «гроссман» двадцать второго калибра, стоявшие рядком прикладами в пазах и с зафиксированными металлическими защелками стволами. Правее на двух крючках висел девятимиллиметровый пистолет «глок» — под ним были крючки, тоже предназначавшиеся для пистолета, но на них ничего не было.

Внутри шкафа были устроены выдвижные ящички. Верона вытянул два из них и продолжил свои пояснения:

— Совершенно очевидно, что Мэддокс-Даваналь любил пострелять. Здесь вот он хранил патроны для дробовика, обоих ружей и «глока», в который, кстати, еще и вставлена полная обойма. А еще у него припасена коробка патронов для пистолета калибра триста пятьдесят семь.

— Патроны есть, а револьвера нет? — спросил Эйнсли.

— Именно так. Здесь не хватает пистолета, и это вполне мог быть «магнум».

— Интересно знать, имел ли Мэддокс-Даваналь разрешения на свой арсенал, — заметил Эйнсли. — Это кто-нибудь проверял?

— Нет пока, — ответил Верона.

— Давайте сделаем это немедленно.

Эйнсли по радиотелефону связался с отделом по расследованию убийств. Ему ответил сержант Пабло Грин.

— Сделай милость, Пабло, подойди к компьютеру, — попросил Эйнсли. — Мне нужно кое-что посмотреть в регистре огнестрельного оружия округа Дейд.

И после небольшой паузы:

— Запроси на фамилию Мэддокс-Даваналь, имя — Байрон... Да, мы все еще там... Неплохо было бы установить, на что у него были разрешения.

Дожидаясь информации, Эйнсли спросил Верону:

— Пулю, которой убили Мэддокса, удалось обнаружить?

— Да, — кивнул Верона. — Мы нашли ее на полу у плинтуса за письменным столом. Она прошла через голову жертвы навылет, ударилась в стену и упала. Пуля сильно сплющена, и до результатов экспертизы ничего нельзя утверждать, хотя она вполне может быть триста пятьдесят седьмого калибра.

Эйнсли снова приложил ухо к радиотелефону:

— Да, Пабло, слушаю тебя. — Он принялся быстро делать записи в блокнот. — Есть!.. Понял тебя... Да, сходится... Этот тоже... И этот... Ага! Ну-ка повтори еще раз... Так, записано... И это все?.. Спасибо тебе, Пабло.

 Закончив разговор, он сообщил остальным:

— Все это оружие зарегистрировано на имя Мэддокс-Даваналя, как и триста пятьдесят седьмой «магнум» системы «Смит-и-Вессон», которого здесь нет.

Все четверо немного помолчали, обдумывая смысл сказанного.

— Скажите мне, парни, — заговорил первым Гарсия, — неужели у меня одного возникло подозрение, что если хозяина убили из пропавшего пистолета, то убийцу скорее всего нужно искать среди обитателей дома?

— Правдоподобная версия, — согласился Хорхе. — Хотя и посторонний, который оставил следы в патио и взломал балконную дверь, тоже мог завладеть пистолетом и уже потом спрятаться за шторой.

— Откуда постороннему знать, где хозяин хранит оружие или ключ от оружейного шкафа? — возразил Гарсия.

— Это могло быть известно всем приятелям Мэддокса, — сказал Эйнсли. — Любители оружия — большие хвастуны. Их хлебом не корми, дай свои пушки кому-нибудь показать. Есть еще одно обстоятельство. Хулио говорит, что в «глоке» полная обойма, а значит, и «магнум» мог быть заряжен.

— И готов к стрельбе, — подытожил Гарсия.

— Не горячись, Хосе, — сказал Эйнсли. — Я не исключаю твоей версии, но мы не должны на ней зацикливаться.

— Вот что нам нужно прежде всего, послушайте, — вмешался Верона. — В этой комнате мы сняли множество отпечатков пальцев. Теперь пусть каждый, кто живет в доме и хотя бы иногда заходит сюда, даст нам снять свои пальчики.

— Я берусь это организовать, — вызвался Хорхе Родригес.

— Не забудь Холдсворта, — сказал Эйнсли, — да и миссис Даваналь тоже.

В тот вечер и на следующее утро «Кровавое убийство в доме супербогачей Даваналей», как окрестили это дело репортеры, оставалось главной темой выпусков новостей по радио и телевидению не только во Флориде, но и по всей стране. Большинство газет вышли с перепечаткой текста интервью Фелиции Мэддокс-Даваналь, которое она дала накануне собственному телеканалу WBEQ по поводу «зверского убийства» своего супруга. «Как вы думаете, — спросили ее, — у полиции уже есть на примете подозреваемые?» «Не знаю, кто у них там на примете, — ответила она, — но, по-моему, они в полной растерянности». Она сообщала затем, что семьей будет назначено вознаграждение за любую информацию, которая поможет арестовать и отдать под суд убийцу Байрона Мэддокс-Даваналя. «Деньги на это выделит мой отец, — заявила она, — как только оправится от шока, в который повергло его это известие, и вернется из Италии».

Однако миланский репортер Ассошиэйтед Пресс, который безуспешно попытался взять у Теодора Даваналя интервью на следующий день после убийства его зятя, сообщил, что Теодора и Юджинию видели за обедом с друзьями в шикарном ресторане «Гуалтьеро Маркези», где оба много и от души хохотали.

Тем временем в особняке на авеню Брикелл следствие шло своим чередом. Утром второго дня Малколм Эйнсли, Хорхе Родригес и Хосе Гарсия снова встретились в кабинете-спортзале, принадлежавшем покойному.

Хорхе доложил, что две горничные и привратник согласились дать свои отпечатки пальцев добровольно.

— А вот миссис Даваналь решительно отказалась. Сказала, что не позволит так унижать себя в собственном доме. И дворецкий, этот Холдсворт, туда же.

— Что ж, дело хозяйское, — криво усмехнулся Эйнсли. — Хотя мне бы очень хотелось иметь отпечатки Холдсворта.

— Я могу попытаться срисовать его пальчики так, что он и не заметит, — вызвался Хорхе. Детективы нередко снимали отпечатки пальцев скрытно, хотя начальством это не поощрялось.

— Нет, в таком доме это чревато, — сказал Эйнсли и затем обратился к Гарсии: — А что в том старом английском деле на Холдсворта... Там упомянуто, что решил суд?

— Он признал свою вину, суд дал ему условный срок.

— Тогда у них непременно должны быть его отпечатки.

— Это через тридцать три года? — с сомнением покачал головой Гарсия.

— Британцы — народ скрупулезный: наверняка они их сохранили. Так что позвони еще раз своему человеку в службу иммиграции и пусть организуют пересылку отпечатков сюда через компьютер, да быстро.

— Хорошо, сейчас будет сделано. — Достав свою рацию, Гарсия отошел в дальний угол комнаты.

— Будем надеяться, хоть это принесет вам удачу, — вступил в разговор Хулио Верона, приехавший несколько минут назад. — Отпечатки на будильнике ничего не дают. Ничего схожего ни у нас в досье, ни у ФБР. Да, между прочим, доктор Санчес хотела бы видеть одного из вас у себя в морге.

В ответ на вопрошающий взгляд Хорхе Эйнсли сказал:

— Мы вместе отправимся туда.

— Он странно умер, этот Мэддокс-Даваналь. Что-то здесь не то, — сказала доктор Сандра Санчес, сидевшая за рабочим столом в своем офисе на втором этаже здания морга округа Дейд на Десятой Северо-

Западной авеню. Стол был завален папками и бумагами. Судебный медик Санчес держала перед собой несколько листков, исписанных ее убористым почерком.

— Что именно вам кажется странным, доктор? — поинтересовался Хорхе.

После некоторого раздумья она ответила:

— Смерть не укладывается в те версии, которые вы при мне обсуждали. Это не мое дело, конечно. Я ведь только должна установить для вас причину наступления смерти...

— Бросьте скромничать, Сандра, ваш вклад значительно весомее, мы все признаем это, — перебил Эйнсли.

— Спасибо, Малколм, ободрил. Ну так вот, речь о траектории пули. Ее трудно установить в точности, поскольку изрядная часть черепа была снесена. Однако после изучения его останков под рентгеном могу утверждать, что пуля вошла под углом в правую щеку, пронзила глаз, затем мозг и вышла чуть повыше лобной кости.

— По-моему, маршрут вполне смертоносный, — заметил Хорхе. — Так в чем же здесь неувязка?

— В том, что застрелить человека подобным образом можно только в упор. Ствол пистолета при выстреле должен был, по сути, упираться ему в лицо.

— Наверное, все произошло так быстро, что жертва даже не поняла, что случилось, — предположил Хорхе.

— Может, и так, но в это трудно поверить. Перед нами встают в таком случае два вопроса. Во-первых, зачем стрелявший пошел на бессмысленный риск и приблизился к такому физически сильному противнику, как Мэддокс? Во-вторых, как бы быстро ни действовал убийца, Мэддокс чисто инстинктивно должен был оказать сопротивление, но никаких следов борьбы вы не обнаружили. Верно?

— Верно. Ты же сам мне указал на это, Хорхе, — напомнил Малколм Эйнсли. — Но только это еще не все, что вы хотели сказать, Сандра. Договаривайте.

— У меня, собственно, остался к вам один простой вопрос. Вы рассматривали версию самоубийства?

Эйнсли помолчал, потом ответил медленно:

— Нет, не рассматривали.

— А какие для этого основания? — пылко встрял Хорхе. — Имеются отчетливые следы внешнего вторжения. Балконная дверь была взломана, снаружи оставлены следы, а главное — нет орудия преступления. При самоубийстве пистолет нашли бы сразу.

— Знаете, молодой человек, у меня со слухом все в порядке, — не менее пылко отозвалась Сандра Санчес. — Я, как уже было сказано, работала здесь рядом с вами более часа и слышала эти аргументы.

— Извините, доктор. — Хорхе слегка покраснел. — Я обдумаю ваш вопрос. Но ведь есть одна очевидная вещь... Когда человек стреляет в себя, на руке всегда остаются частички сгоревшего пороха. Вы их обнаружили?

— Нет, хотя я осмотрела обе руки перед вскрытием трупа, — ответила Санчес. — Впрочем, достаточно хотя бы небольшого знакомства с огнестрельным оружием, чтобы затереть или смыть пороховые ожоги. И отсюда еще один вопрос к вам, Малколм. Не думаете ли вы, что все эти улики могли быть сфабрикованы?

— Это действительно не исключено, — признал Эйнсли. — С вашей подачи мы рассмотрим это дело под иным углом зрения.

— Вот и хорошо. — Санчес удовлетворенно кивнула. — А я тем временем, если позволите, классифицирую этот случай как смерть при невыясненных обстоятельствах.

9

Среди записок, ожидавших Эйнсли по возвращении в отдел, была одна от Бет Эмбри. Она не подписалась, но Эйнсли узнал номер телефона и сразу же перезвонил.

— Я тут опросила кое-кого из своих старых знакомых, — начала она без предисловий. — И узнала о Мэддокс-Даванале кое-что полезное для тебя.

— Ты просто душка, Бет. Рассказывай скорей.

— У парня были финансовые проблемы, и весьма серьезные. Кроме того, он обрюхатил молоденькую девчонку, и ее адвокат собирался взыскать алименты либо с него, либо с семьи Даваналей, если он будет упрямиться.

Поразительные известия стали поступать с завидной регулярностью, отметил про себя Эйнсли.

— Похоже, он действительно был по уши в дерьме, — сказал он. — Но у меня не идут из памяти слова, что ты сказала при нашей прошлой встрече. Что ты не удивилась бы, если бы Байрон сам наложил на себя руки.

— А что, дело приняло именно такой оборот? — Бет, казалось, и сама удивилась.

— Самоубийство — вполне вероятная версия, но пока лишь версия. Что тебе известно о его финансовых неурядицах?

— В двух словах: Байрон попросту проигрался в пух и прах. Задолжал деньги здешней мафии. Крупную сумму — больше двух миллионов долларов. Они грозились прикончить его или заложить Теодору Даваналю.

— Который не заплатил бы им ни гроша.

— Я совсем не уверена в этом. Людям, которые взлетели на самую верхотуру так стремительно, как Даванали, всегда есть что скрывать, и мафии, должно быть, много чего о них известно. Но все равно, если бы Теодор заплатил за Байрона долги, он как пить дать положил бы конец безбедной жизни зятя.

Эйнсли еще раз поблагодарил Бет и пообещал держать ее в курсе.

Хорхе, который как раз появился за своим рабочим столом, спросил:

— Так как насчет самоубийства? Вы принимаете эту версию всерьез?

— Я принимаю всерьез Сандру Санчес. К тому же теперь эта версия стала мне казаться куда более правдоподобной.

И он пересказал свой разговор с Бет Эмбри.

Хорхе тихо присвистнул.

— Но ведь если все это правда, то миссис Даваналь лжет. Я сам слышал, как она распиналась по «ящику», что ее мужа «зверски убили». Что же она скрывает?

Ответ на последний вопрос у Эйнсли уже был. Ключ к разгадке был в одном только слове, которое он услышал, когда Бет описывала ему семью Даваналей: «гордость». Как это она сказала? ... *В глазах других они всегда должны выглядеть безукоризненно, казаться воплощенным совершенством, своего рода высшей расой.*

— Будем снова допрашивать миссис Даваналь? — спросил Хорхе.

— Непременно, но не сразу. Прежде нам нужно еще кое-что разузнать.

В этот же день, в среду, тело Байрона Мэддокс-Даваналя было выдано из морга округа Дейд его жене Фелиции, которая объявила, что отпевание и похороны покойного супруга состоятся в пятницу.

Весь день в четверг в усадьбе Даваналей шли приготовления к похоронам, и тактичные детективы из отдела убийств старались держаться как можно незаметнее. Но это не помешало Малколму Эйнсли воспользоваться лифтом особняка, чтобы подняться наверх и повидать супругов Васкезес, которые прислуживали патриарху семейства Вильгельму Даваналю. Для них на третьем этаже была отведена комната с кухней. Держались они дружелюбно, старались быть полезными и вообще, по первому впечатлению, казались людьми в высшей степени добросовестными. Да, им почти сразу стало известно о смерти Байрона. Это так ужасно! Да, мистер Вильгельм тоже знает, но на похоронах присутствовать не будет — такие стрессы не для него. И увидеться с ним сейчас мистер Эйнсли тоже никак не сможет, потому что он спит.

Карина Васкезес, почтенная матрона лет около шестидесяти, квалифицированная медсестра, пояснила:

— Наш старый джентльмен легко утомляется и потому много спит, особенно днем. Зато когда он бодрствует, что бы вам ни говорили его близкие, он зорок, как горный орел.

— Иной раз мне кажется, что он как хорошие старинные часы, — добавил ее муж Франческо. — Когда-нибудь они встанут, но до тех пор механизм работает четко.

— Хотел бы я, чтобы однажды и обо мне сказали то же самое, — усмехнулся Эйнсли и спросил: — Как вы думаете, старик сможет мне что-нибудь рассказать о смерти в своем доме?

— Я бы нисколько не удивилась, — ответила Карина Васкезес. — Он прекрасно осведомлен о всех семейных делах, но держит язык за зубами, а мы с Франческо не привыкли задавать слишком много вопросов. Еще скажу вам: мистер Вильгельм часто просыпается по ночам, так что он вполне мог что-то слышать. С нами он ничего не обсуждает, так что придется вам самому у него спросить.

Эйнсли поблагодарил обоих и сказал, что придет еще раз.

Несмотря на нехватку времени, Фелиция не пожалела усилий, чтобы организовать для покойного мужа пышные похороны. Для отпевания была избрана епископальная (и более чем внушительных размеров) церковь Святого Павла в Корал-Гейблз. О церемонии были оповещены все средства массовой информации; с этого сообщения начинались все выпуски новостей по WBEQ. Все универмаги Даваналей в Майами и окрестностях закрылись в тот день на три часа, чтобы их служащие смогли присутствовать на отпевании, причем негласно всех предупредили, что уклонившихся занесут в черный список. Реквием прозвучал в исполнении многочисленного хора во главе с епископом, дьяконом и каноником. В числе тех, кто подставил под гроб плечо, были мэр города, два сенатора штата и конгрессмен из Вашингтона, которых, как магнит металлическую стружку, притянуло к себе могущество дома Даваналей. Церковь была переполнена, хотя не могло не бросаться в глаза отсутствие Теодора и Юджинии Даваналь, так и не выбравшихся из Милана.

Малколм Эйнсли, Хорхе Родригес и Хосе Гарсия пришли на похороны, но не оплакивать покойного, а внимательнейшим образом вглядеться в лица присутствовавших. Конечно, имелись веские основания подозревать самоубийство, но и того, что Байрона Мэддокс-Даваналя убили, тоже пока нельзя было полностью исключить, а, как известно, некая мистическая сила нередко приводит убийц на похороны своих жертв.

Помимо сыщиков, здесь работала и группа из трех криминалистов, которые с помощью скрытой камеры снимали церемонию и фиксировали номера автомашин тех, кто приехал проводить Байрона в последний путь.

Ближе к вечеру того же дня, когда детективы уже вернулись к себе в отдел, к ним на этаж привели офицера в форме иммиграционной службы, которому нужен был Хосе Гарсия.

Они были знакомы и обменялись дружескими рукопожатиями.

— Я подумал, что лучше передать тебе это лично, — сказал гость и протянул детективу конверт. — Здесь те отпечатки, что ты запрашивал. Только что переданы электронной почтой из Лондона.

— Даже не знаю, как тебя благодарить! — просиял добродушный Гарсия.

Поболтав немного с посетителем, он проводил его до выхода. Когда Гарсия вернулся, Эйнсли был занят телефонным разговором. Потоптавшись немного рядом с ним, Гарсия не выдержал и сам отправился в соседний отдел к Хулио Вероне.

Через десять минут Гарсия вернулся. При этом он с порога возвестил:

— Эй, сержант! Важные новости!

Эйнсли резко развернул свое кресло.

— Этот сукин сын Холдсворт! Дворецкий... Я же говорил, что он лжет! Его отпечатки пальцев криминалисты нашли на будильнике. Никаких сомнений, совпадение полное. К тому же Верона уже получил результаты анализа крови. На часах была кровь покойного.

— Отличная работа, Хосе... — начал Эйнсли, но был прерван возгласом от другого стола:

— Сержанта Эйнсли к телефону по седьмой линии!

Сделав жест остальным помолчать, Эйнсли снял трубку и назвался. В ответ он услышал женский голос:

— Сержант, это Карина Васкезес. Мистер Вильгельм сейчас бодрствует и говорит, что был бы рад вас видеть. Мне кажется, он что-то знает. Но только приезжайте скорее, пожалуйста. А то он опять заснет...

Положив трубку, Эйнсли со вздохом сказал:

— У тебя в самом деле важные новости, Хосе, и они дают нам крепкую ниточку. Но есть еще кое-что, чем я вынужден заняться прежде всего.

Поднявшись вместе с Эйнсли на четвертый этаж особняка Даваналей, миссис Васкезес провела его в огромную спальню, отделанную панелями светлого дуба, с широкими окнами, выходившими на залив. В центре комнаты стояла необъятных размеров кровать под балдахином, в которой, откинувшись на подушку, сидел хрупкий крошечный человечек — Вильгельм Даваналь.

— К вам мистер Эйнсли, — объявила Карина Васкезес. — Тот самый полицейский, которого вы изволили согласиться принять.

Между делом она придвинула к изголовью кровати стул.

Сидевший в постели кивнул и негромко произнес, сделав жест в сторону стула:

— Соблаговолите присесть.

— Спасибо, сэр.

Усаживаясь, Эйнсли услышал из-за спины шепот миссис Васкезес:

— Не будете возражать, если я останусь здесь?

— Нисколько. Даже буду рад. — Если ему предстоит услышать нечто важное, свидетельница может оказаться полезной.

Эйнсли вгляделся в сидевшего перед ним старика.

Несмотря на более чем почтенный возраст и старческую немощь, Вильгельм Даваналь сохранил патрицианский облик и ястребиные черты лица. Совершенно седые волосы сильно поредели, но были аккуратно расчесаны. Голову он держал прямо и горделиво. Только мешки отвисшей кожи на лице и шее, слезящиеся глаза и дрожь в пальцах напоминали, что это тело пережило почти столетие треволнений и тягот земных.

— Жаль Байрона... — Голос старика был так слаб, что Эйнсли пришлось напрячь слух. — Мужик он был бесхребетный и бесполезный для бизнеса, но мне он все равно нравился. Часто заходил проведать меня, не то что остальные. Те вечно слишком заняты. Иногда он мне что-нибудь читал. Вы уже знаете, кто убил его?

Эйнсли решил говорить начистоту.

— Мы не думаем, что его убили, сэр. Рассматривается версия самоубийства.

На лице старика не отразилось никаких эмоций. Он немного помолчал и вымолвил:

— Я догадывался. Он как-то мне признался, что жизнь его пуста.

Эйнсли поспешно делал записи. А миссис Васкезес шепнула:

— Не теряйте даром времени. Если у вас есть вопросы, поторопитесь их задать.

Эйнсли кивнул.

— Мистер Даваналь, в ночь с понедельника на вторник вы не слышали какого-нибудь звука, похожего на выстрел?

Когда старик ответил, голос его словно окреп.

— Конечно, слышал. Совершенно отчетливо. Я сразу понял, что это было. И время заметил.

— И в котором часу это произошло, сэр?

— Вскоре после половины шестого. У меня часы со светящимся циферблатом. — Нетвердой рукой Вильгельм Даваналь указал на небольшой столик слева от кровати.

В заключении Сандры Санчес говорилось, что смерть Байрона Мэддокс-Даваналя наступила между пятью и шестью часами утра, отметил про себя Эйнсли.

— После того как прозвучал выстрел, вы слышали что-нибудь еще?

— Да, ведь окна я держу открытыми. Минут пять спустя внизу началась возня. Голоса... Там, в патио.

— Вы узнали, кто говорил?

— Холдсворт. Это наш...

Он внезапно замолчал, и Эйнсли пришлось поторопить его:

— Да, я знаю, что это ваш дворецкий. Вы узнали еще кого-нибудь?

— Мне кажется... Я слышал... — Голос затухал. Затем он попросил: — Дайте воды.

Васкезес принесла стакан и помогла ему отхлебнуть немного. Сразу после этого веки Вильгельма Даваналя сонно смежились, голова запрокинулась. Медсестра осторожно помогла ему сползти вниз под одеяло и повернулась к Эйнсли:

— Это пока все. Мистер Вильгельм проспит теперь, вероятно, часов семь или восемь. — Она приподняла голову Даваналя и слегка поправила подушку. — Пойдемте, я провожу вас.

Когда они вышли из спальни, Эйнсли остановил ее.

— Я здесь не впервые, миссис Васкезес, и найду дорогу сам. Сейчас для меня гораздо важнее, чтобы вы сделали кое-что еще.

— Что именно? — Она вскинула на него встревоженный взгляд.

— Чуть позднее мне понадобится получить у вас под присягой письменные показания обо всем, что вы только что слышали. Поэтому был бы признателен, если бы вы нашли укромный уголок, где можно занести это на бумагу.

— Понимаю... Конечно, я готова сделать это, — сказала Карина Васкезес. — Дайте знать, когда вам понадобятся мои показания.

По дороге в полицейское управление Эйнсли размышлял за рулем: не имя ли Фелиции хотел произнести Вильгельм Даваналь?

— Мне нужен ордер на арест Хэмфри Холдсворта, подозреваемого в убийстве Байрона Мэддокс-Даваналя, — сказал Эйнсли лейтенанту Ньюболду.

Вместе с Хорхе Родригесом и Хосе Гарсией он пришел в кабинет начальника и, справляясь со своими заметками, проинформировал его об уликах, собранных против Холдсворта.

— Только его отпечатки пальцев обнаружены на будильнике, запятнанном кровью убитого. Учитывая расстояние между столом, где стояли часы, и трупом, приходим к заключению, что именно Холдсворт поднял их с пола и поставил на место. Кроме того, Холдсворт солгал допросившему его детективу Гарсии, заявив, что не знал об убийстве Байрона Мэддокс-Даваналя, пока ему не сообщила об этом Фелиция Мэддокс-Даваналь после ее звонка в полицию, который, напомню, был ею сделан в семь тридцать две утра. Утверждение Холдсворта полностью опровергают показания Вильгельма Даваналя о том, что примерно в пять тридцать утра в день убийства он ясно слышал громкий звук выстрела, а несколько минут спустя — голос Холдсворта. Даваналь хорошо знает дворецкого и абсолютно уверен, что это был именно он. Звук доносился из-под окна спальни мистера Даваналя, которое выходит в патио, непосредственно примыкающее к комнате, где было совершено преступление.

— Ты в самом деле считаешь Холдсворта убийцей? — спросил Ньюболд.

— Если сугубо между нами, сэр, то нет, — ответил Эйнсли. — Но у нас достаточно оснований, чтобы доставить его сюда, хорошенько припугнуть и заставить говорить. Он прекрасно осведомлен обо всем, что произошло в доме Даваналей; по этому поводу у нас троих сложилось единое мнение.

При этом он бросил взгляд на своих коллег.

— Сержант прав, сэр, — отважился высказаться Гарсия. — Это действительно единственный способ установить истину. Бьюсь об заклад, тамошняя леди Макбет не разожмет своих лилейных губ, чтобы сделать признание.

Родригес кивком обозначил свое согласие.

— Если я дам разрешение, каким будет твой план, Малколм? — поинтересовался Ньюболд.

— Выписать ордер нынче же вечером и найти судью, который его подмахнет. А завтра прямо поутру отправиться брать Холдсворта. Сидя в наручниках в машине с решетками на окнах, он начнет лучше соображать, что к чему. Вдобавок чем быстрее мы увезем его из дома Даваналей, тем лучше.

— Что ж, похоже, у нас нет другого выхода, — сказал Ньюболд. — Действуй.

Без десяти шесть утра, еще в совершеннейшей тьме Эйнсли и Хорхе Родригес въехали в усадьбу Даваналей на машине без маркировки. За ними следовал бело-голубой полицейский фургон, в котором сидели двое патрульных.

У парадного входа в дом все четверо вышли из машин, и, как было оговорено заранее, Родригес взял роль командира на себя. Он первым подошел к массивной двери и вдавил кнопку звонка, не отпуская ее пальцем несколько секунд. Затем выдержал паузу и позвонил еще раз, потом дал несколько трелей подряд, после чего изнутри донеслись смутные звуки и мужской голос:

— Кто там еще? Не шумите, я уже иду.

Проскрежетал тяжелый засов, одна из створок двери на несколько сантиметров приоткрылась, упершись в толстую цепочку. В образовавшейся щели возникло лицо дворецкого Холдсворта.

— Полиция! — провозгласил Хорхе Родригес. — Откройте, пожалуйста.

Звякнул металл, двери распахнулись. На пороге им предстал впопыхах одетый Холдсворт — рубашка застегнута на две пуговицы, пиджак лишь наброшен на плечи. Обозрев прибывшую группу целиком, он вскричал:

— Господи! Что еще стряслось?

Хорхе придвинулся ближе. Он произнес внятно и громко:

— Хэмфри Холдсворт, я располагаю ордером, чтобы арестовать вас по обвинению в убийстве Байрона Мэддокс-Даваналя. Должен предупредить, что с этого момента вы имеете право хранить молчание... Вы не обязаны говорить со мной и отвечать на мои вопросы...

Нижняя челюсть Холдсворта отвисла. На лице отразился ужас.

— Постойте! Подождите! — У него перехватило дыхание. — Это ошибка! Я здесь ни при чем...

Хорхе невозмутимо продолжал:

— Вам также предоставляется право воспользоваться услугами адвоката. Если вы не располагаете средствами для этого, общественный защитник будет приглашен бесплатно...

— Нет! Нет! Нет! — закричал Холдсворт и сделал попытку выхватить документ, который показывал ему Родригес.

Но Эйнсли оказался проворнее. Он шагнул вперед и поймал руку дворецкого, ухватив за запястье:

— Успокойтесь и выслушайте! Здесь нет никакой ошибки.

Хорхе закончил и скомандовал Холдсворту:

— А теперь — руки за спину!

И прежде чем дворецкий смог что-нибудь понять, на нем защелкнулись наручники. Эйнсли сделал знак патрульным:

— Можете забирать его.

— Послушайте меня! — взмолился Холдсворт. — Это вопиющая несправедливость! И потом, я обязан поставить в известность миссис Даваналь! Она сумеет принять меры, чтобы...

Но невозмутимые полисмены уже подтащили его к своему фургону, открыли заднюю дверь и впихнули арестанта на сиденье. Бело-голубая машина тронулась, в ее клетке метался и кричал арестант.

Полицейские доставили Холдсворта в комнату для допросов отдела по расследованию убийств, где пристегнули наручниками к стулу. Эйнсли и Родригес, приехавшие следом, дали арестованному полчаса побыть в одиночестве, а затем вместе вошли к нему и уселись по противоположную от него сторону простого металлического стола.

Холдсворт бросал на них испепеляющие взгляды, но заговорил значительно спокойнее, чем незадолго до того на пороге дома Даваналей.

— Я требую адвоката, и немедленно. Кроме того, я настаиваю, чтобы вы объяснили мне...

— Минуточку! — Эйнсли поднял вверх руку. — Вы требуете адвоката, и ваше требование будет удовлетворено. Однако до того, как ваш защитник приедет сюда, мы не вправе ни о чем вас спрашивать, а также отвечать на ваши вопросы. Поэтому нам лучше будет пока покончить с некоторыми мелкими формальностями.

Он кивнул Родригесу, который тут же открыл свою папку и достал из нее бланк и блокнот.

— Назовите свое имя полностью, — попросил он.

— Но ведь вам оно прекрасно известно, — фыркнул дворецкий.

Чуть наклонившись к нему, Эйнсли спокойно бросил:

— Если вы нам поможете, дело пойдет гораздо быстрее.

Пауза. Недовольное сопение. И затем:

— Хэмфри Ховард Холдсворт.

— Дата рождения?

Когда все необходимые сведения были получены, Родригес протянул ему бланк:

— Подпишите, пожалуйста, вот это. Здесь сказано, что вы были информированы о своих правах и предпочли отвечать на вопросы только в присутствии адвоката.

— Ну и как же, по-вашему, я могу это подписать? — Свободной левой рукой Холдсворт указал на пристегнутую наручниками к стулу правую.

Родригесу пришлось освободить его от оков.

Пока Холдсворт массировал себе правое запястье и недоверчиво разглядывал лежавшую перед ним бумагу, Эйнсли поднялся.

— Я на секунду, — сказал он Хорхе, а потом подошел к двери, открыл ее, высунулся из комнаты наружу и прокричал в совершенно пустой коридор: — Эй, эти старые отпечатки пальцев из Англии нам пока не нужны! Мы будем ждать адвоката, так что принесете их нам позже!

Холдсворт порывисто повернул голову:

— Что это еще за отпечатки из Англии?

— Извините, — ответил вернувшийся к столу Эйнсли, — но мы не можем продолжать нашу беседу, пока не прибыл адвокат.

— И сколько же придется ждать? — спросил Холдсворт нетерпеливо.

— Откуда нам знать? — пожал плечами Родригес. — Это ведь *ваш* адвокат.

Холдсворт негодовал:

— Я хочу, чтобы мне сию секунду сказали, о каких отпечатках пальцев идет речь!

Родригес посмотрел на него с прищуром и осторожно спросил:

— Вы, стало быть, согласны продолжить наш разговор, не дожидаясь приезда адвоката?

— Да, да, черт возьми!

— Тогда не надо подписывать этот документ. Вот вам другой, где говорится, что вы ознакомлены со своими правами и предпочли...

— Ладно, короче! — Холдсворт схватил со стола шариковую ручку и быстро подписал протянутый ему бланк. Потом повернулся к Эйнсли: — А теперь рассказывайте.

— Это ваши отпечатки пальцев. Они были взяты у вас тридцать три года назад. — Голос Эйнсли звучал ровно и размеренно. — Нам их переслали из Англии, и они полностью совпадают с теми, что мы обнаружили на будильнике в комнате убитого. На нем к тому же были пятна крови жертвы.

На этот раз молчание длилось дольше. Холдсворт помрачнел, понурил голову и сказал:

— Да... Помню, это я поднял чертов будильник с ковра и поставил на стол. Как-то бессознательно...

— Почему вы убили Байрона Мэддокс-Даваналя, мистер Холдсворт? — таким был следующий вопрос Эйнсли.

Лицо дворецкого исказила гримаса боли, и он заговорил, совершенно уже не сдерживаясь:

— Я не убивал его! Это было вообще не убийство! Этот идиот сам пустил себе пулю в лоб!

Холдсворту дорого обошлось его признание. Он сломался. Зажав голову ладонями, он медленно мотал ею из стороны в сторону и рубил фразы:

— Я же предупреждал миссис Даваналь. Я говорил ей, что ничего не выйдет. Что в полиции дураков не держат и все выплывет наружу. Но нет — она ничего не желала слушать. Она ведь всегда все знает лучше! Как же она ошибалась! А теперь еще и *это*! — Он поднял глаза, влажные от слез. — Мое старое дело в Англии... Откуда вы взяли отпечатки? Я же заявил о нем при въезде в страну.

— Да, нам об этом известно, — сказал Родригес. — Дело в общем-то пустяковое. Оно не в счет.

— Я прожил в Америке пятнадцать лет! — Холдсворт уже рыдал. — И никаких неприятностей... А теперь на тебе — обвинение в убийстве!

— Если вы сказали нам правду, это обвинение легко может быть с вас снято, — заверил Эйнсли. — Хотя в настоящий момент ваше положение более чем серьезно. Сейчас вы должны нам помочь и ответить на все вопросы, ничего не скрывая.

— Спрашивайте. — Холдсворт выпрямился и поднял голову. — Я скажу все, что знаю.

Картина событий оказалась достаточно проста.

За четыре дня до того Холдсворта и Фелицию Мэддокс-Даваналь разбудил в пять тридцать утра громкий хлопок выстрела. Они столкнулись перед дверью комнаты Байрона — оба в ночных рубашках, вошли и увидели его распластанным на полу с продырявленным черепом. В правой руке он сжимал рукоятку пистолета.

— Меня чуть не стошнило. Я просто не знал, что делать, — рассказывал дворецкий Эйнсли и Родригесу. — Зато миссис Даваналь сохраняла полное хладнокровие. Она очень сильная. Взяла все под свой контроль и начала давать указания, мы были уверены, что во всем доме бодрствуем мы одни.

Если верить Холдсворту, Фелиция распорядилась: «Никто не должен знать, что мой муж покончил с собой». Это ляжет пятном на честь всей семьи, сказала она, и мистер Теодор никогда не простит ей, если правда выплывет, поэтому дело нужно представить как убийство.

— Я пытался убедить ее, что ничего не получится, — оправдывался Холдсворт. — Я предупреждал ее, что в полиции не дураки сидят, нас выведут на чистую воду, но она ничего не желала слушать.

Она заявила, что не раз бывала со съемочными группами на местах преступлений и в точности знает, как все устроить. От меня она потребовала клятвы молчать, напомнив, скольким я обязан этой семье. Мне остается теперь только сожалеть, что я поддался на...

— Давайте пока придерживаться только фактов, — перебил Эйнсли. — Куда вы дели пистолет?

— Миссис Даваналь вынула его из руки Байрона. Это был один из пистолетов, что он держал у себя в кабинете.

Эйнсли поневоле вспомнил, что ответила Фелиция, когда он спросил, не трогала ли она чего-нибудь в комнате, когда осталась там наедине с трупом мужа. «...Я не могла, просто не в силах была себя заставить даже близко подойти к несчастному Байрону или к его столу...»

— Где сейчас находится это оружие?

— Я... я не знаю, — ответил Холдсворт не сразу.

— Все вы знаете! — Родригес поднял голову от записей, которые вел непрерывно. — Или по крайней мере догадываетесь.

— Но послушайте! Миссис Даваналь спросила меня, куда ей деть пистолет, чтобы его никто не нашел. Я посоветовал выбросить его в канализационный люк — здесь есть один неподалеку.

— Она так и поступила?

— Не знаю... Я не хотел! Правда!

Родригес не дал ему передышки:

— А снаружи дома? Взломанная дверь балкона, следы внизу... Чья это работа?

— Боюсь, что моя. Я расковырял дверь большой отверткой, а следы оставил в старой паре кроссовок.

— Это тоже придумала миссис Даваналь?

На лице Холдсворта проступила гримаса стыда.

— Нет, это я сам.

— Где теперь кроссовки и отвертка?

— В то же утро еще до приезда полиции я прогулялся по нашей улице и выбросил все в мусорный бак. Его скоро увезли, я проследил.

— Это все? — спросил Эйнсли.

— Кажется... Хотя нет, есть еще кое-что. Миссис Даваналь принесла миску с теплой водой и губку, а потом протерла ею руку покойного Байрона. Ту, что держала пистолет. Она сказала, что нужно избавиться от частиц пороха. Научилась этому у своих телевизионщиков...

— Скажите, а вы *сами* чему-нибудь научились после всего этого? — немного зло спросил Родригес.

— Только доверять собственной интуиции. Я ведь сразу сказал, что в полиции дураков не держат.

— Вам еще рановато доверять своей интуиции полностью, — сказал Эйнсли, которому и самому стоило труда сдержать улыбку. — Ваши признания не освобождают вас от ответственности. Вы чинили препятствия следствию, способствовали сокрытию улик и занимались фальсификацией. На этом основании вы задержаны...

Минуту спустя Холдсворта препроводили в камеру предварительного заключения.

— Что дальше? — спросил Хорхе, когда они с Эйнсли остались наедине.

— Дальше? Самое время нанести визит миссис Даваналь.

10

Фелицию Даваналь они не застали дома. Было уже без десяти восемь. И никто не знал, куда она запропастилась.

— Я знаю только, что миссис Даваналь умчалась отсюда в расстроенных чувствах, — объяснила детективам Карина Васкезес, встретившая их в парадном холле особняка. — Слышала, как гравий из-под колес струей рвануло.

В отсутствие дворецкого горничная Вильгельма Даваналя стала чувствовать себя по-хозяйски и в нижних этажах дома.

— Это может быть связано с мистером Холдсвортом, — продолжила она, потом посмотрела поочередно на каждого из полицейских: — Вы ведь взяли его? В смысле — арестовали? Его жена места себе не находит. Сейчас висит на телефоне — адвоката ищет.

— Много чего произошло, — неопределенно ответил на ее вопрос Эйнсли. — Как вы, вероятно, знаете, в деле, которое мы здесь расследуем, не обошлось без обмана.

— Я с самого начала догадывалась, — призналась Васкезес. — Послушайте, а не к вам ли направилась миссис Даваналь?

— Не исключено, — кивнул Хорхе Родригес. Он тут же связался по рации с отделом и затем доложил Эйнсли: — Нет, там она не появлялась.

В этот момент они услышали шаги поднимавшегося снизу Франческо Васкезеса, который, едва перевел дыхание, возвестил:

— Миссис Даваналь у себя на студии... На WBEQ! Они только что сказали, что в восемь часов она появится в прямом эфире с сообщением по поводу смерти своего мужа.

— Через три минуты, — заметил Эйнсли. — Где мы могли бы это посмотреть?

— Прошу за мной, — пригласила миссис Васкезес и провела их длинным коридором в ультрасовременный домашний кинотеатр. Гигантский телеэкран занимал одну из стен почти целиком. Франческо Васкезес нажал несколько кнопок на пульте управления, и появилась «картинка» — как раз заканчивался рекламный блок. Изображение сопровождалось прекрасным объемным звуком. Вслед за рекламой на экране появилась заставка «Утренние новости WBEQ», затем ведущая объявила:

— Только на нашем канале! Новый поворот в деле о гибели Байрона Мэддокс-Даваналя. Рассказывает генеральный директор WBEQ миссис Фелиция Мэддокс-Даваналь.

В кадре сразу же появилось крупным планом лицо Фелиции. Изумительно красивое лицо. Как догадывался Эйнсли, над ним немало потрудился стилист. Выражение его было сейчас серьезным.

— Присядьте, — сказала миссис Васкезес, указывая детективам на два ряда удобных кресел домашнего кинотеатра.

— Нет, спасибо, — отклонил приглашение Эйнсли, и все трое остались стоять.

Ровным тоном, отчетливо произнося каждое слово, Фелиция начала:

— Я обращаюсь к вам сегодня со смирением и покаянием, чувствуя необходимость сделать важное признание и попросить прощения у всех. Суть в том, что мой муж, Байрон Мэддокс-Даваналь, не был убит, как заявила я сама и как под моим влиянием утверждали другие люди. Байрон ушел из жизни добровольно; это было самоубийство. Он мертв, а мертвые, как известно, сраму не имут.

Но жгучий стыд и чувство вины испытываю я сама. До того как наступил этот момент истины, я говорила неправду об обстоятельствах смерти моего мужа, обманывала друзей и членов семьи, вводила в заблуждение средства массовой информации и полицию, скрывала улики и занималась их фальсификацией. Не знаю, какое наказание уготовано мне за это, но я покорно приму даже самое суровое.

Я приношу глубочайшие извинения моим друзьям, гражданам моего родного Майами, сотрудникам полиции и всем телезрителям. А теперь, когда я сделала признание и извинилась перед всеми вами, позвольте рассказать, что заставило меня отклониться от пути истинного и совершить все те поступки, о которых я упомянула выше.

— А ведь эта стерва снова нас обскакала, — шепнул Эйнсли на ухо Родригесу.

— Она поняла, что Холдсворт расколется, — так же тихо ответил Родригес, — и поторопилась покаяться, пока мы ее не прижали.

— Чтобы обставить миссис Даваналь, вам придется научиться вставать по утрам еще раньше, — громко сказала Карина Васкезес.

Фелиция продолжала представление, говорила она совершенно спокойно, но проникновенно:

— Еще в ранней юности под влиянием воззрений старших членов нашей семьи я приучилась считать самоубийство чем-то постыдным и трусливым бегством от ответственности, когда другим приходится разбираться с проблемами, которые накопил самоубийца. Исключением являются, разумеется, те случаи, когда причиной служат невыносимые физические страдания, то есть боль или смертельная болезнь. Но не это толкнуло на страшный шаг моего супруга Байрона Мэддокс-Даваналя.

Если уж говорить начистоту, наш брак не во всем был удачным. К моей величайшей печали, у меня нет детей...

Эйнсли смотрел на нее, слушал ее речь, и ему оставалось только гадать, много ли времени ушло у нее на подготовку этого шоу. Неискушенная публика вполне могла бы подумать, что она импровизировала, но у Эйнсли были на этот счет большие сомнения. Ему даже показалось, что она считывает текст с «телесуфлера». А что? В конце концов, она — полновластная хозяйка канала.

— Я должна сделать еще одно заявление, — продолжала Фелиция. — Я хочу сказать, что вся вина за случившееся лежит на мне и ни на ком другом. Один из наших слуг настоятельно советовал мне не делать того, на что я решилась. Я совершила ошибку, не вняв его здравому совету, поэтому мне в особенности хотелось бы обезопасить этого человека...

— Холдсворт сорвался с нашего крючка, — пробормотал Родригес.

— Я не знаю, — продолжала Фелиция, — какие проблемы, реальные или мнимые, заставили моего мужа покончить счеты с жизнью...

— Все ты знаешь! — не сдержался Родригес.

Но Эйнсли уже отвернулся от экрана.

— Мы попусту теряем здесь время, — сказал он. — Поехали.

Когда они покидали дом, вдогонку им несся голос Фелиции Даваналь.

Вернувшись к себе в отдел, Эйнсли сразу же позвонил Кэрзону Ноулзу.

— Да, я имел удовольствие созерцать спектакль, который устроила эта дама, — сказал прокурор в ответ на вопрос детектива. — Актрисе такого могучего дарования впору получать «Оскара». Лицемерка...

— Вы думаете, все так это воспримут?

— Ни в коем случае! Только циничные работники прокуратуры да легавые. А все остальные будут лишь восхищаться ее благородной откровенностью — королевский блеск истинных Даваналей...

— Мы можем возбудить против нее дело?

— Ты, конечно, шутишь.

— Почему?

— А ты сам подумай, Малколм. У тебя против нее только дача ложных показаний и воспрепятствование следствию. И то и другое — сравнительно незначительные правонарушения. Добавь к этому, что она — Даваналь и способна нанять лучших адвокатов страны. Ни один прокурор не возьмется за такое обвинение. И если ты думаешь, что я один такой трус, то спешу сообщить: я успел посоветоваться с Адель Монтесино. Она разделяет мое мнение.

— Так мы и Холдсворта должны будем отпустить?

— А как же? Никто не должен усомниться, что в Америке богатые и бедные равны перед законом. Пусть тоже гуляет. Я отменю ордер на арест.

— По-моему, вы не очень-то верите в американскую систему правосудия, господин советник юстиции?

— Да, я заразился недугом скептицизма, Малколм. Если услышишь, что изобрели средство от этой напасти, дай знать немедленно...

Казалось бы, на этом можно было поставить точку в деле Мэддокс-Даваналя, если бы не два постскриптума.

Первым из них стало телефонное сообщение на автоответчике Эйнсли с просьбой позвонить Бет Эмбри. Ведь Эйнсли сдержал слово: Бет знала подробности расследования. Тем не менее ни словечка за ее подписью не появилось пока в газетах. «Почему?» — с этого вопроса он начал телефонный разговор с ней.

— Потому что раньше я была рисковой журналисткой, а теперь потеряла кураж, — поведала она. — Начни я с самоубийства Байрона, пришлось бы вскрыть его связи с преступным миром, карточные долги и прочее. А значит, дошла бы очередь и до имени девушки, которая от него понесла. Она славная, и ей это совершенно ни к чему. Кстати, я хотела бы тебя с ней познакомить.

— Но ты согласна, что Фелиция лгала, когда уверяла, что причины самоубийства Байрона ей неизвестны?

— Что для Фелиции ложь, а что правда? Ты, например, знаешь? А я скажу... Только то, что ей на данный момент выгодно. Поговорим лучше о той девочке. У нее, между прочим, есть адвокат. Да ты ее знаешь! Это Лайза Кейн.

— Знаю. — Эйнсли симпатизировал Кейн. Молодая да ранняя, она часто защищала людей в суде совершенно бесплатно. Причем яростно отстаивала интересы тех, кто не мог оплатить ее услуги.

— Ты сможешь встретиться с ней завтра? — спросила Бет Эмбри.

Эйнсли сказал, что сможет.

Лайзе Кейн было тридцать три года, но она выглядела на десять лет моложе, а порой и вовсе походила на совсем юную первокурсницу колледжа: короткие рыжие волосы, румяное личико херувима без всяких следов косметики. На встречу с Эйнсли она приехала в джинсах и футболке.

Местом их свидания стал подъезд обшарпанного трехэтажного многоквартирного дома в Либерти-Сити, печально известном своей криминогенностью районе Майами. Чтобы добраться туда, Эйнсли взял в гараже машину без полицейской маркировки. Лайза приехала на стареньком «фольксвагене-жуке».

— Сам не пойму, зачем я сюда приехал, — сказал Эйнсли и покривил душой: он отлично знал, что его привело на эту встречу любопытство.

— Моей клиентке и мне нужен совет, сержант, — сразу перешла к делу Лайза. — Бет сказала, что вы можете его дать.

Она повела его вверх по лестнице. Осторожно огибая кучи мусора и стараясь не угодить подошвами в собачьи экскременты, они поднялись на третий этаж и прошли по галерее с растрескавшимся цементным полом и ржавыми перилами. Перед одной из дверей Лайза остановилась и постучала. Им открыла молодая женщина — с виду ей едва ли было больше двадцати лет от роду — и пригласила их войти.

— Познакомьтесь, сержант. Это Серафина, — представила Лайза. — Серафина, это сержант Эйнсли, о котором я вам говорила.

— Спасибо, что приехали. — Девушка протянула руку, которую Эйнсли пожал, одновременно оглядываясь по сторонам.

Квартирка представляла собой разительный контраст с грязью и запущенностью снаружи, здесь было чисто и уютно. Меблировка состояла из случайных вещей. Некоторые из них: книжный шкаф, два журнальных столика, кресло-качалка — были даже из дорогих, остальные выглядели победнее, но тоже были в хорошем состоянии. В соседней комнате, как успел заметить Эйнсли, бросив беглый взгляд, царил такой же порядок.

Он внимательнее присмотрелся к Серафине. Милая, с плавными манерами, она была одета в цветастую футболку и голубые лосины. Взгляд ее больших карих глаз, устремленный на Эйнсли, был печален. Очертания фигуры этой чернокожей девушки выдавали большой срок беременности.

— Прошу прощения за тот ужас, что творится на лестнице, — сказала она неожиданно низким, но приятным сопрано. — Байрон давно хотел, чтобы я...

Она покачала головой и не смогла закончить фразы. Ей на помощь пришла Лайза Кейн:

— Байрон хотел, чтобы Серафина перебралась в дом поприличнее, но что-то все время мешало. Давайте сядем. — Она сделала жест в сторону кресел.

Когда они сели, Серафина заговорила снова, глядя Эйнсли прямо в глаза:

— Вам, вероятно, уже сказали, что у меня будут от Байрона детишки?

— Как это детишки?!

— Мой врач сказал вчера, что это близнецы. — Она улыбнулась.

— Должна посвятить вас в некоторые подробности, — вмешалась Лайза. — Байрон Мэддокс-Даваналь и Серафина познакомились благодаря тому, что она снабжала его наркотиками. А я познакомилась с ней, когда помогла избежать тюрьмы за наркоторговлю. Ее условный срок уже кончился, и больше она этим не промышляет. Да и Байрон перестал принимать наркотики за много месяцев до своей смерти. Он вообще только изредка баловался ими.

— Все равно мне стыдно вспоминать об этом. — Серафина ненадолго отвела взгляд. — Я просто была в отчаянном положении.

— У Серафины есть сын, которому уже четыре года, — пояснила Лайза. — Вообразите: молодая мать-одиночка, без всякой поддержки со стороны или хотя бы возможности устроиться на работу. Ей не приходилось особенно выбирать, как заработать на пропитание для себя и своего малыша.

— Это нетрудно понять, — сказал Эйнсли с сочувствием. — Но только что у нее могло быть общего с Мэддокс-Даваналем?

— Вероятно, они были нужны друг другу. Как бы то ни было, но Байрон начал приезжать сюда, это было бегством от той, другой жизни. Серафина сумела быстро отучить его от наркотиков — сама она вообще к ним не притрагивалась. Не спрашивайте, была ли между ними любовь. Главное, что им нравилось быть вместе. У Байрона водились деньги. Немного, я думаю, но достаточно, чтобы поддержать Серафину материально. Он купил ей кое-что, — она обвела рукой комнату, — и давал наличные на еду и оплату квартиры. Она смогла бросить прежнее занятие.

«Еще бы у Байрона не было денег! — подумал Эйнсли. — Вам столько и не снилось!»

— Добавлю еще, хотя это и так очевидно, что они были любовниками, — сказала Лайза.

— Только не подумайте, что я хотела от него забеременеть, — вмешалась в разговор Серафина. — Наверное, плохо предохранялась. Но Байрон вовсе не рассердился, когда я ему сказала. Он обещал обо всем позаботиться. Его беспокоило что-то другое, очень сильно беспокоило. Однажды сказал, что попался в мышеловку. И почти сразу после этого перестал приезжать.

— Это случилось с месяц назад, — сказала Лайза. — Помощь тоже прекратилась с того времени. Тогда-то Серафина и обратилась ко мне. Я звонила в дом Даваналей, но Байрон к телефону не подходил и мне не перезванивал, как я просила. «Хорошо же!» — подумала я и отправилась в «Хавершем и...». Ну, вы знаете, такое длинное название.

Эйнсли знал. Речь шла о престижной адвокатской конторе Хавершема, у которого было столько совладельцев, что название фирмы на бланке занимало две длинные строчки. Услугами именно этих адвокатов чаще всего пользовались Даванали.

— И вам удалось чего-нибудь добиться? — спросил он.

— Да, — ответила Лайза. — Поэтому мне и нужен ваш совет.

Как явствовало из рассказа Лайзы, в конторе Хавершема работали достаточно опытные люди, чтобы принять молодого, никому не известного адвоката всерьез. Адвокат Джаффрус внимательно все выслушал и пообещал разобраться с жалобой ее клиентки. Через несколько дней Джаффрус позвонил Лайзе и назначил новую встречу. Состоялась она примерно за неделю до самоубийства Байрона Мэддокс-Даваналя.

— Обошлось без волокиты, — рассказывала Лайза. — Очевидно, они без труда установили, что жалоба обоснованна. Даванали согласились оказывать Серафине материальную поддержку, но при одном условии: никогда и ни при каких обстоятельствах их имя не должно упоминаться в связи с будущим ребенком, и они желали получить гарантии этого.

— Какие гарантии, каким образом? — спросил Эйнсли.

Как объяснила Лайза, Серафина должна была дать письменную клятву, что организовала свою беременность искусственно, через банк спермы и от неизвестного донора. А справку в подтверждение этому они собирались добыть в банке спермы.

— Такие справки недешево обходятся, — заметил Эйнсли. — А сколько же они собирались платить Серафине?

— Пятьдесят тысяч в год. Но это еще до того, как мы узнали, что будут близнецы.

— Даже для одного ребенка маловато.

— Я тоже так посчитала и решила обратиться к вам. Бет сказала, что вы знаете ситуацию в той семье и можете посоветовать, сколько нам с них запросить.

— А вы как относитесь к этой затее с банком спермы? — обратился Эйнсли к Серафине, внимательно слушавшей их разговор.

Она пожала плечами:

— Мне все равно. Я хочу только, чтобы мои дети не жили в такой дыре и получили самое лучшее образование. Если для этого нужно подписать какую-то бумажку, даже лживую, я подпишу не задумываясь. И плевать я хотела на имя Даваналей. Мое ничуть не хуже.

Эйнсли припомнил свой разговор с Фелицией Мэддокс-Даваналь, когда она признала, что Байрон получал четверть миллиона долларов в год. Но куда важнее была другая ее раздраженная ремарка: «...Для такой семьи, как наша, эти деньги — пустяк, карманная мелочь...»

— Вот вам мой совет. — Он повернулся к Лайзе. — Назначьте им двести тысяч долларов в год до двадцатилетия близнецов. Половину должна получать на жизнь Серафина, остальные пусть идут на счет в банке, чтобы обеспечить образование будущим детям и ее сыну...

— Да ну?!

— Да, о нем нельзя забывать. Настаивайте на этой сумме, а если клиенты Хавершема, то есть Даванали, откажутся или начнут торговаться, скажите, что вы забыли про свои выдумки с банком спермы и клятвенными обещаниями, и пригрозите передать дело в суд, потребовать, чтобы детям дали фамилию отца и все прочие права.

— Мне нравится ваш ход мыслей, — сказала Лайза, но добавила с сомнением: — Только вот примут ли они такие условия. Сумма гораздо больше той, что они сами посулили.

— Сделайте, как я сказал. Между прочим, попробуйте намекнуть миссис Даваналь, что это я подал вам такую идею. Это может помочь.

Лайза пристально посмотрела на него и, кивнув чуть заметно, сказала:

— Спасибо.

Всего сорок восемь часов спустя телефонный звонок Лайзы Кейн застал Эйнсли дома. Она говорила до крайности возбужденно:

— Просто невероятно! Мы с Серафиной только что из конторы Хавершема. Они на все согласны! Никаких споров, никаких возражений! Приняли все, как я... Нет, как вы изложили.

— О, я уверен, что это целиком ваша заслуга.

Но Лайза не слышала.

— Серафина здесь рядом и просит передать, что вы — чудо. Я тоже так думаю!

— А вы сумели довести до сведения миссис Даваналь, что...

— Да! Майк Джаффрус сразу ей позвонил. Через него она просила передать, что хочет с вами увидеться. Просила, чтобы вы позвонили ей домой и назначили время. — Она замялась, но любопытство пересилило. — Между вами что-то есть?

Эйнсли рассмеялся:

— Ничего, если не считать маленькой игры в кошки-мышки.

— Пора бы мне усвоить простую житейскую истину, — сказала Фелиция Даваналь, — что нельзя излишне откровенничать с проницательными детективами, да еще из бывших священнослужителей. Слишком дорого обходится разговорчивость.

Она приняла Малколма Эйнсли в той же гостиной, что и прежде, но только теперь усадила в точно такое же удобное кресло, в какое уселась в полуметре от него сама. Она была все так же восхитительна, но вела себя более свободно, потому, вероятно, что самоубийство Байрона не было больше тайной и ей не приходилось держать в уме заранее заготовленные ответы на трудные вопросы.

— Как я понял, вы собрали обо мне справки? — усмехнулся Эйнсли.

— У меня на телеканале есть свой следственный отдел, весьма эффективный.

— Так, стало быть, это ваши детективы сумели отыскать карманную мелочь, чтобы уладить дело?

— Гол! — Она откинулась в кресле и рассмеялась. — Малколм... Вы позволите вас так называть? Должна вам сказать, Малколм, что вы нравитесь мне все больше и больше. Да и характеристика, которую подготовили по моей просьбе, составлена в самых лестных для вас выражениях. Но я никак не могу найти ответа на один вопрос.

— Какой же, миссис Даваналь?

— Пожалуйста, зовите меня просто Фелицией.

Он коротко кивнул в знак согласия. Обостренной интуицией он уже предчувствовал, куда заведет их этот разговор, и не был до конца уверен, как ему себя держать.

— Мне интересно, почему вы до сих пор полицейский? У вас ведь есть все, чтобы добиться в жизни гораздо большего.

— Мне нравится быть полицейским, — сказал он и, слегка споткнувшись, добавил: — Фелиция.

— Но это же очевидный нонсенс! Вы получили блестящее образование, имеете ученую степень, написали фундаментальный труд по истории религий...

— Я выступал только соавтором, и было это уже давно.

Фелиция только отмахнулась от его возражений и продолжала:

— Все указывает на то, что вы — личность думающая. И потому у меня есть предложение. Почему бы вам не перейти работать в фирму Даваналей?

— В каком же качестве? — Эйнсли был удивлен.

— Ах, я пока точно не знаю. Я еще ни с кем не консультировалась. Но нам всегда нужны незаурядные люди, и если только вы согласитесь, мы подберем должность, которая будет соответствовать вашим способностям. — Эти слова сопровождались мягкой улыбкой. Потом Фелиция потянулась и кончиками пальцев прикоснулась к руке Эйнсли. В этом легком, как паутинка, жесте заключался вполне читаемый намек, заманчивое обещание. — Но я уверена, что, какой бы пост вы ни заняли, мы сможем стать ближе друг другу. — Она провела кончиком языка по губам. — Если вы этого захотите, разумеется.

Эйнсли уже хотел этого, человек слаб, должен был он признаться сам себе. На мгновение желание обдало его внутренним жаром. Но затем в нем заговорил прагматик. Вспомнились слова Бет Эмбри:

«Фелиция просто пожирает мужчин... Если ты ей хоть немного понравился, она от тебя так не отстанет... Медок у этой пчелки сладок, но и жалит она пребольно».

Ужалит она его или нет, но было заманчиво дать Фелиции соблазнить себя, утонуть в этом меду, а дальше — будь что будет. С Эйнсли это уже произошло однажды, и он нисколько не сожалел о своей связи с Синтией даже сейчас, когда знал, чем расплатился за наслаждение. Там, где замешана страсть, здравый смысл отступает. В свое время он часами выслушивал людские исповеди, которые подтверждали это. Однако в его судьбе, решил он, романа с Синтией вполне достаточно. Карен ждет второго ребенка, и только безумец мог сейчас очертя голову броситься в объятия необузданной Фелиции.

Он протянул руку и пальцами коснулся руки Фелиции, как это только что сделала она.

— Спасибо. Вероятно, мне когда-нибудь придется пожалеть об этом. Но я хотел бы оставить в своей жизни все как есть сейчас.

Фелиция умела скрывать свои чувства. Все еще улыбаясь, она поднялась и подала ему руку для прощального пожатия.

— Кто знает? — сказала она. — Наши пути могут пересечься когда-нибудь еще раз.

По дороге к себе в отдел Эйнсли был несколько озадачен, когда вспомнил, что «дело Даваналя» длилось только семь дней. Он с нетерпением ждал сейчас отчета Руби Боуи.

11

Руби Боуи потребовалось ровно одиннадцать дней, чтобы установить, правду ли сказал Элрой Дойл, когда «исповедался» перед Малколмом Эйнсли.

Был ли Дойл убийцей супругов Эсперанса и Икеи? Ответа на этот вопрос у нее не было до самого последнего, одиннадцатого, дня.

Но даже при утвердительном ответе оставался еще один, самый важный вопрос: если Дойл сказал правду об убийстве Эсперанса и Икеи, значит ли это, что он не лгал, когда яростно отрицал свою причастность к убийству городского комиссара Майами Густава Эрнста и его жены Эленор? Поверить ему в этом означало признать, что настоящий убийца все еще разгуливает на свободе.

Боуи начала свое расследование с визита в солидное здание на Двадцать пятой Северо-Западной улице, где располагалось управление полиции округа Дейд — непосредственные соседи полиции Майами. Первым делом ей нужно было установить, работает ли там все еще тот детектив, что вел следствие по двойному убийству семнадцать лет назад.

— Это было еще до меня, — сказал ей лейтенант, руководивший отделом расследования убийств. Потом он протянул руку к полке, на которой в алфавитном порядке выстроились папки. Взяв одну из них, он принялся листать содержимое. — Так, посмотрим, что у нас здесь... Есть, нашел! Эсперанса, Кларенс и Флорентина, убийство не раскрыто, дело официально все еще числится за нами. Что, собираетесь снять с нас этот висяк?

— Похоже, что такой шанс есть, сэр. Но мне для начала хотелось бы побеседовать с тем, кто возглавлял расследование.

Лейтенант еще раз справился с документом, лежавшим перед ним на столе.

— Это был Арчи Льюис, шесть лет как вышел на пенсию, перебрался куда-то в Джорджию. Дело по наследству досталось Рику Кроули. Придется вам довольствоваться разговором с ним.

Скоро она сидела перед лысеющим весельчаком, детективом Кроули.

— Да, я внимательно изучил все материалы, — сказал он. — По моему мнению, там не за что даже зацепиться. Дохлое дело.

— Вероятно, вы правы, и все же...

Боуи рассказала ему о том, как Дойл признался в убийстве Эсперанса, упомянув при этом, что признание все еще подвергается сомнению.

— Мне необходимо ознакомиться с материалами следствия и посмотреть, нет ли там чего-нибудь в подтверждение показаний Дойла.

— И что потом? Воскресите этого типа и предъявите ему обвинение? Ладно, ладно, шучу. Давайте покопаемся в досье вместе.

Кроули провел Руби в помещение архива. Пухлая, выцветшая от времени папка с делом Эсперанса попалась ему под руку уже во втором шкафу, который он открыл в ее поисках. Сев за стол, он разложил перед собой материалы, несколько минут изучал их, потом объявил:

— Вот, думаю, то, что вам нужно.

И он передал Руби копию описи вещей, обнаруженных на месте преступления и изъятых полицией в качестве вещественных доказательств.

Среди прочего там значился «зажим для денег желтого металла с инициалами “Х” и “Б”». Чуть позже в рапорте следователя они обнаружили и соответствующую запись о том, что зажим был скорее всего потерян на месте преступления убийцей, поскольку инициалы жертвам не подходили, а их ближайший родственник, племянник, заявил, что никогда прежде этой вещицы не видел.

— Это совпадает, — оживилась Боуи. — Дойл сказал сержанту Эйнсли, что добыл зажим при другом ограблении, а потом потерял, когда убегал из дома Эсперанса.

— Хотите взглянуть на зажим? Он все еще должен быть у нас на складе вещдоков.

— Да, давайте извлечем его на свет божий. Ведь если я этого не сделаю, обязательно кто-нибудь попеняет мне.

— Это уж точно.

Кроули сделал для Руби ксерокопию с описи, а потом отвел через двор в отдельно стоящее здание, где располагался склад. В его многочисленных шкафах и на полках стеллажей хранились материальные свидетельства о тысячах преступлений.

Две покрытые пылью коробки с вещдоками убийства семнадцатилетней давности были обнаружены с потрясающей быстротой. Когда с первой из них сняли пломбу, сразу под крышкой блеснул металлический предмет, вложенный в отдельный пакетик. Изучив его поближе, Руби заметила гравированную монограмму «X Б».

— Смотри-ка, даже не потускнел, — заметил Кроули. — Должно быть, дорогая штучка. Интересно, кто он такой, этот X Б?

— Именно это, — сказала Руби Боуи, — мне и предстоит теперь выяснить.

Уголовный архив округа Дейд располагался в одном из крыльев здания полицейского управления. Здесь хранились материалы о всех преступлениях, совершенных в двадцати семи населенных пунктах округа за последние двадцать лет. Дела недавнего прошлого были занесены в память компьютера, более давние хранились на микропленках. Как и все остальные помещения полицейской штаб-квартиры округа Дейд, архив был чист, светел и современно обставлен.

Еще прослушивая копию записи признания Элроя Дойла, Руби Боуи сделала себе пометку в блокноте, что золотой зажим был им добыт при ограблении примерно за два месяца до убийства супругов

Эсперанса двенадцатого июля тысяча девятьсот восьмидесятого года. На всякий случай она решила начать поиск с дел об ограблениях, совершенных за три месяца до этой даты.

— Вы хоть представляете, какой труд на себя берете? — спросила хранительница архива, когда Руби объяснила, что ей нужно. Она показала детективу кассету с микрофильмом. — Вот здесь отчеты и протоколы только за один день тысяча девятьсот восьмидесятого года. Полторы тысячи страниц. Ограбления, кражи со взломом, уличное воровство, изнасилования, драки, поножовщина... Словом, чего здесь только нет! А за три месяца? Нетрудно посчитать. Больше тридцати тысяч страниц.

— А нельзя как-нибудь отделить дела об ограблениях?

— В памяти компьютера — пожалуйста, а это старье на пленке... Как тут отделишь?

— Что ж, — вздохнула Руби, — сколько бы времени ни ушло, мне нужно отыскать это старое дело.

— Бог в помощь, — сочувственно сказала женщина-архивариус. — В округе Дейд ежегодно совершается в среднем семнадцать тысяч ограблений.

Через несколько часов работы глаза Руби покраснели и устали. Она сидела в главном зале архива перед наисовременнейшим прибором фирмы «Канон», который позволял не только читать с микрофильмов, но и при необходимости делать копии. Каждый кадр представлял собой страницу полицейского протокола о происшествии или правонарушении. Некоторая стандартизация присутствовала все же и здесь. В верхнем углу страницы обычно был указан тип правонарушения, и только если там значилось: «Ограбление» — Руби быстро пробегала глазами остальной текст. Она удваивала внимание, когда протокол имел гриф

«Вооруженное ограбление», потому что рассудила, что Элрой Дойл скорее всего совершил именно такое преступление. Просмотрев список похищенного и не обнаружив в нем золотого зажима, она переходила к следующей странице.

Первый день не принес никаких результатов, ближе к вечеру Руби прервала поиски, подготовив все, чтобы возобновить их назавтра.

День второй тоже можно было назвать неудачным, если не считать того, что Руби стала работать куда быстрее, научившись без задержки «пролистывать» те дела, где речь не шла об ограблениях. Новый прием позволил ей за день просмотреть пять кассет.

И все же, когда на следующее утро она заряжала новую кассету, в голову лезли дурацкие мысли: «Да было ли оно вообще, это ограбление? И если было, попало ли в полицейские сводки?» Эти вопросы не давали ей покоя в следующие два часа. О том, сколько еще предстоит работы, она старалась не думать.

И тут-то настал черед дела за номером 27422-Ф, датированного восемнадцатым апреля тысяча девятьсот восьмидесятого года. Вооруженное ограбление произошло в четверть первого ночи у входа в ночной клуб «Карусель» на Грэтигни-драйв в городке Майами-Лейкс. Руби решила ознакомиться с деталями и вывела текст крупно на экран. В протоколе было зафиксировано, что вооруженный ножом преступник напал на мужчину по имени Харольд Бэйрд и потребовал отдать все деньги и ценности. Ему достались четыреста долларов наличными, два кольца по сто долларов каждое и золотой зажим с инициалами потерпевшего, который он сам оценил в двести долларов. Преступник скупо описывался в протоколе как «неизвестный белый мужчина крупного телосложения».

Со вздохом облегчения Руби нажала на кнопку копирования. Затем она удовлетворенно откинулась на спинку кресла. Ей только что удалось получить неопровержимое доказательство, что хотя бы часть предсмертных показаний Элроя Дойла была правдой.

Теперь на очереди Тампа.

Вернувшись к себе в отдел, Руби позвонила в управление полиции Тампы, и оператор соединил ее с Ширли Джасмунд, детективом тамошнего отдела по расследованию убийств.

— Мы получили информацию об одном давнем преступлении в ваших краях, — сообщила Руби. — Речь идет о супругах по фамилии Икеи. Предположительно убиты в тысяча девятьсот восьмидесятом году.

— Извините, но я тогда еще в пятый класс ходила. — Детектив Джасмунд хихикнула, но потом сказала уже серьезнее: — Хотя я где-то слышала эту фамилию. Как она правильно пишется?

Руби повторила ей фамилию по буквам.

— Для проверки мне понадобится время, — сказала Джасмунд. — Дайте ваш номер телефона, я перезвоню.

Перезвонила она через три часа.

— Мы нашли материалы по этому делу. Прелюбопытный случай. Пожилая супружеская пара, японцы по происхождению. Оба уже очень старые — далеко за семьдесят. Убиты ударами ножа в летнем домике, который был у них здесь. Для похорон тела отправлены в Японию. В деле сказано, что подозреваемых выявлено не было.

— Там есть описание места преступления? Какие-нибудь детали? — спросила Руби.

— Само собой! — Руби услышала, как коллега зашелестела страницами. — Так... В первоначальном протоколе говорится, что преступление было чрезвычайно жестоким. Трупы найдены связанными, с кляпами и обезображенными. Следы пыток.... Похищены наличные деньги и... постойте-ка... вот это действительно странно!

— Что именно?

— Минутку, мне надо прочитать... Рядом с трупами обнаружен конверт. На его оборотной стороне семь застывших капель сургуча, образующих круг. Внутрь конверта была вложена страница из Библии.

— Там сказано, из какого раздела Библии?

— Нет... Хотя да, сказано! Из Апокалипсиса.

— Есть! Это то, что мне было нужно! — взволнованно воскликнула Руби. — Послушайте, я хочу многое сообщить вам и многое выяснить у вас. Я должна срочно прилететь в Тампу. Как насчет завтрашнего дня?

— Сейчас спрошу у начальства.

В трубке послышались приглушенные голоса, затем снова донесся голос Ширли Джасмунд:

— Хорошо, прилетайте завтра. Вы нас тут всех заинтриговали, включая нашего капитана. Он слушал разговор по другому аппарату. Он говорит, что родственники Икеи до сих пор каждый год звонят из Японии с одним и тем же вопросом: что нового в расследовании? Потому-то фамилия и показалась мне знакомой.

— Передайте капитану, ему будет что ответить японцам, когда они позвонят в следующий раз.

— Передам. А вы сообщите нам номер рейса, мы вышлем машину за вами в аэропорт.

От Майами до Тампы шестьдесят пять минут лету, и уже в восемь тридцать утра на следующий день Руби Боуи вошла в полицейское управление Тампы. Ширли Джасмунд встретила ее внизу и проводила в следственный отдел. Между двумя молодыми женщинами — белой и чернокожей — сразу же возникла взаимная симпатия.

— О вашем приезде у нас уже все знают, — сказала Джасмунд. — Даже шеф заинтересовался этим старым делом. Просил немедленно доложить ему, когда мы с вами закончим.

Ширли Джасмунд на вид было лет около двадцати пяти. Общительная хохотушка с красивым широкоскулым лицом, копной сияющих темно-русых волос и потрясающе стройной фигурой, что Руби отметила про себя не без зависти: сама она набрала в последнее время несколько лишних килограммов. «Пора перестать набивать себе желудок всякой гадостью», — в который раз сделала она себе внушение.

— Работать с вами поручено нам троим, — сказала Джасмунд. — Сержанту Клемзону, детективу Янису и мне.

— Мне лично вполне понятно, почему японцы так упорно звонят нам сюда из года в год, — объяснял Руби детектив Сэнди Янис. — У них культ предков. Поэтому и тела они попросили направить для захоронения в Японию, к тому же, по их поверью, умершие не обретут покоя, пока их убийца не найден и не понес наказания.

— Скоро они смогут упокоиться с миром, — сказала Руби. — Уже на девяносто восемь процентов установлено, что Икеи убил Элрой Дойл, казненный три недели назад в Рэйфорде за другое преступление.

— Вот это да! Я что-то читал об этом.

Янис явно был ветераном полиции. Ему было лет около шестидесяти. Он сутулился и не производил впечатления физически крепкого человека. Лицо его было испещрено морщинами, которые на одной щеке пересекал длинный шрам, какие оставляет удар ножа. Жидкие остатки седой шевелюры были небрежно зачесаны назад. Очки с полукруглыми стеклами постоянно съезжали ему на кончик носа, и его острые глазки смотрели в основном поверх них.

Они вчетвером с трудом поместились в тесном кабинете сержанта Клемзона. В полиции округа Дейд, где Руби побывала накануне, шкафчики в душевой будут попросторнее, отметила она про себя. Как уже объяснила ей Ширли Джасмунд, здание полицейского управления Тампы было возведено в начале 60-х не по самому удачному проекту и давно устарело.

— Местные политики только обещают построить для нас новое, но никак не найдут денег. Вот и приходится нам тесниться.

— Вы говорите, что уверены на девяносто восемь процентов. А что же остальные два? — спросил Янис.

— В могиле на одном из кладбищ Тампы убийца закопал нож. Найдем его — и девяносто восемь процентов превратятся в сто.

— К чему эти игры с цифрами? — вмешался сержант Клемзон. — Изложите нам факты.

Он был значительно моложе Сэнди Яниса и, несмотря на разницу в званиях, относился к детективу с заметным уважением.

— Хорошо. — И Руби пришлось еще раз рассказать историю с самого начала. О том, как Элрой Дойл перед казнью признался в убийстве четырнадцати человек, включая семью Икеи из Тампы — об этом двойном убийстве в полиции Майами прежде не знали. О том, как Дойл горячо отрицал свою причастность к убийству Эрнстов, которое ему приписывалось, хотя формального обвинения по этому делу против него не выдвигали.

— Он заслужил репутацию отпетого лжеца, и поначалу никто ему не верил, — сказала Руби. — Но теперь появилась новая информация, и моя задача — проверить каждое его слово.

— И что, вы уже поймали его на какой-нибудь лжи? — спросила Джасмунд.

— Нет, пока все подтвердилось.

— Значит, если он и об убийстве здесь, в Тампе, не соврал, на вас повиснет нераскрытое дело? — ухмыльнулся Янис.

— Верно, — кивнула Руби. — Тогда получится, что кто-то просто скопировал его почерк.

— А что известно о ноже на кладбище? — спросил Клемзон.

Справляясь со своими записями, Руби процитировала Дойла. Кладбище должно располагаться поблизости от места, где жили Икеи. Дойл зарыл нож в могиле, на надгробии которого значилась такая же, как у него, фамилия. По словам Дойла, нож должен лежать неглубоко.

Клемзон открыл папку, которая лежала перед ним на столе.

— Икеи проживали по адресу: Норт-Матансас, дом двадцать семь-десять. Есть там у нас какое-нибудь кладбище?

— Конечно, — быстро ответил Янис. — Норт-Матансас упирается в церковь Святого Иоанна, а сразу за ней расположено муниципальное кладбище Марти, маленькое и старое. Стало быть, там и придется копать. Между нами, я не против. Уж очень хочется закрыть это старое дело.

Сержант Клемзон позвонил заместителю прокурора города по каналу громкой связи, чтобы остальные могли слышать разговор. Тот внимательно выслушал полицейского и уперся.

— Я прекрасно понял, сержант, что речь не идет об эксгумации. Однако суть проблемы не в том, глубоко ли вам предстоит копать, а в том, что могилы вообще нельзя тревожить без санкции судьи.

— Хорошо, но я надеюсь, вы не будете возражать, если мы сначала осмотрим кладбище и убедимся, что такая могила действительно существует?

— Не будем. Это вполне законный метод ведения следствия. Но опять-таки будьте крайне осторожны. Публика чувствительна к любому святотатству. Это подобно вмешательству в личную жизнь, если не хуже.

Клемзон сказал Янису:

— Займись этим сам, Сэнди. Выясни, есть ли на кладбище надгробие с фамилией Дойл. Если найдешь, составишь официальную заявку, чтобы судья разрешил нам заниматься раскопками. — Затем он обратился к Руби: — На это уйдет пара дней, а может, и больше, но я обещаю: мы ускорим дело насколько возможно.

На встречу с Ральфом Мединой, управляющим отделом недвижимости городского совета Тампы, в ведении которого находилось кладбище Марти, Руби отправилась вместе с Янисом. Медина оказался добродушным маленьким толстяком.

— Вообще говоря, кладбищами и заведовать-то не надо, — объяснил он гостям. — Они почти не отнимают у меня времени. В кладбищенском деле что хорошо?.. Что тамошние постояльцы ни на что не жалуются. — Он улыбнулся, довольный своей шуткой. — Однако чем могу быть вам полезен?

Руби кратко изложила суть проблемы.

— Какая, скажите еще раз, фамилия вам нужна? — спросил Медина, доставая с полки толстый гроссбух.

— Д-о-й-л.

Чиновник несколько минут водил пальцем по столбцам, потом сообщил:

— Есть такие. Целых трое.

Янис и Руби переглянулись.

— Когда они были захоронены? — спросил Янис затем.

Ответа опять пришлось немного подождать, наконец он сказал:

— Один в тысяча девятьсот третьем году, второй в тысяча девятьсот семьдесят первом, а третий — в тысяча девятьсот восемьдесят шестом.

— Последний нас не интересует — это же шесть лет после убийства Икеи. А вот первые двое... Вы поддерживаете связь с их родственниками?

Снова поиск среди пожелтевших архивных страниц, и через некоторое время ответ:

— Нет. В связи с захоронением тысяча девятьсот третьего года нет вообще никаких упоминаний о родственниках — слишком давно это было. И по семьдесят первому году — сначала нам писали родственники, а потом — пропали.

— Значит, вы не смогли бы связаться с родней этих покойников, даже если бы захотели? — спросил Янис.

— Скорее всего нет.

— И если мы получим санкцию судьи вскрыть поверхностный слой земли вокруг этих могил — сантиметров на тридцать, не больше, — вы окажете нам в этом содействие?

— Приносите ордер — и пожалуйста!

На бюрократические формальности ушло полных два дня.

Заместитель прокурора штата принял заявление и подписал ордер на вскрытие двух могил, который детектив Янис и Руби Боуи отвезли на подпись одному из местных судей.

Поначалу этот служитель Фемиды, который, несомненно, был хорошо знаком с Янисом, долго хмурил лоб, размышляя над моральным аспектом дела, а потом предложил:

— Давай я пока разрешу тебе вскрыть только одну могилу, а, Сэнди? А потом, если ты в ней ничего не найдешь, я рассмотрю вопрос со второй.

Ветеран сыска мобилизовал всю свою силу убеждения.

— Я готов поклясться чем угодно, ваша честь, что если мы найдем нож в первой могиле, то ко второй не подойдем и на пушечный выстрел. Зато если нам придется заниматься и ею, лучше заранее иметь на то ваше разрешение. Уверяю, это сэкономит кучу денег городским властям, не говоря уже о вашем бесценном времени.

— А, брось, твоя лесть дерьма не стоит, — сухо отозвался на это судья и сразу перевел взгляд на Руби: — Извините за грубое слово, детектив. Сами вы что обо всем этом думаете?

— Мне кажется, в таких случаях не важно, чего стоит лесть.

— Почему-то я почувствовал себя сейчас загнанной старой лисой, — признался он и поставил на ордере свою закорючку.

Бригада «землекопов», собравшаяся в семь утра следующего дня на кладбище Марти, состояла из четверых детективов: Яниса, Джасмунд, Боуи и Энди Воско из отдела ограблений, а также троих рядовых из подразделения криминалистической экспертизы. Прибыл и Ральф Медина из городского совета, чтобы, как он выразился, «присмотреть за порядком в своем хозяйстве»; полицейский фотограф снял на пленку намеченные к вскрытию могилы.

Арсенал для работы подготовили внушительный. Были привезены доски, целый набор разнокалиберных лопат, заступов и мотыг, несколько мотков тонкой веревки, два больших строительных сита. Здесь же в коробках и кожаных чемоданчиках стояло оборудование экспертов-криминалистов рядом с дюжиной трехлитровых бутылей питьевой воды.

— Держу пари, к концу дня и глотка не останется, — заметил по этому поводу Янис. — Сегодня будет жарко.

И в самом деле, хотя по календарю была зима, на безоблачном небе все выше взбиралось яркое солнце, и уже сейчас ощущалась высокая влажность.

Как и договаривались накануне, все пришли в старье — главным образом в тренировочных костюмах, кое-кто в резиновых сапогах. Руби одолжила у Ширли Джасмунд мешковатые джинсы, но они все равно неприятно врезались ей в пояс.

В первую очередь им предстояло заняться более старой могилой. На растрескавшемся надгробии все еще ясно читалось имя — «Юстас Мэлдон Дойл», и год смерти — «1903».

— Послушайте, это же тот самый год, когда братья Райт подняли в воздух первый аэроплан! — заметил кто-то.

— Здесь самая старая часть кладбища, — подтвердил Янис. — Она же — ближайшая к тому дому, где жили Икеи.

Для начала криминалисты под наблюдением своего сержанта сколотили из досок прямоугольник, который водрузили поверх могилы, обозначив границы раскопок. Затем вдоль и поперек деревянного короба натянули несколько рядов веревок. Так образовались двадцать четыре квадрата со стороной примерно в тридцать сантиметров. Теперь можно было вести методичный поиск и четко зафиксировать, что и где именно найдено.

Если только они вообще найдут что-нибудь, с тревогой думала Руби. Деловая суета нисколько не придала ей уверенности. Дойл был лжецом и не мог не соврать хоть в чем-то. Велик был шанс, что нож в могиле был его выдумкой, не более. Ее вывела из задумчивости реплика командира группы криминалистов, обращенная к Янису:

— Теперь твоя очередь поработать, Сэнди. Мы представляем здесь науку, а твои люди — грубую рабочую силу, ха-ха!

— Как скажете, босс. — Янис взял в руки лопату и обратился к своей маленькой бригаде: — Давайте сыграем в классики.

Он определил для себя квадрат и осторожно начал копать. Остальные трое сыщиков из Тампы и Руби с ними тоже выбрали по квадрату и взялись за инструменты.

— Копаем на пятнадцать сантиметров в глубину, — дал указание Янис. — Потом, если понадобится, еще на столько же.

Почва попалась высохшая, твердая и поддавалась плохо. Небольшими кусками землю сбрасывали в ведро, а потом, когда оно наполнялось, откидывали на сито и просеивали. Процесс оказался мучительным и нудным. Скоро все пятеро взмокли. К концу первого часа вскопать на пятнадцать сантиметров вглубь удалось только половину квадратов. Сделав по глотку воды, они взялись за остальные. Через два часа непрерывной работы были найдены лишь три предмета: старый кожаный собачий ошейник, пятицентовая монета с цифрами 1921 на ней и пустая бутылка. Ошейник и бутылку сразу выбросили, а монету, как заявил Янис, позабавив всех, следовало сдать в городское казначейство.

Еще два часа спустя они вскрыли почву на добрых тридцать сантиметров, но безрезультатно.

— Хватит, перерыв! — объявил Янис. — Отдохните и попейте водички. Потом перейдем к другой могиле.

Ответом ему был дружный стон «землекопов», представивших, что им предстоит еще четыре часа тупой и грязной работы.

За вторую могилу они принялись в одиннадцать сорок при тридцатиградусной жаре. Стиснув зубы, копали еще полтора часа, когда Ширли Джасмунд негромко сказала:

— Кажется, я что-то нашла.

Все замерли и посмотрели на нее. Детектив Джасмунд штыком лопаты осторожно потыкала в землю.

— Нет, это что-то маленькое, хотя твердое. Быть может, камушек?

У Руби все внутри оборвалось. Камень или что-то другое, но ясно, что не нож.

— Дайте-ка теперь этим заняться нам, — сказал сержант-криминалист.

Джасмунд пожала плечами и отдала ему лопату.

— Как работать, так я, а вся слава достается другому, — проворчала она.

— Славой поделимся, если будет чем, — огрызнулся сержант.

Он слегка погреб в яме лопатой, потом наклонился и пальцами извлек наружу некий предмет. Это был не камень. Даже сквозь налипшую грязь можно было разглядеть, что это золотая с эмалью брошь — вещь, несомненно, ценная.

Криминалист тут же опустил брошь в пластиковый пакетик.

— Поглядим в лаборатории, что это за штучка.

— Ладно, мальчики и девочки, — уныло сказал Янис. — Пора снова за дело.

Они возились с землей еще час и десять минут, с каждой из которых Руби все больше мрачнела. Она уже окончательно решила, что эта часть ее расследования закончилась неудачей, когда детектив из отдела ограблений Энди Воско издал удивленный возглас:

— Здесь что-то есть! И на этот раз большое.

Снова все бросили работу и собрались вокруг. Снова сержант из группы криминалистов взял осмотр на себя. С помощью небольшой тяпки он выковырял предмет из ямы. Он был действительно крупным, и когда

налипшая земля отпала, стало очевидно, что это

нож. Достав из чемоданчика щипцы, сержант взял нож в них, а его помощник щеткой стряхнул с него остатки грязи.

— Это бови-нож! — Руби почти задохнулась от радости, разглядывая крепкую деревянную рукоять и одностороннее лезвие — сначала прямое, но со зловещей горбинкой на конце. — Именно такими ножами совершал убийства Дойл.

Нечего и говорить, что настроение ее резко переменилось, к тому же она была теперь благодарна Янису, что он проявил упорство, несмотря на ее сомнения.

Находку тут же упаковали в пластиковый пакет под аккомпанемент бормотаний сержанта-криминалиста:

— Мы должны пристально изучить в лаборатории эту штуковину. Молодчага, Сэнди!

— Неужели вы думаете, что спустя столько лет на ноже все еще можно найти отпечатки пальцев или следы крови? — спросила его Руби Боуи.

— Крайне маловероятно, — ответил сержант. — И все же...

Тут он выразительно посмотрел на Яниса.

— Вчера мне удалось осмотреть одежду Икеи, — сказал тот. — Ночную рубашку и пижаму, которые были на них в ночь убийства. Все это до сих пор хранится у нас в вещдоках. Так вот, ножевые раны им наносились сквозь одежду. Это значит, что на ноже могли остаться частицы ниток. Если мы их обнаружим и они совпадут по фактуре с одеждой Икеи... — Он торжествующе поднял руки вверх, оставив фразу незаконченной.

— Замечательно! Сама бы я не догадалась, — с восторженным простодушием призналась Руби.

— Стало быть, мы обнаружили что искали, — констатировал Энди Воско. — Будем сворачиваться?

— Нет, — сверкнул глазами Янис. — Будем продолжать.

И они работали еще час, но больше не нашли ничего.

В тот же день поздно вечером Руби улетала домой в Майами. Ширли Джасмунд и Сэнди Янис взялись подбросить ее до аэропорта. Когда при выходе на посадку они стали прощаться, Руби не выдержала и порывисто обняла обоих.

12

— Ну, и каков твой вывод? — спросил Малколм Эйнсли.

— Я заключила, — сказала Руби Боуи, — что Элрой Дойл не солгал, когда признался вам в убийстве Эсперанса и Икеи. Само собой, есть мелкие расхождения в деталях, а об одной улике он не упомянул вообще, но сути дела это не меняет. — Она сделала паузу. — Рассказать вам все по порядку?

— Непременно.

Этот разговор происходил у них в отделе на следующее утро после возвращения Руби из Тампы. Сидя за своим столом, Эйнсли выслушал, что удалось выяснить Руби сначала в полиции округа Дейд, а потом и в Тампе. Под конец она сообщила ему самые последние новости:

— Нынче утром мне позвонили домой. Лабораторный анализ помог установить, что на том ноже, который мы нашли, остались микроскопические нити от одежды Икеи. Значит, именно этим ножом они были убиты, и Дойл не соврал. А брошь, найденная нами... — Руби сверилась с записями. — Она выполнена в технике клуазоне, то есть перегородчатой эмали. Вещь старинная, очень ценная, японской работы. По версии Сэнди Яниса, старушка держала ее в семейной опочивальне, и Дойлу понравился ее блеск.

— Но потом он испугался, что его с ней застукают, и закопал брошку вместе с ножом, — предположил Эйнсли.

— Скорее всего именно так и было. И значит, всей правды Дойл вам не сказал.

— Однако все, что он сказал мне, благодаря твоим усилиям полностью подтвердилось.

— О, чтобы не забыть! У меня есть еще кое-что. — Среди множества бумаг, которые Руби принесла с собой, она нашла несколько фотокопий с конверта, найденного на месте убийства Икеи, с семью сургучными печатями по кругу на оборотной стороне и с вложенной внутрь страницей из Апокалипсиса. Эйнсли внимательно изучил их.

— Страница вырвана из пятой главы, — констатировал он почти сразу. — Здесь подчеркнуты три стиха.

Он прочитал их вслух:

— «И видел я в деснице у Сидящего на престоле книгу, написанную внутри и отвне, запечатанную семью печатями.

И видел я Ангела сильного, провозглашающего громогласным голосом: кто достоин раскрыть сию книгу и снять печати ее?

...И один из старцев сказал мне: не плачь, вот, лев от колена Иудина, корень Давидов, победил и может раскрыть сию книгу и снять семь печатей ее».

— Да, это почерк Дойла. — Эйнсли живо помнил свой разговор с отцом Кевином О'Брайеном, который рассказал о том, насколько глубокое впечатление произвели на двенадцатилетнего Элроя Дойла идеи Господнего проклятия, мести, наказания за грехи.

— Зачем ему понадобилось оставлять эту страничку рядом с трупами? — спросила Руби.

— Это знал только он сам. Я могу лишь предположить, что он возомнил себя именно этим львом от колена Иудина, что и подтолкнуло его к совершению серийных убийств. — Эйнсли сокрушенно тряхнул головой, продолжая держать перед собой копии с конверта и страницы. — Если бы у нас раньше было вот это! Если бы мы знали об убийстве Икеи... Дойла можно было бы остановить гораздо раньше.

Они помолчали, потом Руби нарушила молчание вопросом:

— Вы только что упомянули о серийных убийствах. А как будет теперь с делом Эрнстов?

— Похоже, в категорию серийных убийств оно не попадает. — Мысленно Эйнсли словно еще раз услышал полные отчаяния слова Дойла: «Я грохнул других, мне хватит и этого. Я не хочу тащить с собой в могилу чужой грех». Он подытожил: — Теперь нет сомнений, что Дойл говорил мне правду, а значит, по убийству Эрнстов будет назначено новое расследование.

— Да, да, дело Эрнстов вновь открыто прямо с этой минуты, — кивнул Лео Ньюболд. — Выходит, ты был прав с самого начала, Малколм.

— Не это важно, — покачал головой Эйнсли. — Скажите лучше, с какой стороны нам к этому делу подступиться.

Они были вдвоем за плотно закрытыми дверями кабинета Ньюболда.

— Прежде всего полная и абсолютная конфиденциальность. — Ньюболд подумал немного и добавил: — А это значит, что даже в нашем отделе... Словом, прикажи Руби не распространяться об этом.

— Уже приказал. — Эйнсли с наигранным удивлением посмотрел на начальника и спросил: — А к чему, вообще говоря, вы клоните?

Лейтенант раздраженно отмахнулся:

— Сам толком не знаю. Но только если убийство Эрнстов кто-то хотел изобразить как дело рук серийного убийцы, то преступник подозрительно много знал о том, как убивал Дойл. Знал детали, о которых не сообщалось ни в газетах, ни по телевидению.

— Вы предполагаете, что кто-то мог получить доступ к нашей внутренней информации? — осторожно спросил Эйнсли.

— Я, черт возьми, сам не знаю, что я предполагаю! Мне просто делается не по себе при мысли, что в полиции или даже непосредственно в нашем отделе кому-то может быть известно об убийстве Эрнстов больше, чем нам с тобой. — Ньюболд порывисто поднялся, прошелся по кабинету и вернулся в свое кресло. — И не пытайся меня убедить, что тебе в голову не лезут те же мысли!

— Да, я тоже думал об этом, — признал Эйнсли и, помедлив, продолжил: — Мне кажется, я должен начать с нового просмотра всех этих дел. Нужно четко разделить те факты, которые мы обнародовали, и те, что были скрыты от публики. После этого появится материал для сравнения с делом Эрнстов.

— Неплохая идея, — кивнул Ньюболд, — но только нельзя заниматься этим в отделе. Папки с делами, разложенные на твоем столе, привлекут излишнее внимание. Забери их домой и поработай пару дней там. Я тебя подменю.

Теперь Эйнсли испытал неподдельное удивление. Он и сам собирался действовать осторожно, но чтобы не доверять своим ближайшим коллегам! Впрочем, Ньюболд был, конечно, прав. К тому же в отделе ежедневно бывало много посторонних, среди которых могли оказаться и чрезмерно любопытные.

А потому тем же вечером, закончив работу, он незаметно перенес к себе в машину пять толстенных папок, по одной на каждое из двойных убийств: Фростов, Ларсенов, Хенненфельдов, Урбино и Эрнстов. Нужно было настраиваться на скрупулезное, въедливое чтение.

— Не понимаю, почему ты разложил все эти кипы бумаг на нашем обеденном столе, но как же хорошо, что ты будешь дома! — сказала ему Карен на следующее утро. — Могу я тебе чем-нибудь помочь?

Эйнсли бросил на нее благодарный взгляд.

— Наберешь некоторые мои записи на своем компьютере? — попросил он.

Обрадовался и вернувшийся из школы Джейсон. Он чуть сдвинул в сторону папки с делами об убийствах и пристроился рядом с отцом делать домашнее задание. Так они и работали в напряженной тишине, прерываемой изредка вопросами Джейсона:

— Пап, а ты знаешь, что если умножать на десять, надо только дописать к цифре нолик? Правда, клево?.. Пап, а сколько километров от нас до Луны?

И наконец:

— Можно, я все время буду делать уроки вместе с тобой, а, пап?

Работа над привезенными домой документами заняла у Эйнсли два полных дня. Он сверял данные, делал выписки и в результате составил что-то вроде сводной таблицы по всем серийным преступлениям, которая позволила сделать несколько важных выводов.

Особое внимание он обратил на те детали обстановки на местах совершения преступлений, которые полиция утаила от прессы в надежде, что когда-нибудь о них проговорится подозреваемый и будет легко изобличен. К числу таких фактов относились прежде всего те необычные предметы, которые в каждом случае обнаруживались рядом с трупами. Широкой публике не могло быть известно также, что во всех делах фигурировало громко игравшее радио. Не разглашалось, что тела связанных жертв находили сидящими лицом друг к другу. О том, что похищались деньги, пресса упоминала, но в нее не просочилось ни слова о драгоценностях, которые оставались нетронутыми.

Официально все эти сведения журналистам не сообщались, но в том-то и дело, что у многих репортеров были неофициальные источники информации в управлении полиции. Из чего вытекали два вопроса. Первый: *вся ли информация* о четырех серийных убийствах, которые предшествовали убийству Эрнстов, попала в средства массовой информации? Можно с полной уверенностью заключить, что нет, размышлял Эйнсли. И вопрос номер два: имела ли место, как предположил Лео Ньюболд, намеренная или нечаянная утечка информации из стен полицейского управления? Теперь Эйнсли был склонен дать на него положительный ответ.

Далее следовало разобраться, существовали ли различия между убийством Эрнстов и другими преступлениями Дойла. Как легко смог установить Эйнсли, различий было несколько.

Прежде всего обращало на себя внимание радио. На месте убийства Фростов в номере отеля «Ройал колониел» радиоприемник был настроен на станцию «Металл-105», специализировавшуюся на тяжелом роке. Убийство Хэла и Мейбл Ларсен в Клиэруотере хронологически шло следующим, и поскольку о радиоприемнике в материалах дела не упоминалось, Эйнсли решил позвонить детективу Нельсону Эбреу, который вел расследование.

— Нет, — сказал Эбреу, — насколько мне известно, никакого радио там не было, но я постараюсь выяснить точно и перезвоню.

Перезвонил он спустя час.

— Я только что переговорил с патрульным, который попал на место убийства Ларсенов первым. Теперь он припомнил, что да, играл там радиоприемник. Какой-то бешеный рок. Этот идиот выключил радио, чтобы не мешало, и даже не доложил об этом.

Он молодой парень, новичок, но я все равно устрою ему хорошую взбучку. Что-нибудь важное?

— Сам пока не знаю, — ответил Эйнсли, — но за проверку спасибо.

Эбреу не сдержал любопытства и поинтересовался, чем вызван звонок Эйнсли.

— Родственники Ларсенов постоянно нам звонят, — объяснил он. — Им хочется уверенности, что именно Дойл был убийцей их близких. По этому поводу есть новости?

— Сию минуту нет, но я доложу своему командиру, что вам следует сообщить, если что-нибудь прояснится.

— Понимаю, — хихикнул Эбреу. — Вы что-то знаете, но не можете мне сказать.

— Мы же с вами коллеги, вы сами понимаете, — сказал Эйнсли.

Информацию о предсмертном признании, сделанном Дойлом в Рэйфорде, держали пока в секрете, и Эйнсли хотел бы надеяться, что так будет по крайней мере еще некоторое время.

Следом за убийством Ларсенов произошла не менее кровавая расправа с Ирвингом и Рэйчел Хенненфельд. По этому делу имелось свидетельство детектива Бенито Монтеса. Посетив коллег в Майами, он сообщил, что на месте преступления в Форт-Лодердейле из радиоприемника неслись такие громкие звуки рока, что он сам себя не слышал.

Затем убийство Ласаро и Луизы Урбино в Майами. Здесь сосед выключил радио, чтобы позвонить в полицию, но не сбил настройку. Это была все та же «Металл-105».

Радио играло громко и на месте убийства Густава и Эленор Эрнст. Их мажордом Тео Паласио приемник выключил, но запомнил, что настроен он был на волну 93,1 FM, на WTMI — «любимую станцию миссис Эрнст», поскольку передавала она классику и мелодии из кинофильмов. Тяжелый рок — никогда!

Стоило ли придавать значение несовпадению музыкальных жанров? Эйнсли склонялся к мысли, что да. Особенно в сочетании с другим несовпадением в деле Эрнстов. Дохлый кролик на месте преступления не мог быть апокалипсическим символом; в этом Эйнсли был уверен с самого начала.

А не выходит ли так, спрашивал он сам себя, что убийца Эрнстов каким-то образом узнал про четырех дохлых кошек в деле Фростов и ошибочно заключил, что подойдет любая другая мертвая зверушка? Ответ снова напрашивался утвердительный.

И еще одна знаменательная деталь: «апокалипсическая версия» Эйнсли стала известна узкой группе сыщиков на следующий день *после* убийства Эрнстов, а *до того времени* странный набор предметов-символов оставался для всех таинственной бессмыслицей.

Вызывал вопросы и еще один хронологический фактор.

Между каждым из двойных убийств: Фростов, Ларсенов, Хенненфельдов и Урбино — всегда проходило не меньше двух месяцев (в среднем два месяца и десять дней). А вот убийства Урбино и Эрнстов разделяли всего три дня.

Похоже, размышлял Эйнсли, что механизм убийства Эрнстов был кем-то запущен с таким расчетом, чтобы оно произошло через подходящий промежуток времени, но тут вмешалось преступление, жертвами которого стали супруги Урбино. И хотя новость об их страшной смерти распространилась стремительно, вполне возможно, что было уже невозможно предотвратить убийство Эрнстов.

Неожиданная и мимолетная идея осенила Эйнсли, но он мгновенно отверг ее.

Сразу по завершении двухдневной работы с делами Эйнсли нанес визит в хранилище вещественных доказательств управления полиции Майами. Это столь необходимое подразделение располагалось в полуподвале главного здания. Командовал им капитан Уэйд Якоун — плотно сложенный, седеющий ветеран с почти тридцатилетним стажем, который широченной улыбкой приветствовал появление Малколма Эйнсли.

— Ты-то мне и нужен, Малколм! Как жизнь?

— Спасибо, сэр, неплохо.

— Оставь субординацию, — отмахнулся Якоун. — Я как раз собирался послать тебе служебную записку по поводу этого твоего серийного убийцы. Приговор приведен в исполнение, дело закрыто, а тут у нас сложена гора всякой всячины, от которой хорошо бы избавиться. Нам катастрофически не хватает места.

— Забудь свою писанину, Уэйд, — усмехнулся Эйнсли. — Расследование одного из убийств возобновлено.

Писаниной в управлении называли служебные записки Якоуна, которые он с упорной регулярностью рассылал детективам, направившим на хранение вещественные доказательства; иногда до суда, но нередко лишь с минимальной надеждой уличить виновного когда-нибудь в будущем. Обычно содержание такой записки от Якоуна сводилось примерно к следующему: «Эй, приятель! Мы уже долго держим твое барахло, а хранилище не резиновое. Пора решать, нужно ли оно тебе еще, а если нет, давай избавимся от него и освободим драгоценное пространство на наших стеллажах». И все равно в большинстве случаев от вещдоков удавалось избавиться только по специальному распоряжению суда.

То, что на жаргоне Якоуна называлось «барахлом», состояло из самых разнообразных материальных улик. В их число входили, например, наркотики — кокаин и марихуана в пронумерованных пакетах, — которых в хранилище лежало на несколько миллионов долларов. Здесь складировались сотни стволов огнестрельного оружия — пистолеты, винтовки, автоматы и боеприпасы к ним. «Хватит, чтобы поднять небольшое вооруженное восстание», — не раз хвастался Якоун; в обширных холодильниках дожидались своего часа образцы человеческой крови и тканей, взятые по делам об убийствах или изнасилованиях. Но более всего было здесь самых прозаических вещей. Краденые телевизоры, магнитофоны, микроволновые печи и высокие штабеля обычных с виду, хотя и опечатанных картонных коробок, в которые складывалась всякая мелочовка, изъятая с мест преступлений, включая и убийства.

Понятно, что в хранилище всегда было тесно. «Мы завалены от пола до потолка», — постоянно жаловался Якоун, но как-то ухитрялся втискивать в свой склад все новые вещи и коробки.

— И что же произошло? — спросил он Эйнсли.

— Выяснилось, что одно из серийных убийств нуждается в доследовании, поэтому вещдоки придется пока оставить. Однако ты сказал «гора». Неужели действительно так много?

— Было всего ничего, пока не случилось убийства комиссара Эрнста и его жены, — ответил Якоун. — Вот тогда нам и правда навезли целую груду. Мне объяснили, что это из-за особой важности дела.

— Позволишь взглянуть?

— Конечно.

Хозяин провел Эйнсли через несколько помещений, где работали двадцать человек — пятеро офицеров полиции плюс вольнонаемные. Оставалось только удивляться, в каком исключительном порядке ухитрялись они содержать этот склад. Любую единицу хранения, независимо от давности (а улика двадцатилетней давности не была здесь редкостью), с помощью компьютера можно было разыскать в считаные минуты по номеру дела, именам или дате принятия на хранение.

Якоун продемонстрировал, как это делается, без колебаний указав на дюжину объемистых коробок, каждая из которых была запечатана широкой клейкой лентой с надписью «ВЕЩЕСТВЕННЫЕ ДОКАЗАТЕЛЬСТВА».

— Вот эти нам доставили сразу же после убийства Эрнстов, — сказал капитан. — Как я понял, ваши ребята основательно порылись в их доме и собрали много всего, больше — бумаг, чтобы изучить их позже, по-моему, ими так никто и не занимался.

Эйнсли не пришлось гадать, почему так случилось. Сразу после убийства Эрнстов его спецподразделение целиком сосредоточилось на слежке за подозреваемыми. Вещи и документы из дома убитых оставили на потом. Когда же Дойл был арестован и признан виновным, дело Эрнстов закрыли, и до этих коробок ни у кого руки не дошли.

— Извини, что не могу пока избавить тебя от них, — сказал Эйнсли Якоуну. — Мы будем брать по нескольку коробок, изучать содержимое и возвращать.

— Твое право, Малколм, — пожал плечами капитан.

— Спасибо, — кивнул Эйнсли. — Это может оказаться крайне важным.

13

— Твоя задача, — объяснял он затем Руби, — просмотреть, что лежит в каждой из этих коробок. Нет ли там чего для нас полезного.

— Что-нибудь конкретное?

— Нам нужна ниточка, которая привела бы нас к убийце Эрнстов.

— Но ничего конкретного?

Эйнсли покачал головой. Его охватило недоброе предчувствие; тревожная неизвестность ожидала их. Так кто же убил Густава и Эленор Эрнст?

И почему? Каковы бы ни были ответы на эти вопросы, простыми они не окажутся, это он мог предсказать заранее. «...В страну тьмы и сени смертной» — вспомнилась строчка из библейской Книги Иова. Инстинкт подсказывал, что именно в эту страну вступил он теперь, лучше бы это дело вел кто-нибудь другой, подумал он впервые.

— Что-то не так? — спросила наблюдавшая за ним Руби.

— Не знаю... — ответил он. — Давай не будем ничего загадывать, а просто посмотрим, что в тех коробках.

Они сидели вдвоем в маленькой комнатушке в глубине того же здания полицейского управления, где располагался отдел по расследованию убийств. Эйнсли организовал это временное рабочее помещение, чтобы вести возобновленное расследование в обстановке строгой конфиденциальности, как приказал ему Лео Ньюболд. Размерами комната была сравнима с платяным шкафом, в который втиснули стол, два стула и телефон, но с этим приходилось мириться.

— Мы пойдем в хранилище, — сказал он ей, — и я подпишу разрешение, чтобы ты могла забрать коробки Эрнстов, как только будешь готова приступить. Едва ли они займут у тебя больше двух дней.

Как выяснилось, в этом он здорово ошибался.

Под конец второй недели Эйнсли в раздраженном нетерпении зашел проведать Руби в ее временном убежище уже в третий раз. Как и в предыдущие два визита, он застал ее окруженной ворохом бумаг, которые она разложила даже на полу.

Когда они виделись в последний раз, Руби сказала:

— Впечатление такое, что Эрнсты просто не могли заставить себя выбросить хотя бы клочок бумаги. Они сохраняли *абсолютно* все: письма, счета, записочки, вырезки из газет, чеки, приглашения — всего не перечислишь, и почти все здесь.

На этот раз перед ней лежала раскрытая общая тетрадь с чуть пожелтевшими страницами и обтрепанными углами. Руби читала и делала пометки в блокноте.

— По-прежнему ничего? — спросил Эйнсли, указывая на очередную открытую коробку.

— Нет, — ответила Руби, — кажется, я обнаружила кое-что любопытное.

— А ну-ка рассказывай!

— Это о миссис Эрнст. Как я поняла, именно она отличалась особой страстью ко всяким бумажкам. Тут много ее собственных записей. Читать трудно. Почерк бисерный, неразборчивый. Я просматривала все подряд, ничего примечательного. Но два дня назад мне попались ее дневники. Она вела их в таких вот тетрадях много лет подряд.

— Сколько всего тетрадей?

— Двадцать или тридцать, может, даже больше. — Руби кивнула в сторону коробки: — Вот эта была полна ими под завязку. Вероятно, дневники окажутся и в других.

— О чем же она писала?

— Здесь есть проблема. У нее не только трудный почерк. Она еще и пользовалась кодом. Я бы назвала его личной системой стенографии. Цель ясна. Она не хотела, чтобы дневники читали другие, особенно муж. Должно быть, все эти годы она прятала от него свои записи. Однако чуть-чуть терпения, и можно научиться разбирать ее шифр. — Она ткнула пальцем в лежавшую перед ней тетрадь. — Например, она заменяла имена цифрами. Сначала по контексту я догадалась, что тридцать один — это она сама, а четыре — ее муж. Легко догадаться, что для обозначения ей служили порядковые номера букв алфавита. «Э» — тридцать первая буква, «Г» — четвертая. Простейший код. А вообще она сокращала слова, большей частью выбрасывая гласные. Я уже начала читать, но дело двигается чертовски медленно.

Эйнсли понимал, что настала пора принять какое-то решение. Стоит ли дальше загружать Руби этой неблагодарной работой, которая продлится еще неизвестно сколько и скорее всего не принесет никаких результатов? Других дел невпроворот. Подумав, он спросил:

— Но хоть что-то ты уже сумела раскопать? Что-нибудь важное?

Руби помедлила и сказала:

— Ладно, хотела сначала собрать побольше материала, но... — В ее голосе появилась жесткость. — Как вам понравится, скажем, вот это? Из тех дневников, которые я успела прочитать, следует, что наш покойный досточтимый городской комиссар Густав Эрнст смертным боем бил свою жену. Он избивал ее практически с первых дней супружеской жизни. По меньшей мере однажды она попала из-за этого в больницу. Она никому не рассказывала, потому что боялась его и стыдилась. Она была уверена, что ей все равно никто не поверит, как внушал ей мерзавец муженек. Все, что ей оставалось, — это изливать боль и унижение своим полудетским шифром в этих жалких тетрадках. Это все изложено здесь!

Лицо Руби вдруг вспыхнуло.

— Дьявол! Меня тошнит от этого дерьма! — Она порывисто схватила тетрадь со стола и швырнула в стену.

Эйнсли дал ей передышку, нарочито медленно подняв тетрадку с пола.

— По всей вероятности, она была права, — сказал он затем. — Ей действительно не поверили бы. Особенно в те годы, когда говорить о домашнем насилии вообще было не принято. Люди просто не хотели ничего об этом знать. А *ты сама* веришь, что она писала правду?

— Уверена на все сто. — К Руби уже вернулось душевное равновесие. — Она описывала подробности, каких не выдумаешь. Все слишком достоверно. Да почитайте сами.

— Обязательно почитаю, но позже. — Эйнсли знал, что на мнение Руби можно полагаться.

Она снова бросила взгляд на тетрадь и сказала задумчиво:

— Мне кажется, миссис Эрнст знала, даже рассчитывала, что ее дневники однажды кто-то сумеет прочитать.

— Она писала что-нибудь про... — Эйнсли осекся: вопрос показался ему излишним. Если ответ был положительным, то Руби упомянула бы об этом.

— Вы хотели спросить о Синтии, так ведь?

Он молча кивнул.

— Меня это тоже интересует, но пока о ней не было ни слова. Записи, которые я прочитала, сделаны в начале супружества. Синтия еще не родилась. Но я уверена, что далее она будет фигурировать и, как легко догадаться, под номером девятнадцать.

Их взгляды встретились.

— Продолжай, — сказал Эйнсли потом, — сколько бы времени это ни заняло. Звони мне, как только обнаружишь еще что-нибудь примечательное.

Он старался стряхнуть с себя гнетущие предчувствия, но это ему никак не удавалось...

...Прошло еще почти две недели, когда он в следующий раз услышал голос Руби Боуи.

— Не могли бы вы прийти ко мне? — попросила она по телефону. — Мне нужно вам кое-что показать.

— То, что мне удалось найти, многое меняет, — сказала Руби, — но только я не поняла еще, как именно.

Они снова были в крошечной комнатке без окон, совершенно заваленной бумагами. Руби сидела за своим узким рабочим столом.

— Рассказывай, не томи, — потребовал Эйнсли, которому пришлось ждать слишком долго.

— Синтия появилась-таки в числе персонажей. Уже через неделю после ее рождения миссис Эрнст застала мужа за странной игрой с младенцем. Сексуальной игрой. Посмотрите, что она записала в дневнике.

Она подала тетрадь Эйнсли, и вот что он увидел:

«Сгдн вдл, как 4 щпат 19. Это скcльн дмгтств. Снчл он рзврнл плнку и длг пллся на глнькг рбнк. Он не знл, чт я вс вжу, нклнлс и сврш1л нвбрзм...»

— Нет, лучше прочитай мне сама, — сказал он, пробежав глазами начало записи. — Я улавливаю общую идею, но у тебя получится быстрее.

Руби прочитала вслух:

— «Сегодня видела, как Густав щупает Синтию. Это сексуальные домогательства. Сначала он развернул пеленку и долго пялился на голенького ребенка. Он не знал, что я все вижу, наклонился и совершил невообразимое. Мне стало противно и страшно за Синтию. Каким-то будет ее детство при отце-извращенце? Говорила с ним потом. Сказала, мне все равно, что он творит со мной, но чтобы не смел больше так прикасаться к Синтии. Пригрозила, что, если еще увижу, позвоню защитникам прав детей и он сядет. Похоже, ему нисколько не стыдно, но он пообещал не делать этого больше. Не знаю, можно ли ему верить. Он такой развратник. Как мне защитить Синтию? И этого тоже не знаю».

Не дожидаясь какой-либо реакции от Эйнсли, Руби затем сказала:

— Записи на эту тему встречаются постоянно в дневниках миссис Эрнст в течение двух лет. Ее угроза так пустой и осталась, она ничего не предприняла. А полтора года спустя она писала вот о чем.

Она взяла со стола другую тетрадь и указала ему абзац.

Он жестом попросил прочитать его вслух. Она прочитала:

— «Сколько я ни предупреждала Густава, это все равно продолжается. Иногда он делает Синтии так больно, что она вскрикивает в голос. Стоит же мне завести с ним разговор об этом, он говорит: «Ничего страшного. Просто небольшое проявление отцовской любви». Я ему говорю: «Нет, это страшно. Это ненормально. Ей это не нравится. Она ненавидит тебя. Она тебя боится». Теперь Синтия всякий раз плачет, стоит Густаву подойти к ней. А если он протягивает к ней руку, она вскрикивает, вся сжимается и прячет лицо в ладонях. Я продолжаю грозиться, что пожалуюсь в полицию или нашему семейному доктору В. Густав лишь смеется, знает, что я никогда не решусь на это — такого позора я не вынесу. Как мне потом смотреть людям в глаза? Нет, я не смогу и заговорить с кем-то на эту тему. Даже ради спасения Синтии. Придется жить с этим тяжким бременем. И Синтию ждет та же участь». Вы шокированы? — спросила Руби, закончив чтение.

— Отработаешь девять лет в отделе убийств, тебя уже ничто не шокирует. Но я с тревогой жду продолжения. Это ведь еще не все?

— Далеко не все. Она очень много писала на эту тему, нам никакого времени не хватит. Поэтому я перейду сразу к другому сюжету. — Она заглянула в свои записи. — Теперь о жестокости. Густав стал бить Синтию с трехлетнего возраста. Как написано в дневнике, «он раздавал ей пощечины и затрещины по малейшему поводу или вовсе без повода». Он ненавидел ее плач и однажды «в наказание» сунул ножками в почти что крутой кипяток. Миссис Эрнст пришлось отвезти дочь в больницу, объяснив ожоги несчастным случаем. Как она отметила в записях, врач ей не поверил, но никаких последствий это не имело.

Когда Синтии было восемь, Густав впервые изнасиловал ее. После этого Синтия стала шарахаться от всякого, кто пытался прикоснуться к ней, включая даже мать. Ее страшила сама мысль о постороннем прикосновении. — Голос Руби дрогнул. Она сделала глоток воды из стакана и указала на кипу тетрадей: — Это все описано в них.

— Хочешь, сделаем перерыв? — спросил Эйнсли.

— Да, было бы неплохо. — Руби пошла к двери, пробормотав на ходу: — Я скоро...

Эйнсли остался один. В мыслях его царил полнейший хаос. Он не смог стереть в своей памяти сладкую отраву своего романа с Синтией и едва ли когда-нибудь сможет. Как ни озлобилась она на него, когда он решил прекратить их отношения, как ни мстила, лишая всякой перспективы продвижения по службе, она все еще была ему слишком дорога, чтобы он мог хотя бы помыслить причинить ей ответное зло. А после того, что он только что узнал, на него и вовсе накатила смешанная волна нежности и жалости к ней. Как могли столь цивилизованные с виду родители так надругаться над своим ребенком? Как мог отец до такой степени быть извращенно похотливым, а мать настолько бесхребетной, чтобы не прийти на помощь маленькой дочери?

Дверь неслышно открылась, и в комнату вернулась Руби.

— Ты в состоянии продолжать? — спросил Эйнсли.

— Да, давайте покончим с этим, а потом я, наверное, пойду и напьюсь в дымину, чтобы забыть обо всей этой мерзости.

Оба прекрасно понимали, что она не сделает этого. После трагической гибели отца она дала твердый зарок не притрагиваться к наркотикам и не употреблять спиртного. И никакие новые потрясения не могли ее поколебать в этом.

— В двенадцать лет с Синтией случилось неизбежное, — продолжала она после краткой сверки со своими заметками. — Она забеременела от собственного папаши. Вот, я прочту, что записала миссис Эрнст.

На этот раз Руби не стала демонстрировать ему закодированную запись в дневнике, а сразу принялась за чтение расшифровки из своего блокнота.

— «В этой жуткой, постыдной ситуации удалось кое-как все устроить. Л. М., адвокат Густава, помог отправить Синтию в Пенсаколу и под чужим именем поместить ее в небольшую больницу, где у него связи. Врачи говорят, что ребенка придется оставить. На этой стадии беременности другие варианты уже исключены. Она останется в Пенсаколе до самых родов. Л. М. обещает сделать так, чтобы младенца сразу же усыновили. Я сказала ему, что нам все равно, кто и как это сделает, лишь бы без огласки и без возможных осложнений в будущем. Синтия никогда не увидит это дитя и не услышит о нем, как, надеюсь, и мы сами. Дай бог, чтобы так и получилось!

У этого дела может оказаться и своя положительная сторона. Прежде чем взяться за хлопоты, Л. М. устроил Густаву настоящую головомойку. Он сказал, что от Густава его мутит, а потом перешел на такие выражения, каких мне лучше не повторять. Под конец он поставил ультиматум: если Густав не бросит приставать к Синтии, Л. М. сам сообщит обо всем куда следует и Густаву тогда светит немалый срок. Л. М. дважды повторил, что это не пустая угроза. Пусть он «потеряет важного клиента, ему плевать». Густав был не на шутку испуган».

— Потом следует запись, что Синтия родила, — отвлеклась от текста Руби. — Но никаких подробностей. Не указан даже пол ребенка. Синтия вернулась домой, и вскоре в дневнике было записано вот что: «Несмотря на все предосторожности, что-то все-таки выплыло наружу. Ко мне заявилась дама из отдела соцобеспечения детей. По тем вопросам, которые она задавала, можно заключить, что ей не все известно, но дошла информация, что Синтия родила в двенадцатилетнем возрасте. Отрицать это было бессмысленно, и я сказала: да, родила, но обо всем остальном наврала. Я сказала, что понятия не имею, кто отец ребенка, хотя нас с Густавом давно беспокоило, что она якшается с дурными мальчиками. Теперь, говорю, будем ее держать в строгости. Не уверена, что она мне поверила, но ей нечем опровергнуть мои слова. Как все-таки любят эти люди совать нос в чужие дела!

Как только женщина ушла, я заметила, что Синтия нас подслушивала. Мы ничего не сказали друг другу, но Синтия бросила на меня такой испепеляющий взгляд... Кажется, она ненавидит меня».

Эйнсли ничего не сказал. Мысли его были слишком сложны, чтобы он мог выразить их. Преобладающим же ощущением было отвращение к этим людям. Густава и Эленор Эрнст абсолютно не волновало, что станется с новорожденной малюткой — ее внуком или внучкой, а его сыном или дочуркой.

— Тут я пропустила большой кусок, — продолжала Руби, — и лишь по диагонали просмотрела записи, относящиеся к ранней юности Синтии. Скажу в двух словах, что Густав Эрнст прекратил домогаться дочери и даже стал делать все возможное, чтобы, как сказано в дневнике, она «простила его и забыла». Он давал ей крупные суммы денег, они у него всегда водились. Так продолжалось и когда он уже стал городским комиссаром, а Синтия поступила на службу в полицию Майами. Густав применил все свое влияние, чтобы ее сначала зачислили в наш отдел, а потом быстро продвигали по служебной лестнице.

— Синтия всегда была хорошим работником, — заметил Эйнсли. — Она и без этого сделала бы хорошую карьеру.

Руби пожала плечами:

— А вот миссис Эрнст считала, что он ей очень помог, хотя сомневалась, что Синтия испытывала к ним благодарность, что бы они с Густавом ни делали ради нее. Послушайте, что она записала в дневнике четыре года назад: «Густав — глупец и живет в иллюзорном мире. Он, например, уверен, что между нами и Синтией все обстоит благополучно, что прошлое прочно забыто и Синтия любит теперь нас обоих. Вот ведь вздор! Синтия нисколько нас не любит. Да и с чего бы? Разве у нее есть для этого основания? Оглядываясь назад, как мне хотелось бы многое изменить! Однако уже поздно. Слишком поздно».

Мне осталось прочитать вам всего один фрагмент, но, по-моему, самый важный, — сказала Руби. — Дневник миссис Эрнст за четыре месяца до их с Густавом смерти: «Иногда мне удается перехватить взгляды, которыми окидывает нас Синтия. Мне чудится в них неприкрытая ненависть к нам обоим. Такой уж у Синтии характер, что она никому ничего не прощает. Никогда! Она никому не спустит ни малейшей обиды. Так или иначе, иногда много позже, но она все равно поквитается с обидчиком. Уверена, что эта черта — плод нашего воспитания. Это мы сделали ее такой. Порой мне кажется, она и для нас затевает что-то, вынашивает месть, и тогда мне становится страшно. Синтия очень умна, куда умнее нас обоих».

Руби отложила блокнот в сторону.

— Я выполнила ваше поручение. Мне нужно еще только сделать... — Она заметила, какой тенью омрачилось лицо Эйнсли, и голос ее сразу потеплел. — Все это должно быть дьявольски тяжело для вас, сержант.

— О чем это ты? — спросил он не слишком уверенно.

— Малколм, нам всем прекрасно известно, почему вы до сих пор не лейтенант, хотя должны бы уже быть капитаном.

— Стало быть, ты знаешь про меня и Синтию, — констатировал он со вздохом.

— Разумеется. Мы все знали, что вы близки. Мы же детективы, не забывайте об этом.

При других обстоятельствах Эйнсли мог бы и рассмеяться. Но в этот момент словно что-то необъяснимо мрачное, угрожающее повисло над ним в воздухе.

— Так что тебе еще осталось сделать? — спросил он. — Ты начала говорить...

— Есть еще одна опечатанная коробка. Ее тоже доставили из дома Эрнстов, но только на ней значится имя самой Синтии. Похоже, она хранила ее в доме родителей и ее захватили вместе с хозяйскими вещами.

— Ты проверила, кто направил коробку на склад вещдоков?

— Сержант Брюмастер.

— Тогда все законно, и мы имеем полное право вскрыть ее.

— Хорошо, сейчас я ее принесу, — сказала Руби.

Картонная коробка, с которой вскоре вернулась Руби, была похожа на остальные — тоже была обмотана клейкой лентой с надписью «ВЕЩЕСТВЕННЫЕ ДОКАЗАТЕЛЬСТВА». Однако когда они эту ленту сняли, под ней оказалась еще одна, синяя, с инициалами «С. Э.». В нескольких местах для верности ее скреплял сургуч.

— Сними с особой осторожностью и сохрани, — велел Эйнсли.

Через несколько минут Руби смогла открыть обе стороны крышки и отогнуть их. Они заглянули внутрь и увидели несколько пластиковых пакетов, в каждом из которых был заключен какой-то предмет. Им сразу же бросился в глаза револьвер системы «Смит-и-Вессон» тридцать восьмого калибра, лежавший поверх остальных вещей. В другом пакете находилась пара покрытых бурыми пятнами кроссовок. Под кроссовками они обнаружили футболку с таким же пятном. Еще ниже — магнитофонную кассету. На каждом из пакетов имелась самоклеящаяся бирка с пометкой, сделанной, как сразу же понял Эйнсли, рукой самой Синтии.

Он глазам своим не мог поверить.

Руби тоже была заметно озадачена:

— Откуда это все здесь?

— Не понимаю, но могу сказать одно: к нам эта коробка попала по ошибке. Ее хранили в доме Эрнстов не для того, чтобы ее там нашла полиция. — Он помолчал и добавил: — Ничего не трогай, но попробуй прочитать, что там написано на бирке при револьвере.

Она склонилась поближе.

— Здесь сказано: «Оружие, из которого П. Дж. стрелял в свою жену Нейоми и Килбэрна Холмса». Потом стоит дата — двадцать первое августа... Шесть лет назад.

— Боже милостивый! — прошептал Эйнсли.

Руби откинулась назад, глядя на него с удивлением.

— Ничего не понимаю, — сказала она. — Что все это значит? Что это такое?

— Улики с места нераскрытого убийства, то есть не раскрытого до этого момента, — ответил Эйнсли угрюмо.

Хотя дело Дженсенов — Холмса группа Эйнсли не вела, он невольно следил за ним из-за общеизвестной и затяжной связи Синтии с писателем Патриком Дженсеном. Теперь он вновь припомнил, что на Дженсена пало тогда очень серьезное подозрение. Бывшая жена Дженсена и ее молодой приятель были убиты из одного и того же револьвера тридцать восьмого калибра. Стало известно, что Дженсен как раз купил такой «смит-и-вессон» двумя неделями ранее, но заявил, что потерял его. Орудие убийства так и не нашли и в отсутствие других серьезных улик обвинения против литератора не выдвинули.

Напрашивался вопрос: не тот ли самый револьвер в коробке? И еще один: если улики подлинные, зачем Синтии, которая не поленилась классифицировать их, понадобилось их шесть лет скрывать? Она пометила вещдоки как профессиональный детектив из отдела по расследованию убийств. Но как могла профессионалка утаить улики?

— Это нераскрытое убийство может быть как-то связано с убийством Эрнстов? — спросила Руби.

Еще один вопрос, который уже задал сам себе Эйнсли. Вопросам, казалось, не будет конца. Был ли Патрик Дженсен замешан в убийстве Эрнстов? И если так, значит ли это, что Синтия покрывает его в этом и в прошлом преступлениях?

Эти мысли повергли Эйнсли в безнадежное уныние.

— Сейчас я ничего не могу утверждать с уверенностью, — сказал он Руби. — Нужно, чтобы в этой коробке хорошенько покопались эксперты-криминалисты.

Эйнсли снял телефонную трубку.

ЧАСТЬ ЧЕТВЕРТАЯ

Прошлое

1

Синтия Эрнст живо и в точности помнила тот момент, когда решила, что когда-нибудь расправится со своими родителями. Ей было двенадцать, и за две недели до того она родила ребенка от собственного отца.

В тот день к ним домой в фешенебельный, надежно охраняемый Бэй-Пойнт явилась невзрачно одетая немолодая дама. Предъявив удостоверение сотрудницы отдела социального обеспечения, она попросила их экономку провести ее к миссис Эрнст.

Уловив голос посторонней, Синтия неслышно спустилась в коридор и пробралась к гостиной первого этажа, куда мать провела незнакомую даму, плотно закрыв дверь. Синтии оказалось достаточно лишь чуть приоткрыть ее, чтобы все видеть и слышать.

— Я приехала к вам, миссис Эрнст, официально побеседовать о ребенке вашей дочери, — сказала женщина. Она осмотрелась по сторонам, и обстановка явно произвела на нее глубокое впечатление. — В делах подобного рода мы, как правило, сталкиваемся с нищетой и неблагоприятной атмосферой в семье. Но здесь, насколько я понимаю, совсем не тот случай.

— Вы действительно можете быть уверены, что ни о какой неблагоприятной атмосфере в семье у нас не может быть и речи. Совсем наоборот. — Эленор Эрнст говорила спокойно, веско. — Мой муж и я сама окружили нашу дочь нежнейшей заботой с самого дня ее рождения. Мы очень любим ее. Что же до этой неприятности, то мы до крайности огорчены и отдаем себе отчет в том, что недоглядели за дочерью.

— Быть может, будет полезно разобраться в подоплеке случившегося. Вы можете мне сказать, например, как случилось, что ваша дочь... — здесь гостья бегло сверилась с записной книжкой, — как случилось, что ваша дочь Синтия оказалась в положении? И кто отец? Что вам о нем известно? Меня особенно интересует его возраст.

Синтия вся обратилась в слух, боясь пропустить хоть слово.

— Должна признаться, что об отце ребенка нам ничего не известно. Синтия наотрез отказалась сообщить нам его имя. — Эленор сказала это почти шепотом, промокнула уголки глаз носовым платком и продолжила: — К несчастью, уже в столь юном возрасте у нашей дочери было много поклонников из числа подростков. И как ни стыдно в этом признаваться матери, но мне кажется, что она им всем слишком много позволяла. Нас с мужем начало это тревожить уже некоторое время назад.

— Но в таком случае, миссис Эрнст, — сказала женщина из собеса куда более жестко, — вам следовало обратиться за консультацией к специалистам. Вы и ваш муж — современные, прекрасно информированные люди — не могли не знать, что существуют специальные учреждения, где помогают решать подобного рода проблемы.

— Конечно, вы правы. Но случилось так, что мы никуда не обращались. Постороннему человеку легко судить. Все мы задним умом сильны, — добавила Эленор со значением.

— Полагаю, вы хотя бы теперь покажете свою дочь профессионалам?

— Мы с Густавом подумаем над этим. А пока мы были целиком заняты тем, чтобы расхлебать последствия этого ужасного несчастья. Мы устроили так, чтобы ребенку сразу нашли приемных родителей... — Эленор помедлила. — И вообще, разве я должна отвечать на все эти вопросы? Мы с мужем рассчитывали на строгую конфиденциальность.

Гостья, которая принялась делать записи в своем блокноте, сказала ей сурово:

— Благо младенца важнее любой конфиденциальности, миссис Эрнст. Если же вы сомневаетесь в праве нашей организации проводить подобное расследование, вам сможет его подтвердить ваш адвокат.

— Что вы! В этом нет необходимости. — Эленор вмиг сделалась покладистой. — Я хотела бы только заверить вас, что мы все — я, мой муж, сама Синтия — извлекли из случившегося хороший урок. В каком-то смысле несчастье еще более сплотило нас. Мы подолгу беседовали обо всем, и Синтия дала нам твердое обещание исправиться.

— Мне, вероятно, следует поговорить с вашей дочерью.

— Я бы очень вас просила не делать этого. Я вас просто умоляю: не надо! У нее такой характер... Словом, все наши уговоры могут пойти насмарку.

— Вы действительно так думаете?

— О да!

Позже, уже взрослым человеком, Синтия не раз спрашивала себя, почему не ворвалась тогда в гостиную и не выложила всю правду. Потом до нее дошло, что она, конечно, могла бы поставить родителей в затруднительное положение, заставить их отвечать на множество неприятных вопросов, но в конечном счете ей скорее всего не поверили бы. По работе она сталкивалась с делами о сексуальном насилии над детьми в семье, в которых закон оказывался на стороне взрослых, если они полностью отрицали свою вину. К тому же к услугам взрослых всегда были алчные доктора, готовые «с медицинской точки зрения» поставить под сомнение любую жалобу ребенка, хотя ребенок был бессилен и ему некуда было обратиться, что прекрасно знали «эскулапы».

Как бы то ни было, но Синтия не ворвалась в комнату (быть может, инстинкт подсказал, что это бесполезно), а скоро решила, что слышала достаточно и пора тихо удалиться.

Минут через десять Эленор провела посетительницу к выходу и попрощалась с ней. Когда она закрыла дверь и повернулась, Синтия вышла из угла на свет и встала прямо напротив матери.

— Боже мой, Синтия! — воскликнула заметно побледневшая Эленор. — И давно ты здесь?

Синтия же молча смотрела на нее яростным и обвиняющим взглядом. Внешне она все еще была тогда двенадцатилетней девочкой-подростком с короткими русыми косичками и веснушками по щекам, но глаза ее, темно-зеленые, злые, колючие, принадлежали вполне зрелой женщине.

Эленор Эрнст нервно сцепила пальцы рук, боясь смотреть на дочь. Она была, как всегда, элегантно одета, прическа — произведение парикмахерского искусства.

— Синтия, — сказала она, — я требую, чтобы ты ответила, давно ли ты здесь! Неужели ты подслушивала?

Опять молчание.

— Да не смотри же ты на меня так!

Эленор шагнула вперед. Синтия отшатнулась.

Еще мгновение, и ее мать спрятала лицо в ладонях, сотрясаясь в беззвучных рыданиях.

— Ты все слышала, правда? О, милая, у меня не было выбора! Разве ты не понимаешь? Я ведь так тебя люблю. Иди поцелуй мамочку. Ты знаешь, я никогда не сделаю тебе больно... Пожалуйста, дай мне тебя обнять!

Синтия наблюдала за ней совершенно отчужденно. Потом медленно повернулась и ушла.

Лживые, лицемерные слова матери, которые она подслушала в тот день, навсегда врезались ей в память. Отца же она ненавидела с того момента, когда впервые смогла осознать, кто и почему причиняет ей боль. Но в известном смысле ее презрение к матери превосходило ненависть к отцу. В свои двенадцать лет Синтия уже прекрасно понимала, что мать могла и обязана была обратиться за помощью, что ее бездействию не может быть прощения.

Будучи уже в детстве умной и расчетливой, Синтия на время подавила в себе ярость — на карту было поставлено ее будущее. У нее уже были амбициозные планы, и для их осуществления родители ей были необходимы, вернее, их деньги и связи. Поэтому с тех пор на людях она вела себя как примерная, иногда даже как нежная дочь. Без посторонних же практически не разговаривала с родителями.

Она видела, что отец легко поддается на ее обман; ему важнее всего было, как его семья выглядит в глазах окружающих. Да и мать вела себя так, словно все было в полном порядке.

Стоило одному из родителей попытаться что-нибудь ей запретить, Синтия скрещивала на груди руки и напускала на себя холод. Она научилась одним взглядом ставить их на место, как бы говоря: «Я знаю, что вы со мной сделали. И вы знаете тоже. Хотите, чтобы узнал кто-нибудь еще? Выбор за вами».

Такие молчаливые угрозы, игра на их страхе, чувстве вины и трусости срабатывали безотказно. Выдержав на себе ее немигающий взгляд лишь несколько секунд, Густав Эрнст ломался под его тяжестью и сдавался, бормоча под нос: «Даже не знаю, что мне с тобой делать».

Эленор же обыкновенно лишь беспомощно пожимала плечами.

А самая большая размолвка между ними произошла два года спустя, когда встал вопрос о дальнейшем образовании Синтии.

И начальную, и среднюю школу она окончила в Майами с очень хорошими отметками. Затем, как запланировали Густав и Эленор Эрнст, она должна была пойти в престижную частную школу «Рэнсом-Эверглейдс» в Корал-Гейблз. Но у четырнадцатилетней Синтии было на этот счет собственное мнение. Когда с ее оформлением в «Рэнсом-Эверглейдс» было уже практически улажено, она объявила, что будет учиться в «Пайн-Крест» — школе-интернате в Форт-Лодердейле, то есть в сорока километрах от Майами. Она самостоятельно подала туда заявление и была принята.

Густава это вывело из себя.

— Ты нарочно пошла против нашей воли, — сказал он в тот же вечер за ужином. — А если бы мы выбрали для тебя «Пайн-Крест», ты бы заявила, что пойдешь в «Эверглейдс».

Эленор слушала молча, наперед зная, что дочь, как всегда, одержит в споре верх.

Так и вышло, стоило Синтии пустить в ход свой безотказный метод. Она сидела за столом, но не притрагивалась к еде, а только сверлила отца глазами, излучавшими абсолютную власть. И так до тех пор, пока он не отбросил в отчаянии вилку и не сказал: «А, к дьяволу! Делай, как тебе заблагорассудится!»

Синтия кивнула, встала из-за стола и ушла к себе в комнату.

Четыре года спустя, когда Синтии предстоял выбор колледжа, все повторилось. В восемнадцать лет она превратилась в красивую и весьма житейски искушенную молодую леди. Синтия прекрасно знала, как мечтает мать, чтобы она продолжала образование в ее собственной «альма-матер» — элитарном колледже Смита в Нортгэмптоне, штат Массачусетс. И все четыре года она позволяла Эленор думать, что так оно и будет.

У Синтии действительно были отменные шансы поступить: она окончила школу «Пайн-

Крест» с отличием, удостоившись грамоты Национального школьного общества. К тому же колледж Смита регулярно получал от Эленор существенные дотации, что официально было не в счет, но тем не менее учитывалось.

И вот на домашний адрес Эрнстов пришло письмо с уведомлением, что Синтия зачислена студенткой колледжа Смита. Эленор поспешила вскрыть его и сразу же позвонила Синтии в интернат, чтобы сообщить радостную новость.

— Да я и не сомневалась, что они меня примут, — отозвалась Синтия равнодушно.

— О, милая, я просто на седьмом небе от счастья! Это нужно отпраздновать. Давай устроим ужин в субботу. Ты свободна?

— Да, прекрасная идея.

Синтия заранее любовалась симметрией повторяющихся событий. В следующую субботу вечером они втроем снова собрались за тем же дубовым обеденным столом; она — в центре, родители по правую и левую руку. На покрытом английской скатертью столе красовался лучший семейный фарфоровый сервиз. Горели свечи. По этому случаю Синтия даже надела вечернее платье. Родители же, как она могла видеть, сияли от удовольствия.

Потом отец разлил вино по бокалам, поднял свой и произнес:

— За следующее поколение выпускников Смита!

— Да, да! — вторила ему Эленор. — О, Синтия, я так горжусь тобой! С дипломом Смита весь мир будет открыт перед тобой.

Небрежно вертя в пальцах бокал с вином, Синтия произнесла:

— Верно, мамочка, но только кто тебе сказал, что я буду учиться у Смита?

Не без злорадства следила она, как счастливое выражение померкло на лице Эленор. Они уже столько раз все это проходили, что каждый нюанс был легко предсказуем.

— Что ты несешь? — спросил отец.

— Я подала заявление в университет штата Флорида в Таллахасси, — продолжала Синтия с невинным видом. — На прошлой неделе мне сообщили, что я принята. — Она подняла свой бокал. — Так что как насчет такого тоста? За Таллахасси!

Эленор лишилась дара речи. Лоб ее мужа покрылся испариной.

— Нет, я не позволю тебе променять колледж Смита на какой-то третьеразрядный университет! Запрещаю!

По другую сторону стола вскочила на ноги Эленор:

— Ты хотя бы представляешь себе, какая это *честь* быть принятой в Смит? Год обучения там обходится в двадцать тысяч. Одно только это показывает, насколько...

— В Таллахасси берут всего три тысячи, — перебила Синтия. — Только вообрази, сколько денег вы сэкономите.

Довольная собой, Синтия одарила родителей белозубой улыбкой.

— Да неужели же ты думаешь, что деньги... Нет, это невозможно! — Эленор спрятала лицо в ладонях.

— Нет уж, на этот раз у тебя этот номер не пройдет, юная леди! — грохнул кулаком по столу Густав.

Но теперь уже и Синтия поднялась со стула, переводя свой яростный взгляд с отца на мать и обратно. Взгляд этот был такой, что уж лучше бы она на них кричала. Густав пытался было выдержать его, но в который уже раз не смог. Он отвел глаза и тяжело вздохнул. Посидел еще немного, пожал плечами, развел руками и удалился. Почти сразу за ним последовала Эленор.

Синтия с удовольствием поужинала в одиночестве.

Через три года Синтия с отличием окончила полный четырехлетний курс университета штата Флорида.

И в старших классах, и в колледже Синтия часто сходилась с мужчинами и, к своему удивлению, обнаружила, что секс доставляет ей удовольствие, несмотря на страшные воспоминания детства. Однако в сексе она искала прежде всего власти над партнером. Никогда, никогда больше не будет она пассивной и покорной — говорила она себе поначалу. Не важно как, не важно с кем, но в постели она должна была доминировать. К ее большому удивлению, оказалось, что мужчинам нравится ей подчиняться. Многих это только еще больше возбуждало. Один из партнеров, который, впрочем, ничем больше не запомнился, сказал ей после бурной ночи: «Ты дьявольски сексуальна, Син, но до чего же жестока!» При всем обилии связей и интрижек Синтия никогда и никого не любила, не позволяла себе влюбляться. Не могла же она поступиться своей свободой!

Много позже, почти по тем же правилам, она играла в любовь с Малколмом Эйнсли. Как и большинство его предшественников, он получал удовольствие от ее «секс-зарядки» (так он это окрестил) и легко подстраивался под ее темперамент. Но Синтии не удавалось подчинить его себе полностью, как других, была в нем какая-то внутренняя сила, неодолимая для нее. Между тем она старалась увести Малколма из его семьи, причем с единственной целью — доказать свою власть над ним. Сама-то она замуж не собиралась, ни за него, ни за кого другого. Замужество для Синтии было синонимом полной потери независимости, а она дала себе слово не жертвовать ни малой ее толикой.

Противоположностью Малколму оказался писатель Патрик Дженсен. Этого она заставила плясать под свою дудку с первого дня знакомства. Сначала их с Патриком связывал исключительно секс, в дальнейшем отношения стали более сложными. Ее романы с ними двумя завязались почти одновременно, и ей довольно долго удавалось, как она про себя это называла, «бежать по параллельным дорожкам».

Патрик Дженсен сошелся с Синтией в трудный для себя период. Он был в процессе развода с женой. Причем Нейоми не только бросила его, но сумела по суду добиться выгодного для себя раздела имущества. По словам друзей семьи, все семь лет их супружества были отравлены необузданным нравом Патрика. Нейоми крепко доставалось от него. Трижды ей приходилось даже заявлять на него в полицию. И трижды она забирала заявления, поскольку он клялся никогда больше не поднимать на нее руки. Но сдерживаться он так и не научился. Даже после развода с Нейоми он устраивал ей сцены ревности, стоило ей появиться на людях с другим мужчиной. Однажды это чуть не кончилось дракой.

Синтия Эрнст оказалась для Дженсена поистине находкой во всех отношениях. Он сразу признал, что она человек куда более сильный, чем он сам, и полностью подчинился ей, все более и все чаще целиком полагаясь на нее. А Синтия, в свою очередь, посчитала, что нашла человека, которого не только сможет крепко держать в руках, но и использовать как орудие достижения своих далеко идущих личных планов.

Она окончательно убедилась, что была права, когда однажды Патрик заявился к ней домой глубокой ночью.

Настойчивый стук в дверь поднял ее с постели. Посмотрев в «глазок», она увидела Патрика, который беспокойно оглядывал лестничную клетку и нервно ерошил пальцами свою шевелюру.

Стоило ей открыть, он ворвался внутрь и лихорадочно зашептал:

— Боже праведный, Синтия! Я сделал страшную вещь! Мне надо убираться отсюда. Можно взять твою машину?

Он подскочил к окну, оглядел улицу внизу и затем продолжал лепетать:

— Мне нужно бежать... куда угодно! Помоги мне, Син! — Он смотрел на нее умоляюще, продолжая ерошить волосы.

— Да что с тобой, Патрик? С тебя пот градом. — Синтия крепко взяла его за руку и приказала: — Ну-ка успокойся! Сядь, я плесну тебе виски.

Она усадила его на диван, принесла выпить и принялась массировать ему шею. Он на время затих, но потом вдруг выпалил:

— Боже мой, Син! Я убил Нейоми! Застрелил из револьвера.

И у него перехватило дыхание.

Синтия вмиг отпрянула от него. Как офицер полиции — особенно как сотрудник отдела по расследованию убийств — она прекрасно знала, как ей велит поступить служебный долг. Она должна была немедленно арестовать Патрика, зачитать ему его права и доставить в полицейский участок. Но она, быстро осмыслив ситуацию, взвесив возможности и вероятности, не сделала ничего подобного. Вместо этого она направилась к себе в спальню, достала из тумбочки диктофон, вставила новую кассету и, прежде чем вернуться в гостиную, нажала на кнопку «запись». Патрик тем временем рыдал, зарывшись лицом в диванную подушку. Синтия положила диктофон на столик рядом с диваном, но так, чтобы его загораживал цветочный горшок. Потом она сказала:

— Патрик, если ты хочешь, чтобы я тебе помогла, расскажи мне в точности, как все произошло.

Он поднял на нее взгляд, кивнул и сбивчиво прерывающимся голосом начал:

— Я не хотел, чтобы так вышло... Я и не думал даже... Но мне невыносимо даже представить себе ее с другим... И когда я увидел их вместе, ее и этого мозгляка, меня просто ослепила злоба. У меня был револьвер. Я и заметить не успел, как выхватил его и начал стрелять... В секунду все было кончено. Только потом я увидел, что натворил. Боже, я уложил их обоих!

Синтия почувствовала, что ей не хватает воздуха.

— Так ты убил *двоих*?! Кто же был второй?

— Килбэрн Холмс. — Дженсен еще пытался оправдываться. — Он прилип к Нейоми как банный лист. Их все время видели вместе. Мне же обо всем рассказывали!

— *Кретин! Законченный идиот!*

Синтии и самой стало по-настоящему страшно. Это было двойное убийство, в котором Патрик будет наверняка главным подозреваемым. Помогать ему сейчас, если она решится на это, значило рисковать не только карьерой, но и свободой.

— Тебя кто-нибудь видел? — быстро спросила она. — Свидетели были?

— Нет, — покачал головой Дженсен, — в этом я уверен. Было уже поздно и очень темно. Даже выстрелы не привлекли внимания.

— Ты ничего не оставил на месте? Подумай хорошенько. Ничего?

— Уверен, что нет.

— Когда ты уходил, там не начался переполох? Слышал ты голоса, шум?

— Нет.

— Где револьвер?

— Вот он. — Дженсен достал из кармана «смит-и-вессон» тридцать восьмого калибра.

— Положи на столик, — распорядилась Синтия.

Она все еще медлила, взвешивая риск, обдумывая, стоит ли он той полной и окончательной власти над Патриком Дженсеном, какую она, несомненно, получала в результате. Он мог стать послушным инструментом в ее руках, она прекрасно понимала, что ей надо для этого сделать.

Приняв решение, она отправилась в кухню и вернулась с пачкой прозрачных полиэтиленовых пакетов и пинцетом. Не прикасаясь к револьверу, на котором остались отпечатки пальцев Патрика, она подцепила его и опустила в пакет. Потом сказала, указывая на его футболку:

— Снимай ее, на ней кровь. И кроссовки тоже.

И, опять-таки ни к чему не прикасаясь, кроме пакетов, она сложила в них футболку и обувь.

— Теперь дай мне ключи от своего дома и снимай с себя остальную одежду.

Заметив его колебания, она прикрикнула:

— Делай, что я тебе говорю! Ну! Да, скажи еще, где ты их убил?

— На въездной дорожке к дому Нейоми. — Дженсен вздохнул и горестно помотал головой.

Синтия встала к нему спиной и, заслонив магнитофон, выключила запись. Впрочем, предосторожности были излишни. В таком состоянии он ничего не замечал.

Патрик сбросил с себя все и стоял совершенно голый. Он нервно переминался с ноги на ногу, с поникшими плечами и уперев взгляд в пол. Синтия еще раз сходила на кухню и принесла большой пакет для мусора, куда легко вошла вся остальная одежда Дженсена.

— Я поеду сейчас к тебе домой, — сказала она. — Эти тряпки я по дороге выброшу, а тебе привезу что-нибудь свежее. Пока меня не будет, прими горячий душ и хорошенько весь отскребись. Особенно займись ногтями и рукой, которой ты держал револьвер, когда стрелял. Кстати, откуда он у тебя?

— Купил два месяца назад, — ответил он и добавил с безысходностью: — Он числится за мной.

— Если револьвер не найдут и других прямых улик не окажется, тебе ничего не угрожает. Так что револьвер ты потерял через неделю после покупки. Запомни это и не пытайся ничего менять в показаниях.

— Понял, — пробормотал Дженсен.

Когда Синтия уходила, он уже закрылся в ванной.

К дому Дженсена Синтия ехала кружным путем, выбрасывая по одному в попадавшиеся урны и мусорные баки предметы его одежды. Потом в его спальне она поспешно собрала комплект белья, джинсы, рубашку и ботинки. К себе она вернулась около половины шестого утра. Тихо отперев замок, она с порога увидела Патрика, который склонился над стеклянной столешницей журнального столика и прикладывал к ноздре свернутую в трубочку долларовую бумажку.

— Как же ты смел притащить это дерьмо сюда?! — не удержалась она от крика.

Его голова вскинулась. На столешнице проступали четыре тонких полоски — щепотки кокаина, которые он еще не успел вдохнуть в себя.

Патрик высморкался и чихнул.

— Да ладно тебе, Синтия. Большое дело! Я просто подумал, что это поможет мне справиться с нервишками.

— Спусти все в унитаз. И остальной кокаин, если остался. *Быстро!*

Патрик хотел затеять спор, но передумал и направился в туалет, брюзжа:

— Я же не наркоман в самом-то деле!

Синтия про себя согласилась с ним. Подобно многим ее знакомым, он лишь изредка употреблял наркотики. Сама же Синтия к ним не притрагивалась: ей претило все, что могло притупить ее способность контролировать ситуацию.

Из туалета Патрик вернулся, бормоча себе под нос, что вот-де пришлось спустить в унитаз двести баксов. Не обращая на его нытье ни малейшего внимания, Синтия принялась наклеивать таблички и помечать пакеты с револьвером и запятнанными кровью вещами, причем намеренно дала Патрику пронаблюдать за этой процедурой. Потом она сложила все в картонную коробку, намереваясь позже бросить туда и кассету с записью.

— Для чего все это? — спросил он наконец, беспокойно меряя гостиную шагами.

— Во всем должен быть порядок. — Синтия понимала, что дала слишком уклончивый ответ, но сейчас это не имело значения. Патрик уже «поплыл», стал рассеян. Как и предполагала Синтия, он сразу забыл, о чем спрашивал, и пустился в россказни о том, в каком порядке сам хранит материалы для своих будущих книг.

Она с исчерпывающей полнотой ответит на вопрос Патрика позже, когда коробка с роковыми для него уликами будет храниться в надежном месте. И ее ответ Патрику Дженсену совсем не понравится.

На следующий вечер, оставшись одна, Синтия прослушала запись. Качество получилось отменное. Чтобы довести задуманное до конца, она прихватила домой еще один магнитофон и чистую кассету.

Прежде всего она проделала трюк, который звукорежиссеры не без чувства юмора окрестили «уотергейт» — с оригинальной кассеты, где Дженсен описывал обстоятельства совершенного им двойного убийства, она полностью стерла куски с собственным голосом, пользуясь для этого секундомером. После этого, в точности как на уотергейтской пленке Никсона, в записи образовались длинные пустоты, но это нисколько не волновало ее. Главное — слова Патрика звучали четко и недвусмысленно, что легко поймет и он сам, когда она прокрутит ему эту запись. Для этой цели она переписала отредактированную запись на новую кассету, а оригинал положила в коробку вместе с другими уликами.

Она тщательно заклеила крышку синей лентой со своими инициалами и отвезла коробку в дом своих родителей в Бэй-Пойнт. Там в мансарде у Синтии была собственная комната, где она по временам оставалась ночевать и хранила кое-какие личные вещи. Она пристроила коробку на верхней полке стенного шкафа позади других таких же коробок. Позже она собиралась снять с пакетов собственноручно надписанные наклейки или, еще лучше, надеть перчатки и вообще избавиться от пакетов, на которых оставались ее отпечатки пальцев. Однако с течением времени это перестало ей казаться важным, и она так и не удосужилась заняться коробкой.

Дело в том, что Синтия с самого начала решила, что никому не покажет содержимого коробки. Ей достаточно было, чтобы Патрик пребывал в уверенности, что улики против него находятся в ее полном распоряжении, но она собиралась привязать к ним что-нибудь тяжелое и утопить в океане в нескольких километрах от берега.

Как только трупы Нейоми Дженсен и Килбэрна Холмса были обнаружены, Патрик Дженсен стал для отдела по расследованию убийств полиции Майами основным подозреваемым по этому делу. Его несколько раз вызывали на допросы. Синтия вздохнула с облегчением, узнав, что оснований для его немедленного ареста следователи тем не менее не нашли. Да, Дженсен мог совершить это преступление и не имел алиби, но, кроме этого, не было абсолютно никаких улик.

Синтия посоветовала Патрику как можно меньше говорить во время допросов, не выдавать никакой лишней информации.

— Помни, ты не обязан доказывать свою невиновность, — внушала она ему. — Пусть легавые докажут, что ты виновен.

Экспертам-криминалистам удалось все же кое-что обнаружить на месте преступления, но ничего по-настоящему инкриминирующего. Носовой платок, валявшийся на земле рядом с трупами, был таким же, как те, которыми пользовался Дженсен. Однако ничто на платке не указывало, что принадлежал он именно ему.

Кроме того, обрывок бумаги, зажатый в кулаке Килбэрна Холмса, совпал с другим фрагментом, который был обнаружен в мусорном баке у дома Дженсена. Это опять-таки ничего не доказывало. Извлеченные из трупов пули тридцать восьмого калибра и тот факт, что за два месяца до убийства Дженсен приобрел револьвер «смит-и-вессон» именно этого калибра, навели детективов на очевидный вывод. Однако Дженсен заявил, что потерял оружие спустя неделю после покупки, а обыск в его доме ничего не дал. За отсутствием орудия преступления полиция не смогла предъявить ему обвинения.

С еще большим облегчением Синтия узнала, что следствие поручено не группе Эйнсли. Его вели сержант Пабло Грин и детектив Чарли Турстон. О близком знакомстве Синтии с Дженсеном знали многие, и потому Турстону пришлось побеседовать с ней. Вопросы он задавал неохотно, а некоторые почти робко.

— Известно ли вам об этом человеке что-нибудь, что могло бы помочь следствию? — спросил он.

— Нет, к сожалению, ничего, — ответила она непринужденно.

— Как вы считаете, Дженсен способен был убить этих двоих?

— Как это ни прискорбно, но думаю, что да, — сказала Синтия.

— Вот и я тоже, — кивнул Турстон.

Собственно, на этом все и закончилось. Ни сержанту Грину, ни детективу Турстону, ни кому-либо другому в отделе убийств и в голову прийти не могло, что детектив Синтия Эрнст не просто была близка с человеком, которого подозревали в жестоком убийстве, но оказалась замешана в этом деле.

Отчасти это объяснялось тем, что для коллег, начальства и всех остальных, кто ее знал, она была милейшей и очень красивой молодой женщиной. Только попадавшие к ней в руки преступники узнавали ее совершенно с другой стороны — с ними она управлялась с холодной жестокостью.

Патрику Дженсену Синтия раскрылась именно с этой стороны при следующей их встрече, которая состоялась после того, как она несколько месяцев сознательно избегала его.

2

Местом своей следующей встречи с Патриком Дженсеном Синтия избрала Каймановы острова, где была гарантирована абсолютная конфиденциальность, столь ей необходимая в задуманном.

Они прилетели туда разными рейсами и остановились в разных отелях. Синтия забронировала себе номер в «Хайатт Ридженси» на имя Хильды Шоу. Чтобы избежать необходимости пользоваться именными кредитными карточками, она направила предоплату наличными через курьерскую службу «Вестерн юнион», а остальное внесла на месте. В службе размещения отеля никто и бровью не повел.

Следуя полученным от Синтии по телефону инструкциям, Дженсен остановился в расположенном неподалеку, но более скромном «Слип инн».

Но большую часть времени из трех дней и ночей, что они провели на Каймановых островах, он не покидал номера Синтии, окнами выходившего на уставленный скульптурами сад.

Впервые оказавшись вместе после трехмесячной разлуки, они жадно впились друг в друга, сорвали с себя одежды и с яростью занялись любовью — бешено, грубо. Кончив, Синтия сжатыми кулаками ударила Патрика в плечи.

— Что ты делаешь? Больно же! — взвыл он.

Потом, когда они в изнеможении лежали поверх измятых простыней, Патрик сказал:

— В ту ночь, когда мы последний раз виделись, столько всего произошло, что я даже не сообразил поблагодарить тебя за то, что ты для меня сделала. Поэтому я говорю тебе сейчас: спасибо, Синтия.

— Твоя благодарность здесь совершенно ни при чем. — Она сказала это с намеренной небрежностью. — Я просто заплатила цену.

— Какую цену? О чем ты? — со смешком спросил Патрик.

— О том, что ты теперь полностью принадлежишь мне.

Наступило молчание, потом он сказал:

— Ты, конечно, имеешь в виду коробку с моим барахлом? Наверняка ты ее где-то надежно припрятала.

— Естественно, — кивнула она.

— И стало быть, если я не буду тебе подчиняться или как-то задену тебя, ты сможешь открыть эту коробочку и сказать: «Эй, парни, смотрите, что у меня есть! Здесь полный набор улик. Берите этого мерзавца Дженсена тепленьким!»

— Тебе всегда хорошо удавались диалоги, — одними губами улыбнулась Синтия. — Я не сформулировала бы лучше.

 На лице Патрика появилась тень улыбки.

— Кажется, при всем своем опыте и ты кое-чего не предусмотрела. На пакетах остались наклейки с твоим почерком, да и твоих пальчиков на них полно.

— Ничего уже нет, — солгала она, напомнив себе еще раз, что этим нужно будет действительно заняться, и чем скорее, тем лучше. — Теперь там только *твои* отпечатки. Да, и ведь ты еще не знаешь! Есть еще магнитофонная кассета.

Синтия рассказала ему, как сделала запись всего, что Дженсен говорил в ту ночь в ее квартире, то есть фактически его признание в убийстве Нейоми Дженсен и Килбэрна Холмса.

— Копию записи я прихватила с собой, — закончила она. — Хочешь прослушать?

— Не надо. Я тебе верю, — отмахнулся он. — Но только я все равно смогу потянуть тебя за собой, если расскажу, как *ты* помогала мне и утаивала улики. Если меня признают виновным, тебе тоже крышка. Ты будешь проходить как моя сообщница по меньшей мере.

Синтия покачала головой:

— Тебе никто не поверит. Если я буду все отрицать, поверят *мне*. И вот еще что. — Она заговорила с ним теперь по-настоящему жестко. — Улики против тебя обнаружат в таком месте, где спрятать их мог *только ты сам*. К несчастью для тебя, ты не узнаешь, где именно, пока анонимным звонком об этом не будет оповещена полиция.

Какое-то время они в упор смотрели друг на друга; каждый просчитывал свои ходы. Дженсен неожиданно закинул голову и рассмеялся:

— Синтия, дорогая, ты действительно коварна до гениальности! Что ж, похоже, что я действительно полностью в твоей власти.

— По-моему, ты не очень огорчен этим обстоятельством.

— Понимаю, в этом есть что-то извращенное, но самое смешное в том, что мне это даже нравится. — Он задумался. — Неплохой сюжет для книги.

— Эту книгу ты никогда не напишешь.

— Тогда что же я должен буду сделать, раз уж я стал чем-то вроде собачонки у тебя на поводке?

Вот он, настал этот момент! Синтия посмотрела на него очень серьезно и сказала:

— Ты поможешь мне убить моих родителей.

— Слушай меня! — приказала Синтия. — Слушай внимательно!

Мгновением раньше Дженсен начал что-то ей говорить, пытался урезонить, доказать, что она могла заявить такое, только будучи не в своем уме.

Но теперь она остановила его. Он молча сидел и ждал.

И она в подробностях и деталях, живо и рельефно, вызвав в памяти все воспоминания детства, все, что узнала от матери, поведала ему свою историю, не утаив ничего.

С младенчества... Густав стал домогаться ее, когда она еще лежала в колыбели... Его гнусные ощупывания... Ее собственный ужас, все возраставший, пока в трехлетнем возрасте она не начала в страхе накрываться одеялом при каждом приближении отца, заливаясь слезами, сжимаясь в комок.

Эленор ничего не предпринимала, она думала только о себе самой — как ей будет стыдно, как она будет опозорена, если выплывет правда о Густаве...

Между тем детский ум Синтии формировался. Продолжавшиеся домогательства Густава запечатлевались в нем теперь на долгие годы, страх и гнев накапливались в душе...

А воспоминания были чудовищными: неутолимая похоть Густава, подогреваемая еще и избиениями... Оглушающие оплеухи и обжигающие пощечины, которыми он осыпал ее за любой «проступок», ничего не объясняя... Потом еще и еще более жестокие «наказания» (за что?) ...Огромные синяки, обожженные ноги... А мать непрерывно лгала...

Когда Синтии исполнилось шесть, отец в первый раз начал тереться о нее... А потом, когда она еще немного подросла, наступило предельное унижение: он стал систематически насиловать ее, это было так омерзительно и больно, что она кричала... Густав же, озабоченный только собственным удовольствием, не замечал ничего, а быть может, даже наслаждался отчаянными криками дочери... Эленор и тогда ничего не сделала...

Все к тому шло, и наконец случилось неизбежное — в двенадцать лет Синтия «залетела»... Она испытала новый ужас... Укрытое от посторонних глаз неуклюжее детское тело распирало, оно уродливо росло, что-то билось внутри... И было еще чувство стыда и вины, абсолютной беспомощности, когда не с кем даже поговорить, довериться и излиться, не на кого опереться... Потом тайные, мучительные роды... Младенец, которого у нее отняли, так что она не успела и увидеть его...

Единственное утешение: после этого домогательства отца, которые продолжались и во время ее беременности, вдруг разом прекратились, она не понимала почему. Лишь много позже Эленор нехотя признала, что подействовала только угроза семейного адвоката донести на Густава, если насилие над Синтией не прекратится...

Потом, как дьявольский постскриптум к ее страданиям, — встреча Эленор с женщиной из отдела социального обеспечения, этой тупой бюрократкой, которая приняла на веру откровенную ложь и не настояла на разговоре с самой Синтией...

Но самое странное, что вопреки всему в Синтии возобладал холодный прагматизм и расчет... Она решила выждать, использовать родителей на всю катушку, а потом, добившись полной независимости, осуществить давно вынашиваемую месть... Убить их! Ведь они сами убили, уничтожили в ней что-то жизненно важное...

И вот время возмездия стало приближаться... Она стала строить конкретные планы... А теперь в ее руках был и надежный инструмент...

Патрик Дженсен не шевельнулся за все время, пока слушал ее откровения. На лице его отражались самые разные эмоции — сначала недоверие, а потом изумление, гадливость, злость, испуг, сочувствие. В какой-то момент на глаза его навернулись слезы, в другой — он попытался взять Синтию за руку, но она ее отдернула.

— Невероятно. — Голос его был едва слышен. — В это невозможно поверить...

— Нет уж, черт побери! Как раз тебе лучше поверить сразу, — резко вскинулась на него Синтия.

— Я совсем не то имел в виду... Подожди минуточку. — И после паузы: — Я тебе верю. Всему верю. Но все это так...

— Что? — перебила она его нетерпеливо.

— Это так трудно выразить словами. Я много чего дурного наделал в своей жизни, но до такой грязи и мерзости...

— Оставь эту патетику, Патрик. Довольно и того, что ты убил двоих человек.

— Да, знаю. — Его лицо исказилось. — Я — дерьмо, согласен. Да, я убил, но я был вне себя от ревности, действовал импульсивно... Я хочу сказать, что твои родители... У них было очень много времени, чтобы обдумать свои поступки... Господи, как таких только земля носит!

— Вот это мне уже нравится, — сказала Синтия. — Похоже, ты начинаешь понимать, почему я решила разделаться с ними.

После недолгих колебаний Дженсен кивнул:

— Да, теперь я это понял.

— Вот и помоги мне.

Они проговорили еще два часа — то очень спокойно, то срываясь на крик, но ни одной секунды их разговор не был легкой беседой. Их мысли, доводы, сомнения, угрозы, уговоры складывались в целостную цепочку, а потом снова смешивались, подобно костяшкам домино.

— Предположим, я откажусь участвовать в осуществлении твоих безумных планов, — пытался маневрировать Дженсен, — пошлю тебя куда подальше. Неужели ты тогда и в самом деле вскроешь ту коробку с клубком ядовитых змей и посадишь меня на электрический стул? Ведь этим ты ничего не добьешься.

— Можешь не сомневаться, я это сделаю непременно, — ответила Синтия. — Пустые угрозы не в моих правилах. К тому же ты заслужил наказание.

— И что же *дальше*, благородная мстительница? — Тон Дженсена стал почти презрительным. — Как возделаете вы без меня поле смерти?

— Ничего, найду кого-нибудь другого.

Он знал, что найдет.

Чуть позже Дженсен решил испробовать другой аргумент.

— Я уже говорил тебе, что совершил преступление на почве ревности и страшно сожалею об этом. Но я совершенно не способен, я это точно знаю, на хладнокровное предумышленное убийство. — Он вскинул вверх обе руки. — Нравится тебе это или нет, но дело обстоит именно так.

— Это мне известно, — сказала Синтия. — Я об этом догадывалась с самого начала.

— Тогда какого ж дьявола!.. — Дженсен зашелся от злости.

— Мне нужно, чтобы ты нашел исполнителей, — продолжала она невозмутимо. — И заплатил им.

Дженсен глубоко вдохнул, задержал воздух в легких и выдохнул. И душой, и телом он испытал в этот момент огромное облегчение. Но почти сразу подумал: «Почему?»

Ответ был очевиден. С ловкостью и циничным пониманием людской психологии Синтия подвела его к точке, в которой ее нынешнее предложение представилось ему меньшим из двух возможных зол: сесть на всю жизнь в тюрьму или, хуже того, вообще попасть на электрический стул за убийство Нейоми и ее любовника или организовать чужими руками еще одно убийство, на которое у него самого не хватило бы духу. Ему не обязательно даже быть на месте преступления, когда оно будет совершаться. Конечно, всегда останется шанс, что все раскроется и он понесет наказание. Но к этому страху он уже привык с той ночи, когда убил Нейоми.

Синтия с полуулыбкой наблюдала за ним.

— Ну как, все просчитал? — спросила она.

— Слушай, да ты просто ведьма и сука!

— Но ты сделаешь это. У тебя просто нет выбора.

Странным образом, обладая складом ума неплохого рассказчика, Дженсен уже начал смотреть на это дело как на игру. Да, извращенная и порочная, но всего лишь игра, в которой можно выйти победителем, так он размышлял про себя.

— Насколько мне известно, ты в последнее время отирался среди подонков, — развивала свою идею Синтия. — Тебе остается только подобрать подходящую кандидатуру.

И верно, Дженсен свел близкое знакомство с преступным миром, когда пару лет назад решил написать роман о контрабанде наркотиков. Сойтись с мелкими торговцами для него не составило труда — он и раньше время от времени покупал у них кокаин для себя. Уличные продавцы помогли ему найти дорожку к более крупной рыбе.

Двое или трое настоящих воротил этого подпольного бизнеса, согласившихся встретиться с Дженсеном чистого любопытства ради, поначалу отнеслись к нему с подозрительностью, но потом решили, что этому писателю, «толковому малому, который ставит свое имя на обложке», все-таки можно доверять. Многие закоренелые преступники в глубине души тщеславны и очень хотели бы прославиться. Это тщеславие и открыло перед Дженсеном нужные двери. В барах и ночных клубах, за выпивкой и «мужским» разговором ему часто задавали один и тот же вопрос: «Вставишь меня в свою книжку?» Он неизменно отвечал на него уклончивым «может быть». И с течением времени криминальные связи, накопленные Дженсеном, стали давать ему куда больше материала, чем требовалось. Более того, от случая к случаю он сам начал проворачивать сделки с наркотиками, поражаясь, как это легко, а главное — выгодно.

Этот дополнительный доход оказался весьма кстати — его книги перестали продаваться, и звезда Дженсена, автора бестселлеров, стала заметно клониться к закату. Положение осложнялось тем, что он неудачно вложил свои сбережения, следуя дурным советам. Деньги на его банковском счету таяли с угрожающей быстротой.

Подобное стечение обстоятельств сделало для него сверхстранное предложение Синтии не таким уж неприемлемым, скорее даже представляющим интерес.

— Ты должна понимать, — сказал он Синтии, — что за эту работу придется заплатить очень много. Лично у меня таких денег нет.

— Догадываюсь, — хладнокровно реагировала Синтия. — Зато у меня их предостаточно.

И это была правда.

Чтобы примириться с дочерью после многолетнего надругательства над ней, Густав Эрнст назначил ей весьма щедрое ежемесячное денежное содержание. В сочетании с ее собственной зарплатой это давало ей возможность жить без материальных проблем. Синтия принимала «пенсию» от отца как должное.

Но мало этого, периодически Густав переводил кругленькие суммы на именной счет Синтии в банке Каймановых островов. Этих денег она вообще не трогала, и, по ее подсчетам, там должно было уже лежать более пяти миллионов долларов.

Надо сказать, Густав Эрнст обладал незаурядными талантами дельца и финансиста: специализировался он на скупке акций небольших современных компаний, нуждавшихся для своего развития в инвестициях. Чутьем он обладал фантастическим. Дела большинства фирм, долю в которых он успевал приобрести, быстро шли в гору, акции резко подскакивали в цене, и Густав с огромной прибылью их сбывал. По слухам, «стоил» он не менее шестидесяти миллионов долларов.

Закари, младший брат Густава, подобно многим богатым американцам, отказался от гражданства США, чтобы избежать тяжелого налогового бремени. Он проживал то на Каймановых островах, то на Багамах, то есть в налоговом раю с райским климатом. Именно Закари открыл для Синтии счет на Каймановых островах, куда то и дело переводил деньги в виде не облагавшихся налогами «даров». И каждый раз Синтии приходило подтверждающее письмо такого содержания:

«Милая моя Синтия! Прими от меня еще один дар, который я поместил на твой банковский счет. Денег у меня теперь куда больше, чем нужно мне самому, а поскольку ни жены, ни детей, ни других близких родственников у меня нет, мне доставляет истинное наслаждение делиться с тобой. Полагаю, ты найдешь им достойное применение. Твой любящий дядя Зак».

На письма она не отвечала, но весьма аккуратно их хранила.

Синтия прекрасно знала, что деньги на самом деле от Густава, у которого были с дядей Заком свои делишки по части уклонения от уплаты налогов, но эти детали ее совершенно не волновали.

Ее беспокоила только полная законность собственного банковского счета, а потому с самого начала она не преминула проконсультироваться у специалиста по налоговому законодательству.

«С вашими письмами все в порядке, — заключил эксперт. — Сохраняйте их и дальше, на случай если вдруг нужно будет подтвердить, что переведенные вам суммы были дарами и налогами не облагаются. Ваш счет на Каймановых островах тоже ни в малейшей степени не является нарушением закона. Нужно только, чтобы каждый год, заполняя налоговую декларацию, вы не забывали упомянуть о существовании этого счета и занести доход с него, полученный в виде процентов. Тогда все в ваших делах будет чисто».

Синтия окончательно успокоилась, когда ее очередная налоговая декларация была проверена инспекцией и принята без замечаний. И тем не менее она позаботилась о том, чтобы об ее капитальце на Каймановых островах не знал никто, кроме финансового советника и налоговой службы США. Не собиралась она рассказывать о нем и Дженсену.

Некоторое время он сидел молча и размышлял.

— Деньги в этом деле крайне важны, — заключил он. — Предстоит совершить убийство, да так, чтобы оно осталось нераскрытым и никто не болтал потом лишнего... За это придется выложить целое состояние. Думаю, не меньше двухсот тысяч.

— Я смогу заплатить эту сумму, — сказала Синтия.

— Как?

— Наличными.

— О'кей. А сколько ты мне дашь времени?

— Сколько необходимо. Я не ставлю тебе определенных дат. Ищи до тех пор, пока не найдешь действительно нужного человека: умного, хладнокровного, жестокого, умеющего держать язык за зубами — словом, абсолютно надежного.

— Это будет нелегко.

— Знаю. Потому и не собираюсь тебя подгонять.

Синтия заранее решила, что сможет подождать, если только будет знать, что в конце концов давно задуманное возмездие непременно свершится.

— Чтобы закончить разговор о деньгах, — сказал Патрик, — не забудь, что и мне тебе придется заплатить немало.

— Да, ты тоже получишь вознаграждение. Главным образом за молчание. Тот, кого ты наймешь, не должен знать моего имени. *Никому и ни при каких обстоятельствах* ты не обмолвишься о моей причастности к этому делу, понятно? И вот еще что. Чем меньше подробностей будет мне известно, тем лучше, сообщи мне точную дату не позднее чем за две недели.

— Чтобы ты успела позаботиться об алиби?

— Чтобы я оказалась за тридевять земель от Майами, — кивнула Синтия.

3

Синтия дала Патрику Дженсену много времени на подготовку. Но прошло почти четыре года — значительно дольше, чем она предполагала, — прежде чем дело вступило в решающую стадию.

Впрочем, это время промелькнуло быстро, особенно для самой Синтии, которая с невиданной стремительностью взбиралась вверх по должностной лестнице в полицейском управлении Майами. Но ни время, ни успешная карьера нисколько не умерили той ненависти, которую она продолжала питать к своим родителям. И жажда мести в ней горела тем же неугасимым пламенем. Она не упускала случая изредка напоминать Дженсену о его обязательствах, а он неизменно отговаривался тем, что все еще ищет подходящего исполнителя заказа — хитрого, безжалостного, жестокого и, главное, надежного. Такой ему пока не встретился.

По временам в мыслях Дженсена все это предприятие приобретало черты полной нереальности. Прежде он часто писал о преступниках, но то были для него чистые абстракции, не более чем слова на дисплее компьютера. В мрачном и зловещем мире преступности, каким он виделся ему за писательским столом, жили какие-то совершенно другие, ни в чем не похожие на него самого люди. И вот теперь он стал одним из них. Один безумный миг, когда, ослепленный бешенством, он совершил убийство, и вся его прошлая жизнь законопослушного гражданина оказалась перечеркнутой. Неужели и другие становились преступниками также вдруг, неожиданно для самих себя? Наверняка многие, отвечал он сам себе.

«До чего же ты докатился, Патрик Дженсен! — предавался он порой невеселым размышлениям и достаточно трезво отвечал: — Ты зашел слишком далеко, возврата к прошлому нет... Теперь добродетель — это роскошь не для тебя... У тебя была возможность жить по совести, но ты ее упустил... Если кто-нибудь когда-нибудь узнает, что ты натворил, ни прощения, ни снисхождения лучше не жди... В таком случае главным для тебя становится выжить, выкарабкаться любой ценой... Пусть даже ценой жизни других...»

Но даже после таких диалогов с самим собой чувство нереальности не покидало его.

А вот для Синтии все было предельно реально, в этом он не сомневался. Она поразительно целеустремленный человек. Жизнь уже сводила его с такими сильными личностями, и потому он знал, что ему теперь не избежать миссии подручного палача, уготованной ему Синтией Эрнст, понимал, что если он не выполнит обещанного, она, ни секунды не колеблясь, сдержит свое слово и уничтожит его.

Постепенно Дженсен стал ощущать в себе разительную перемену. Он перестал быть прежним. В нем проснулся некий не ведающий жалости незнакомец, готовый ради спасения собственной шкуры на все.

Хотя осуществление самого важного плана Синтии продолжало откладываться, она успела привести в исполнение другой; пользуясь своим высоким чином, связями и более чем пристрастными методами при работе с личным делом Малколма Эйнсли, она лишила его всяких шансов стать лейтенантом. Она отдавала себе полный отчет в своих мотивах. Лишенная человеческого внимания и тепла в детстве, она не могла позволить, чтобы хоть кто-то отверг ее во взрослой жизни. Малколм посмел это сделать, и она никогда не простит ему, никогда не забудет.

Под конец она стала терять терпение в ожидании расплаты с Густавом и Эленор Эрнст. Она слишком долго ждала! Об этом она заявила Патрику во время проведенного с ним вместе уик-энда в Нассау на Багамах, где они, по своему обыкновению, остановились в разных гостиницах.

После затяжного и весьма приятного сеанса утреннего секса Синтия неожиданно села в постели и сказала:

— Все! Твое время истекло. Переходи к действиям, или начну действовать я. — Она склонилась и поцеловала его в лоб. — И поверь мне, милый, тебе очень не понравится, если я возьмусь за дело.

— Не сомневаюсь. — Дженсен понимал, что рано

 или поздно ультиматум будет предъявлен, и был

готов к такому повороту. — Сколько времени ты мне даешь?

— Три месяца.

— Ну хотя бы шесть!

— Четыре, отсчет начинается с завтрашнего дня.

Дженсен вздохнул — она была неумолима, да и у него появились веские причины ускорить ход событий.

Дженсен написал еще одну книгу, которая оказалась такой же неудачной, как и две предыдущие, в сравнении с суперпопулярными бестселлерами, с которых он начинал. В результате суммы, вырученные издателем от продажи всех трех книг, не окупили даже авансов, давно Дженсеном прожитых, ни о каких гонорарах не могло быть и речи. Дальнейшее было предсказуемо. Его американский издатель, который в прежние годы выдавал ему щедрые авансы за еще не написанные романы, впредь это делать зарекся и настаивал теперь, что должен иметь законченную рукопись, прежде чем заключит договор и выплатит деньги.

Дженсен попал в отчаянное положение. За предыдущие несколько лет он выработал привычку жить на широкую ногу и не ограничивать себя в расходах, посему у него не только ничего не осталось на банковском счету, он и долгов наделал немало. И получилось, что двести тысяч долларов, выделенные на наемного убийцу, половину из которых он собирался тихо присвоить, плюс аналогичная сумма за его собственное молчание представлялись ему теперь желанным, если не единственным выходом из положения.

Вскоре целая серия совпадений помогла ему приблизить встречу с нужным человеком. Поначалу эти события никакого отношения к самому Патрику Дженсену не имели, а фигурировали в них полицейские, группа инвалидов — ветеранов войн во Вьетнаме и в Персидском заливе и наркотики. Ветераны Майами, искалеченные на полях сражений и прикованные к своим креслам-каталкам, в мирной жизни пристрастились было к наркотикам, но со временем избавились от дурной привычки и превратились в самых яростных борцов с отравой. Обитали они преимущественно в районе между Гранд-авеню и Берд-роуд в Кокосовом оазисе — в бедных, смешанных по расовому составу населения кварталах города, где они и объявили войну торговцам наркотиками. Прежние попытки борьбы с ними ни к чему не приводили. Тем удивительнее, что в ней преуспели калеки в инвалидных колясках, избрав свой путь — всевидящих и вездесущих негласных осведомителей полиции.

Как ни странно, но лидером и вдохновителем движения оказался человек, который не был ни ветераном войны, ни наркоманом, вставшим на путь истинный. Двадцатитрехлетний бывший студент и спортсмен-альпинист Стюарт Райс, по прозвищу Стюи, за четыре года до того сорвался во время восхождения по отвесному склону горы. Нижняя часть его тела была полностью парализована, и передвигаться он теперь мог только в инвалидной коляске.

Обездоленных инстинктивно тянет друг к другу, и Райс легко сошелся с группой инвалидов-ветеранов, которые, как и он, от души жалели молодых парней и ненавидели зелье.

Райс напутствовал новичков, присоединявшихся к отряду, который поначалу состоял из троих ветеранов Вьетнама, но быстро разрастался, такими словами: «Молодежь, совсем еще юнцы, начинающие жить, становятся жертвами этих отбросов, которым место в тюрьме. И мы поможем их туда отправить».

«Модус операнди» отряда состоял в том, чтобы негласно собирать информацию: кто торгует наркотиками, где, кому, как регулярно продает и когда ожидает поступления новой партии товара; затем анонимными телефонными звонками сообщать обо всем тактическому подразделению по борьбе с наркотиками полиции Майами.

Райс так описывал это одному из своих близких друзей: «Мы вертимся в своих колясках как раз там, где идет наркоторговля, и на нас никто не обращает внимания. Нас принимают за жалких попрошаек с Бердроуд. Они считают, что если у нас отнялись ноги или руки, то и с головами у нас не все в порядке. И так думает мразь, которая сама задурманила наркотой те немногие извилины, что у нее когда-то были».

В полиции к первым анонимным звонкам в подразделение по борьбе с наркотиками отнеслись скептически. Райс всегда звонил сам, пользуясь мобильным телефоном, чтобы его «не запеленговали». Сразу по получении информации дежурный офицер по инструкции обязан был попросить звонившего назвать свое имя. Райс представлялся как Стюи и быстро давал отбой. Понадобилось совсем немного времени, чтобы полицейские убедились, насколько точные и полезные наводки дает аноним, и теперь каждый звонок, начинавшийся словами «Добрый день! Это Стюи», встречали радушным «Привет, старина! Что у тебя для нас сегодня?». Его и не пытались искать. Зачем портить самим себе обедню?

В результате полиция смогла нанести по торговцам наркотиками серию хорошо выверенных ударов. Многие были арестованы, некоторые надолго попали за решетку. В Кокосовом оазисе преступный бизнес удалось почти полностью остановить. Но потом...

Наркодельцы решили было, что в их ряды внедрился полицейский стукач, но затем им помог случай. Задержанный торговец зельем подслушал в участке, как один полисмен сказал другому: «Ну уж сегодня Стюи точно до нас дозвонился».

Уже несколько часов спустя криминальный мир бурлил: «Кто такой этот Стюи?»

Ответ был найден быстро. А следом преступному сообществу стала ясна и тактика, к которой прибегал отряд ветеранов в инвалидных колясках.

Стюарт Райс должен был умереть, причем так, чтобы это стало хорошим назиданием остальным.

Его убийство заказали на следующий же день, и именно тогда, по воле случая, в это дело оказался замешан Патрик Дженсен.

С некоторых пор Дженсен стал завсегдатаем «Медного дублона» — шумного, прокуренного бара, где частенько коротали время продавцы наркотиков. В тот вечер, едва он вошел, его окликнули через весь зал:

— Эй, Пат! Как дела? Настрочил что-нибудь новенькое? Иди к нам, расскажешь!

Это был Эрли — недавно освободившийся прощелыга с изрытым оспинами лицом. За одним с ним столом сидели еще несколько типов, с которых Дженсен лепил образы персонажей своего криминального романа. Незнаком ему был только один — могучего сложения широкоплечий и коротко стриженный мулат с грубоватыми чертами лица. Незнакомец, рядом с которым остальные казались гномами, был мрачен. Он процедил вопрос, и ему наперебой ответили:

— Пат — свой, Виргилио! Он книжки пишет, представь! Залепи ему любое дерьмо, он — бац! — и готов рассказик. Рассказик, ничего конкретного, нам от этого никакого вреда, и сам помалкивает.

— Точно, — закивали все, — Пат не из болтливых. Он знает, что мы делаем с болтунами, верно, Пат?

— Верно, — кивнул Дженсен.

Ему быстро освободили место и придвинули стул.

Дженсен сел напротив здоровяка и сказал небрежно:

— Нет причин для беспокойства, Виргилио. Считай, что я уже забыл твое имя. Однако мне нужно задать тебе один серьезный вопрос. — Все за столом уставились на него. — Можно мне заказать для тебя выпивку?

Смуглый гигант смерил его тяжелым взглядом исподлобья. Потом сказал с заметным акцентом:

— Я сам заказываю выпить.

— Прекрасно. — Дженсен не отвел глаз. — Тогда мне двойной «Блэк лейбл».

— Принято, — заверил мгновенно возникший официант.

Виргилио поднялся на ноги и стал еще огромнее, чем казался прежде.

— Сначала я пойду отлить, — объявил он хрипло и направился в сторону туалета.

Глядя на его широченную спину, один из сидевших за столом, которого называли Голландец, сказал Дженсену:

— Он к тебе присматривается. Моли Бога, чтобы ты ему понравился.

— А что будет, если не понравлюсь?

— Плохо будет. Он колумбиец, а сюда приезжает на время. Говорят, у себя на родине он круто расправился с четырьмя придурками, которым вздумалось постукивать в полицию на тамошнего босса. Знаешь, что он сделал? Он их переловил по одному, привез в лес, привязал к деревьям, а потом мотопилой отсек каждому правую руку.

Дженсен нервно отхлебнул виски.

— Тебе полезно свести знакомство с Виргилио, — зашептал ему на ухо Эрли. — Мы идем на одно дельце нынче ночью. Хочешь поучаствовать?

— Да, — согласился он не раздумывая, потому что новая мысль уже пришла ему в голову.

— Когда он вернется, — сказал Голландец, — выжди немного и сам отправляйся в сортир. Мы спросим Виргилио, можно ли взять тебя с собой.

Дженсен поступил, как ему велели. Вскоре ему ответили утвердительным кивком.

— Поезжай за тем джипом, — сказал Голландец. — Когда они остановятся и выключат габариты, сделаешь то же самое.

Время приближалось к трем часам утра. В принадлежавшем Дженсену «вольво» они проехали километров пятьдесят на юг по Флоридскому шоссе, следуя за джипом «чероки» с Эрли за рулем и Виргилио в качестве пассажира. Выехав из Флориа-Сити, возле въезда на дорогу к Эверглейдс, они свернули на Кард-Саунд-роуд — пустынную дорогу, ведущую в сторону Ки-Ларго. В скудном свете ущербной луны Дженсен мог разглядеть океан и многочисленные плавучие домики, тянувшиеся вдоль берега. Никаких населенных пунктов, где было бы светлее, им уже не попадалось, как и машин на дороге. Ночью водители предпочитали более безопасное Первое федеральное шоссе.

— Я бы никогда в жизни не смог торчать в такой дыре, — сказал Голландец. — А ты?

В свете фар их машины возникла на мгновение руина, которая была когда-то катером, с надписью по борту: «Синий краб. Продается». Дженсен ничего не ответил своему спутнику. Он уже с трудом понимал, зачем ему понадобилось ввязываться в эту темную авантюру.

В этот момент джип впереди съехал с асфальта на покрытую щебнем обочину и остановился, его фары и огни погасли. Дженсен повторил маневр и выбрался из машины. Эрли и Виргилио ждали. Ни слова не было произнесено.

Верзила-колумбиец подошел к самой воде и уставился в черноту ночи.

Внезапно показался свет фар. Через несколько секунд рядом с джипом припарковался фургон с названием фирмы «Друг сантехника» по борту. Из фургона вышли двое. Дженсен заметил на руках у обоих перчатки. Они открыли заднюю дверь фургона. Внутри можно было различить какой-то крупный предмет. Когда его подтянули к двери, Дженсен разглядел, что это перевернутое на спинку инвалидное кресло-каталка. К нему веревками был привязан человек, который, несмотря на тугие путы, пытался сопротивляться. К инвалиду приблизился Виргилио; он тоже успел натянуть перчатки. Легким движением, словно кресло было невесомым, он поставил его на колеса. Стоявшему поодаль Патрику стало теперь видно, что к креслу был привязан молодой мужчина с кляпом во рту. Он бешено вращал глазами и явно делал усилия вытолкнуть кляп. Непостижимым образом это ему удалось, и тогда он выкрикнул, обращаясь к Дженсену, который держался в стороне от остальных:

— Меня похитили! Я — Стюарт Райс. Эти люди меня убьют! Помогите!

Огромным кулаком Виргилио ударил Стюи по лицу, не дав договорить. Калека закричал, из уголка рта заструилась кровь. Голландец суетливо водворил кляп на место. Но глаза пленника все еще умоляли, просили помощи. Дженсену пришлось отвести взгляд.

— Живо! — отрывисто приказал Виргилио и покатил кресло к воде, легко приподнимая его, если колесо наталкивалось на крупный камень. Двое из фургона шли следом. Один нес цепь, другой — тяжелый бетонный блок. Голландец увязался за ними, жестом показав Дженсену идти следом. Тот подчинился с неохотой. На берегу остался один Эрли.

Пройдя немного по обнажившемуся в отлив дну, они зашлепали по воде. Виргилио катил кресло с отчаянно извивавшимся в нем Стюи, покуда колеса почти полностью не ушли под воду. Без подсказки двое других быстро пропустили цепь несколько раз между спицами колес и прикрепили оба ее конца к металлическому кольцу, торчавшему из бетонной болванки.

— Теперь уж точно не всплывет, — хихикнул Голландец. — Прилив начался. Его накроет с головой, но не раньше, чем через пару часов. Будет у гада время подумать.

Обреченный на смерть не мог не услышать этой реплики и с силой дернулся в кресле, но в результате оно еще глубже ушло в воду.

В темноте никто не видел, как Дженсена пробирает дрожь. Он понял, что станет соучастником в убийстве, как только увидел, какой «груз» привез фургон. Но так же ясно понял он и то, что уйти теперь нельзя. Попытайся он сбежать, Виргилио разделается с ним не менее жестоко.

Где-то в глубине его естества тонко пискнул уже знакомый внутренний голос: «Во что ты превратился? Когда ты перешел грань?» А потом пришел ставший уже привычным ответ: «Меня прежнего больше нет».

— Уходим, — распорядился Виргилио.

Пока они выбирались на берег, оставив кресло и привязанного к нему человека во власти приливной волны, Дженсен изо всех сил старался не думать, какой будет смерть Стюи Райса, но не мог отогнать от себя этих мыслей. Он представил себе Райса беспомощно наблюдающим, как постепенно прибывает вода. Вот он уже чувствует соленую влагу на своих щеках... Чуть позже он отчаянно вытягивает шею и при каждой возможности судорожно хватает ртом воздух... До самого последнего мгновения он будет инстинктивно стремиться выжить... Он, вероятно, даже сможет задерживать дыхание, зная, что конец близок... Потом уровень воды поднимется еще немного, он поперхнется, закашляется... Еще минута, и его легкие наполнятся водой. Смерть наступит как акт милосердия...

Дженсен тряхнул головой, чтобы избавиться от видения.

Едва они оказались на берегу, к нему подошел Віргилио. Он вплотную приблизил к Дженсену свое темное лицо и сказал:

— Это — большой секрет. Будешь болтать где не надо — убью.

— Я умею молчать. И потом, я ведь тоже замешан, верно? — Дженсен не отпрянул, в голосе его не было дрожи. Если он собирался и дальше иметь дело с Виргилио, нельзя было показывать страх.

— Точно, замешан, — односложно подтвердил здоровяк.

— Мне нужно как-нибудь с тобой поговорить с глазу на глаз, — сказал Дженсен негромко. — Так, чтобы только ты и я.

Ему показалось, что Виргилио был удивлен. Но по некотором размышлении он что-то понял и вопросительно посмотрел на Дженсена.

— Да-да, — подтвердил тот, зная, что смысл недосказанного им усвоен.

— Я уеду в Колумбию, — сказал Виргилио. — Когда вернусь, отыщу тебя.

Дженсен не сомневался, что отыщет. И еще он знал, что нашел наемного убийцу.

Первыми инвалидное кресло, показавшееся на поверхности с началом отлива, заметили рано утром два мотоциклиста, проносившиеся вдоль берега на своих «харлей-дэвидсонах». По телефону из популярного среди мотоциклистов бара «Алабама Джек», что был неподалеку, они позвонили по 911. К месту были направлены двое патрульных из полицейского управления округа Дейд и машина «Скорой помощи». Врач немедленно определил, что Стюарт Райс, личность которого без труда была установлена по найденным при нем кредитным карточкам и документам, мертв. Пока полицейские возились с цепью, на берегу в большом количестве уже собрались репортеры.

Разумеется, трагические фотографии, на которых был запечатлен стянутый веревками в инвалидном кресле утопленник, появились во всех газетах и были показаны по телевидению. Невольно эта шумиха оказалась на руку преступному сообществу — предупреждение дошло до всех, включая и ветеранов-инвалидов. Их борьба с наркодельцами закончилась, звонки с информацией в полицию прекратились.

— Жаль этого бедолагу Стюи, — обсуждали событие между собой офицеры из подразделения по борьбе с наркотиками. — Видать, кто-то сболтнул лишнего. Так всегда и бывает.

Через несколько дней после этого Дженсен позвонил Синтии Эрнст домой и попросил о встрече. Когда они прощались на Багамах, она сообщила ему, что их теперь не должны видеть вместе до того, как будет осуществлен их план, и даже немного дольше. Посему Дженсен не мог просто приехать к ней на квартиру, но мог позвонить ей туда (и никуда больше!), чтобы в случае крайней необходимости повидаться в укромном месте. По телефону Синтия назначила ему встречу на ближайшее воскресенье в городке Бока-Рейтон — достаточно далеко от Майами, хотя на автомобиле легко было туда добраться. Она будет ждать его в ресторане «У Пита» на Глэдс-роуд, где они не рисковали столкнуться с кем-нибудь из знакомых.

Дженсен приехал раньше времени и просидел в машине, пока Синтия не припарковалась поблизости от него. Вместе они вошли в уютный ресторанчик и выбрали столик на веранде под навесом, откуда открывался великолепный вид на озеро и где они могли поговорить без помех. Синтия заказала себе греческий салат, а Дженсен — «улов дня», хотя даже не знал, какая рыба попалась сегодня в сети местным рыбакам. Само название блюда показалось ему символичным.

Как только официант удалился, он сразу перешел к сути дела.

— Я нашел нужного нам человека. — Дженсен описал ей Виргилио и пересказал, что узнал о нем в «Медном дублоне».

— Но откуда ты знаешь, что он... — начала возражать Синтия, но Дженсен жестом остановил ее.

— Я еще не все тебе сказал. Я видел его в деле.

Понизив голос, он принялся описывать ей события страшной ночи. Но как только он дошел до прибытия фургона и инвалидной коляски, уже Синтия оборвала его, прошипев:

— Заткнись! Не говори мне об этом! Не хочу ничего знать!

— Главное, что ты поняла, — пожал плечами Дженсен. — Это убийство совершил Виргилио. Ты наверняка слышала об этом преступлении.

— Конечно, слышала, идиот несчастный! — процедила покрасневшая от злости Синтия. — Ты не должен был мне этого говорить! А теперь заруби себе на носу: ты мне ничего не рассказывал! Сотри это из памяти.

— Хорошо, если тебе так угодно, но позволь еще коечто объяснить. — Дженсен сделал паузу, потому что им подали еду. Дождавшись, чтобы официант ушел, он склонился через стол и заговорил еще тише, чем прежде: — Понимаешь, этот Виргилио... Он убивает *с наслаждением*. Я пристально наблюдал за ним в ту ночь. Он находчив и ни черта не боится.

Синтия помолчала немного, потом подавила раздражение и спросила:

— Ты уверен, что он еще выйдет с тобой на связь?

— Да, уверен. Он убрался к себе в Колумбию, чтобы переждать шумиху, но вернется. Тогда-то я и закажу ему твоих стариков. Не сомневаюсь, он возьмется. Нам же с тобой пока нужно кое-что подготовить. Во-первых, деньги.

— Они у меня припасены.

— Двести тысяч наличными?

— Да, ты же сам назвал эту сумму.

— Прибавь еще столько же для меня.

Синтия помедлила с ответом. Потом:

— Ладно, но только когда дело будет сделано.

— Согласен.

Синтия успокоилась и удивила его своим следующим заявлением:

— У меня появились кое-какие соображения, как нам обставить это преступление.

— Интересно, рассказывай.

— Недавно были совершены два убийства. Одно в Кокосовом оазисе, другое в Форт-Лодердейле, но похоже, что орудовал один и тот же человек. В каждом из этих дел были замечены странности. Наши сыщики предполагают, что серия будет продолжена.

— О каких это странностях ты упомянула?

— В том-то и дело. В Оазисе, а точнее, в отеле «Ройал колониел», на месте преступления нашли четырех дохлых животных.

— Я прочитал все про убийство в «Ройал колониел», но о животных там не было ни слова.

— Прессе намеренно не сообщали об этом.

— А что было в Форт-Лодердейле?

— Точно не помню, но что-то в том же роде, — ответила Синтия. — Я и подумала, что убийство моих родителей можно было бы сделать похожим на те два...

— Идею понял, — сказал Дженсен. — Это отведет от нас всякие подозрения. Ты сможешь разузнать еще какие-нибудь подробности?

Она кивнула.

— Отлично. Тогда давай встретимся через пару недель...

Вскоре они вышли из ресторана. Счет оплатила наличными Синтия.

Дженсен намеренно пропустил «БМВ» Синтии вперед, когда они выезжали на шоссе Ай Девяносто пять, чтобы вернуться в Майами. Он дождался, пока ее машина скрылась из виду, и тут же снова съехал с главной дороги, припарковав «вольво» у торгового центра.

Не покидая кабины, он запустил руку себе под пиджак и рубашку, достав из-под одежды крошечный диктофон. Перемотал пленку назад и с помощью наушников прослушал. Как ни тихо вели они свой разговор, запись получилась превосходной. Каждая фраза звучала четко, включая бурную реакцию Синтии, когда он сообщил ей, кто убил инвалида в каталке, и обсуждение убийства ее родителей.

Дженсен не сдержал улыбки. «Видишь, Синтия, — пробормотал он, — не одна ты умеешь втихаря записывать компрометирующие разговоры». Он от души надеялся, что ему не придется пускать в ход эту запись, но теперь по крайней мере ему было гарантировано: если что-то пойдет не так и он попадется, Синтию Эрнст он потянет за собой.

4

— Помнишь, в прошлый раз я рассказала тебе о двух убийствах? — спросила Синтия. — В Кокосовом оазисе и...

— Само собой, помню, — нетерпеливо перебил Дженсен. — Ты обещала побольше о них узнать.

— Я выполнила обещание.

Это происходило во второй половине июня, через две недели после их рандеву в Бока-Рейтон. Им понадобилось снова увидеться, но работа не позволяла Синтии даже ненадолго слетать на Багамы или Каймановы острова. Поэтому свидание было назначено в Хоумстеде, крохотном городишке в пятидесяти пяти километрах к югу от Майами. Они приехали туда по отдельности и сошлись в ресторане «Потликкерс».

Недолгая поездка утомила Дженсена; он плохо спал накануне ночью, как и несколько ночей до того. Его посещали кошмары, которые утром он помнил крайне смутно, но всякий раз он просыпался в холодном поту, и последними образами были инвалидное кресло, полупогруженное в воду, и зловещее лицо Виргилио почти вплотную к его собственному.

Интерьер «Потликкерса» отличала простота, Дженсен и Синтия сидели на скамьях за неполированным сосновым столом поодаль от других посетителей. Она принесла небольшой кожаный «дипломат» и поставила рядом с собой.

— У нас что-то неладно? — спросила она, заметив его кислую мину.

— О, бога ради! Лучше спроси, что у нас ладно!

Он готов был расхохотаться и сказать: «Нет, нет, у нас все хорошо. Хочу лишь напомнить, если ты запамятовала, что мы встретились здесь, чтобы спланировать двойное убийство, а расследовать его будут лучшие детективы города... Раскрой они его, кто знает, нам с тобой может выпасть огромное счастье рядышком сесть на электрические стулья... А так — нет! В остальном у нас все отлично».

— Говори тише, пожалуйста, — шикнула на него Синтия. — И не психуй раньше времени. Побереги нервишки. Все пройдет гладко. Помни, что я сужу обо всем с позиций профессионала. Что твой человек? Прорезался?

— Три дня назад, — кивнул Дженсен.

Ему позвонили ровно через пятнадцать дней после убийства Стюарта Райса. Дженсен не стал спрашивать, откуда звонят, но догадался, что из Колумбии.

— Ты меня узнал? — Голос, несомненно, принадлежал Виргилио. — Только не надо имен.

— Да, я узнал тебя.

— Я скоро вернусь. Тебе еще нужно?..

— Да. — Дженсен понял, что лучше отвечать так же односложно, как говорил сам Виргилио.

— Одна неделя, максимум две. О'кей?

— О'кей.

Вот, собственно, и весь их разговор. После того как он передал его Синтии, та спросила:

— Ты уверен, что не ошибаешься в нем? Он хорошо понимает, чего мы от него хотим?

— В нем я уверен на все сто. Таких, как он, не нанимают для пустяковых дел, и он это знает. Расскажи мне лучше про те, другие убийства. Что там еще были за странности, ты так их называешь?

— Да. В Кокосовом оазисе рядом с жертвами были оставлены четыре дохлые кошки, — начала она.

— Почему кошки? — Дженсен был удивлен.

— Не задавай глупых вопросов. Этого не знает никто. Весь отдел убийств ломает над этим головы.

— Ты говорила, что в Форт-Лодердейле было что-то подобное. Что именно?

— Это посложнее. Там у старика были обожжены ноги, и опять-таки никто не знает почему. Считается, что все это некие символы, которые придумал сумасшедший маньяк-убийца.

— И что же ты предлагаешь?

— Скопировать первое преступление. Скажи своему человеку, чтобы подбросил какую-нибудь дохлятину.

— Надеюсь, не четырех кошек?

Синтия покачала головой:

— Нет. Полного совпадения не надо. Достаточно будет чего-нибудь одного... Пусть это будет хотя бы кролик. Чем не символ? Но есть еще кое-что.

Она рассказала, что жертв убийств всегда находили связанными, в сидячем положении, лицом друг к другу и с кляпами.

— Орудием убийств в обоих случаях был бови-нож. Знаешь, что это такое?

— Знаю, — кивнул Дженсен. — Он фигурировал в одном из моих романов. Такой нетрудно достать. Дальше.

— Еще деталь: на месте преступления должно громко играть радио. Тяжелый рок.

— Тоже не проблема. — Дженсен сконцентрировал внимание, чтобы все запомнить. Никаких записей он решил не вести — ни теперь, ни позже.

— Наличные деньги должны быть украдены до последнего цента, — продолжала Синтия. — У моего папаши их всегда полно при себе. Бумажник он на ночь кладет у постели. А вот матушкины драгоценности трогать нельзя ни в коем случае. Категорически. Ювелирные украшения серийный убийца не берет. Это нужно будет хорошенько растолковать.

— Нет проблем. Драгоценности легко опознать, наверняка убийца предпочитает не связываться с ними именно поэтому.

— Теперь о доме, — сказала Синтия. — Тебе может пригодиться вот это.

Она передала ему через стол сложенный рекламный буклет агентства по торговле недвижимостью. Развернув его, Дженсен увидел, что он целиком посвящен микрорайону Бэй-Пойнт и содержит подробный план улиц и особняков с прилегающими владениями. Один из домов был помечен жирным крестом.

— Это и есть?..

— Да, — сказала Синтия. — Еще имей в виду, что в доме работают трое. Дворецкий Паласио и его жена при доме и живут. Горничная приезжает рано утром и заканчивает в четыре пополудни.

— Значит, по вечерам в доме находятся четыре человека?

— Да, но не по четвергам, когда Паласио обязательно уезжают в Уэст-Палм-Бич навестить сестру миссис Паласио. Они уезжают вскоре после обеда и никогда не возвращаются до полуночи, часто — позже.

Дженсен почувствовал, что голова перегревается от обилия информации.

— Боюсь что-нибудь забыть, — сказал он и выудил из кармана ручку.

— Дай, я сама тебе запишу. — Синтия нетерпеливо вырвала у него ручку и на полях буклета вывела:

Гор-ная — нач. рано, законч. 16-00.
Пал-о — по четв. уезж. Возвр. пос. 12.

Сложив брошюру гармошкой и убрав ее в карман, Дженсен спросил:

— Есть еще что-нибудь, что мне нужно знать про те два убийства?

— Да. Они отличались крайней жестокостью.

Синтия сама не удержалась от гримасы отвращения, когда описывала ему обезображенные трупы Фростов и Хенненфельдов. Как и всю прочую, эту информацию она без труда получила в отделе.

За несколько дней до того ближе к вечеру Синтия заглянула в отдел по расследованию убийств. Старшие офицеры из других отделов нередко захаживали сюда поболтать с коллегами, послушать байки про интересные дела, да и кофе здесь всегда варили отменный. Синтия как бывший детектив этого отдела и вовсе была частой гостьей — по делу и без.

Время было выбрано в этот раз так, чтобы народу в отделе было поменьше. В главной рабочей комнате она застала двух детективов и сержанта Пабло Грина; он дежурил. Обменявшись с ними приветствиями, Синтия сказала:

— Кстати, мне заодно нужно бы поднять одно старое дело.

— Ради бога, майор. — Пабло сделал легкий жест в сторону двери, за которой находился архив. — Вы и сами знаете, где что, но если понадобится помощь, только кликните.

— Непременно, — ответила Синтия.

Оказавшись в одиночестве в архивном помещении, она действовала без промедлений. Где искать папки с делами об убийствах Фростов и Хенненфельдов, ей было хорошо известно. Она достала их и положила на рабочий стол. Первая папка могла показаться необъятной по размерам, но Синтия быстро извлекла из нее записи, сделанные рукой Бернарда Квинна, ведущего следователя по делу, и Малколма Эйнсли, руководившего следственной группой. Она просматривала их рапорты и отчеты по диагонали, задерживаясь на полезной для себя информации, которую быстро заносила в блокнот. С делом Фростов она разобралась за несколько минут и открыла вторую папку, которая была гораздо тоньше, поскольку это дело вела не полиция Майами, а детектив при шерифе Бенито Монтес из Форт-Лодердейла. Он-то и переслал коллегам копию первоначального рапорта об осмотре места преступления и еще некоторые документы.

Возвратив обе папки на место, Синтия вернулась в рабочую комнату и попрощалась с детективами и сержантом Грином. На выходе она посмотрела на часы. В отделе она пробыла всего двенадцать минут, и никто не смог бы догадаться, какие именно дела она брала.

У себя в кабинете она просмотрела сделанные записи, чтобы закрепить их содержание в памяти, после чего вырвала из блокнота несколько страниц и спустила в унитаз служебного туалета.

Слушая в хоумстедском ресторане рассказ Синтии о том, какой чудовищной жестокостью отличались убийства в Кокосовом оазисе и Форт-Лодердейле, Дженсен про себя был уверен, что Виргилио без труда сумеет устроить такую же кровавую бойню. Связать жертвы, заткнуть рты, усадить друг против друга, что Синтия считала крайне важным, — для него пара пустяков.

Взвешивая все это, он не мог не восхититься идеей имитировать два убийства, совершенные ранее. Извращенная, но гениальная! Впрочем, чуть покопавшись в себе, он должен был признать, что при том образе жизни, который он вел достаточно длительное время, во всем этом уже не могло быть для него ничего извращенного.

— Эй, очнись! — окликнула его через стол Синтия.

Дженсен тряхнул головой.

— Старался получше запомнить все твои указания, — солгал он.

— Тогда добавь к ним еще одно. Никаких отпечатков пальцев.

— Это само собой разумеется. — Дженсену живо припомнились перчатки на руках Виргилио, толкавшего кресло-каталку в сторону воды.

— А теперь еще кое-что важное, — сказала Синтия, — и теперь уже действительно последнее.

Дженсен ждал.

— Между убийствами в Оазисе и Форт-Лодердейле прошло четыре месяца и двенадцать дней. Я не поленилась высчитать это.

— И что же?

— А то, что серийные убийцы зачастую совершают свои преступления примерно через равные промежутки времени. Это значит, что маньяк, под которого мы хотим сработать, ударит в следующий раз в самом конце сентября или в первую неделю октября. Так получается по моим расчетам.

— И что же это означает для нас? — все еще недоумевал Дженсен.

— Что мы должны выбрать день в середине августа. Тогда, если настоящий серийный убийца вновь пойдет на преступление в то время, что я тебе назвала, интервал все равно будет значительным, и никто не заметит здесь никакой странности. — На этом Синтия осеклась и посмотрела на Дженсена изучающе: — Да что с тобой? Почему я опять вижу вытянутую физиономию?

Дженсен, который действительно сидел мрачнее тучи, тяжело вздохнул.

— Хочешь знать, что я обо всем этом думаю?

— Вообще-то мне плевать, но скажи, если тебе так хочется.

— Я боюсь, Син, что мы перехитрим сами себя.

— То есть?

— Чем больше мы с тобой говорим, тем сильнее у меня предчувствие, что где-то мы с тобой совершаем ошибку, жуткую ошибку.

— И что же ты предлагаешь? — спросила Синтия ледяным тоном.

Дженсен помедлил. Затем, обуреваемый противоречивыми эмоциями, понимая все значение слов, которые сейчас произнесет, он ответил:

— Я предлагаю отказаться от затеи и все отменить. Здесь и немедленно.

Сделав глоток содовой, стакан с которой стоял перед ней на столе, Синтия очень спокойно и тихо спросила:

— Тебе не кажется, что ты кое о чем забываешь?

— Это ты о деньгах? — Дженсен провел кончиком языка по пересохшим губам. Синтия кивнула:

— Да, я привезла тебе деньги. — Она легко дотронулась рукой до кожаного «дипломата» на скамье рядом с собой. — Но ничего, как привезла, так и увезу.

Взяв чемоданчик за ручку, она поднялась, чтобы уйти. Потом остановилась и посмотрела на Дженсена сверху вниз.

— Я оплачу наш с тобой счет на выходе из ресторана. Тебе теперь каждый цент дорог. Придется ведь нанимать адвоката, причем завтра же. А если ты этого не можешь себе позволить, защитника тебе предоставят бесплатно. Боюсь только, что не самого лучшего.

— Не уходи! — Он потянулся и вцепился ей в запястье. Потом попросил униженно: — Бога ради, садись.

Синтия опустилась на скамью, но молчала, выжидающе глядя на Дженсена.

— Хорошо! — не выдержал молчания тот. — Тебе, видно, нужно, чтобы я признал это вслух. Да, я сдаюсь... Сдаюсь опять. Я знаю, что все козыри у тебя на руках, что ты пустишь их в ход и потом ни секунды не будешь раскаиваться. Поэтому давай вернемся к нашему прежнему разговору там, где мы его прервали.

— Ты уверен, что действительно хочешь этого? — спросила она.

— Да, — кивнул он невесело.

— Тогда помни, что наш «день Икс» должен быть как можно ближе к середине августа. — Она опять говорила по-деловому, словно между ними ничего не произошло. — Мы не будем больше встречаться. Очень долго. Можешь звонить мне домой, но будь краток и осторожен, чтобы не сболтнуть лишнего. Когда будешь называть мне дату, прибавь к ней пять дней, а я буду знать, что мне их нужно вычесть. Понятно?

— Понятно.

— Так, а теперь выкладывай, что еще у тебя?

— Только одно, — сказал Дженсен. — От всей этой конспирации у меня кое-что встало. Не хочешь ли воспользоваться случаем?

— Еще как хочу, — улыбнулась она. — Пошли отсюда скорей. Найдем какой-нибудь мотель.

Когда они обнявшись выходили из ресторана, она сказала:

— Кстати, это для тебя. Смотри не потеряй.

И протянула ему «дипломат».

Дженсен подчинился воле Синтии и принял от нее деньги, но это не значило, что сомнения покинули его. А упоминание об адвокате, который может ему понадобиться, натолкнуло его на одну мысль.

По вторникам в Атлетическом клубе Майами Дженсен обычно играл в теннис с неким Стивеном Крузом. Их связывало несколько месяцев ни к чему не обязывающей дружбы на корте. От других завсегдатаев клуба и по газетным публикациям Дженсен знал, что Круз — преуспевающий адвокат по уголовным делам. И вот однажды вечером, когда они оба стояли под душем после нескольких хороших сетов, Дженсен вдруг поддался импульсу и спросил:

— Стивен, если у меня вдруг случатся нелады с законом и понадобится помощь юриста, смогу я на тебя рассчитывать?

Круз был искренне поражен.

— Послушай, я надеюсь, ты ничего такого...

Дженсен поспешил отрицательно помотать головой:

— Нет, ничего такого. Я спрашиваю просто так, теоретически.

— В таком случае, конечно, можешь.

 Продолжать этот разговор они не стали.

5

Двести тысяч долларов наличными — ровно. Дженсен пересчитал деньги у себя в спальне, но не банкнот за банкнотом, на что потребовалось бы слишком много времени, а пачками, наугад вскрывая некоторые из них. Как он и ожидал, все купюры оказались бывшими в употреблении и разного достоинства. Преобладали все же сотенные, причем нового, хорошо защищенного от подделки образца, запущенные в обращение в 1996 году. Дженсен счел это большим плюсом. Он знал, что вопреки заверениям американского правительства, будто старые сотни принимаются наравне с новыми, многие отказывались теперь иметь с ними дело, опасаясь нарваться на фальшивки.

Следующими по количеству в чемоданчике Синтии были пятидесятидолларовые бумажки. С этими никаких проблем быть не должно, хотя новые купюры тоже были уже на подходе. Немало оказалось и пачек с двадцатками, но мельче не было.

Дженсену легко было представить себе, как Синтия заказывала деньги в конкретных купюрах (эта скрупулезность в ее характере) и как перевозила их с Каймановых островов. Скорее всего для этого ей понадобилось слетать туда несколько раз. Ввозить в США более десяти тысяч долларов, не задекларировав их на таможне, официально запрещено. Но та же Синтия рассказывала ему как-то, что таможенники в Майами никогда не «трясли» офицеров полиции. Достаточно было потихоньку предъявить свой жетон.

Синтия, разумеется, понятия не имела, что Дженсен знает про ее капиталы на Кайманах. Однако четыре года назад, когда они вдвоем резвились в номере отеля на Большом Каймане, случилось так, что у Синтии начались нелады с желудком, и она надолго заперлась в туалете. Ее чемоданчик стоял на самом виду, и Дженсен поспешил воспользоваться случаем, чтобы изучить его содержимое. Быстро перебрав лежавшие внутри бумаги, он наткнулся на обычное месячное уведомление Банка Каймановых островов, где за Синтией значилось более пяти миллионов долларов. Дженсен беззвучно присвистнул. Было там еще письмо от некоего «дядюшки Зака», подтверждавшего, что последний денежный перевод на имя Синтии является его даром. Другая пачка бумаг показывала, что Синтия уведомила о существовании этого счета налоговую службу США и аккуратнейшим образом платила налоги с полученных процентов. Чрезвычайно умно, отметил тогда про себя Дженсен.

Не представляя, зачем ему это может понадобиться, он достал записную книжку и перенес туда основные реквизиты; лучше бы снять ксерокопии, но на это не хватило времени. Достаточно и того, что он успел записать название банка, номер счета, баланс на тот месяц, а также фамилию финансового консультанта Синтии и его адрес в Форт-Лодердейле, номер и дату письма из налоговой инспекции. Взял он на заметку и «дядюшку Зака». Потом Дженсен вырвал эту страничку из записной книжки и спрятал.

Много позже он стал понимать отношение Синтии к своим «каймановым капиталам». Она не воспринимала их как реальные деньги и, вероятно, никогда не стала бы тратить на себя. Поэтому для нее было не так уж и важно, сколько заплатить и кто эти деньги получит. Например, Дженсену было совершенно ясно, что Синтия подозревает его во лжи, когда он называет ей сумму, которую необходимо заплатить Виргилио; что он собирается прикарманить часть ее в придачу к крупному вознаграждению, которое Синтия выделяла лично для него.

Само собой, Дженсен обманывал ее. За убийство Эрнстов он намеревался предложить Виргилио не больше восьмидесяти тысяч, готовый в случае необходимости поднять гонорар до ста. Дженсен снова обдумывал все это, убирая пачки денег в «дипломат», и улыбался. Настроение заметно улучшилось; от сомнений и страхов, одолевавших его в Хоумстеде, не осталось и бледной тени.

Пять дней спустя около семи вечера в принадлежавшей Дженсену квартире на третьем этаже дома по авеню Брикелл раздался зуммер домофона. Это значило, что кто-то нажал на кнопку у подъезда внизу. Дженсен включил переговорную систему и спросил:

— Кто это?

Ответа не последовало. Он повторил вопрос. Снова молчание. Дженсен пожал плечами и вернулся в гостиную.

Через несколько минут все в точности повторилось. Дженсен был раздражен, но не придал этому большого значения — иногда с домофоном баловались соседские детишки. Но когда зуммер заголосил в третий раз, до него дошло, что ему посылают некий сигнал, и с чувством легкого беспокойства он спустился вниз. Там ему не встретился никто, кроме возвращавшегося домой жильца дома.

Свой «вольво» Дженсен припарковал на улице рядом с домом. Непонятно, что двигало им, когда он вышел из парадного и подошел к машине. Приблизившись, он вздрогнул, заметив, что на пассажирском сиденье кто-то расположился; мгновение спустя он узнал Виргилио. Дженсен хорошо помнил, что запер машину, и теперь, когда он открывал ключом дверь со стороны водителя, его так и подмывало поинтересоваться: «Как, черт побери, ты сюда залез?» — но он подавил в себе это желание. Виргилио уже успел продемонстрировать, что он на все руки мастер.

— Поехали, — распорядился колумбиец, взмахнув огромной лапищей.

— Куда? — спросил Дженсен, запустив двигатель.

— Где поспокойнее.

Минут десять Дженсен кружил совершенно бесцельно, потом свернул на стоянку перед закрытым хозяйственным магазином, выключил зажигание, огни и откинулся на сиденье, выжидая.

— Что молчишь? Говори, — прервал молчание Виргилио. — Есть для меня работа?

— Да. — «В самом деле, — подумал Патрик, — почему не взять быка за рога?» — Моим друзьям нужно убрать двоих.

— Кто твои друзья?

— Этого я тебе не скажу. Так будет спокойнее для всех нас.

— О'кей, — наклонил голову Виргилио. — Которых надо убить... они — большие люди?

— Да. Один из них — городской комиссар.

— Тогда будет стоить много денег.

— Я заплачу тебе восемьдесят тысяч долларов, — сказал Дженсен.

— Не годится. — Виргилио энергично замотал головой. — Нужно больше. Сто пятьдесят.

— У меня столько нет. Сто тысяч я, быть может, и смогу достать, но не больше.

— Тогда не договоримся. — Виргилио положил руку на ручку двери, словно собираясь выйти из машины, но потом передумал. — Сто двадцать тысяч. Половина сейчас, половина — когда сделаю.

Торговля зашла слишком далеко, отметил про себя Дженсен, который уже сожалел, что не взял с самого начала пониже; можно было предложить пятьдесят тысяч. Впрочем, ему все равно оставалось восемьдесят тысяч в дополнение к тем деньгам, что Синтия обещала ему самому. В том, что она выполнит обещание, у него не было никаких сомнений.

— Я подготовлю шестьдесят тысяч через два дня, — сказал он. — Вызовешь меня тем же способом, что и сегодня.

Колумбиец знаком показал, что согласен. Потом кивнул на руль автомобиля, сказал:

— Где живут эти люди? Покажи.

«Почему бы и нет?» — рассудил Дженсен. Он снова завел мотор, направил машину в сторону Бэй-Пойнт и вскоре остановился вблизи охраняемого въезда в фешенебельный микрорайон.

— Дом за этой оградой, — объяснил он. — Она снабжена сигнализацией, а территорию патрулирует охрана.

— Ничего, пролезу. У тебя есть план дома?

Дженсен открыл «бардачок» и достал копию буклета, который несколько дней назад дала ему Синтия. Оригинал был припрятан в надежном месте. Он показал Виргилио помеченный крестом дом на плане местности и пояснил смысл пометок, сделанных Синтией от руки: часы работы горничной и еженедельную отлучку дворецкого с женой.

— Хорошо! — подытожил Виргилио, пряча копию буклета в карман. Слушая инструкции, он морщил лоб, старался все запомнить, дважды попросил повторить информацию, потом кивком подтвердил, что усвоил ее. Кем бы он ни был, этот головорез, но в сообразительности ему не откажешь, подумал Дженсен.

Затем он объяснил, почему необходимо, чтобы убийство походило на два других.

— Это и в твоих интересах тоже, — сказал он. Виргилио согласно кивнул.

Дженсен стал описывать ему подробности. Нужно оставить на месте дохлое животное, можно кролика. Должно громко играть радио, тяжелый рок по местной станции «Металл-105».

— Знаю такую, — вставил слово Виргилио.

Никаких отпечатков пальцев... Виргилио кивнул несколько раз... Забрать все наличные деньги, какие найдутся в доме, но драгоценности не трогать... Жестом показано согласие... Убийство должно быть совершено ножом...

— Боби-нож, знаешь, что это такое? Сможешь раздобыть?

Виргилио:

— Смогу.

Дженсен пересказал почти дословно все, что сообщила ему Синтия о том, как должно выглядеть место преступления: жертвы связаны, кляпы, сидят лицами друг к другу, жуткие раны, лужи крови... В темноте машины он не мог быть уверен, но ему показалось, что здесь Виргилио улыбнулся.

— Ты уверен, что все запомнишь? — спросил Дженсен под конец.

— Все уже здесь, — ответил колумбиец, прикоснувшись пальцем ко лбу.

Потом обсудили дату, по настоянию Синтии Дженсен назвал середину августа.

— Я уеду. Потом вернусь, — сказал о своих планах Виргилио, и Дженсен понял, что шестьдесят тысяч задатка сразу переместятся вместе с ним в Колумбию.

Под конец сошлись на семнадцатом августа.

Когда они подъезжали к дому Дженсена, Виргилио почти в точности повторил свои слова в ночь убийства Стюарта Райса:

— Эй! Не вздумай меня подставить. Убью.

— Мне и в голову не может прийти подставлять тебя, Виргилио, — заверил Дженсен искренне. Но он дал себе обещание после убийства Эрнстов держаться от Виргилио как можно дальше. Этот способен расправиться со всяким, не исключая и Дженсена, если ему взбредет в голову получше замести следы.

В тот же вечер он позвонил Синтии и, даже не назвавшись, сказал только:

— Двадцать второе августа.

Она вычла из этой цифры пять и ответила:

— Поняла тебя. — И сразу повесила трубку.

6

Синтия пробыла в Лос-Анджелесе целых восемь дней, когда ей сообщили о трагической гибели родителей. Все это время она жила раздвоенной жизнью. Одна ее часть целиком состояла из напряженного ожидания, другая — протекала совершенно нормально, в обычной прозе повседневности.

Официально она приехала в Лос-Анджелес для того, чтобы прочитать сотрудникам местного управления полиции серию лекций об опыте полицейских Майами по налаживанию контактов с общественностью. Для нее это было не в новинку: она уже читала подобные лекции в других городах. Кроме того, она собиралась провести несколько отпускных дней вместе с Пэйдж Бэрделон — старой подругой еще по школе «Пайн-Крест», а ныне вице-президентом «Юниверсал пикчерс», которая жила в Брентвуде.

После того как двадцать седьмого июня Патрик Дженсен сообщил Синтии, что долгожданное событие произойдет семнадцатого августа, она заказала себе билет из Флориды в Калифорнию на десятое августа. О ее поездке и лекциях даже сообщила в своей популярной среди читателей колонке «О чем говорят в городе» известная журналистка из «Майами геральд» Джоан Флейшман, — Синтия сама позаботилась обо всем, по-приятельски позвонив Джоан за день до отъезда. Заметка на эту тему появилась и в «Лос-Анджелес таймс» — опять-таки понадобился звонок Синтии своему калифорнийскому коллеге Уинслоу Макгоуну.

— Пойми, не то чтобы мне нужна была реклама, — объясняла она ему, — но чем чаще мы будем напоминать публике, насколько мы печемся о взаимопонимании с общественностью, тем легче нам с тобой будет работать.

Коллега не мог с ней не согласиться. В результате ее отсутствие на востоке страны и появление на западе было как бы запротоколировано прессой.

Узнав о планах Синтии, Пэйдж Бэрделон искренне обрадовалась.

— Жить ты непременно будешь у меня! — заявила она по телефону. — С тех пор как мы с Биффи расстались, я слоняюсь по этой огромной квартире как чужая. Приезжай скорее, Син! Уж мы с тобой закатим веселье, обещаю!

Синтия охотно приняла приглашение и отправилась к подруге прямиком из Лос-Анджелесского аэропорта.

Свои лекции — шесть часов в день на протяжении двух недель — Синтия начала уже на следующий по прибытии день. Ее слушателями, собравшимися в большом конференц-зале главного здания управления полиции Лос-Анджелеса, стали восемьдесят офицеров во всех званиях из восемнадцати подразделений, представлявших различные этнические группы. Примерно две трети из них пришли на занятия в форме, остальные были в штатском. В полиции Лос-Анджелеса как раз предпринималась попытка трансформировать единую для всего региона организацию с жестоким централизованным управлением в несколько локальных управлений, тесно сотрудничающих с населением подконтрольных территорий. Нужно было избавляться и от груза прошлого, символами которого стали воинственный

 бывший начальник управления Дэррил Гейтс

и скандальное дело Симпсона. Аналогичные реформы в Майами, которые начались много раньше и были проведены с большим успехом, по всей стране считались образцом для подражания.

Вот как Синтия высказалась по этому поводу в начале вводной лекции:

— В современной полиции, как в машине, во главе угла должна стоять профилактика. Вот почему столь повышается роль подразделений по связям с общественностью. На первый взгляд в нашей работе нет ничего мудреного: мы должны учить людей принимать меры предосторожности, которые снизили бы для них вероятность стать жертвами преступников. Вторая важнейшая задача состоит в том, чтобы не позволять втягивать граждан, особенно юных, в мир преступности. С этим мы справляемся далеко не всегда, поэтому наши недоброжелатели имеют основания утверждать, что переполненные тюрьмы — это не следствие наших успехов, а показатель наших неудач.

Слушатели при этом заерзали на стульях, а последние слова вызвали даже сдержанные недовольные возгласы. Поэтому Синтия резковато бросила в зал следующую ремарку:

— Хочу напомнить, что я здесь не для того, чтобы льстить вашему самолюбию, а чтобы заставить вас задуматься.

Между тем, если бы кто-нибудь заглянул в ее собственные мысли, которые сейчас шли в двух совсем разных руслах...

«О, это нескончаемое ожидание... Ночами лежать без сна, воображая, как убийца проникает в Бэй-Пойнт... Находит моих родителей...»

Она внутренне собралась и перешла к подробному рассказу о программах работы с населением, принятых управлением полиции Майами.

— Но само собой разумеется, — подытожила она, — что, уделяя повышенное внимание связям с общественностью, мы не забываем внушать публике, что для тех, кто несмотря ни на что совершает грабежи, изнасилования, поджоги и убийства, мы остаемся непобедимой силой, способной раскрыть любое преступление. Что мы будем нещадно бороться с ними с помощью все более современных методов и еще более жестких наказаний.

После этих слов ее аудитория заулыбалась, все одобрительно закивали.

Вопреки первоначальному скептицизму под конец выступления Синтию наградили более чем щедрыми аплодисментами, а потом посыпались вопросы — их было так много, что первая лекция продлилась на полчаса дольше, чем планировалось.

Когда все начали расходиться, к Синтии подошел один из офицеров, грузный человек с седеющими волосами.

— Прими поздравления, все прошло отлично, — сказал он. Потом, когда они остались вдвоем, он немного помялся, но решился продолжить: — Послушай, Синтия, это, конечно, не мое дело, но с самого приезда ты кажешься мне чем-то расстроенной. У тебя все в порядке? Может быть, я просчитался в организации лекций?

Для Синтии это было как гром среди ясного неба. Она-то была уверена, что надежно умеет скрывать свои мысли и переживания от других. Этот Макгоун оказался слишком наблюдателен.

— Нет, все отлично, — заверила она его. — Абсолютно никаких проблем.

Про себя же решила, что должна удвоить осторожность.

И все же Синтии было бы трудно избавиться от навязчивых мыслей о том, что скоро должно было произойти в пяти тысячах километров от нее, если бы не неуемный пыл Пэйдж. В первое же утро она усадила Синтию в свой черный открытый «сааб» и повезла на одну из съемочных площадок «Юниверсал», где как раз шла работа над полицейским боевиком. Они мчались на север по Четыреста пятому шоссе, ветер резвился в их прическах.

— Прямо как в «Тельме и Луизе», — потешалась Пэйдж. Она была высока и стройна, светлые локоны до плеч, голубые глаза. «Типичная девчонка из Лос-Анджелеса», — в шутку называла она себя.

— А что это будет за фильм? — спросила Синтия.

— «Слепая справедливость». О, это замечательный сюжет! Ночью в аллее поблизости от полицейского участка убивают семилетнюю девочку. Сыщик, которому поручают расследование, отличный полицейский, нормальный мужик с хорошей семьей, но чем больше ему удается выяснить, тем больше улик против него самого.

— Это что же, детектив убил ребенка?

— Так задумано по сценарию. У него редкая форма шизофрении, и он сам не догадывается, что совершил преступление.

— Ну, вы даете! Неужели ты это серьезно? — рассмеялась Синтия.

— Конечно, серьезно. На самом деле это так увлекательно! Мы даже наняли психиатра, чтобы не напутать в диагнозах.

— И что же происходит дальше?

— По правде сказать, сама не знаю. Сценаристов попросили переписать концовку, как только мы сумели заполучить на главную роль Макса Кормика. Его агент заявил, что если Кормик сыграет убийцу такой крохи, его дальнейшая карьера окажется под угрозой. Так что теперь, наверное, придется сделать убийцей его напарника.

— Напарника? По-моему, это получится слишком предсказуемо.

— Ты так думаешь? — Пэйдж казалась озадаченной не на шутку.

— Конечно, разве ты сама не видишь? Может, лучше жену?

— Жену? Вот это идея! Подожди минуточку... — Пэйдж схватилась за мобильный телефон и быстро набрала номер. — Майкл? Послушай. Я тут вместе с подругой. Она из полиции Майами. Она считает, что убийцей должна быть Сьюзен.

Пауза. Потом:

— Да, сейчас спрошу... Син, какие мотивы могли быть у жены, чтобы стать убийцей?

Синтия пожала плечами:

— Предположим, она полюбила другого и ей нужно избавиться от мужа. Вот она и подстроила так, чтобы подозрение пало на него.

— Ты все слышал, Майкл?.. О'кей, поразмысли над этим. — Пэйдж с довольной улыбкой положила трубку. — Теперь я могу пригласить тебя поужинать в лучший ресторан города за счет студии.

— Почему?

— Что значит почему? Ты же консультант сценариста.

Пэйдж проехала к самым задворкам киностудии «Юниверсал» и остановила машину у огромной площадки с навесом в форме гигантской белой ракушки. Внутри ее кипела жизнь. Синтия восхищенно взирала на происходившее. Впечатление было такое, что часть здания полицейского управления перенесли под навес, а потом окружили юпитерами, лесами, камерами с тучами людей.

— А я увижу Макса Кормика? — тихо спросила Синтия, тронув подругу за плечо.

— Пойдем. — Пэйдж повела ее за собой туда, где в одном из шезлонгов Макс, прославленная кинозвезда, ожидал начала следующего дубля. Это был рослый, очень уверенный в себе человек лет сорока с начавшими седеть волосами и глазами цвета скорлупы спелого лесного ореха.

— Доброе утро, Макс, — сказала Пэйдж. — Позволь тебе представить майора Синтию Эрнст. Она из полицейского управления Майами.

— Разве у нас в сценарии есть женщина-полицейский из Майами? — спросил он недоуменно.

— Нет-нет, — смутилась Синтия. — Я вовсе не актриса.

— О, извините. Мне просто показалось... Словом, вы больше похожи на актрису, чем на настоящего сотрудника полиции.

— Если бы я была актрисой, я бы больше денег получала.

Актер кивнул, явно испытывая неловкость:

— Да, это правда, хотя и глупо, не так ли?

— Не знаю, не знаю. Еще в школе я попробовала однажды сыграть в спектакле, это оказалось дико трудно! Я все время думала о том, какой должна быть моя героиня, и потому все получалось очень неестественно.

Макс Кормик взял ее за руку и подвел к накрытому столу.

— Настоящий актер никогда не думает о том, как он играет. *Никогда!* Если начнешь думать об этом, сразу станет заметно. Актер думает только о том, как ему остаться самим собой, то есть той новой личностью, в которую ему необходимо на время перевоплотиться. О новой жизни, работе, семье — обо всем!

Синтия кивнула, и со стороны могло показаться, что она сделала это просто из вежливости. На самом же деле она запомнила каждое слово.

Восемнадцатое августа. Через шесть дней.

В дверь квартиры Пэйдж позвонили без десяти семь утра. Через несколько секунд звонок повторился.

Синтия лежала в постели, но не спала. Она слышала первый звонок. Потом, после второго, заспанный голос Пэйдж:

— Какого черта!.. В такую-то рань...

Дверь соседней спальни открылась, но прежде чем Пэйдж добралась до входной двери, раздался третий звонок.

— Не трезвоньте, я уже иду! — крикнула Пэйдж раздраженно.

Синтия почувствовала, как участился ее пульс, но продолжала лежать неподвижно — будь что будет!

Пэйдж посмотрела в «глазок» и увидела на лестничной площадке мужчину в форме полицейского. Она отперла два замка, сняла накидную цепочку и открыла дверь.

— Здравствуйте, мэм. Меня зовут Уинслоу Макгоун. — Голос был негромкий, тон интеллигентный. — Я работаю вместе с майором Синтией Эрнст. Полагаю, она остановилась у вас?

— Да. Что-нибудь случилось?

— Сожалею, что пришлось побеспокоить вас в столь ранний час, но мне необходимо ее видеть.

— Войдите, сэр, — предложила Пэйдж. Потом окликнула подругу: — Ты не спишь, Син? К тебе пришли.

Синтия неспешно накинула халат и вышла в прихожую. С лучезарной улыбкой она приветствовала Макгоуна:

— Привет, Уинслоу. Что привело тебя сюда спозаранку?

Он не ответил, а обратился к Пэйдж:

— Где мы с Синтией могли бы поговорить с глазу на глаз?

— Идите в мой кабинет. — Она жестом указала себе за спину. — Закончите, дайте знать. Кофе уже будет готов.

Когда Синтия и Макгоун уселись друг против друга, она сказала:

— Ты что-то слишком серьезен, Уинслоу. Что-то стряслось? — Она говорила небрежно, а в уме крутились слова Макса Кормика. *Актер никогда не думает, как он играет. Никогда! Если начнешь думать об этом, сразу станет заметно...*

— Увы, да, — сказал Макгоун, отвечая на ее вопрос. — У меня плохие новости для тебя, очень плохие. Тебе нужно бы подготовиться...

— Я готова выслушать тебя. Говори же! — перебила она нервно. Потом, словно ее вдруг осенило: — Что-то с родителями?

Макгоун медленно наклонил голову:

— Да, с родителями... И самое плохое...

— Боже, нет! Они?.. — Она запнулась, будто не в силах вымолвить это слово.

— Да. Не знаю, как сообщать такие вести, но... Боюсь, что оба они мертвы.

Синтия спрятала лицо в ладонях и вскрикнула. Потом позвала:

— Пэйдж! Пэйдж!

Пэйдж опрометью вбежала в кабинет.

— О, Пэйдж, мои мама и папа!.. — воскликнула Синтия.

Когда же подруга заключила ее в свои объятия, она повернулась к Макгоуну:

— Это... это была... автокатастрофа?

— Нет. — Он покачал головой. — Знаешь, Син, лучше я пока не буду тебе ничего больше рассказывать. Тому, что может вынести человек, тоже есть предел. С тебя достаточно.

Пэйдж горячо его поддержала, еще крепче обнимая Синтию.

— Да, прошу тебя, милая! Тебе нужно успокоиться, взять себя в руки.

Поэтому прошло еще четверть часа, прежде чем Синтия — новая личность в новом сценарии — узнала некоторые подробности убийства своих родителей.

С этого момента ей оставалось только плыть по течению. Уинслоу Макгоун и Пэйдж посчитали, что Синтия находится в состоянии шока, в чем их еще более убедила ее рассеянная покорность. К Макгоуну скоро присоединились двое полицейских в форме, один из которых сразу сел к телефону.

— Мы поможем тебе срочно вернуться домой, — сказал Макгоун Синтии. — Я уже отменил твои остальные лекции. Сегодня же вечером ты отправишься в Майами прямым рейсом. Наша машина доставит тебя в аэропорт.

— Я полечу с тобой, Син, — сразу заявила заботливая Пэйдж. — В таком состоянии тебя нельзя отправлять одну. Я могу сама упаковать твой чемодан, если не возражаешь.

Синтия только отрешенно кивнула и буркнула:

— Спасибо.

Полезно иметь спутницу в дороге, хотя она сразу решила, что долгое присутствие Пэйдж в Майами ей решительно ни к чему. Она вытянулась на кушетке, на которую ее прежде усадили, и закрыла глаза, отстранившись от окружавшей суеты.

Вот и свершилось, думала она, родители мертвы. Долгожданная цель уже достигнута. Почему же не ощутила она той эйфории, той радости, которую предвкушала? Все ее чувства сейчас сводились к одному — полнейшей опустошенности. Это оттого, вероятно, что никто, кроме Патрика Дженсена и ее самой, никогда не узнает правды — почему было совершено это убийство и кто его так гениально спланировал.

Она по-прежнему не сожалела о содеянном. Такая развязка была необходима; своего рода логическая концовка, возмездие за зло, причиненное ей. Только такой и могла быть расплата за изломанное, беспросветное детство, которое устроили ей Густав и Эленор. Вот и выросла она такой, какая есть теперь, то есть человеком, который, как она по временам честно признавалась, не нравился ей самой.

Жизненно важный вопрос: была бы она другой, могла ли она стать иным человеком, если бы не семена ненависти и гнева, посеянные извращенными домогательствами отца и лицемерным невмешательством матери? Конечно!.. Да!.. Она непременно выросла бы другой. Не такой сильной, наверное, но гораздо добрее. Хотя кто может знать такие вещи? И в любом случае с ответом на этот вопрос она опоздала ровно на полжизни. Модель, по которой отлили характер Синтии, давно сломана. Она такая, какая есть, и не хочет, да и не может измениться.

Ее веки все еще были смежены, когда в ее мысли вторгся негромкий голос Пэйдж:

— Мы все устроили, Син. Но до выезда в аэропорт еще несколько часов. Не вернуться ли тебе в постель, чтобы немного поспать?

Синтия приняла предложение с благодарностью.

Стараниями Пэйдж перелет на восток прошел без приключений.

Перед приземлением в Майами Синтия украдкой втерла себе в глаза немного соли. Этому трюку она научилась как раз в том школьном драмкружке, о котором упомянула в разговоре с Максом Кормиком. Эффект был неизменным: сначала слезы, потом покрасневшие глаза. На самом деле за все эти дни она не проронила ни единой слезинки, так что фокус с солью оказался как нельзя кстати.

Впрочем, хотя она и разыгрывала глубочайшее горе, она практически сразу дала всем понять, что вновь обрела душевные силы, полностью овладела собой и готова узнать все подробности убийства своих родителей. При ее служебном положении, открывавшем доступ в полицейские подразделения штата, никаких препятствий для этого не существовало.

На второй после возвращения день Синтия приехала в родительский дом в Бэй-Пойнт, опоясанный желтой лентой полицейского заграждения. В гостиной первого этажа она застала сержанта Брюмастера, который руководил следствием.

— Майор, — сказал он, едва завидев ее, — позвольте выразить вам мои самые искренние соболезнования в связи с...

Она жестом остановила его.

— Спасибо, Хэнк, я очень тронута, но стоит мне услышать слова сочувствия, особенно от старого, верного друга, я начну реветь. Пойми меня правильно, прошу.

— Я вас понимаю, мэм, — с готовностью отозвался Брюмастер. — И обещаю, мы сделаем все возможное, чтобы прищучить гада, который... — Он задохнулся от переполнявших его эмоций и не смог закончить фразу.

— Расскажи мне все, что тебе известно, — велела Синтия. — Я слышала, ты рассматриваешь смерть моих родителей как одно из серии убийств?

Брюмастер кивнул:

— Да, очень многое указывает на это, хотя есть и некоторые несовпадения.

«Вот кретин этот Патрик!» — подумала она.

— Прежде всего: вы слышали о совещании у нас в отделе два дня назад — то есть буквально в день смерти ваших родителей? О том, что Малколм

Эйнсли сумел найти связь четырех прежде совершенных серийных убийств с Апокалипсисом?

Она покачала головой. Смутное беспокойство шевельнулось в ней.

— Когда мы начали анализировать детали этих четырех дел, то в каждом из них обнаруживались некие символы, намеренно оставленные убийцей на местах преступлений. И только Малколм, который хорошо в этом разбирается, потому что был священником, сумел расшифровать их смысл.

— Ты говоришь, четыре преступления... — сказала Синтия недоуменно. — Однако, по-моему, похожих дел было только два.

— Еще одно точно такое же, как те, произошло в Сосновых террасах за три дня до убийства ваших родителей. Жертвами были супруги Урбино. А еще раньше было совершено другое, о котором мы вообще могли бы ничего не узнать. — И Брюмастер рассказал ей о том, как Руби Боуи случайно нашла старую ориентировку из Клиэруотера с деталями убийства, аналогичного серийным убийствам Хэла и Мейбл Ларсен. — Клиэруотерское дело по времени случилось где-то как раз посередке между убийствами Фростов и Хенненфельдов.

В голове Синтии зазвучала оглушительная тревожная сирена. За время ее краткой отлучки из города произошли непредсказуемые события. Мысли ее были в полном хаосе. Она знала, что должна срочно навести в них порядок.

— Ты сказал, что в деле об убийстве моих родителей есть несовпадения. Какие именно?

— Во-первых, убийца, кто бы он ни был, оставил на месте дохлого кролика. Малколм считает, что этот символ выпадает из ряда, хотя лично меня он пока не убедил окончательно.

Это ее собственная идея подбросить кролика, подумала Синтия с тоской. Но ведь тогда еще абсолютно никто даже в самом отделе по расследованию убийств понятия не имел, что означает вся эта мрачная символика. Так было вплоть до ее отъезда в Лос-Анджелес.

— А вот другая странность бесспорна, — продолжал Брюмастер. — Я имею в виду фактор времени. Между каждым из прежних серийных убийств и следующим промежуток был примерно в два месяца, никогда не меньше двух. А между делами Урбино и Эрнстов... Извините, я хотел сказать, ваших родителей... прошло всего три дня. — Он пожал плечами: — Хотя, конечно, это может совершенно ничего не значить. В действиях серийных убийц по большей части бесполезно искать логику.

Так-то оно так, думала Синтия, но даже серийным убийцам необходимо время на подготовку своих злодеяний. Три дня, чтобы спланировать двойное убийство? Что-то совсем не убедительно... Вот ведь черт подери! Как же не повезло! Весь ее тщательный расчет был совершенно опрокинут преступлением в Сосновых террасах, о котором она ничего не знала. Ей припомнилась фраза Патрика в Хоумстеде: «Как бы нам с тобой, Син, не перехитрить самих себя».

— Как, ты сказал, фамилия жертв четвертого убийства? — спросила она.

— Урбино.

— Шумиха была большая?

— Ясное дело. Первые полосы всех газет, много сюжетов по телевидению. А почему вы спросили об этом? — настала очередь Брюмастера полюбопытствовать.

— Просто потому, что даже не слышала об этом в Лос-Анджелесе. Вероятно, слишком была занята. — Ответ получился неуклюжий; она сама почувствовала это. Нужно быть крайне осторожной, имея дело с проницательными детективами из отдела по расследованию убийств. Из сказанного Брюмастером она поняла, что Патрик не мог не знать об убийстве Урбино. Значит, он имел возможность отложить выполнение их плана. Хотя... Вполне вероятно, что у него не было никакой связи с колумбийцем и он никак не мог остановить занесенный нож убийцы...

— Но очень многое совпало с более ранними преступлениями, мэм. — Он говорил уважительно, словно хотел загладить неловкость от своего неуместного вопроса. — Пропали все наличные деньги вашего батюшки, а все драгоценности миссис Эрнст оказались на месте — это мы проверили особо тщательно. И еще кое-что, хотя даже не знаю, стоит ли мне...

— Продолжай, — махнула рукой Синтия. — Кажется, я догадываюсь, о чем ты.

— О ранах... Они очень похожи на те, что были нанесены другим жертвам серийных убийств... Вы уверены, что хотите выслушать все это?

— Рано или поздно придется. Лучше уж прямо сейчас.

— Раны были чудовищные. Медэксперт сказала, что снова орудовали бови-ножом. А трупы... — Он запнулся и сглотнул. — Трупы были обнаружены связанными, сидящими лицами друг к другу. И с кляпами.

Синтия отвернулась и промокнула носовым платком уголки глаз. На платке еще оставались крупинки соли. Она пустила их в дело, прежде чем слегка откашлялась и снова повернулась к Брюмастеру.

— И еще одна деталь соответствовала почерку маньяка, — сказал тот. — В спальне ваших родителей громко играло радио.

— Да, припоминаю, в материалах тех двух дел, что мне знакомы, говорилось о громкой рок-музыке, так ведь?

— В тех делах — да. — Брюмастер бегло сверился с записями. — Но на этот раз это оказалась станция WTMI, которая крутит в основном классику и мелодии из кинофильмов. Дворецкий показал, что это была любимая радиостанция вашей мамы.

— Да, верно.

Про себя Синтия выругалась грязнейшим образом. Несмотря на самые точные инструкции, которые она дала по этому поводу Патрику, его наемный убийца почему-то не настроил приемник на тяжелый рок. Может, Патрик забыл ему сказать об этом? Хотя что толку теперь гадать? Слишком поздно. Ей показалось, что Брюмастер пока не придал этому большого значения, но кто-нибудь в отделе за это наверняка зацепится. Уж она-то знает, как работает их машина.

Проклятие! И вдруг, совершенно неожиданно, по всему ее телу пробежали колючие иголки страха.

7

В третью ночь после возвращения в Майами Синтии спалось беспокойно. Ее совершенно выбили из колеи те новости, что сообщил ей сержант Брюмастер. Теперь ее мучил навязчивый вопрос: где еще могли они ошибиться?

Действовала ей на нервы и необходимость встречи с Малколмом Эйнсли. Она была теперь неизбежной, поскольку именно Эйнсли назначили командиром спецподразделения по расследованию серийных преступлений, в число которых попало и убийство ее родителей. Таким образом, хотя Хэнк Брюмастер непосредственно вел следствие, общее руководство осуществлял Эйнсли.

Да, перспектива беседы с ним представлялась Синтии крайне неприятной, но она понимала, что ей следует самой проявить инициативу и как можно раньше. Иначе сложится впечатление, что она этой встречи избегает, возникнет вопрос почему, и первым задумается над этим сам Эйнсли.

Синтия умела быть честной сама с собой и прекрасно понимала, почему из всех сыщиков отдела по расследованию убийств полиции Майами наибольший страх ей внушал именно Эйнсли. Как ни обозлилась она на него, когда он порвал с ней, как ни полна была решимости привести в исполнение свою угрозу: «Ты об этом пожалеешь, Малколм! Ты будешь жалеть об этом до конца твоих дней!» — свое мнение о нем она ни на йоту не изменила: из всех известных ей детективов Эйнсли был лучшим.

Она никогда не могла до конца разобраться, в чем именно заключалось превосходство Эйнсли над остальными. Просто он непостижимым образом умел в ходе расследования заглянуть в суть вещей, не ограничиваясь поверхностными суждениями и впечатлениями. У него был редкий дар ставить себя на место и преступника, и жертвы. В результате, чему Синтия не раз была свидетельницей, он нередко раскрывал дела об убийствах либо вообще в одиночку, либо раньше, чем его коллеги.

Другие детективы, особенно из начинающих, считали его чуть ли не оракулом, то и дело лезли к нему за советами, причем не только профессиональными. Детектив Бернард Квинн даже составил как-то «Антологию афоризмов Эйнсли», которую кнопкой прикрепил к доске объявлений в отделе. Некоторые Синтия запомнила, а один-два даже сейчас могли ей пригодиться:

Нам удается ловить преступников, потому что никто не бывает так умен, как сам о себе мнит.

Мелкие ошибки по большей части сходят людям с рук. Но не убийцам. Стоит им допустить малейшую оплошность, и в деле образуется дыра, в которую стоит заглянуть — и докопаться до истины.

Многие полагают, что хорошее образование — это синоним ума. На самом же деле образованные люди часто слишком мудрят и на этом попадаются.

Мы все совершаем ошибки — иногда абсолютно очевидные — и удивляемся потом, как могли быть так глупы.

Самые изощренные лжецы порой говорят слишком много.

Преступники в большинстве своем забывают о простейшем «законе бутерброда», чем очень помогают сыщикам.

Интеллект, эрудиция, сан священнослужителя за плечами — вот что помогало теперь Эйнсли в сыскной работе, и, как поняла Синтия со слов Хэнка Брюмастера, именно благодаря этому он сумел найти смысл в разрозненном наборе странных вещей, которые оставлял серийный убийца на местах своих злодейств.

Синтия гнала от себя воспоминания. Никогда прежде не ощущала она проницательность Эйнсли как угрозу себе самой. Теперь именно в ней заключалась главная опасность.

Она решила не откладывать встречу, а устроить ее незамедлительно и на своих условиях. После практически бессонной ночи она рано утром заявилась в отдел расследования убийств, где оккупировала кабинет Лео Ньюболда и распорядилась, чтобы сержанта Эйнсли препроводили к ней, как только он появится на работе. Он чуть задержался, объяснив, что по дороге заехал в усадьбу Эрнстов.

Дав понять ему с самого начала, кто хозяин положения — майор в полицейской табели о рангах стоит тремя ступеньками выше сержанта, — а заодно что не допустит и намека на фамильярность, Синтия забросала его резкими по форме вопросами об убийстве своих родителей.

Он отнесся к ней с сочувствием и добротой, что было ей на руку. От него не укрылись, разумеется, ее покрасневшие глаза. Это она заключила по участливым взглядам, которые он по временам бросал на нее. Вот и отлично! Малколм не сомневается, что она горько оплакивает смерть родителей, значит, первая цель достигнута.

Вторая часть ее плана состояла в том, чтобы с высоты служебного положения решительно настаивать на скорейшем раскрытии убийства родителей. Тогда Эйнсли и в голову не придет заподозрить ее в соучастии. По ходу беседы Синтия поняла, что преуспела и в этом.

Конечно, заметила она и ту неохоту, с которой он отвечал на вопросы по поводу символов и их связи с Апокалипсисом. Она догадывалась, что Эйнсли вовсе не собирается докладывать ей о каждом шаге своего спецподразделения, как она требовала, но до поры не слишком этим опечалилась. Достаточно и того, что нелегкий разговор она сумела повернуть целиком к своей выгоде.

В итоге, когда за Эйнсли затворилась дверь, она даже подумала про себя, что, вероятно, переоценила его способности.

Пышным и официозным похоронам, устроенным для Густава и Эленор Эрнст, предшествовала восьмичасовая гражданская панихида, в которой, по некоторым оценкам, приняли участие около девятисот человек. Синтия знала, что ей никуда не деться от этих двух дней, когда придется на публике изображать вселенскую скорбь, и от души желала, чтобы все скорее кончилось. Роль ей выпало сыграть непростую: убитая горем дочь, которая при этом достаточно владеет собой, чтобы вынести боль утраты с достоинством, приличествующим ее высокому положению и званию. Судя по некоторым подслушанным репликам, справилась она с этой ролью вполне успешно.

Во время панихиды у нее состоялся один разговор, который мог иметь важные последствия. Ее собеседниками были люди, хорошо ей знакомые: мэр Майами Лэнс Карлссон и один из двух оставшихся городских комиссаров, Орестес Кинтеро. С обоими она и раньше часто встречалась. Мэр, отошедший от дел промышленник, обычно такой веселый, говорил об отце Синтии с проникновенной печалью.

— Нам будет очень не хватать Густава, — закончил он.

Кинтеро был помоложе мэра, обладал значительным состоянием, заработанным его семьей на спиртных напитках; он закивал в знак согласия:

— Очень трудно будет найти ему замену. Он так тонко разбирался в механизме жизнеобеспечения города.

— Да, я знаю, — сказала Синтия. — Как жаль, что мне не дано продолжить его дело.

Она заметила, что мужчины при этом переглянулись. Их явно осенила одна и та же идея. Мэр едва заметно кивнул.

— Извините, господа, я должна вас оставить, — сказала Синтия. И она отошла от них, уверенная, что посеяла зерно в благодатную почву.

На панихиде и во время похорон ей часто попадался на глаза Эйнсли. Он был заместителем командира отряда почетного караула. Она никогда прежде не видела его в мундире, который оказался ему на диво к лицу: все эти золотые аксельбанты и белые перчатки... Другой офицер из почетного караула рассказал ей, что каждую свободную минуту Эйнсли проводит на радиосвязи со своим спецподразделением, которое ведет круглосуточное наблюдение за шестью подозреваемыми в серийных убийствах.

После последней встречи Синтия не знала, как ей себя вести с Эйнсли, и потому просто постаралась не замечать его.

На следующий день после похорон Синтии позвонили в ее кабинет в отдел по связям с общественностью. Звонивший предупредил, что разговор конфиденциальный. Несколько минут она только слушала, потом сказала:

— Спасибо. Я, конечно же, согласна.

Двадцать четыре часа спустя городской совет Майами во главе с мэром Карлссоном объявил, что Синтия Эрнст займет место своего отца в кресле городского комиссара на те два года, что оставались до следующих выборов. В сообщении подчеркивалось, что это не противоречит положениям хартии города.

Еще днем позже Синтия подала заявление об уходе из полиции Майами.

Время шло, Синтия вступила в новую важную должность и чувствовала себя все более и более в безопасности. А через два с половиной месяца был арестован Элрой Дойл — один из подозреваемых, за которыми следила группа Эйнсли. Причем взяли Зверя с поличным на месте убийства Кингсли и Нелли Темпоун, в его виновности не могло быть сомнений, а в силу прочих улик все: и полиция, и пресса, и публика — были убеждены, что остальные серийные убийства — тоже его рук дело.

Блестящий итог операции спецподразделения несколько омрачило решение прокурора штата Адель Монтесино выдвинуть в суде против Дойла обвинение только в одном двойном убийстве — супругов Темпоун. Здесь, как она считала, «у обвинения были неоспоримые аргументы и неопровержимые доказательства», тогда как по остальным делам улики были косвенными и не до конца убедительными.

Решение это вызвало бурю протеста со стороны членов семей жертв других серийных убийств, к которым присоединила свой голос и Синтия —

в ее интересах было, чтобы на Дойла приговором суда навесили убийство ее родителей. Но в конечном счете это оказалось совершенно не важно. Дойл отрицал свою вину во всем, включая убийство Темпоунов, хотя и был пойман на месте преступления. Присяжные признали Дойла виновным, и он был приговорен к смерти на электрическом стуле. Казнь ускорил добровольный отказ самого осужденного воспользоваться правом на апелляцию.

А вот в те семь месяцев, что прошли от вынесения Дойлу приговора до дня казни, произошло нечто ставшее для Синтии причиной глубокого нервного потрясения.

В повседневной деловой суете ее новой жизни в роли городского комиссара Синтию вдруг ни с того ни с сего осенило, что она так и не сделала одну важную вещь, которую намеревалась сделать давным-давно. Невероятно, но она начисто забыла про коробку с вещественными доказательствами, собранными в ту ночь, когда Патрик признался ей, что застрелил Нейоми и Килбэрна Холмса. Необходимо раз и навсегда избавиться от этой коробки и ее содержимого, Синтия прекрасно понимала это, нужно было еще несколько месяцев назад это сделать!

Она отлично помнила, где хранится коробка, тщательно заклеенная лентой и опечатанная, — в ее собственной комнате в доме родителей.

Со времени смерти Густава и Эленор Эрнст дом их пустовал. Синтия дожидалась, пока вступит в законную силу завещание родителей, прежде чем решить, что с ним делать: продать или поселиться в Бэй-Пойнте самой. В конце концов ей решать — она единственная наследница. Иногда она устраивала в доме вечеринки и потому держала дворецкого Тео Паласио и его жену Марию, чтобы они присматривали за родовым гнездом.

Синтия решила осуществить давно задуманную операцию в ближайшую среду. Она дала указание своей секретарше Офелии перенести все назначенные на этот день деловые встречи и отменить прием посетителей. Синтии пришло было в голову, что проще всего спалить коробку в первом попавшемся общественном мусоросжигателе, но потом она узнала, что большинство из них уже ликвидировали за неэкологичность, а в тех, что уцелели, не дозволялось ничего сжигать собственноручно. Зная, что не может никому в этом довериться, Синтия вернулась к первоначальному плану утопить коробку.

Она была знакома с владельцем прогулочной лодочной станции, который когда-то работал на ее отца. Простоватый и немногословный бывший морской пехотинец имел несколько подмоченную репутацию, потому что не все его деловые операции умещались в рамки закона, зато в его надежности не приходилось сомневаться. Синтия позвонила ему, узнала, что он мог ей предоставить яхту в нужный ей день, и распорядилась:

— Яхта нужна мне на весь день. Я приеду с приятелем. Но только никакого экипажа. Управишься один.

Лодочник поворчал немного, одному, мол, слишком много работы, но согласился.

Насчет приятеля она приврала. Она никого не собиралась брать с собой. Да и яхта понадобится ей ровно столько времени, сколько нужно, чтобы выйти в открытое море и вышвырнуть коробку, упакованную в металлический ящик, на хорошей глубине. Хозяин останется доволен — она ему заплатит за весь день. Магазин, стоящий в стороне от магистрали, где можно было купить подходящую металлическую упаковку для коробки, она присмотрела заранее.

Покончив с приготовлениями, Синтия поехала в Бэй-Пойнт и поднялась к себе в комнату. Она отлично помнила, где лежит коробка, и отодвинула в сторону другие вещи, чтобы дотянуться до нее. К ее огромному удивлению, коробки на месте не оказалось. Память подводит, решила она, и поспешно выбросила все содержимое шкафа на пол. Теперь сомнений не оставалось: чертова коробка куда-то делась. Испуг, который она в первые минуты усилием воли давила в себе, становился ей неподконтролен.

«Только не паниковать!.. Она где-то здесь, в доме... Должна быть здесь!.. Понятно, что ее так сразу не найти — столько времени прошло... Остановись и подумай, где искать...»

Когда поиск в других комнатах ничего не дал, Синтия звонком вызвала к себе Паласио, который тут же поднялся наверх. Она описала ему пропавшую коробку, и он сразу вспомнил:

— Да, мисс Эрнст, была такая. Ее вместе с другими вещами увезли полицейские. Это было на другой день после... — Он осекся и печально покачал головой. — По-моему, это было на следующий день после того, как здесь появилась полиция.

— Почему же ты ничего не сказал мне?!

Дворецкий только беспомощно развел руками:

— Так много всего случилось... И потом, это были полицейские, я и подумал, что вы наверняка знаете.

Постепенно факты приобретали некоторую последовательность.

— У полицейских был ордер на обыск, — объяснил Паласио. — Один из детективов предъявил мне его и сказал, что им нужно осмотреть в доме все.

Синтия кивнула. Это было в порядке вещей, другое дело, что она сама совершенно не учла этого момента.

— Они нашли множество коробок с разными бумагами, — продолжал дворецкий. — Часть из них принадлежала вашей матушке. Как я понял, там было так много всего, что полицейские физически не могли просмотреть все это прямо здесь и потому увезли куда-то. Они складывали все в коробки и опечатывали их. Вашу коробку потому и взяли, что, как я заметил, она уже была опечатана.

— И ты не сказал им, что она принадлежит мне?

— Сказать вам правду, мисс Эрнст, я как-то не подумал об этом. Столько всего сразу свалилось, что у нас с Марией голова шла кругом. Если я совершил ошибку, я готов...

— Оставь свои оправдания! — оборвала его Синтия. Мозг ее был занят быстрыми подсчетами.

Со дня смерти родителей прошел год и два месяца. Стало быть, почти ровно столько же нет на месте и коробки. И где бы она сейчас ни находилась, в одном можно не сомневаться: ее еще не вскрывали, иначе Синтия уже почувствовала бы на себе все последствия. К тому же она была уверена, что знает, куда коробку увезли.

Вернувшись в городской совет, она первым делом отменила прогулку на яхте, а потом постаралась привести в порядок мысли. Бывают моменты, когда необходима абсолютно холодная голова. В Бэй-Пойнт она уже почти поддалась панике, напуганная дикой глупостью, которую совершила. Здесь как нельзя более к месту был один из афоризмов Эйнсли. «Мы все совершаем ошибки — иногда самые очевидные — и удивляемся потом, как могли быть так глупы».

Что же сейчас важнее всего?

Открытие, которое сделала Синтия, породило два насущных вопроса. Ответ на первый она уже получила: коробку пока не открывали. Второй вопрос, следовательно, был таким: какова вероятность, что она так закрытой и останется? Соблазнительно было бы предположить утешительный ответ и расслабиться. Но это было не в характере Синтии.

Она заглянула в телефонный справочник и набрала номер склада вещественных доказательств полиции Майами. Ответил ей дежурный.

— Говорит комиссар Эрнст, капитана Якоуна, пожалуйста.

— Да, мэм.

И несколько секунд спустя:

— Добрый день, комиссар. Это Уэйд Якоун. Чем могу быть полезен?

— Хотела повидаться с тобой, Уэйд. — Они хорошо знали друг друга с тех времен, когда Синтия служила в отделе по расследованию убийств. — Когда ты будешь свободен?

— Для вас — в любое время.

Синтия обещала быть на складе через час.

Складские помещения в главном здании полицейского управления, как обычно, кипели жизнью. Немногочисленный штат сотрудников — приведенных к присяге и вольнонаемных — умел всегда найти себе занятие среди плотно забитых стеллажей, на которых хранилось бесконечное множество самых разных вещей: больших и крохотных, драгоценных и бросовых. Объединяло их только одно: каждая из этих вещей была связана с преступлением и могла быть востребована как улика.

Капитан Якоун встретил Синтию у входа и провел в свой тесноватый кабинет. Места на складе никому не хватало, даже его начальнику.

Они сели, и Синтия приступила к разговору.

— Когда были убиты мои родители... — начала она, но вынуждена была сделать паузу, потому что взгляд Якоуна помутнел слезой; он опечаленно понурил голову:

— До сих пор не могу поверить, что это случилось.

— Да, с этим трудно смириться, — вздохнула Синтия. — Но дело теперь закрыто, а Дойла скоро казнят... Пора вернуть домой родительские вещи и бумаги, которые забрали из нашего дома больше года назад. Кое-что до сих пор хранится здесь у тебя.

— Что-то точно было. Сразу сказать не могу, но сейчас проверю. — Якоун повернулся на стуле лицом к дисплею компьютера на своем рабочем столе, ввел пароль и команду, потом фамилию. Мгновенно на экране высветились колонки цифр.

— Ну конечно! У нас хранятся вещи из дома ваших родителей. Теперь-то я вспомнил, — сказал Якоун.

— Столько всего проходит через склад, удивительно, что ты хоть что-то помнишь.

— Да, но ведь это было громкое дело. Все упаковали в коробки, и сыщики заверили меня, что со временем просмотрят их содержимое... — Он снова бросил взгляд на дисплей. — Но, насколько я помню, никто этим так и не занялся.

— Ты, случайно, не знаешь почему? — полюбопытствовала Синтия.

— Как я понял, тогда все были слишком заняты. За вероятными серийными преступниками велось круглосуточное наблюдение. Людей не хватало. Поэтому до ваших коробок ни у кого не дошли руки. А потом убийцу схватили, и в них вроде как вообще отпала всякая надобность.

— Значит, я могу забрать свои коробки? — спросила Синтия, просияв улыбкой. — В них ведь преимущественно бумаги из архива моих родителей.

— Думаю, что да. Мне и самому очень хотелось бы освободить место. Пойдемте взглянем на них, — предложил Якоун, запоминая номера на экране и поднимаясь.

— Если здесь кто потеряется, мы вызываем поисковую партию, — пошутил Якоун.

Они оказались в той части огромного хранилища, где ящики, коробки, связки и пакеты громоздились штабелями от пола до потолка. Проходы между штабелями были узки и сплетались в род лабиринта. Однако все было пронумеровано.

— Любую единицу хранения можно отыскать в считаные минуты, — похвалился Якоун. И действительно он почти сразу остановился и сказал: — А вот и коробки из дома ваших родителей.

Два штабеля, мысленно отметила Синтия, дюжина коробок-контейнеров, а может, больше. Все крест-накрест перетянуты лентой с надписью «ВЕЩЕСТВЕННЫЕ ДОКАЗАТЕЛЬСТВА». Почти сразу на самом верху она заметила коробку, на которой из-под казенной желтой клейкой ленты отчетливо просвечивала синяя. Нашла! Свою именную ленту она ни с чем бы не спутала.

Теперь нужно как-то ухитриться завладеть этой коробкой.

— Стало быть, я могу все это забрать? — Она небрежным кивком указала на штабеля. — Если нужно, могу оставить расписку.

— Простите, но это не так просто, — покачал головой Якоун, — хотя и не сложно. Чтобы выдать вам ваше имущество, мне нужен запрос за подписью тех, кто передал эти вещдоки на хранение.

— И кто же это был?

— У меня в компьютере значится сержант Брюмастер. Но подписать может и Малколм Эйнсли — он ведь командовал тем спецподразделением. Или лейтенант Ньюболд. Любой из них, вы же знаете всех троих.

Синтия призадумалась. Она-то надеялась, что поможет ее высокий пост... А что до упомянутого трио, то ей придется серьезно поразмыслить, прежде чем обратиться к одному из них.

По пути к выходу из хранилища, словно в порядке легкой болтовни, она спросила:

— И долго тебе приходится держать у себя все это барахло?

— В том-то и беда, что слишком долго, — привычно пожаловался Якоун. — Это моя самая большая проблема.

— Сколько лет самому старому вещдоку?

— Честное слово, не знаю. Но кое-что провалялось здесь уже двадцать лет и даже больше.

Якоун еще отвечал на ее вопрос, но Синтия уже приняла решение. Она не будет просить подписать для нее этот запрос. Проще всего было бы подкатиться с этим к Брюмастеру, но даже он может оказаться излишне любопытным. Ньюболд непременно захочет узнать мнение двух других. А Эйнсли... этот мыслит творчески, поймет, что здесь не все чисто.

К тому же если коробки не трогать, они скорее всего так и пропылятся на складе лет двадцать или даже больше. Что ж, она рискнет и оставит все, включая опаснейший набор улик, в покое. На ближайшее время.

А на будущее, причем, если подумать, не такое уж далекое, она имела особый план.

Синтия всерьез намеревалась стать следующим мэром Майами.

Карлссон, нынешний мэр города, уже объявил, что по окончании срока полномочий, то есть через два года, переизбираться не будет. Узнав об этом, Синтия решила, что должна стать его преемницей. Конечно, у нее будут соперники. Один, если не оба других городских комиссара выставят свои кандидатуры. Но Синтия расценивала свои шансы в борьбе с ними как весьма высокие. Женщина в наши дни может быть избрана куда угодно. Наступили времена, когда даже мужчинам перестало нравиться мужское засилье в коридорах власти. Глядя на представителей сильного пола на самой вершине могущества, включая и Овальный кабинет Белого дома, люди все чаще задаются вопросом: неужели это лучшее, что у нас нашлось?

Став мэром, Синтия получит, по сути, неограниченную власть над полицейским управлением города. Она будет решать, кому быть начальником полиции, и определять все перемещения в руководстве правоохранительных органов. Это автоматически даст ей совершенно иной уровень полномочий, и тогда в один прекрасный день она сможет забрать все эти коробки — включая и *ту самую* — без малейших затруднений.

Так что пусть пока все остается как есть.

— Спасибо за помощь, Уэйд, — сказала она Якоуну на прощание.

В те три с половиной месяца, которые прошли затем до дня казни Элроя Дойла, Синтия жила под бременем все нараставшего беспокойства. Время тянулось мучительно медленно. Причина ее тревоги состояла в том, что только со смертью Дойла на электрическом стуле у нее могла появиться твердая уверенность, что дела о всех шести приписываемых ему двойных убийствах будут окончательно закрыты. Что с того, что Дойла приговорили к смерти только за убийство Темпоунов? Никто из тех, чье мнение могло иметь значение, не сомневался, что все остальные жертвы пали от его же руки, не исключая Густава и Эленор Эрнст.

Итак, кому же было *известно,* что одного из серийных убийств Дойл не совершал?

Синтия задала себе этот вопрос, когда однажды вечером сидела дома одна. Ответ был прост: она сама, Патрик Дженсен и колумбиец. И все. Только трое.

Хотя нет, четверо, спохватилась она. Был ведь еще сам Дойл. Впрочем, его можно не считать. Что бы он сейчас ни заявил, ему никто не поверит. На следствии он отрицал абсолютно все, даже ничего не значившие пустяки, даже очевидные вещи. Например, свое присутствие в доме Темпоунов, где он был взят с поличным при множестве свидетелей.

И вот еще что: на казнь шел не невинно осужденный, Дойл был, несомненно, виновен в остальных убийствах и заслужил высшую меру. И если уж ему судьба умереть на электрическом стуле, то почему бы не оказать Синтии и Патрику любезность и не уйти в мир иной с небольшим дополнительным грузом чужого греха? Право, жаль, что не будет случая сказать ему за это спасибо!

Но поскользнуться можно, как говорится, и на ровном месте. И потому Синтия ждала в напряженном нетерпении. Скорее бы свершилась казнь, а там начнется для нее новая жизнь.

Синтия возобновила регулярные свидания с Патриком Дженсеном — на людях и в постели, а в последние недели их встречи стали еще более частыми. Инстинктивно она понимала, что это неразумно, но порой готова была лезть на стенку от одиночества, а ни с кем другим она не могла до такой степени быть самой собой. Синтия понимала, что их так сближает. Два сапога пара! Вся дальнейшая судьба каждого из них зависела от другого.

Отчасти поэтому Синтия решила, что Патрик Дженсен должен быть вместе с ней на казни в тюрьме штата Флорида. Ее собственное присутствие считалось если не необходимым, то естественным по двум причинам: как единственной близкой родственницы двух из жертв Элроя Дойла и как городского комиссара. Когда она поделилась своим планом с Патриком, тот немедленно согласился.

— Мы с тобой кровно заинтересованы в том, чтобы лично убедиться в его смерти. И потом, я же смогу вставить этот эпизод в свою книгу.

Синтия позвонила начальнику тюрьмы. Уговорить его было нелегко — очередь желающих была расписана на три года вперед, — но ей он в итоге пошел навстречу. Дженсена включили в список.

Временами Синтию очень беспокоили случавшиеся с Патриком приступы глубокой депрессии. Он всегда был склонен к ненужным философствованиям, что она считала свойством профессии писателя. Но теперь философия его окрасилась в фатально мрачные тона. Однажды в разговоре с ней он с тоскливой распевностью прочитал строчки из Роберта Фроста:

В лесу я попал на скрещенье дорог,
Той я пошел, что никто бы не смог.
Так судьбу обмануть мне случай помог...

— Вот так и я, — грустно заключил Патрик. — Разница в том, что Фрост пошел верной дорогой. А я... Я заплутал, и обратно мне уже не выбраться.

— Странно, что ты еще в религию не ударился, — с насмешкой сказала Синтия.

Неожиданно он злорадно рассмеялся:

— Просто время не приспело. Молиться будем, когда нас разоблачат.

— Не смей так говорить! — задохнулась от ярости Синтия. — Нас никто не сможет разоблачить, особенно после того как...

И хотя она осеклась, оба знали, что имелась в виду казнь Дойла, до которой оставались считаные дни.

Ну не странно ли, думала Синтия, ощущать облегчение при входе в тюремные стены? Тем не менее ею владело именно это чувство. Синтия посмотрела на часы: шесть двенадцать утра — она так долго ждала этого момента, а теперь до него оставалось меньше часа. Вместе с еще двадцатью свидетелями их с Патриком провели через массивные стальные ворота и мимо помещения дежурных с пуленепробиваемыми стеклами. Здесь-то и бросились ей в глаза двое мужчин, посторонившихся, чтобы пропустить группу свидетелей. Одним из них был офицер тюремной охраны, другим... *Малколм*!

Ее будто ледяным душем окатило.

В голове завертелись вопросы. *Он-то зачем здесь*? Ответ мог быть только один: он приехал повидать Дойла перед казнью! Почему?

Она покосилась на Патрика. Тот тоже заметил Эйнсли, и, как она поняла, его осенила та же догадка. Но времени поговорить у них не было; сопровождающие торопили их вслед за остальными.

Хотя они не встретились взглядами, Синтия была уверена, что Эйнсли разглядел ее в толпе. Она шла вместе со всеми, поглощенная новыми пугающими раздумьями.

Предположим, встреча Эйнсли с Дойлом перед его казнью действительно состоится. О чем они будут беседовать? Неужели Эйнсли до сих пор сомневается в том, что Эрнстов убил Дойл? Не это ли цель его приезда — в последние минуты жизни преступника вытянуть из него как можно больше? С Малколма станется, упорства в нем на десятерых... Или ее черные мысли не более чем симптомы истерики? Эйнсли мог приехать в тюрьму штата совсем по другим делам, с Дойлом никак не связанным. Но она не верила в это.

Свидетелей ввели в зал, отделенный от зала казней наполовину стеклянной стеной. Охранник со списком в руках указывал каждому его место. Синтия и Патрик оказались в самой середине первого ряда. Когда все наконец расселись, в помещении осталось пустовать только одно кресло — справа от Синтии.

И новый неприятный сюрприз. Как только в зале казней началось какое-то движение, тот же охранник провел в помещение для свидетелей Малколма Эйнсли и указал ему место рядом с ней. Он сел, искоса посмотрел на нее и был явно намерен заговорить, но Синтия сделала вид, что не замечает его, неподвижно уставившись вперед. А вот Патрик поспешил чуть склониться вперед и улыбнуться Эйнсли. Синтия была уверена, что ответной улыбки ему не дождаться.

Она наблюдала за процедурой казни вполглаза; в голове метались тревожные мысли. Однако когда тело Дойла конвульсивно задергалось под серией мощных электрических разрядов, даже она почувствовала приступ дурноты. Патрик, напротив, следил за происходившим с завороженной улыбкой, получая видимое удовольствие от зрелища. Синтия даже не сразу поняла, что все кончено. Труп Дойла поместили в мешок, а свидетели поднялись, направляясь к выходу. Именно в этот момент Эйнсли чуть склонился к ней и негромко сказал:

— Комиссар, я должен сообщить вам, что непосредственно перед казнью я говорил с Дойлом о ваших родителях. Он заявил, что...

Шок от столь скорого подтверждения ее худших опасений оказался слишком силен. Чтобы не выдать себя, она поспешно, ни секунды не раздумывая, оборвала его:

— Я не желаю ничего слушать. — Потом она вспомнила, что для нее Дойл должен быть убийцей родителей, и добавила: — Я пришла посмотреть на его муки. Надеюсь, они действительно были велики.

— В этом не приходится сомневаться. — Голос Эйнсли был по-прежнему тих.

— В таком случае, сержант, я полностью удовлетворена, — надменно сказала Синтия, уже полностью овладевшая собой.

— Я понял вас, комиссар. — В его интонации она не расслышала никакого подтекста к сказанному.

Когда они вышли из зала для свидетелей, Патрик сделал неуклюжую попытку представиться Эйнсли, тот прореагировал холодно, показав, что прекрасно знает, кто такой Дженсен, и не имеет желания познакомиться с ним ближе.

Неловкость сгладило появление сопровождавшего Эйнсли офицера тюремной охраны, который увел его с собой.

В автобусе, доставившем группу свидетелей обратно к месту сбора в Сторке, Синтия сидела с Патриком рядом, но они молчали всю дорогу. Теперь она уже жалела, что не дала Малколму Эйнсли договорить. «Я говорил с Дойлом о ваших родителях. Он заявил, что...»

О чем заявил Дойл? Скорее всего о своей невиновности. Поверил ли ему Эйнсли? Будет ли он копать и дальше?

Странная мысль посетила вдруг Синтию. А не совершила ли она самую серьезную в своей жизни ошибку, воспрепятствовав производству Эйнсли в лейтенанты? Парадокс был очевиден: не помешай она его карьере, он не оставался бы до сих пор детективом отдела расследования убийств.

Порядок производства из сержантов в лейтенанты был давно отработан: получившего повышение офицера обязательно переводили служить в другое полицейское подразделение. Если бы не ее злая воля, Эйнсли трудился бы сейчас совершенно в другом отделе и не имел бы никакого отношения к расследованию серийных убийств. Остальные детективы не обладали его кругозором и недюжинными знаниями, чтобы разгадать связь таинственных символов с Апокалипсисом, и дело приняло бы совершенно иной оборот. Но самое главное — никто не стал бы упорствовать в дальнейшем расследовании убийства Эрнстов, как, очевидно, намеревался поступить теперь Малколм Эйнсли.

Она осознала, что ее бьет дрожь. Вдруг получится так, что Эйнсли, который задержался в отделе по расследованию убийств только потому, что она в свое время неправильно поняла свои интересы, станет в будущем ее Немезидой?

Она не была уверена, что это так уж вероятно. Однако уже за то, что такая вероятность вообще возникла, за все, что он ей сделал и не сделал тоже... за все, что олицетворял сейчас для нее... и за многое другое, были на то основания или нет — Синтия ненавидела, ненавидела, ненавидела его.

ЧАСТЬ ПЯТАЯ

1

После того как по распоряжению Эйнсли в маленькую комнатку в здании полицейского управления, где временно трудилась Руби Боуи, были приглашены эксперты-криминалисты, суть ее находки стала окончательно ясна. Как позднее описала это в своей речи прокурор штата, «словно свет истины пролился на черную бездну зла».

Предметы, обнаруженные во вскрытой Руби коробке, неопровержимо свидетельствовали, что шесть с половиной лет тому назад Патрик Дженсен убил свою жену Нейоми и ее приятеля Килбэрна Холмса. Его тогда подозревали в совершении этого преступления, но детективам не удалось доказать его вину.

Не приходилось сомневаться и в том, что Синтия Эрнст в бытность свою детективом отдела по расследованию убийств преднамеренно сокрыла изобличавшие Дженсена улики. Эйнсли был ошеломлен и подавлен, но отмел все личное в сторону, лишь в нетерпении дожидаясь заключения экспертов.

Их начальник Хулио Верона самолично явился по вызову Эйнсли. Он бегло осмотрел коробку и то, что в ней лежало, заявив решительно:

— Нет, здесь мы ничего не будем трогать. Это все нужно отправить к нам в лабораторию.

Лейтенант Ньюболд, которому Эйнсли тоже успел обо всем сообщить, дал Вероне свои инструкции:

— Хорошо, забирайте, но попрошу все проделать как можно быстрее. И скажите своим людям, что дело сугубо конфиденциальное. Никаких утечек информации не должно быть.

— Обещаю, — заверил Верона.

Через два дня в девять утра Верона вернулся в ту же комнату вместе с коробкой и своим отчетом. Его дожидались Эйнсли, Ньюболд, Боуи и заместитель прокурора штата Кэрзон Ноулз, который отвечал за ведение дел об убийствах.

Ньюболд предложил назначить встречу в здании прокуратуры, расположенном за несколько километров отсюда, — прокуроры имели дурную привычку всегда вызывать детективов к себе, но Ноулз, в прошлом детектив из Нью-Йорка, больше любил сам навещать своих бывших коллег там, где, как он говорил, «самое пекло». По этой главным образом причине всем пятерым пришлось набиться в тесную каморку.

— Начну с полиэтиленовых пакетов, — сказал Верона. — На четырех из них обнаружены отпечатки пальцев Синтии Эрнст.

Собравшимся не нужно было объяснять, что все офицеры полиции обязаны давать свои отпечатки для картотеки, откуда их не изымают даже по выходе человека в отставку.

— Теперь о почерке на бирках, — продолжал Верона. — В нашем распоряжении оказались рапорты, написанные комиссаром Эрнст в бытность свою майором нашего управления. Графолог утверждает, что это ее рука. — Он покачал головой: — Надо же быть такой неосторожной... Она, должно быть, сошла с ума!

— Нет, просто она не могла себе даже представить, что все это попадет в наши руки, — заметил Ноулз.

— Пойдем дальше, — торопил Верону Лео Ньюболд. — Там был еще револьвер.

— Да, «смит-и-вессон» тридцать восьмого калибра.

Шеф экспертов-криминалистов прошелся по всему списку найденных предметов.

На револьвере выявлены отпечатки пальцев Патрика Дженсена. За несколько лет до того в его дом проник взломщик, и Дженсен позволил снять с себя отпечатки, чтобы детективы могли отличать их от тех, что оставил домушник. Дженсену, разумеется, вернули потом его карточку с отпечатками из картотеки, но он понятия не имел, что ее копия осталась подшитой к делу.

Револьвер был также отстрелян в баллистической лаборатории — его зарядили и из него выстрелили в лоток с водой. Пулю поместили потом под спаренный микроскоп вместе с одной из тех, что были извлечены из трупов. Характерные отметины от ствола на пулях полностью совпали.

— Таким образом, — заключил Верона, указывая на коробку, — нет никаких сомнений, что те двое были убиты именно из этого револьвера.

В пятнах крови на футболке и кроссовках были выявлены молекулы ДНК как Нейоми Дженсен, так и Килбэрна Холмса.

— И есть еще одна, совершенно убийственная улика, — сказал Верона и достал из кармана обычную магнитофонную кассету. — Это копия. Оригинал мы снова опечатали и положили в коробку. Мы имеем здесь запись полного признания Дженсена в убийстве. Однако на ней имеются пробелы. Мы пришли к выводу, что на пленке был еще чей-то голос, который позднее был стерт.

Верона положил на стол портативный магнитофон, вставил в него кассету и нажал на «воспроизведение». Сначала ничего не было слышно, потом раздались звуки, словно передвигались с места на место какие-то предметы, затем заговорил мужской голос, временами срываясь от волнения, но слова были вполне различимы.

«Я не хотел, чтобы так вышло... Я и не думал даже... Но мне невыносимо даже представить себе ее с другим... И когда я увидел их вместе, ее и этого мозгляка, меня просто ослепила злоба. У меня был револьвер. Я и заметить не успел, как выхватил его и начал стрелять... В секунду все было кончено. Только потом я увидел, что натворил. Боже, я уложил их обоих!»

Потом — молчание, только легкое шипение из динамика.

— В этом месте кусок записи кто-то стер, — пояснил Верона.

Голос зазвучал снова:

«... Килбэрн Холмс... Он прилип к Нейоми как банный лист. Их все время видели вместе. Мне же обо всем рассказывали!»

Верона выключил магнитофон.

— Остальное дослушаете без меня. Запись и дальше фрагментарна. Очевидно, что это ответы на вопросы, которые были стерты. Голос один и тот же. Не поручусь, что это голос Дженсена: я ведь с ним не знаком. Но позже мы и эту запись подвергнем экспертизе.

— Экспертиза, конечно, необходима, — вмешался Эйнсли, — но я могу сказать прямо сейчас, что это голос Дженсена.

Встречу с ним после казни Элроя Дойла он помнил в мельчайших подробностях.

Когда Хулио Верона удалился, в комнатушке повисло тягостное молчание, которое первым нарушил Лео Ньюболд:

— У кого-нибудь еще остались сомнения?

Поочередно каждый из них покачал головой.

Лица у всех были мрачнее тучи.

— Почему?! — Лейтенант готов был сорваться на крик. — Ради всего святого, *почему* Синтия это сделала?

Эйнсли только беспомощно развел руками.

— Я мог бы высказать несколько предположений, — сказал Кэрзон Ноулз, — но лучше будет все же допросить сначала Дженсена. Доставьте-ка его сюда.

— Как прикажете это оформить? — спросил Эйнсли.

Ноулз подумал немного и сказал:

— Арестуйте его. — Он сделал жест в сторону коробки, которую Верона оставил на столе. — В нашем распоряжении есть все улики, изобличающие его. Я выпишу вам ордер, и одному из вас останется только завизировать его у судьи.

— Это дело вел Чарли Турстон, — заметил Ньюболд. — Ему и производить арест.

— Хорошо, — сказал Ноулз, — но только давайте постараемся больше никого не привлекать. Турстону прикажите — никому ни слова. В этом деле нужна полная тайна.

— Что мы предпримем в отношении Синтии Эрнст? — спросил Лео Ньюболд.

— Пока ничего. Потому-то и нужна строжайшая конфиденциальность. Я переговорю с Монтесино. Но чтобы арестовать городского комиссара... Уверен, она захочет утвердить такое решение через большой совет присяжных. Нельзя допустить, чтобы хоть слово о нашей находке достигло ушей Синтии Эрнст.

— Мы сделаем все возможное, — заверил его Ньюболд. — Однако ж дело слишком скандальное. Действовать нужно быстро, иначе слухов не избежать.

Вскоре после полудня был вызван детектив Чарльз Турстон, которому вручили ордер на арест Патрика Дженсена. Сопровождать его была направлена Руби Боуи.

— Никто больше не должен знать об этом. Абсолютно никто, — наставлял Ньюболд Турстона, почти совсем лысого ветерана полиции.

— Понял вас, сэр, — кивнул тот. Потом добавил: — Ох, давно же я мечтаю нацепить наручники на эту мразь!

Дом, где жил Дженсен, располагался недалеко от здания управления полиции Майами. По дороге Руби, которая вела машину, спросила Турстона:

— Я смотрю, ты к Дженсену неровно дышишь, а, Чарли?

— Да уж! — скорчил гримасу Турстон. — У меня с ним связаны скверные воспоминания. Когда я вел это дело, мне с ним не раз случилось схлестнуться. Мы же с самого начала были уверены, что именно он убил тех двоих. А он вел себя вызывающе нагло, словно знал наверняка, что нам его не прищучить. Однажды я приехал к нему, чтобы задать несколько дополнительных вопросов, так он только рассмеялся мне в лицо и сказал, чтобы я убирался.

— Ты думаешь, он может оказать сопротивление?

— Нет, к сожалению, — усмехнулся Турстон. — А мне бы так хотелось привезти его к нам в патрульной машине с мигалкой и сиреной... Так, по-моему, мы уже приехали.

Руби остановила машину у шестиэтажного кирпичного дома на авеню Брикелл, Турстон оглядел его и заметил:

— А дела у этого типа идут неважно. Когда наши дорожки пересеклись в прошлый раз, он жил в роскошном особняке. — Он заглянул в ордер. — Здесь написано, квартира триста восемь. Пошли.

Табличка с именами жильцов и кнопками звонков подтверждала: Дженсен занимал триста восьмую квартиру на третьем этаже дома. Однако в намерения детективов не входило предупреждать Дженсена о своем визите.

— Скоро кто-нибудь выйдет, — сказал Турстон.

И точно, почти сразу сквозь стекло вестибюля они увидели сухопарую пожилую даму в косынке, твидовой курточке и сапогах, которая вела на поводке комнатную собачку. Как только эта леди щелкнула замком, Турстон распахнул перед ней дверь и показал удостоверяющий личность жетон.

— Мы из полиции, мэм. По служебному делу.

Руби тоже достала свой жетон, и какое-то время старушка изучала оба, потом всплеснула руками:

— Ну надо же, а я как раз ухожу! Происходит что-то интересное?

— Боюсь, что нет. Нам нужно наложить штраф за неправильную парковку.

С лукавой улыбкой старушка покачала головой:

— Я еще не разучилась читать. Детективы такой ерундой не занимаются. — Она потянула за поводок. — Пойдем, Феликс. От нас с тобой явно хотят избавиться.

Турстон дважды бухнул в дверь триста восьмой квартиры кулаком. Изнутри послышались шаги, потом голос спросил:

— Кто там?

— Полиция. Откройте, пожалуйста!

В центре двери блеснул крохотный светлячок — по ту сторону воспользовались «глазком», мгновение спустя заскрежетал засов, и дверь приоткрылась. Турстон тут же рывком распахнул ее настежь и вошел. Патрик Дженсен, одетый в легкую спортивную рубашку и светлые брюки, сделал пару шагов назад. Руби вошла вслед за Чарли и закрыла дверь.

— Мистер Дженсен, — детектив говорил уверенно и резко, держа ордер в руке, — вы арестованы по обвинению в убийстве Нейоми Мэри Дженсен и Килбэрна Оуэна Холмса... В мои обязанности входит предупредить вас, что вы имеете право хранить молчание, не отвечать на вопросы и потребовать присутствия адвоката... — Произнося привычные слова «предупреждения Миранды», Турстон пристально следил за выражением лица арестованного, которое оставалось неестественно безмятежным. Такое впечатление, подумал детектив, что он ожидал этого момента.

Потом Дженсен спросил:

— Могу я позвонить своему адвокату прямо сейчас?

— Да, но сначала я должен убедиться, что вы не вооружены.

Дженсен покорно поднял руки и дал Турстону проверить себя сверху донизу.

— О'кей, сэр, можете воспользоваться телефоном. Только один звонок.

Дженсен поднял трубку и набрал номер, который знал наизусть.

— Попросите, пожалуйста, Стивена Круза. — Пауза. — Стивен? Это Патрик. Помнишь, я как-то сказал, что мне однажды может понадобиться твоя помощь? Так вот, этот день настал. Меня арестовали. — Еще пауза. — В убийстве.

Дженсен слушал, плотно прижав трубку к уху; ясно было, что Круз его инструктирует.

— Нет, я ничего не говорил и не буду, — сказал Дженсен по телефону, потом обратился к детективам: — Мой адвокат спрашивает, куда вы меня увезете.

— В полицейское управление Майами, отдел по расследованию убийств, — ответил Турстон.

Дженсен повторил это в трубку.

— Да, надеюсь тебя скоро увидеть, — закончил он разговор и повесил трубку.

— Нам придется воспользоваться наручниками, сэр, — сказала Руби Боуи. — Не хотите ли сначала надеть пиджак?

— Пожалуй, — ответил Дженсен, казавшийся слегка удивленным. Он отправился в спальню, где застегнул рубашку на все пуговицы и надел пиджак, после чего Руби стянула ему руки за спиной наручниками.

— Вы, ребята, просто сама вежливость, — сказал Дженсен. — Спасибо.

— Абсолютно не за что, — отозвался Турстон. — Мы можем и силу употребить, если понадобится, но хотелось бы обойтись без этого.

Дженсен пригляделся к нему внимательнее.

— А ведь мы с вами уже встречались, не так ли?

— Да, сэр, доводилось.

— Теперь вспомнил. Я, кажется, вел себя тогда немного по-хамски.

— С тех пор много воды утекло, — пожал плечами детектив.

— Извиниться никогда не поздно. Если только вы примете мои извинения.

— Я-то приму, — сказал Турстон холодно, — но, мне кажется, у вас сейчас есть куда более серьезный повод для беспокойства. Прошу следовать за нами.

Руби Боуи как раз закончила говорить по радиотелефону.

— Они взяли Дженсена и едут сюда, — сообщил Эйнсли лейтенанту Ньюболду и Кэрзону Ноулзу. Последний уже навестил свое начальство — прокурора штата Адель Монтесино и как раз только что вернулся.

— Дженсен успел позвонить своему адвокату Стивену Крузу. Он тоже уже в пути, — добавил Эйнсли.

— Неплохой выбор, — кивнул Ноулз. — Круз — парень жесткий, но с ним можно иметь дело.

— Я тоже его знаю, — сказал Ньюболд. — Но как бы он ни был хорош, против наших новых улик он ничего не сможет сделать.

— У меня появилась идея, — продолжал Ноулз. — Пока Дженсен сюда едет, давайте перенесем коробку в комнату для допросов, вскроем ее и разложим все на столе. Как только Дженсен это увидит, он поймет, что попался всерьез, и *заговорит*.

— Прекрасный ход, — одобрил Ньюболд и посмотрел на Эйнсли: — Подготовь все, пожалуйста, Малколм.

Привезенного в управление полиции Дженсена сначала подвергли обычной для арестованных процедуре — сняли отпечатки пальцев, сфотографировали, попросили вынуть все из карманов и составили опись имевшихся при нем вещей. Он понимал, что попал в колеса бездушной казенной машины, где человек обезличивается. Кто знает, когда он сумеет выбраться из нее и выберется ли вообще? Он, конечно, был встревожен, но особого страха пока не испытывал.

С самого появления полицейских у него на пороге мысли Дженсена забавным образом словно подверглись заморозке. Того, что теперь стало свершившимся фактом, он боялся давно; по временам страх этот преследовал его в навязчивых кошмарах. Но сейчас, когда это случилось, страх вдруг отступил. Вероятно, потому, думал он, что ему сразу стала ясна вся неизбежность последующих событий. В порыве дурацкой страсти, бесконтрольных эмоций он совершил серьезное преступление, и теперь закон настигнет его — он понесет наказание. Как любой человек в его положении, он сделает все возможное, чтобы избежать этого наказания или максимально смягчить его, но только позже сможет он понять, велики ли у него шансы.

Конечно, в ту минуту он не подозревал, какие события привели к его столь неожиданному аресту, но он был достаточно знаком с системой, чтобы сознавать: должно было случиться нечто из ряда вон выходящее. В противном случае его просто вызвали бы сначала для допроса, не запрашивая ордера на арест.

Когда с бюрократическими формальностями было покончено, Дженсена, все еще в наручниках, препроводили к лифту и далее — несколькими этажами выше в комнату допросов отдела по расследованию убийств, как нынче называют ее более «цивилизованно» — в «комнату собеседований».

Едва перед ним распахнулась дверь, как Дженсен увидел на столе открытую коробку, обтянутую именной синей клейкой лентой Синтии Эрнст. А позади коробки — ее содержимое, разложенное аккуратно, в зловещем порядке, так, что каждая вещь — на виду.

Дженсен невольно застыл на месте как парализованный: он понял все мгновенно. Отчаяние и острая ненависть к Синтии охватили его существо.

В следующую секунду сопровождавший Дженсена полицейский легким пинком втолкнул его в комнату, усадил, приковал к стулу наручниками и оставил в одиночестве.

Только через полчаса в комнате допросов собрались все действующие лица: Малколм Эйнсли, Руби Боуи, Кэрзон Ноулз, Стивен Круз и Патрик Дженсен. Само собой, последнего детективы оставили на время с собственными мыслями не без умысла.

— Уверен, что все вам здесь хорошо знакомо, — сказал Эйнсли Дженсену, жестом обводя разложенное на столе «ассорти». — Особенно вот этот револьвер, из которого были убиты ваша бывшая жена Нейоми и ее приятель Килбэрн Холмс. Кстати, на нем отпечатки ваших пальцев, и экспертами уже установлено, что пули, убившие обоих, выпущены именно из него. В суде это будет подтверждено показаниями баллистической экспертизы. И еще — у нас есть кассета с записью вашего собственного рассказа о том, как вы совершили убийство. Не хотите ли послушать?

— Не отвечай, — вмешался Стивен Круз. — Если сержанту угодно прослушать эту запись, пусть сделает это по собственному почину. И на остальные его высказывания ты не обязан реагировать.

Круз — невысокий, узкий в кости мужчина лет около сорока с резкой и решительной манерой говорить — приехал в управление полиции вскоре после того, как туда доставили Дженсена. Ожидание он скоротал за вполне дружеской болтовней с Ноулзом и Ньюболдом, после чего был приглашен участвовать в допросе.

В хорошо заметном смятении Дженсен посмотрел на своего защитника и сказал:

— Мне нужно поговорить с тобой наедине. Это можно устроить?

— Разумеется, — кивнул Круз. — Этим правом ты можешь воспользоваться в любое время. Но мне придется попросить, чтобы тебя...

— В этом нет необходимости, — перебил Ноулз. — Мы удалимся на время и оставим вас двоем. Вы не возражаете, сержант?

— Нет, конечно. — Эйнсли собрал со стола улики и вышел вслед за Ноулзом и Боуи.

Дженсен беспокойно заерзал на стуле; наручники с него только что сняли.

— Ты думаешь, они не подслушивают? — спросил он.

— Они не станут этого делать по двум причинам, — нравоучительно сказал Круз. — Во-первых, существует такое понятие, как особые права адвоката и его клиента, которые они обязаны уважать. Во-вторых, если мы их поймаем за подслушиванием, наказание будет суровым. Не рискнут. — Он сделал паузу, изучающе рассматривая своего партнера по теннису, а теперь еще и клиента. — Ты хотел поговорить со мной, так что начинай.

Дженсен набрал в легкие побольше воздуха и шумно выдохнул, надеясь прочистить мозги. Он устал держать все в себе; здесь и теперь он хотел сказать правду. Каким бы образом ни попала в руки полиции чертова коробка, виновата во всем была Синтия — это он уяснил себе сразу. В свое время она заставила его поверить, что все улики будут уничтожены. А на самом деле, как ни рисковал он, защищая ее и помогая ей, Синтия все сохранила. Более того, она впрямую предала его. Что ж, теперь ничто не мешало ему совершить ответное предательство.

Дженсен поднял на Круза взгляд и начал:

— Ты слышал, о чем только что говорил этот сержант. Так вот, Стив, на том револьвере действительно мои отпечатки пальцев, и найденные ими пули действительно были выпущены из него, голос на пленке тоже мой. Ну, что ты теперь скажешь?

— Только то, что ты по уши увяз в дерьме, — ответил Круз.

— Даже глубже, — ответил Дженсен. — Намного глубже, чем ты можешь представить.

2

— Сейчас я расскажу тебе все, — продолжал Дженсен, сидя со Стивеном Крузом в комнате для допросов отдела по расследованию убийств.

И пока Дженсен выворачивал перед ним душу, на лице Круза попеременно читался то ужас, то изумление, то полнейшее недоверие, которое, по всей видимости, и возобладало, потому что стоило Дженсену закончить, как адвокат, подумав немного, спросил:

— Скажи мне, Патрик, ты уверен, что ты все это не выдумал? Быть может, ты решил пересказать мне сюжет очередного опуса, чтобы проверить его на мне?

— Время, когда я мог бы так поступить, увы, прошло, — ответил Дженсен уныло. — К сожалению, каждое слово — правда.

Дженсен чувствовал некоторое облегчение от того, что наконец все стало известно — пусть только одному Крузу. И бремя, которое он долго вынужден был нести один, перестало так давить на него. В то же время здравый смысл подсказывал, что облегчение это иллюзорно. Слова Круза подтвердили это:

— По-моему, для начала тебе нужен не адвокат, а священник или просто кто-нибудь, чтобы помолился за тебя.

— Позже, может быть, когда я дойду до полного отчаяния, — сказал Дженсен недовольно. — А пока передо мной сидит все-таки адвокат. Мне нужно сейчас, чтобы ты подвел итог и объяснил мне мою ситуацию. Чего мне ожидать? На что рассчитывать? Есть ли у меня шансы?

— Будь по-твоему. — Круз поднялся и принялся вышагивать от одной стены небольшой комнаты до другой и обратно, поглядывая на Дженсена. — Первое, что следует из твоего пересказа событий, — это твоя несомненная причастность к убийствам пяти человек. Бывшая жена и ее любовник, затем этот несчастный инвалид — Райс. И наконец, Густав и Эленор Эрнст — весьма важные персоны, и не думай, пожалуйста, что это не сыграет своей роли. Кроме того, дело Эрнстов наверняка будет рассматриваться как убийство при отягчающих обстоятельствах. Высшая мера тебе грозит за него и, по всей вероятности, за первую пару тоже. Как тебе такой итог?

Дженсен хотел что-то возразить, но Круз жестом остановил его.

— Если бы на тебе висело только убийство бывшей жены и ее парня, я мог бы классифицировать это как преступление на почве страсти, совершенное в состоянии аффекта. Ты бы признал свою вину в неосторожном убийстве, и если учесть, что в деле фигурирует огнестрельное оружие, подпал бы под статью, максимальный срок по которой — тридцать лет. У тебя была бы первая судимость, и я наверняка смог бы скостить приговор лет до пятнадцати, даже до десяти. Но если взять по совокупности со всем остальным... — Круз покачал головой: — Картина получается совсем иная.

Он остановился и посмотрел в окно.

— С одним советую тебе смириться сразу, Патрик. Даже если удастся избежать смертной казни, то сидеть тебе долго, очень долго. Так что едва ли нам с тобой когда-нибудь суждено снова выйти вместе на корт.

Дженсен скорчил скорбную гримасу и сказал:

— Ты бы и так не вышел теперь, зная, что я за тип.

От этого замечания Круз поспешил отмахнуться.

— Такие суждения о людях я оставляю на долю присяжных. Пока я твой адвокат... И между прочим, нам еще предстоит обсудить с тобой денежный вопрос; я недешево стою, учти. Так вот, как адвокат, нравится мне клиент или нет — а мне со всякими приходилось иметь дело, — я всегда веду защиту на пределе своих способностей. Их мне не занимать, можешь мне поверить!

— Верю охотно, — сказал Дженсен. — Но у меня есть еще вопрос.

— Задавай, — отозвался Круз, снова усаживаясь.

— Растолкуй мне как юрист, каково положение Синтии. Для начала — что ей грозит за недонесение об убийстве Нейоми и Холмса и сокрытие улик?

— Ей, несомненно, предъявят обвинение в воспрепятствовании правосудию, что в делах об убийствах само по себе является очень серьезным правонарушением. И еще: ее, конечно же, привлекут за соучастие в сговоре с целью сокрытия улик. По совокупности она может получить от пяти до десяти лет. Впрочем, купив себе услуги лучших адвокатов страны, она вполне сможет отделаться двумя годами или вовсе условным наказанием, хотя это и маловероятно. Понятно, что при любом раскладе на ее карьере можно смело ставить крест.

— То есть ты хочешь сказать, что она отделается куда легче, чем я?

— Конечно. Ты ведь сознаешься в том убийстве. А она о нем заранее не знала и если что и совершила, то лишь постфактум.

— Однако убийство Эрнстов было заранее спланировано именно ею.

— Это ты так говоришь. И хотя сам я склонен тебе верить, не сомневаюсь, что Синтия Эрнст будет все отрицать. Чем ты сможешь тогда подтвердить свои показания? Скажи, она встречалась с этим Виргилио, который, по твоим словам, убил ее родителей?

— Нет.

— Тогда, может быть, она что-нибудь по неосторожности писала тебе по этому поводу?

— Нет. — Он засомневался. — Постой-ка... Действительно, у меня есть кое-что... Немного, но есть...

И он рассказал Крузу про рекламный буклет недвижимости в Бэй-Пойнте, на котором Синтия пометила дом Эрнстов, а потом при Дженсене кратко записала распорядок дня горничной и время ночных отлучек дворецкого и его жены.

— Сколько там слов? — спросил адвокат.

— Может, дюжина. В основном сокращения, но это написано рукой Синтии.

— Ты верно сказал — это действительно немного. Что-нибудь еще? — В процессе разговора Круз делал пометки в своем блокноте.

— Мы встречались с ней на Каймановых островах. Три дня провели вместе на Большом Каймане. Там она мне впервые и сказала, что хочет устроить убийство родителей.

— Без свидетелей, как легко можно догадаться?

— Конечно, этого я доказать не смогу, но послушай все же... — И он рассказал Крузу, как они порознь летели туда и остановились в разных отелях. — Я прибыл туда рейсом «Кайман эйруэйз», кстати, билет сохранил. Синтия прилетела с «Америкэн эйрлайнз», назвавшись Хильдой Шоу. Я сумел заглянуть и в ее билет.

— Ты запомнил номер ее рейса?

— Она прилетела единственным утренним самолетом. Фамилия Шоу должна быть в списке пассажиров.

— Что тоже ничего не доказывает.

— Нет, это важное звено. Позже Синтия сняла те четыреста тысяч именно со счета в банке на Кайманах.

Круз только хлопнул себя ладонью по ляжке.

— Ты хотя бы представляешь себе всю невозможность добыть в таком банке информацию о счете клиента?!

— Не горячись, представляю. Но предположим, что вся необходимая информация о ее счете на Каймановых островах имеется в досье налоговой службы США?

— С чего бы ей там оказаться?

 — Она, черт побери, там есть.

Дженсен рассказал адвокату, как тайком залез в «дипломат» Синтии, узнал о существовании счета и записал самые важные реквизиты.

— У меня есть название банка, номер счета, баланс на тот день, и я знаю, кто переводил ей деньги в качестве дара — некий «дядюшка Зак». Позже я проверил — у Густава Эрнста есть брат Закари, проживающий на Каймановых островах.

— Теперь я вижу, как ты находишь сюжеты для своих книг, — попытался пошутить Круз. — А при чем тут налоговая служба США?

— Этот шанс дала нам сама Синтия. Похоже, ей не хотелось нарушать налоговое законодательство. Она нашла себе финансового консультанта — у меня записаны его имя и адрес в Лодердейле, — который дал ей совет декларировать проценты, что она получала на свой вклад на Кайманах, и платить с них налоги. Она так и поступала. В ее «дипломате» я нашел уведомление налоговых органов.

— И тоже догадался переписать детали?

— Конечно.

— Придется не спускать со своего «дипломата» глаз, пока я здесь с тобой, — он чуть заметно улыбнулся, — хотя веселого во всем этом мало. Конечно, Синтия Эрнст сваляла дурака со своими налогами и сама обеспечила улику, которая может сработать против нее. Тот факт, что в ее распоряжении была нужная сумма, сам по себе ничего не доказывает, если только...

— Если только что?

— Если только вот эта ухмылка на твоей физиономии — ой, не люблю я, когда так ухмыляются! — не означает, что ты еще не все мне рассказал. Давай, выкладывай, что там у тебя.

— Ладно, — сказал Дженсен. — Есть магнитная запись... *Другая* кассета с записью. Она в моем личном банковском сейф-боксе. Ключ есть только у меня. На кассете подтверждение всему, что я тебе рассказал. В том же боксе лежит все остальное — буклет с почерком Синтии, мои записи с Каймановых островов, авиабилет. Все там!

— Так какого ж... ты тянул?! — Круз близко склонился к лицу Дженсена и зашептал с угрозой: — Это не игрушки, мать твою! Тебе светит электрический стул. Поэтому если у тебя записан на пленку какой-то важный разговор, расскажи мне об этом все и немедленно!

Дженсен покорно закивал и стал рассказывать о записи, которую сделал за год и девять месяцев до того, за обедом в Бока-Рейтон. Во время того разговора Синтия одобрила выбор Виргилио в качестве наемного убийцы, согласилась заплатить по двести тысяч каждому, изложила Дженсену свой план выдать все за дело рук серийного убийцы, узнала о том, что Виргилио прикончил инвалида-колясочника...

— Черт возьми! — воскликнул Круз, выслушав Дженсена. Потом подумал и сказал: — Это же все меняет... А если не все, то очень многое.

— Мой клиент согласен помочь следствию в обмен на некоторые гарантии, — заявил Стивен Круз, обращаясь к Ноулзу, когда допрос возобновился.

— Не вижу, в чем мистер Дженсен может нам помочь, — сказал Кэрзон Ноулз. — У нас есть все необходимые улики, чтобы он был признан виновным в убийстве Нейоми Дженсен и Килбэрна Холмса. И скорее всего обвинение будет требовать для него смертной казни.

Моментально побледневший Дженсен порывисто схватил Круза за руку:

— Скажи ему!

Круз резко повернулся к Дженсену и метнул в него испепеляющий взгляд.

— Что вы должны мне сказать? — спросил Ноулз, чуть заметно усмехнувшись.

Круз снова приосанился.

— Зато, как мне представляется, — сказал он, — у вас куда меньше доказательств против комиссара Синтии Эрнст.

— Не понимаю, почему это должно волновать вас, Стив, но раз уж вы об этом заговорили, спешу заверить: она тоже свое получит. В то время Синтия Эрнст являлась принявшим присягу офицером полиции. За сокрытие преступления и соучастие в нем мы, вероятно, будем требовать для нее двадцатилетнего срока лишения свободы.

— И напоретесь на судью, который даст ей пять лет или вовсе года два. Ее могут вообще освободить в зале суда.

— Последнее исключено. Хотя я по-прежнему не понимаю...

— Сейчас поймете, — заверил Круз. — Если власти штата окажут ему некоторое снисхождение, мой клиент готов выложить вам словно на блюдечке куда более крупный приз: Синтию Эрнст как вдохновительницу и соучастницу убийства своих родителей — Густава и Эленор Эрнст.

В комнате допросов стало вдруг так тихо, словно собравшиеся в ней люди разом перестали дышать. Все взгляды были устремлены на Круза.

— Какой меры наказания вы потребуете в таком случае, Кэрзон, я оставляю на ваше с Адель усмотрение, — продолжал тот, — но только любая окажется недостаточно суровой.

Опытный прокурор должен уметь скрывать свои чувства, и Ноулз ничем не выдал удивления. Разве что слишком затянул паузу, прежде чем спросил:

— И каким же таким волшебным образом сможет ваш клиент это сделать?

— В надежном месте, таком надежном, что до него вам не добраться даже с ордером на обыск, у него хранятся два уличающих мисс Эрнст документа, а также — и это куда более важно — магнитофонная запись. Неотредактированная. На этой кассете все, что вам требуется доказать, изложено голосом и словами самой Синтии Эрнст.

По сделанным чуть ранее записям Круз сжато пересказал содержание записанного на пленку разговора, избегая при этом прямо упоминать о Патрике Дженсене, равно как и об убийстве Стюарта Райса. Он лишь заключил так:

— Эта кассета окажет вам еще одну неоценимую услугу. В записи прозвучит имя человека, совершившего другое, никак не связанное с предыдущими делами убийство, которое тоже еще не раскрыто.

— Ваш клиент был каким-то образом вовлечен в оба описанных вами преступления? — спросил Ноулз.

Круз улыбнулся:

— Стоя на защите интересов моего клиента, я не могу пока ответить на этот вопрос.

— Вы лично прослушали запись, о существовании которой столь неожиданно сообщили нам? И видели ли вы упомянутые документы?

— Нет, — признал Круз, ожидавший этих вопросов. — Однако я полностью доверяю тому описанию, которое дал мне мой клиент, хочу напомнить только, что он владеет словом профессионально. И тем не менее я готов согласиться, что если мы сейчас сумеем договориться, а обещанные улики не выдержат в дальнейшем проверки, условия нашего соглашения будут пересмотрены.

— Не пересмотрены, а полностью аннулированы, — возразил Ноулз.

— Я это и имею в виду, — пожал плечами Круз.

— Хорошо, но предположим, все будет именно так, как вы говорите. Каковы ваши встречные условия?

— По совокупности мой клиент должен отвечать в суде только за непредумышленное убийство.

Ноулз откинул голову и зашелся в смехе:

— Ну знаешь, Стив!.. Надо отдать тебе должное... Давно не слышал более нахального заявления. Неужели ты серьезно считаешь, что твоего клиента достаточно просто поставить в угол, как маленького? И это при таких-то обстоятельствах!

— А по-моему, вполне нормальное предложение, — пожал плечами Круз, — но, если оно вам не подходит, назовите свои условия.

— Не могу, потому что мы и так зашли с вами слишком далеко, — сказал Ноулз. — С этого момента все решения по вашему делу становятся прерогативой Адель Монтесино. Вероятно, она захочет побеседовать с нами обоими уже сегодня. — Он обратился к Эйнсли: — Давайте сделаем перерыв, Малколм. Мне надо позвонить.

Вскоре Ноулз уехал в прокуратуру, а Стивен Круз, который обещал оставаться на связи, — к себе в офис, располагавшийся в центре города.

Ньюболд между тем, понимая, что перед управлением полиции встала теперь куда более сложная задача, сообщил обо всем своему непосредственному начальнику майору Маноло Янесу. Тот, в свою очередь, доложил по инстанции майору Марку Фигерасу, который на правах начальника всех подразделений расследования уголовных дел немедленно назначил совещание у себя в кабинете.

Ньюболд приехал вместе с Эйнсли и Руби Боуи, застав Фигераса и Янеса уже на месте. Они уселись за прямоугольный стол совещаний, Фигерас — во главе его.

— Давайте проанализируем все, что нам известно. Абсолютно все! — сказал он с нажимом.

Обыкновенно высокому руководству дела докладывались лишь в самых общих чертах и очень редко — в деталях. Исходили при этом из простого принципа: чем меньше людей знают подробности, тем лучше для следствия. Но сейчас, повинуясь знаку Ньюболда, Эйнсли рассказал о тех сомнениях, что породили в нем обстоятельства смерти супругов Эрнст, о том, как Элрой Дойл признал за собой убийство четырнадцати человек, но яростно открестился от причастности к убийству Эрнстов.

— Конечно, мы знали, что Дойл законченный лжец, но все же с согласия лейтенанта Ньюболда я предпринял дальнейшее расследование. — Эйнсли рассказал о том, как он поднимал досье, как, сравнив детали серийных убийств, обнаружил несообразности в деле Эрнстов. — Но важнее всего было проверить, правдой ли было все остальное, о чем рассказал мне перед смертью Элрой Дойл. Руби Боуи работала в округе Дейд и Тампе. Нам в точности удалось установить, что Дойл со мной не лукавил. С того времени я убедился: Дойл не убивал Эрнстов.

— Несколько бездоказательно, сержант, — заметил Фигерас.

Помимо воли Эйнсли стал основной фигурой в разговоре, и бросалось в глаза, что два высокопоставленных офицера относились к нему с уважением, которое временами доходило до почтительности.

Эйнсли затем попросил Боуи рассказать, как она изучила содержимое коробок из дома Эрнстов и обнаружила сначала дневники, проливающие свет на тайны детства Синтии, а потом и сокрытые ею улики, изобличавшие Патрика Дженсена в убийстве, — словом, все неожиданные обстоятельства, обнаруженные сотрудниками отдела.

Завершил изложение событий Лео Ньюболд, доложивший о произведенном несколькими часами ранее аресте Дженсена, его показаниях против Синтии Эрнст и обещании подкрепить их документальными доказательствами.

Как ни привыкли Фигерас и Янес к ежедневным дозам самой шокирующей криминальной информации, оба были крайне изумлены.

— А у нас самих есть *хоть какие-то* улики, подтверждающие причастность Синтии Эрнст к убийству родителей? — спросил Янес.

— В данный момент ничего, сэр, — вызвался ответить Эйнсли. — Вот почему для нас крайне важны документы и пленка Дженсена, при условии, конечно, что там все именно так, как уверяет его адвокат. Все эти материалы должны быть переданы прокурору штата завтра.

— Что ж, — Фигерас обвел тяжелым взглядом всех присутствующих, — я обязан обо всем доложить на самый верх. Должен предупредить: если вам придется арестовать... городского комиссара, сделать это необходимо крайне деликатно и осторожно. Другого такого скандала я что-то не припомню... — Он снял очки, потер пальцами глаза и пробормотал словно про себя: — Отец советовал мне стать врачом.

— Давайте не будем тратить время на глупые игры. — В разговоре со Стивеном Крузом прокурор штата Флорида Адель Монтесино была, по своему обыкновению, резковата. — Кэрзон рассказал мне о ваших фантазиях. Вы хотите, чтобы ваш клиент отвечал всего лишь за непредумышленное убийство. Мы уже посмеялись этой вашей шутке. Теперь обратимся к реальности. Вот вам мое предложение. Если улики, которые обещает передать нам ваш клиент, в самом деле окажутся весомыми, а он сам согласится подкрепить их свидетельскими показаниями в суде, обвинение не будет настаивать на вынесении ему смертного приговора.

— Ну, знаете! — воскликнул Круз, глядя на нее округленными глазами.

Их встреча происходила уже ближе к вечеру во внушительном прокурорском офисе, где стены были облицованы панелями красного дерева, а книжные шкафы ломились от толстенных, переплетенных в кожу юридических фолиантов. Огромное окно, из которого видны были крыши домов, а вдали — залив, выходило на внутренний двор с фонтаном; письменный стол, за которым работала Монтесино, будь он накрыт к ужину, вместил бы кувертов двенадцать. Под стать было и кресло из черной кожи, способное вращаться и раскачиваться во всех направлениях. В нем и восседала сейчас эта дама — коренастая и плотная, снова полностью оправдывавшая профессиональную репутацию «бой-бабы».

Стивен Круз сидел прямо против нее, Кэрзон Ноулз — по правую руку от адвоката.

— Ну, знаете! — в сердцах повторил Круз. — Разве это уступка? Это совсем не уступка, если учесть, что мой клиент совершил преступление на почве страсти... Страсти, Адель, понимаете? Это когда любят до самозабвения.

— Спасибо за напоминание, Стив. — Монтесино, к которой не многие смели обратиться по имени, не была лишена чувства юмора и за словом в карман не лезла. — Теперь позвольте кое о чем напомнить *вам*. Вы и ваш клиент дали нам понять, что он может оказаться соучастником еще одного преступления: убийства Эрнстов. А это, несомненно, должно классифицироваться как предумышленное убийство с отягчающими вину обстоятельствами. Если принять это во внимание, то мое предложение не требовать для мистера Дженсена смертной казни — это верх щедрости.

— Я буду судить о вашей щедрости, когда узнаю, перед какой альтернативой вы собираетесь поставить моего клиента, — возразил Круз.

— Вы же сами отлично знаете. Это может быть только пожизненное заключение.

— Но приговор будет хотя бы предусматривать возможность досрочного освобождения по отбытии десяти лет как акт милосердия со стороны губернатора?

— О чем вы говорите?! — удивилась Монтесино. — Эта система развалилась с тех пор, как мы упразднили комиссию по помилованию при губернаторе штата.

Все трое понимали, что Круз увлекся пустейшей риторикой. С девяносто пятого года «пожизненное заключение» во Флориде следовало понимать буквально — как «пожизненное». Нет, по истечении десяти лет заключенный все еще мог подать прошение о помиловании, но без всяких шансов его получить, особенно если осудили его за предумышленное убийство при отягчающих обстоятельствах.

Если Круз и был смущен, то виду не подал.

— Вы ведете себя недальновидно, — предпринял он следующий заход. — Весьма вероятно, что при таких условиях мой клиент решит не передавать вам доказательных материалов, о которых мы здесь говорили, и положиться на снисхождение присяжных.

Монтесино выразительно посмотрела на Ноулза.

— Между собой мы обсудили такую возможность, — сказал тот, — и пришли к выводу, что ваш клиент одержим желанием отомстить неоднократно упомянутой здесь мисс Эрнст. Он отдаст нам улики против нее так или иначе.

— А вот что мы *можем* сделать, — добавила Монтесино, — это снова рассмотреть возможные компромиссы, когда нам станет известна степень соучастия вашего клиента в других преступлениях. Но никаких гарантий мы не даем. Так что не будем тратить время в ненужных спорах. Всего вам доброго, мистер Круз.

Проводив адвоката к выходу, Ноулз сказал ему на прощание:

— Если хочешь хоть чего-то добиться, оборачивайся быстро, я имею в виду: приходи сегодня же.

— Боже Всемогущий, нет! Провести всю оставшуюся жизнь за решеткой?! Это невозможно, невообразимо! — Дженсен сразу сорвался на истеричный крик.

— Невообразимо, согласен, — сказал Стивен Круз, — но в твоем случае, боюсь, вполне возможно. Это лучшее, чего я смог добиться, и если только ты не предпочитаешь умереть на электрическом стуле — после всего, что ты мне наговорил, опять-таки вполне реальная угроза, — советую тебе принять этот вариант.

Опыт подсказал Крузу, что наступил тот момент, когда нужно без утайки сказать клиенту суровую правду.

Они встретились теперь в комнате свиданий тюрьмы округа Дейд. Дженсена привели в наручниках из камеры, куда он был доставлен из здания полицейского управления, находившегося в квартале оттуда. На улице совсем стемнело.

Чтобы встретиться с подследственным в столь поздний час, Крузу понадобилось специальное разрешение, но по звонку из прокуратуры оно было ему оперативно дано.

— Есть еще один вариант, и как твой адвокат я должен указать тебе на него. Ты можешь не отдавать им кассету и предстанешь тогда перед судом только как обвиняемый по делу об убийстве Нейоми и ее дружка. Хотя при таком раскладе всегда будет оставаться опасность, что обнаружатся материалы, изобличающие вас с Синтией в причастности к убийству Эрнстов.

— Обнаружатся непременно, — мрачно сказал Дженсен. — Теперь, когда я сам настучал на себя, полицейские, а особенно этот Эйнсли, будут копать до тех пор, пока не получат доказательства. Эйнсли встречался с Дойлом перед казнью, а потом пытался передать что-то из их разговора Синтии, но она оборвала его, потому что насмерть перепугалась.

— Ты знаешь, что Эйнсли был раньше священником?

— Да. Вероятно, потому он и обладает особым чутьем, — кивнул Дженсен, который уже сделал свой выбор, и потому сказал более решительно: — Я отдам им все материалы. Хочу, чтобы они поскорее все узнали, — устал лгать, и, что бы ни ожидало меня, пусть и Синтия свое получит.

— Тогда вернемся к твоей сделке, — сказал Круз. — Ты согласен на их предложение? Я обещал сообщить им ответ нынче же вечером.

Однако прошло еще почти полчаса, прежде чем Дженсен слезливо выдавил из себя:

— Я не хочу умереть, и если это единственный выход, передай им, что я согласен. — Он издал глубокий вздох. — Господи, еще совсем недавно, когда я был на вершине успеха, разве мог я себе представить, что окажусь в таком положении?

— Увы, — хмыкнул его адвокат, — ты не первый, от кого я это слышу.

Направившись в сопровождении охранника к выходу, он через плечо бросил:

— Я позабочусь, чтобы завтра утром ты смог передать кассету и документы следственным органам.

Назавтра первым посетителем отделения банка «Ферст юнион» в Корал-Гейблз был Малколм Эйнсли. Едва банк открылся, он вошел и прямиком направился к кабинету заведующего. Секретарша поднялась навстречу, готовая остановить его, но Эйнсли сверкнул ей в лицо жетоном и скрылся за дверью кабинета.

Управляющий, щеголевато одетый мужчина лет сорока, узнав, что перед ним сотрудник полиции, смущенно улыбнулся:

— Честно говоря, я и сам понял, что превысил скорость по дороге на работу.

— Мы не будем вас наказывать, если вы поможете решить небольшую проблему, — сказал Эйнсли.

Он пояснил, что снаружи в машине ожидает вкладчик банка, ныне подследственный. Его следовало препроводить в помещение для индивидуальных сейф-боксов, где он вскроет свою ячейку и передаст представителям полиции ее содержимое.

— Наш подопечный сделает это совершенно добровольно, можете спросить его самого, если хотите, а посему никакого специального ордера мы не привезли. Хотелось бы проделать эту операцию тихо и быстро.

— Мне бы тоже этого хотелось, — заверил управляющий. — Кто этот клиент?

Эйнсли подал листок, на котором Дженсен написал свое имя и номер бокса.

Взглянув на него, банкир удивленно вскинул брови.

— Все это похоже на эпизод одного из романов мистера Дженсена, — заметил он.

— Возможно, — согласился Эйнсли, — но сейчас все происходит в реальной жизни.

Несколько ранее в то же пятничное утро Эйнсли наведался в камеру хранения, где были вещи, изъятые у Дженсена при аресте. Ему не составило никакого труда найти на связке маленький ключик от банковской сейфовой ячейки.

Чтобы открыть сейф, много времени не потребовалось. Дженсен, чья правая рука была свободна, а левая прикована наручником к правой руке Руби Боуи, дал обычную в таких случаях расписку, и металлическую коробку извлекли из ячейки.

С этого момента дальнейшую процедуру взяла на себя женщина-эксперт из группы криминалистов. Надев резиновые перчатки, она открыла крышку коробки и по одному извлекла из нее четыре предмета: заметно обтрепанную брошюру агентства по торговле недвижимостью, исписанный листок из блокнота, корешок авиабилета и микрокассету «Олимпус-ХВ60». Все это эксперт поместила в прозрачный пластиковый пакет, который сразу же опечатала.

Эксперт отправит все в лабораторию, где с каждого предмета снимут сначала отпечатки пальцев, а потом по две копии, в том числе и с записи, что, по общему мнению, было важнее всего. Затем Эйнсли предстояло доставить оригиналы и по одному экземпляру копий в офис прокурора штата. Вторые экземпляры останутся в распоряжении отдела расследования убийств.

— Отлично, здесь закончили. Поехали, — нетерпеливо сказал Эйнсли.

При этом у стоявшего у них за спинами управляющего возник вопрос.

— Как я заметил, ваш бокс теперь пуст, мистер Дженсен, — сказал он. — Он вам еще понадобится?

— Крайне маловероятно, — ответил Дженсен.

— В таком случае не могли бы вы вернуть мне ключ?

— Извините, сэр, — вмешался Эйнсли. — Ключ нам пока придется оставить у себя как вещественное доказательство.

— Да, но кто будет платить за аренду сейфа? — тщетно взывал управляющий к торопившимся к выходу полицейским.

Остаток дня прошел за обменом информацией. Оригиналы и копии материалов, полученных от Дженсена, сам Эйнсли доставил Кэрзону Ноулзу в прокуратуру. Когда же он вернулся к себе в отдел, они трое — Лео Ньюболд, Руби Боуи и Эйнсли — заперлись в кабинете лейтенанта и прослушали свою копию записи.

Ее качество оказалось поразительно хорошим; каждое слово из диалога Синтии Эрнст и Патрика Дженсена звучало отчетливо. Пленка еще не дошла и до половины, как Руби завороженно прошептала:

— Здесь действительно сказано *абсолютно все*. В точности как обещал Дженсен.

— Да, и обратите внимание, как хитро он повернул разговор, чтобы на пленку попала вся нужная информация, — заметил Ньюболд.

Эйнсли, повергнутый услышанным в полнейшее смятение, не сказал ни слова.

Ближе к вечеру Эйнсли вновь попросили приехать в офис прокурора штата, где его встретили Адель Монтесино и Кэрзон Ноулз.

— Мы прослушали запись, — сказала Монтесино. — Догадываюсь, что и вы тоже?

— Да, мэм.

— Хорошо. Я должна кое-что вам сообщить и сочла за лучшее сделать это лично. Заседание большого совета присяжных назначено на утро во вторник. Мы будем отстаивать необходимость привлечь комиссара Синтию Эрнст по трем статьям обвинения, самая серьезная из которых, само собой, предумышленное убийство. Вы должны будете выступить свидетелем.

— На подготовку остается три дня — уик-энд и понедельник, — вступил в разговор Ноулз. — За это время нужно все успеть: подготовить свидетелей и улики. Мне нужны ваши письменные показания о признании, которое сделал в вашем присутствии Дженсен. Если не возражаете, давайте перейдем отсюда в мой кабинет и начнем прямо сейчас.

— Да, разумеется, — пробормотал Эйнсли чисто машинально.

— Прежде чем вы уйдете, — поднялась из своего кресла Монтесино, — позвольте мне сказать вам вот что, сержант. Как мне стало известно, вы были единственным, кто с самого начала не поверил, что убийство Эрнстов — одно из серийных преступлений. И вы не пожалели сил и времени, чтобы подтвердить свою точку зрения доказательствами, что вам в итоге блестяще удалось. Я хотела поздравить вас и поблагодарить. И будьте уверены, мое высокое мнение о вас не останется неизвестным остальным. — Она улыбнулась. — Доброй вам ночи сегодня. Отдохните хорошенько. Впереди у нас нелегкие четыре дня.

Два часа спустя по дороге домой Эйнсли подумал, что, вообще говоря, должен ощущать радость триумфатора. Вместо этого им владела бесконечная грусть.

3

— Мы работали как проклятые, чтобы свести все материалы воедино, — жаловался Кэрзон Ноулз Эйнсли. — Все помогали, получилось мощнейшее обвинение, но как же не ко времени эта жара!

Около девяти часов утра во вторник они встретились на пятом этаже здания суда округа Дейд в Майами, где представителям прокуратуры была отведена небольшая комнатушка. В непосредственной близости от нее располагалась дверь в зал заседаний большого совета присяжных, где должны были происходить основные события.

Оба были в рубашках с короткими рукавами; пиджаки они сбросили сразу же. Ночью в здании суда отказали кондиционеры. Ремонтники уже не первый час колдовали над системой где-то в подвале, но пока без успеха.

— Монтесино собирается вызвать тебя первым свидетелем. Постарайся до этого момента не растаять, — напутствовал Ноулз.

Голоса, донесшиеся из коридора, означали, что прибыли члены большого совета. Их было восемнадцать — поровну мужчин и женщин и почти поровну представителей трех основных рас: латиноамериканцев, черных и белых.

Основная задача, которая обычно встает перед подобным советом, с виду проста: определить, достаточно ли собрано доказательств и вески ли основания для возбуждения уголовного дела против того или иного лица. Причем в отличие от обычных судебных разбирательств заседания большого совета проходят на удивление неформально. В Майами, например, на них далеко не всегда присутствовал даже окружной судья, который надзирал бы за исполнением законности в ходе заседания и огласил бы решение присяжных в самом его конце.

В зале присяжные рассаживались вдоль четырех длинных столов, в торце одного из них стоял стол для председателя совета, его заместителя и секретаря, а в противоположном — для обвинителя, как правило, одного из заместителей прокурора штата. Он должен был представить дело присяжным и провести опрос свидетелей. Сегодня эти функции взялась выполнять сама прокурор штата.

Показания свидетелей фиксировала стенографистка.

Присяжные имели право в любой момент вмешиваться в процедуру и задавать вопросы, что они и делали. Любая информация, прозвучавшая во время заседания большого совета, считалась секретной. Присяжные давали подписку о неразглашении, нарушение которой — без особого на то разрешения — грозило серьезными карами.

— Прежде всего должна извиниться за невыносимую духоту в зале, — начала заседание Адель Монтесино. — Нам обещали, что кондиционеры скоро заработают, а пока особо страждущие могут снять с себя все лишнее в пределах приличия, мужчинам это сделать легче, хотя результат — менее впечатляющий.

Реплика была встречена улыбками; несколько мужчин тут же поспешили избавиться от пиджаков.

— Я прибыла сегодня сюда, — продолжала Монтесино, — чтобы получить у вас санкцию и выдвинуть тройное обвинение против одного и того же человека. Один из пунктов обвинения — соучастие в предумышленном убийстве, обвиняемая — Синтия Милдред Эрнст.

До этой секунды присяжные еще с рассеянным видом озирались по сторонам. Последние слова прокурора заставили кого-то вздрогнуть, кого-то резко выпрямиться на стуле, кого-то в голос охнуть. Наклонившись вперед, председатель жюри спросил:

— Речь идет о совпадении имен?

— Нет, — ответила Монтесино. — Речь действительно идет о городском комиссаре Майами Синтии Эрнст. А двое людей, чья смерть стала результатом ее преступных действий, — ее родители Густав и Эленор Эрнст.

Кое у кого в зале челюсти отвисли в прямом смысле слова.

— Не могу поверить! — заявила пожилая черная дама.

— Я сама сначала отказывалась верить, — признала Монтесино, — но теперь верю и могу предсказать, что после того, как перед вами предстанут свидетели и вы прослушаете одну совершенно невероятную запись, вы тоже поверите, что это правда, по крайней мере утвердите передачу дела в суд.

Она переворошила бумаги перед собой на столе и продолжала:

— Второе обвинение, которое я выдвигаю против Синтии Эрнст, — это соучастие в преступлении и сокрытие улик, совершенное офицером полиции. Я намерена предъявить вам доказательства причастности мисс Эрнст, в то время майора полиции Майами, к убийству еще двоих человек. Третьим пунктом обвинения будет воспрепятствование правосудию путем недонесения о лице, совершившем преступление — в данном случае опять-таки убийство.

Изумление по-прежнему не сходило с лиц присяжных. Они переглядывались между собой, словно спрашивая: «Неужели это правда?» Зал загудел.

Адель Монтесино терпеливо дождалась, пока вновь воцарилась тишина, и пригласила в зал первого свидетеля — Малколма Эйнсли. Судебный пристав проводил его к прокурорскому столу.

Прежде чем войти, Эйнсли счел необходимым снова надеть пиджак.

Монтесино приступила к допросу:

— Господин председатель, леди и джентльмены — члены большого совета присяжных! Перед вами сержант Малколм Эйнсли, сотрудник отдела по расследованию убийств полицейского управления Майами. Я правильно вас представила, сэр?

— Да, мэм.

— Позвольте вопрос личного свойства, сержант. Лично вас никто ни в чем не обвиняет, почему же вы так взмокли?

По залу пробежал смех.

— Не хотите ли снять пиджак и отдать его приставу?

— Пожалуй. — В другое время Эйнсли мог бы по достоинству оценить умение Монтесино создать присяжным хорошее настроение; чуть позже ей легче будет добиться от них того, что она хочет. Но сейчас он не в состоянии был воспринимать ее юмор.

— Сержант Эйнсли, — продолжала Адель Монтесино, — расскажите, пожалуйста, при каких обстоятельствах вы стали участником расследования смерти Густава и Эленор Эрнст.

До предела уставший, совершенно опустошенный, Эйнсли глубоко вздохнул, собирая все силы, чтобы с честью пройти через эту пытку.

С того самого дня на прошлой неделе, когда он окончательно убедился, что Синтия виновна не только в сокрытии улик против Патрика Дженсена, но и в гибели собственных родителей, Эйнсли продолжал четко выполнять свои служебные обязанности, но это была четкость робота. Он понимал, разумеется, что некоторые вещи ему никак не переложить на чужие плечи — показания перед большим советом были одной из них. И все равно, впервые за все время службы в полиции, ему больше всего хотелось сейчас выйти из зала, чтобы кто-нибудь другой встал на место свидетеля.

В последние несколько дней, забитых работой и событиями, в голове у него была полная сумятица. Вечером в прошлую пятницу, когда окончательно стало ясно, к чему пришло его расследование, им овладела безграничная тоска. Его мысли и чувства, разумеется, были сосредоточены на Синтии... Синтии, столь желанной когда-то... Синтии, чья житейская мудрость столько раз восхищала его... Синтии, которую он привык считать цельной натурой... Конечно, позже он узнал о другой Синтии, той, у которой украли детство, а потом ребенка, которого она никогда в жизни не увидит.

Конечно, порой его преследовали дурные предчувствия. Эйнсли отчетливо помнил, как укололо его смутное ожидание недобрых вестей, когда месяц назад он попросил Руби Боуи порыться в содержимом коробок, доставленных после убийства из дома Эрнстов. Он уже тогда знал, что Дойл его не совершал, и странная мысль о возможной причастности Синтии промелькнула у него. Он ни с кем этой догадкой не поделился, потому что сам не мог поверить, а чуть позже полностью отмел ее. И вот теперь это уже была страшная правда.

Как ему теперь поступить? Собственно, выбора и не оставалось. Как ни сопереживал он прошлым страданиям Синтии, как ни готов был понять ее ненависть к родителям, он никогда не оправдал бы убийство, а потому он сделает сейчас то, что велит долг, какую бы боль это ни причинило ему самому.

Впрочем, среди хаоса, царившего в его мыслях и чувствах, в одном он был теперь совершенно уверен. Сегодня же вечером он скажет Карен: «Все, с меня довольно! Это было мое последнее дело».

Но пока Эйнсли предстояло сосредоточиться и ответить на вопрос прокурора.

— ...Расскажите, пожалуйста, при каких обстоятельствах вы стали участником расследования.

— Меня назначили командиром специального подразделения по расследованию серийных убийств.

— Эрнстов считали жертвами этого же серийного убийцы?

— Поначалу да.

— А позже?

— Позже возникли серьезные сомнения.

— Посвятите нас в их суть.

— Нам, то есть следственной группе, стало казаться, что убийца только пытался выдать свое преступление за одно из серийных, но до конца не преуспел в этом.

— Вы говорите о «следственной группе», сержант, но ведь на самом деле вы оказались *единственным* детективом, кто не поверил, что Эрнсты пали жертвой серийного убийцы, не так ли?

— Да, мэм.

— Скромность похвальна, сержант, но не перегибайте палку, — сказала Монтесино с улыбкой. Заулыбались и некоторые из присяжных. — А теперь ответьте, — продолжала Монтесино, — правда ли, что после того, как в беседе с вами непосредственно перед казнью Элрой Дойл отрекся от причастности к убийству Эрнстов, вы продолжили расследование и пришли к выводу, что именно Синтия Эрнст спланировала преступление и наняла наемного убийцу?

Эйнсли был неприятно поражен такой постановкой вопроса.

— Простите, но вы опускаете чересчур много...

— Сержант Эйнсли! — резко оборвала его Монтесино. — Я попрошу вас отвечать просто: да или нет. Если вы не поняли вопроса, стенографистка может повторить вам его из протокола.

— Не надо, я понял вопрос, — покачал головой Эйнсли.

— И каков же ответ?

— Да.

Он понимал, что вопрос был сформулирован чудовищно некорректно. В нем обходились молчанием слишком многие факты, он заранее представлял обвиняемую в невыгодном свете. Будь это обычный суд, адвокат уже вскочил бы с места и вынес протест, который был бы удовлетворен любым судьей. Но в том-то и дело, что на заседаниях большого совета протесты невозможны, потому что ни представители защиты, ни сами подсудимые туда не допускаются. А в данном случае Синтия Эрнст вообще не знала, что происходит, по крайней мере так хотелось думать обвинению.

Перед присяжными большого совета прокуроры были вольны излагать известные факты по своему усмотрению. Обычно они старались ограничиться лишь абсолютно необходимым минимумом информации. В ход пускались всевозможные приемы, чтобы ускорить рассмотрение дела, одним из них воспользовалась сейчас Монтесино.

Эйнсли уже приходилось давать показания перед большим советом, и эта процедура с первого раза пришлась ему не по душе. Он знал, что другие офицеры полиции считали процедуру большого совета необъективной, вопиющим нарушением принципа беспристрастности правосудия.

Как ни торопила ход дела Адель Монтесино, опрос свидетелей и ответы на вопросы присяжных растянулись на два часа. Малколм Эйнсли давал показания без малого час, после чего его попросили покинуть зал, но не уезжать на случай, если потребуется повторный вызов. Он не слышал показаний других свидетелей — присутствовать на заседаниях от начала до конца разрешалось только присяжным и представителям обвинения.

Чтобы объяснить присяжным мотив главного преступления, в котором обвинялась Синтия Эрнст — ее давнюю ненависть к собственным родителям, — была вызвана Руби Боуи, она явилась на заседание в элегантном бежевом костюме, на вопросы отвечала просто и толково.

Руби рассказала, как обнаружила секретные дневники Эленор Эрнст. Она дала подробный отчет об их содержании и как раз собиралась затронуть тему беременности Синтии, когда Монтесино, которая явно дала себе труд внимательно ознакомиться с дневниками, остановила ее и попросила прочитать один из отрывков вслух.

— «Иногда мне удается перехватить взгляды, которыми окидывает нас Синтия. Мне чудится в них неприкрытая ненависть к нам обоим... Порой мне кажется, она и для нас затевает что-то, вынашивает месть, и тогда мне становится страшно. Синтия очень умна, куда умнее нас обоих».

Руби ожидала, что после этого ей зададут вопрос о беременности Синтии и рожденном ею ребенке, но Монтесино лишь сказала:

— Благодарю вас, детектив, это пока все.

Позже, когда Руби поделилась своим недоумением с Малколмом Эйнсли, тот только криво усмехнулся:

— Монтесино — старая лиса. Она понимает, что история о том, как Синтия забеременела от собственного отца, может вызвать к ней излишнее сострадание. Обвинению это совершенно ни к чему.

Прежде чем дать присяжным прослушать запись, Монтесино вызвала в качестве свидетеля шефа отдела криминалистической экспертизы Хулио Верону. Представив его, она задала первый вопрос:

— Верно ли, что упомянутая магнитофонная запись была подвергнута проверке на предмет соответствия голосов на ней голосам Синтии Эрнст и Патрика Дженсена?

— Да, мэм.

— В чем заключалась проверка и каковы были ее результаты?

— В нашем архиве уже имелись образцы записей голоса комиссара Эрнст, сделанные во время ее службы в полиции, и мистера Дженсена, который в свое время подвергался допросу в связи с другим делом. Их мы использовали как материал для сравнения. — Верона кратко рассказал о методе акустического исследования и оборудовании, которое для него применялось, заключив: — Голоса на этих пленках идентичны.

— Теперь позвольте воспроизвести для вас эту запись, которая является одной из важных улик, — сказала затем Монтесино, обращаясь к присяжным. — Пожалуйста, слушайте внимательно, хотя если что-то будет вами пропущено или недопонято, мы сможем прокрутить пленку столько раз, сколько понадобится.

Техническую сторону обеспечивал Хулио Верона с помощью самой высококлассной аппаратуры. И вот из динамиков донеслись сначала неясные звуки, а затем совершенно отчетливые голоса Синтии Эрнст и Патрика Дженсена — сначала они заказали себе блюда к обеду, потом чуть тише заговорили о Виргилио. Присяжные обратились в слух, стараясь не упустить ни слова. Но когда Дженсен сказал, что именно Виргилио убил несчастного инвалида-колясочника, а Синтия негодующе зашипела: «Заткнись! Не говори мне об этом! Не хочу ничего знать!» — один из членов совета, латиноамериканец, не удержался от громкой реплики:

— Pues ya lo sabe!*

— И ведь утаила это ото всех, дрянь! — не удержалась сидевшая рядом с ним молодая блондинка.

Другие присяжные на них зашикали; кто-то попросил:

— Нельзя ли прослушать этот кусок еще раз?

— Можно, разумеется. — Прокурор кивнула Вероне, тот остановил ленту, перемотал немного назад и вновь включил воспроизведение.

Чем дольше присяжные слушали детальное обсуждение запланированного убийства, тем чаще раздавались возгласы возмущения. Когда запись кончилась, один из них сказал:

— Она виновна на все сто, и никаких других доказательств мне лично не требуется!

— Я, безусловно, уважаю ваше мнение, сэр, — понимающе кивнула Адель Монтесино, — но есть еще два пункта обвинения, которые я должна вам представить. Прошу еще немного терпения... Между прочим, вы заметили, что кондиционер потихоньку начал работать?

Кто-то зааплодировал, а кто-то вздохнул с облегчением.

Работа пошла заметно живее. Вызванный следующим инспектор налоговой службы продемонстрировал копии налоговых деклараций, заполненных Синтией Эрнст, подтверждающих, что она ежегодно платила налог с процентов, полученных на свой вклад в Банке Каймановых островов, — сумма вклада превышала пять миллионов долларов.

---

* Вот те на! *(исп.)*

— Прошу отметить, — сказал инспектор, закончив чтение и сдернув с носа очки, — что с точки зрения налогообложения финансовые дела мисс Эрнст в полном порядке.

— Однако само существование этого счета, — поспешила пояснить для присяжных Монтесино, — говорит о том, что у мисс Эрнст была возможность уплатить за убийство своих родителей четыреста тысяч долларов, упоминание о которых вы только что слышали в записи.

Она, разумеется, предпочла умолчать о том, что если бы не чрезмерное почтение Синтии к налоговому законодательству США, ее счет на Кайманах не смог бы выявить, а тем более проверить ни один американский суд.

Повторно вызвали Малколма Эйнсли. Он описал, как вскрыли индивидуальный сейф-бокс Дженсена, обнаружив в нем магнитофонную кассету и еще несколько предметов. Одним из них оказался использованный авиабилет Майами — Большой Кайман и обратно, выписанный на имя Патрика Дженсена.

— В чем вы видите значение этой улики? — спросила Монтесино.

— Два дня назад в присутствии своего адвоката мистер Дженсен заявил, что убийство было спланировано, когда он и Синтия Эрнст вместе провели три дня на Каймановых островах. По его словам, они добирались туда по отдельности. Он рейсом «Кайман эйруэйз», мисс Эрнст — «Американ эйрлайнз» под именем Хильды Шоу.

— Последнее поддается проверке?

— Да, — ответил Эйнсли. — Я наведался в офис «Америкэн» в Майами. В их компьютерном архиве в тот день действительно значилась такая пассажирка на борту рейса Майами — Большой Кайман.

Эйнсли прекрасно понимал, что все это косвенные улики. В настоящем судебном заседании их не приняли бы во внимание, но на большой совет они произвели впечатление.

Монтесино выступила с кратким заключительным словом:

— Наше заседание и без того получилось долгим и сложным, поэтому я не буду утомлять вас речами. Напомню только, что вы должны определить не вину или невиновность Синтии Эрнст. Это будет решать суд в том случае, если вы сейчас сочтете доказательства, предъявленные вам, достаточными для передачи дела в судебные инстанции. Лично я твердо убеждена, что доказательств собрано *более чем достаточно.* Утвердив все три обвинения, вы послужите правосудию наилучшим образом. Спасибо.

Через несколько мгновений после этого из зала удалились все, кроме членов большого совета присяжных.

Но совещались они недолго. Спустя каких-нибудь пятнадцать минут прокурора штата и судью пригласили вернуться. Судье передали оформленное письменно решение, которое он зачитал вслух. Все три пункта обвинения были утверждены. И по каждому из них требовался незамедлительный арест Синтии Эрнст.

4

— Ну, ребята, теперь пошевеливайтесь, — сказал Кэрзон Ноулз, протягивая Эйнсли прозрачную папку, куда были вложены два экземпляра постановления большого совета. — Пусть они хоть трижды присягали, но как только присяжные разъедутся отсюда, кто-нибудь из них неизбежно проболтается. Слухи о комиссаре Эрнст распространятся тогда что твой лесной пожар и непременно дойдут до нее самой.

Разговор происходил в вестибюле на полпути к лифтам. Собираясь попрощаться с Ноулзом, Эйнсли спросил:

— А нельзя их как-нибудь задержать здесь? У этого состава совета есть еще сегодня какие-нибудь дела?

— Есть одно. Мы, собственно, так и запланировали. Но это еще на час, не больше. Потом ни за что не могу ручаться. В управлении полиции уже знают, что обвинения утверждены: Монтесино сама позвонила вашему шефу... Кстати, мне велено передать тебе, что по прибытии на службу ты должен сразу явиться в кабинет заместителя начальника полиции Серрано. — Он бросил на Эйнсли выразительный взгляд: — Не каждый день ваше руководство лично влезает в расследование убийства, верно?

— Просто дело касается городского комиссара. Мэр и комиссары — особая каста: с ними нужна сверхделикатность.

Будучи чиновником прокуратуры штата, Ноулз занимался делами по всем городам и весям Флориды, а о политических перипетиях в самом Майами знал меньше, чем любой полицейский сержант.

Когда двери лифта уже почти сошлись, Ноулз бросил вслед:

— Удачи тебе!

«Какой еще удачи?» — недоумевал Эйнсли, пока лифт скользил вниз. В его собственном понимании удача могла заключаться только в том, чтобы его роль во всей этой драме закончилась, как только решение большого совета передадут в руки заместителя начальника управления полиции. Но он подозревал, что так просто не отделается.

Тем временем произошли немаловажные события и в семейной жизни Эйнсли. Поздним вечером в прошлую пятницу он сообщил Карен о своем решении уйти из отдела расследования убийств, как только нынешнее дело будет полностью завершено, а быть может, и оставить службу в полиции вообще, хотя об этом ему еще предстояло поразмыслить. Карен чуть не расплакалась от радости, узнав эту новость. «Ты не представляешь, как я счастлива, милый! Я же вижу, как тяжко тебе дается твоя проклятая работа. Все, с тебя довольно! Уходи оттуда совсем. О будущем не беспокойся, как-нибудь выкрутимся! Самое главное — это ты. Для меня, для Джейсона и... — она осторожно провела ладонью по своему округлившемуся животу, — еще для кое-кого».

В тот вечер они говорили о Синтии. Эйнсли рассказал о трагедии ее детства, о той ненависти, которая переполняла эту женщину, о преступлениях, совершенных, чтобы утолить ее. И наконец, о неизбежном и уже скором наказании.

Карен слушала и реагировала на все со своим несокрушимым здравым смыслом, который за девять лет жизни с ней он научился так ценить. «Конечно, мне жаль Синтию. Ее пожалел бы всякий, особенно другая женщина. Но необходимо понять, что ничего из того, что сотворили *с ней* или что совершила она сама, — изменить нельзя. Слишком поздно. И что бы ни случилось, остальные люди — а мы с тобой в особенности — ни в коем случае не должны взваливать на себя даже крохотную долю горя или вины Синтии. Иначе и наша жизнь полетит под откос. Поэтому я скажу тебе: да, Малколм, сделай то, что велит тебе долг, но только в самый последний раз. А потом все — уходи!»

Всякий раз, когда Карен произносила имя Синтии, Эйнсли, как и прежде, начинал думать: знает она об их прошлой связи или нет?

Но важнее всего было выполнить эту его миссию — теперь уже совершенно точно последнюю — как можно быстрее.

Двери лифта открылись в холле первого этажа здания суда.

Пользуясь привилегией полицейского, Эйнсли оставил свою машину прямо при входе и потому добрался до штаб-квартиры управления полиции — три квартала на север, два — на запад — за несколько минут.

Когда он вошел в приемную офиса Отеро Серрано, начальника всех следственных отделов, секретарша поднялась и сказала:

— Добрый день, сержант. Проходите, вас ждут.

Эйнсли застал Серрано, Марка Фигераса, Маноло Янеса и Лео Ньюболда за оживленной беседой. Но стоило ему войти, голоса умолкли, головы повернулись к нему.

— Я вижу, вы привезли решение совета, сержант? — спросил вместо приветствия Серрано, высокорослый атлет, сам в прошлом незаурядный сыщик.

— Да, сэр, — ответил Эйнсли и вручил ему папку.

Серрано положил одну копию перед собой, вторую передал Фигерасу.

Пока начальство было поглощено чтением, в кабинет тихо провели Руби Боуи. Она подошла к Эйнсли и шепнула:

— Нам нужно поговорить. Я нашла ее ребенка.

— Ребенка Синтии? — Изумленный, Эйнсли оглянулся по сторонам. — Мы можем...

— Не думаю. Пока не сможем, — ответила она быстро.

Пока собравшиеся читали, слышны были вздохи.

Фигерас, закончивший читать первым, застонал:

— Боже, хуже просто быть не может!

— Кто бы мог себе представить такое? — более сдержанно отозвался Серрано.

Дверь кабинета снова открылась, и в кабинет вошел начальник полиции Фэррелл Кетлидж собственной персоной. Подчиненные поспешили вытянуться перед ним, но он лишь вяло махнул рукой.

— Продолжайте, — сказал он и встал у окна. — Здесь командуешь ты, Отеро.

Чтение возобновилось.

— Да-а-а... Подставила нас Синтия, что и говорить, — прервал молчание Фигерас. — Она получила повышение *уже после* того, как скрыла улики против Дженсена, убившего бывшую жену и ее парня.

— Вот уж репортеры порезвятся! — вырвалось у Маноло Янеса.

Как ни важен был первый пункт обвинения, Эйнсли понял, что руководство больше всего уязвили второй и третий, где говорилось о соучастии офицера полиции Синтии Эрнст в одном убийстве и недонесении о другом.

— Если дойдет до суда, он может длиться годами, — сказал Лео Ньюболд. — И все это время мы будем под перекрестным огнем.

Остальные мрачно закивали.

— Тогда закончим на этом, — вмешался Серрано. — Я хотел только поставить вас в известность, потому что достанется на орехи всем. Однако теперь пора действовать.

— Может быть, было бы даже лучше, если бы Эрнст обо всем узнала прежде, чем за ней придут, — сказал вдруг Ньюболд. — Единственный выход в ее положении — это пустить себе пулю в лоб и избавить всех от кучи проблем.

Эйнсли ожидал, что Янес резко отчитает лейтенанта, но напрасно. Воцарилась полнейшая тишина, даже начальник полиции не проронил ни слова.

«Уж не молчаливый ли это приказ?» — подумал Эйнсли, но отринул это предположение как совершенный вздор. В этот момент к нему обратился Серрано:

— Нравится вам это или нет, сержант, но именно вам мы решили поручить произвести арест. — Он сделал паузу и продолжал чуть более мягко: — Если для вас это проблема, скажите нам сейчас.

Стало быть, он знает. Они все знают про него и Синтию. Вспомнились слова Руби: «Мы же детективы, не забывайте об этом».

— Удовольствия мне это не доставит, сэр. Да и кому доставило бы? Тем не менее я сделаю все как нужно. — Сейчас он странным образом почувствовал, что его долг перед Синтией — самому довести это до конца.

Серрано одобрительно кивнул.

— Поскольку речь идет о городском комиссаре, с этого момента каждый наш шаг будет привлекать пристальное внимание общественности. У вас же безупречная репутация, и я уверен, что вы не допустите оплошностей или ошибок.

Эйнсли почувствовал на себе взгляды всех собравшихся, и, так же как и пять дней назад при встрече с Фигерасом и Янесом, во взглядах этих двоих сквозило уважение, не зависевшее ни от какой субординации.

Серрано пробежал глазами лист бумаги, только что принесенный ему секретаршей.

— Сегодня с раннего утра мы установили за Эрнст негласное наблюдение. Полчаса назад она проследовала в свой офис в здании городского совета. Она сейчас там. — Он снова посмотрел на Эйнсли. — Вам понадобится женщина-полицейский. Пусть это будет детектив Боуи.

Эйнсли кивнул. В наше сумасшедшее время полицейский уже не может взять под арест женщину в одиночку. Слишком велик риск, что его обвинят в попытках сексуальных домогательств.

— Я уже вызвал патрульных вам в подкрепление, — продолжал Серрано. — Они внизу, ждут ваших указаний. И возьмите вот это. — Он подал Эйнсли ордер на арест, который был выписан, как только стало известно о решении большого совета. — А теперь приступайте к заданию!

Уже когда они спускались в переполненном лифте, Руби посмотрела на Эйнсли, но тот лишь шепнул:

— Погоди, расскажешь по дороге. — Внизу он велел: — Пойди раздобудь для нас машину, а я пока переговорю с нашим подкреплением.

У служебного выхода из здания управления был припаркован бело-голубой патрульный автомобиль полиции Майами. Рядом с ним стояли сержант Бен Брайнен, которого Эйнсли прекрасно знал, и его партнер.

— Мне сегодня назначено быть твоей правой рукой, Малколм, — сказал Брайнен. — Приказ пришел с самого верха. Что случилось? Ты стал важной птицей?

— Если и стал, то лишь ненадолго. И прибавки к жалованью тоже не будет, — сказал Эйнсли.

— Какая у нас задача?

— Мы отправляемся в здание городского совета. Там мы с Боуи произведем арест, а вы будете нас прикрывать. — Он достал ордер и указал на вписанное в него имя.

— Ничего себе! — чуть не подскочил на месте Брайнен. — Неужели правда?

В этот момент на машине без полицейской маркировки подкатила Руби Боуи и остановилась впереди патрульного автомобиля.

— Чистая правда, — ответил Эйнсли, — так что поезжайте за нами. Вы нам, может, и не понадобитесь, но все-таки приятно знать, что тыл у тебя защищен.

Оказавшись в машине вдвоем с Руби, он сказал:

— Рассказывай, что у тебя там.

— Сначала самое главное. Из-за того, что я обнаружила вчера, Синтия вполне может уже догадаться о предстоящем аресте.

— У нас очень мало времени. Выкладывай побыстрее.

Вот как это выглядело в изложении Руби.

С того времени как из дневников Эленор Эрнст Руби узнала, что Синтия родила от своего отца ребенка, она не оставляла попыток выяснить судьбу младенца, который никому не был нужен, чей пол даже не упоминался в записках Эленор.

— Родилась девочка, — сказала Руби. — Это было первое, что мне удалось узнать в центре усыновления.

Однако больше в центре ей ничем помочь не захотели, не позволили даже заглянуть в архивные дела, ссылаясь на условия конфиденциальности. Руби особо не настаивала: информация не была тогда насущно необходима для следствия. Факт рождения ребенка и так уже был установлен, и дальнейшее расследование не могло пролить новый свет на обстоятельства смерти супругов Эрнст.

— Но мне-то самой хотелось все выяснить, — рассказывала Руби. — Я еще пару раз заезжала в центр. Там есть одна пожилая сотрудница, я рассчитывала, что она отступит от инструкции и поможет мне, но она оказалась слишком боязливой. Но вот позавчера она вдруг мне позвонила. Через неделю она выходит на пенсию.

Я приехала к ней домой, и она передала мне один документ.

Из этой бумаги явствовало, по словам Руби, что у приемных родителей дочь Синтии прожила меньше двух лет. Их обвинили в жестокости и пренебрежении к своим обязанностям, и ребенка у них забрали. Потом следовала череда детских домов и приютов, по которым девочка мыкалась до тринадцати лет. Потом ее след оборвался.

— Типичная история равнодушия и жестокосердия, — сказала Руби. — Я собралась было наведаться в ее последний детский дом, но необходимость в этом отпала, когда я прочитала, какое имя дали девочке.

— И какое же?

— Мэгги Торн.

Что-то знакомое, подумал Эйнсли. Он только не мог сразу вспомнить, где слышал это имя.

— Дело, которое вел Хорхе Родригес, — напомнила Руби. — Убийство Нойхауза, немецкого туриста. По-моему, вы были тогда...

— Верно, был.

Подробности уже всплыли в памяти. Бессмысленное до нелепости убийство... международный скандал и жалкая парочка преступников — молодой чернокожий Кермит Капрум и белая девушка Мэгги Торн. Баллистическая экспертиза, доказавшая, что смерть причинили пули, выпущенные именно из ее револьвера... На допросах свою вину признали оба.

Эйнсли вспомнил, что тогда лицо девушки показалось ему знакомым, хотя он никак не мог понять, где они виделись. Теперь ясно: не ее он встречал прежде, а ее мать, Синтию. Он был уверен, что сейчас сходство бросилось бы в глаза еще сильнее.

— Есть еще кое-что, о чем вы должны знать, — сказала Руби. — Женщине из центра усыновления, которая предоставила мне этот документ, пришлось обезопасить себя. Когда по какой-то причине нарушается тайна усыновления, работник центра обязан поставить в известность об этом настоящих родителей ребенка, и эта дама так и поступила. Она отправила Синтии письмо по поводу ее дочери Мэгги Торн — Синтия скорее всего этого имени прежде и не слышала! — и сообщила, что информация о ней была дана по запросу полиции. Письмо было отправлено в пятницу и адресовано на старый адрес Эрнстов в Бэй-Пойнте. Синтия вполне могла уже получить его.

— В деле Нойхауза... — От волнения Эйнсли с трудом контролировал собственный голос. — Чем там все кончилось?

Сколько дел — всего не упомнишь. Конечно, он вспомнил бы, но потребовалось бы время.

— Капрума и Торн приговорили к смертной казни. Сейчас оба ждут ответа на свои апелляции.

Все остальные мысли моментально вылетели из головы Малколма Эйнсли. Он думал теперь только о Синтии, представлял, как прочитает она это официальное письмо... У Синтии острый ум. К тому же она всегда следила за ходом расследований. Ей не составит труда сразу вспомнить, о ком идет речь, а потом выстроить логическую цепочку и понять, почему этим делом вдруг заинтересовалась полиция... Получить официальное письмо, из которого следует, что ее единственное дитя, дочь, которую она никогда не видела, скоро будет казнена! «Как же неумолимо и жестоко карает Синтию длань судьбы!» — подумал он. Сострадание и жалость переполняли его. Он не мог больше сдерживаться, подался вперед на сиденье, укрыл лицо в ладонях. Плечи его мелко затряслись. Он плакал.

— Извини, — сказал он Руби потом. — Бывают минуты, когда совершенно теряешь чувство реальности.

Ему вспомнилась при этом группа протестующих горлопанов у тюрьмы в Рэйфорде, которые в своих симпатиях к убийце забыли о его жертвах.

— Извини, — повторил он. — Просто как-то все вдруг сошлось...

— Я сама проревела всю прошлую ночь. Иногда эта работа... — Она не сумела договорить.

— Когда мы приедем, — сказал Эйнсли, — я хочу войти к Синтии первым. И один.

— Но вы не можете! Это противоречит...

— Да знаю я, знаю! Инструкция это запрещает, но мне нечего бояться, что Синтия скажет, будто я к ней приставал. Она слишком горда для этого. Подумай сама, если Синтия еще не получила того письма, я смогу ее подготовить к плохим новостям. И даже если получила...

— По-моему, мне пора напомнить вам, Малколм, — перебила его Руби, — что вы уже давно не священник.

— Да, но я не перестал быть человеком. И потом, инструкцию ведь нарушу я, хотя мне хотелось бы, чтобы ты согласилась.

— Я, между прочим, тоже нахожусь при исполнении, — сказала она протестующе.

Оба знали: случись что, и Руби поплатится карьерой в полиции.

— Не волнуйся, я сумею тебя выгородить. Скажу, что я приказал тебе. *Пожалуйста!*

Тем временем они добрались до здания городского совета. Руби остановила машину у главного входа, патрульный автомобиль тоже встал, почти упершись им в задний бампер.

Она все еще не могла решиться.

— Даже не знаю, как быть, Малколм... А Брайнену вы скажете?

— Нет. Патрульные все равно останутся снаружи. Я войду к ней в кабинет один, а ты подождешь поблизости. Дай мне пятнадцать минут.

Руби покачала головой:

— Десять минут. Максимум.

— Идет!

И они вошли в старомодный, но по-своему уникальный дом, в котором располагались органы городского управления Майами.

В эпоху, когда официозная роскошь вошла в норму и власть строит для себя грандиозные, подобные соборам здания, которые символизируют ее самоценную важность, дом городского совета Майами — одного из крупнейших городов Америки — являет собой полную противоположность этому. Он располагается на далеко вдающемся в море мысе и с трех сторон окружен водой. Это небольшое двухэтажное строение, окрашенное в белый цвет. Людей часто поражал его предельно простой, даже простецкий вид.

Войдя в вестибюль, Эйнсли и Боуи показали свои полицейские жетоны пожилому охраннику; тот жестом разрешил им следовать дальше. Зная расположение офиса Синтии, Эйнсли свернул налево по коридору первого этажа, а Руби отправил в противоположную сторону, велев подождать в актовом зале. Она скорчила недовольную гримасу и демонстративно постучала пальцем по стеклу своих часов.

Брайнен с партнером остались в своей патрульной машине. Им надлежало вмешаться только на вызов.

В конце коридора Эйнсли уперся в дверь с табличкой: «СИНТИЯ ЭРНСТ – ГОРОДСКОЙ КОМИССАР».

В приемной без окон за рабочим столом сидел молодой человек — помощник Синтии. В небольшой комнатке за компьютером работала женщина-секретарь. Дверь, массивная, темно-зеленого цвета, была плотно закрыта.

Эйнсли снова продемонстрировал свой жетон.

— Я к комиссару Эрнст по официальному делу. Докладывать обо мне не надо.

— Я и так не стал бы. Проходите. — Молодой человек махнул рукой в сторону зеленой двери.

Эйнсли вошел и плотно закрыл дверь за собой.

Синтия сидела лицом к нему за резным письменным столом — бесстрастная и отрешенная. Кабинет ее был просторен и удобен, но роскошью здесь и не пахло. В окне за спиной его хозяйки открывался вид на залив и гавань с рядами пришвартованных у пирса прогулочных лодок. Почти незаметная дверь справа скрывала, должно быть, стенной шкаф или небольшую комнату отдыха.

Поначалу воцарилось тягостное молчание. Первым его нарушил Эйнсли:

— Я хотел сказать, что...

— Оставь! — Губы Синтии едва ли вообще шевельнулись. Глаза оставались холодны.

Она все знает. Эйнсли понял, что всякие объяснения между ними излишни. У Синтии были обширные связи. Городской комиссар многим мог помочь и рассчитывать на благодарность. Несомненно, какой-то ее должник — из руководства полицейского управления или даже членов большого совета — успел украдкой ей позвонить.

— Ты можешь не поверить, Синтия, — сказал Эйнсли, — но мне искренне жаль, что я ничем, *абсолютно ничем* не могу тебе помочь.

— Ну почему же? Очень даже можешь. — Она источала злобную иронию. — Ты ведь любишь смотреть, как казнят. Может, явишься на казнь моей дочери, приглядишь, чтобы все прошло гладко? Да и на мою тоже. Ты же не упустишь такого редкого удовольствия, верно?

— Прошу, не говори так, — взмолился он.

— Конечно, ты предпочел бы слезы раскаяния и прочие твои поповские штучки!

Эйнсли вздохнул. Он и сам не знал, на что рассчитывал, но теперь ему стало ясно, что он занимался самообманом. И еще: ему не надо было оставлять Руби дожидаться снаружи. Это была явная ошибка.

— Что ж, перейдем к формальностям, — сказал он и положил ордер на стол. — Ставлю вас в известность, что вы арестованы. Должен предупредить, что вы имеете право...

— Считай, что с этим покончено, — сардонически улыбнулась она.

— Где твой пистолет? — Эйнсли взялся за рукоятку своего «глока», но не достал его. Он знал, что у Синтии есть точно такой же: уходящим в отставку офицерам полиции разрешалось сохранить свое оружие в качестве подарка от городских властей.

— Здесь, в столе, — ответила она, поднялась с кресла и указала на ящик.

Не спуская с нее глаз, он потянулся левой рукой, выдвинул ящик и нащупал в нем пистолет.

— Повернись, пожалуйста, кругом, — сказал он, когда положил пистолет в карман и достал пару наручников.

— Придется тебе подождать немного, — сказала она почти нормальным тоном. — Сначала мне нужно в туалет. Есть, знаешь ли, кое-что, чего нельзя сделать, если руки стянуты за спиной.

— Нет! Стой на месте!

Хмыкнув, она повернулась и направилась к двери в стене, которую Эйнсли успел заметить прежде.

— Что, не нравится? — спросила она через плечо. — Тогда пристрели меня!

Две мимолетные мысли мелькнули у него, но он стряхнул их с себя.

Пока дверь оставалась открытой, Эйнсли смог разглядеть, что за ней действительно находится туалет, из которого не было другого выхода. Дверь бесшумно захлопнулась. Он бросился к ней, чтобы открыть, взломать, если потребуется; он уже не держал в правой руке пистолет. Но, сделав первый шаг, он понял, что делает все непростительно медленно.

Дверь оставалась закрытой какие-нибудь несколько секунд, но прежде чем он до нее добрался, она вновь распахнулась. В проеме возникла Синтия, глаза ее горели, лицо судорогой свело в маску ненависти. С неожиданной хрипотцой в голосе она выкрикнула:

— Ни с места! — В ее руке блеснул хромом маленький пистолетик.

Эйнсли знал, что его элементарно обвели вокруг пальца: пистолет был спрятан где-то в ее уборной.

— Послушай, Син... Мы могли бы... — начал он.

— Заткнись! — Ее лицо вновь исказилось некрасивой гримасой. — Ты ведь знал, что у меня есть вот это, правда?

Эйнсли медленно кивнул. Ничего он не знал. Просто за несколько десятков секунд до того такая возможность пришла ему в голову. Эта была первая мысль, от которой он отмахнулся.

Синтия целилась в него из того самого крошечного пятизарядного «смит-и-вессона», который с таким убийственным хладнокровием применила когда-то против грабителей банка.

— Наверняка подумал, что я пальну из него себе в висок. Чтобы избавить вас всех от лишних проблем. Так? *Отвечай мне!*

В такой момент можно было говорить только правду.

— Да, — сказал он, потому что именно такой была его вторая мысль.

— Я так и сделаю. Но прихвачу тебя с собой, мерзавец!

Эйнсли не мог не видеть, что Синтия привычно изготавливается для прицельной стрельбы.

Подобно молниям в июльскую грозу, пронеслись у него в голове возможные варианты. Выхватить свой «глок» — был один из них, но Синтия выстрелит, стоит ему дернуться. Ему живо увиделась аккуратная дырочка прямо по центру лба бандита, что пытался тогда ограбить банк. Помощь Руби? Нет, ведь еще и пяти минут не прошло. Уговоры на Синтию тоже не подействуют. Что ему оставалось? Ничего... А значит... Каждому на роду написано умереть в свой час. Его час настал. Одна последняя мысль: он порой спрашивал себя, вернется ли к нему в последние мгновения жизни вера в Бога, хоть какая-то надежда на жизнь после смерти. Теперь он получил ответ. Нет, не вернется.

Сейчас Синтия выстрелит. Эйнсли закрыл глаза, и почти сразу грохнул выстрел... Странным образом он ничего не почувствовал. Потом открыл глаза.

Синтия распласталась на полу, все еще сжимая в руке свой маленький пистолет. Из открытой раны в левой стороне ее груди струилась кровь.

Он оглянулся — в дверях кабинета, сжимая двумя руками свой автоматический пистолет, стояла Руби Боуи.

5

Весть о том, что Синтию Эрнст застрелила полиция, вихрем облетела Майами.

Мгновенно встрепенулись репортеры.

Благородные представители городских властей были взбешены тем, что, как им померещилось, одного из им подобных хладнокровно убили.

Врач едва успел констатировать смерть Синтии, ее тело еще оставалось в служебном кабинете, когда в здание городского совета прибыли две передвижные телевизионные группы. Корреспонденты тут же начали приставать ко всем с вопросами, на которые никто не мог дать вразумительных ответов. Впрочем, скоро выяснилось, что не только телевизионщики прослушивали в тот день переговоры полицейских по радио, потому что скоро сюда налетела целая свора журналистов и фотографов.

Сержант Брайнен и его партнер старались поддерживать порядок, но скоро запросили подкрепление.

Малколму Эйнсли и Руби Боуи череда дальнейших событий могла показаться дурно смонтированным фильмом. После несколько бестолковых переговоров с Серрано они получили указание оставаться на месте и ни с кем не вступать в контакт до приезда оперативной группы из подразделения внутренних расследований — это была стандартная процедура в случаях, когда офицер полиции пускал в ход оружие при исполнении служебных обязанностей. Прибывшая вскоре группа состояла из двух человек — сержанта и детектива, которые подробно допросили Эйнсли и Боуи, но без намека на враждебность, из чего можно было заключить, что их еще до отъезда информировали о постановлении большого совета и ордере на арест Синтии Эрнст.

Полицейское руководство, не владевшее пока всей информацией об обстоятельствах смерти одного из городских комиссаров, отказалось комментировать происшествие, но твердо пообещало сообщить все подробности на пресс-конференции в шесть часов вечера того же дня, выступить на которой должен был сам шеф полиции Майами.

Он тем временем разослал мэру и комиссарам уведомления, что позвонит каждому из них в отдельности примерно за час до пресс-конференции и поставит обо всем в известность. Конечно, проще всего было бы пригласить их к себе, но, по принятому во Флориде закону о «прозрачности власти», члены городского совета не имели права встречаться где бы то ни было, не проинформировав и не пригласив представителей общественности и средств массовой информации.

Закончив отвечать на вопросы детективов из отдела внутренних расследований, Эйнсли и Боуи немедленно были доставлены к Серрано, где за закрытыми дверями отчитались перед Фигерасом, Янесом и самим хозяином кабинета. Отвечая на множество вопросов, Эйнсли и Боуи ни в чем не солгали, но, по правде говоря, их допрашивали не слишком тщательно и пристрастно. Не спросили, например, как случилось, что в здании городского совета они на какое-то время расстались.

В конце концов результатом разбирательства стало написанное Серрано от руки постановление, которое затем было основательно доработано и дополнено полицейскими чиновниками. Смысл его сводился к тому, что Малколм Эйнсли и Руби Боуи действовали в рамках закона, а применение последней огнестрельного оружия следовало рассматривать как меру необходимой самообороны.

Свидетелями в пользу такого заключения стали патрульные — сержант Брайнен и его напарник, которых Эйнсли вызвал по рации сразу же после того, как прозвучал выстрел; они прибыли в кабинет комиссара Эрнст буквально через полминуты.

Эйнсли и Руби Боуи смогли не сразу улучить минутку и обсудить все происшедшее.

— Я подождала несколько минут, а потом мне стало невмочь от тревоги за вас, — объяснила Руби. — Вы же не скажете, что я появилась не вовремя?

— Что ты! — Эйнсли взял ее за плечи обеими руками и заглянул в глаза. — Я тебе жизнью обязан! Если я чем-нибудь могу тебе помочь, только скажи.

— Я подумаю, — сказала она, чуть заметно улыбнувшись, — но вообще-то если я вас и спасла, то из эгоистических побуждений. Без вас мне было бы труднее работать. Не у кого попросить совета, не с кого брать пример. Надеюсь, я не смутила вас такими словами? Поверьте, это не лесть.

— Признаться, смутила немного... И тронула... — Потом Эйнсли добавил: — Скажу тебе в ответ: для меня большая честь работать бок о бок с тобой.

Эйнсли решил, что пока не время сообщать ей о решении уйти из отдела и, может быть, из полиции вообще. Пусть это пока останется между ним и Карен.

Подготовка к пресс-конференции проходила в сумасшедшей спешке, но заключалась главным образом в затяжных телефонных переговорах между управлением полиции и офисом прокурора штата. Совместно ими было решено, что все наиболее важные факты относительно Синтии Эрнст должны стать достоянием гласности: три пункта обвинения, поддержанные большим советом; дневники Эленор; сексуальные домогательства отца, которым подверглась Синтия в детстве; ее беременность. Нужно было признать также, что сокрытые Синтией полтора года назад улики по делу о другом двойном убийстве нетронутыми пролежали на складе вещественных доказательств полицейского управления.

Заместитель начальника полиции Серрано после консультаций с Фэрреллом Кетлиджем и Эвелио Хименесом — офицером, отвечавшим за связи с общественностью, — так резюмировал решение:

— Все это — чудовищная куча дерьма, из которой никому не удастся выбраться и благоухать при этом розами. Но будет еще хуже, если мы что-то утаим, а какой-нибудь проныра репортер докопается.

Временно не подлежали огласке лишь некоторые детали и улики, которые должны были пойти в ход в суде против Патрика Дженсена и Виргилио. Об аресте Дженсена и выдвинутых против него обвинениях было уже широко известно.

Что до Виргилио, то его поимка и суд над ним представлялись чем-то из области фантастики. Разумеется, и полиция Майами, и отдел расследования убийств округа Дейд сразу же объявили его в розыск, но он успел скрыться у себя на родине. О его выдаче в руки американского правосудия не приходилось даже мечтать из-за крайне напряженных отношений между Колумбией и США.

Во время пресс-конференции и еще целый день после нее Малколм Эйнсли не сходил с экранов телевизоров по всей стране. Именно кадры его выступления, а не речи полицейского начальства национальные телесети показывали бесконечное число раз с добавлением все новых подробностей и комментариев. Была подготовлена специальная передача о Синтии Эрнст, центральной действующей фигурой которой был детектив Эйнсли. Эй-би-си в передаче «Ночные новости» оперативно поведала о зловещих символах в серийных убийствах и их трактовке, «звездой» и тут был Эйнсли.

Газеты тоже не отставали, сделав особый акцент на его прошлом, какой-то репортер раздобыл материалы о его докторской диссертации и о его высокой репутации ученого, упомянув о его соавторстве в книге «Эволюция религий человечества». О нем писали журналы «Тайм» и «Ньюсуик», а «Пэрейд» вышел со статьей об Эйнсли, поместив на обложку его фотографию и заголовок: «БЫВШИЙ СВЯЩЕННИК СТАЛ СУПЕРСЫЩИКОМ».

На коммутатор полицейского управления Майами поступило множество звонков от продюсеров кино- и телефильмов с деловыми предложениями, полностью опровергавшими слова Серрано, что никто не выйдет из этой истории, благоухая розами. Было очевидно, что как раз Малколму Эйнсли это вполне удалось.

— Скорей бы эта свистопляска кончилась! — пожаловался он Лео Ньюболду.

— Как я слышал, наше начальство разделяет твои чувства, — отозвался тот.

Но как бы то ни было, все были довольны тем обстоятельством, что публичного разбирательства дела Синтии Эрнст в суде удалось избежать.

Еще несколько дней спустя Эйнсли уведомил своего лейтенанта, что уходит из отдела убийств. Ньюболд отнесся к этому с пониманием. Слишком многие детективы прошли этой же дорожкой, слишком сильно было эмоциональное перенапряжение от работы в отделе, чтобы его начальник пытался удерживать кого-то из своих подчиненных, пусть даже наиболее ценных. В ожидании решения дальнейшей судьбы Эйнсли лейтенант перевел его с оперативной работы на «холодную» — с помощью новых технологий он должен был теперь заново рассматривать старые нераскрытые дела. Эта сфера деятельности полиции приносила неплохие результаты, не причиняя излишних стрессов тем, кто был в нее вовлечен.

Еще через три недели Ньюболд мимоходом задержался у рабочего стола Эйнсли и сказал:

— Тебя хочет видеть Фигерас.

— Добрый день, сержант Эйнсли! — приветствовала его Теодора Эрнандес, секретарь Фигераса. — Прежде чем вы зайдете в кабинет, могу я вас кое о чем попросить?

— Конечно.

— Мои ребятишки видели вас по телевизору и читали про вас в газетах. Когда я сказала, что знакома с вами, они просто запрыгали от радости и попросили, чтобы я взяла у вас автографы. — Она протянула ему ручку и две чистые карточки. — Не откажите в любезности.

— Но я ведь не какая-нибудь знаменитость! — смущенно попытался протестовать Эйнсли.

— Не скромничайте. Напишите, пожалуйста, на одной «На память Петре», на другой «На память Хусто».

Эйнсли взял ручку и карточки, написал на них два имени и расписался.

— То-то дома будут счастливы! — сказала она и провела его к двери в кабинет начальника следственных отделов, которая, как заметил Эйнсли, не была плотно закрыта.

Марк Фигерас поднялся с места, чтобы пожать руку посетителя.

— Вот и наш герой! — сказал он с легкой ухмылкой. — Как вы себя чувствуете в этой роли?

— Не в своей тарелке, — скорчил гримасу Эйнсли.

— Что ж, придется пока потерпеть. Вы готовы дальше нести бремя славы?

— А куда деваться? Не знаю только, как к этому относятся в нашем департаменте.

— Верно, здесь есть проблемы. — Фигерас жестом пригласил его сесть. — Но не об этом мне было поручено с вами побеседовать. Без формальностей, так сказать, как мужчина с мужчиной. Впрочем, есть одна приятная формальность, с которой нам лучше покончить сразу. С сегодняшнего дня вы — лейтенант Эйнсли. — Он повторно протянул Малколму руку. — Поздравляю. Лучше поздно, чем никогда.

«Интересно, что за этим последует?» — подумал Эйнсли. Повышение обрадовало его; хотелось броситься к телефону и рассказать обо всем Карен. Но сейчас нужно было выслушать Фигераса до конца.

— Ваша карьера на подъеме, Малколм. Перед вами открываются несколько путей — остается только выбирать. Первый из них — стать начальником отдела расследования убийств. — Эйнсли вскинул на хозяина кабинета удивленный взгляд, и тот пояснил: — Лео Ньюболду присвоено звание капитана. Он переводится в другое подразделение. В вашем случае надлежало бы поступить так же, однако ваш послужной список в отделе расследования убийств настолько незауряден, что мы готовы сделать исключение. При условии, разумеется, что вам такой вариант подходит.

— Нет, — покачал головой Эйнсли. — Я ведь уже объяснил Ньюболду, почему хочу уйти из отдела.

— Неофициально меня информировали об этом, и ваше решение мне понятно. Но нам бы хотелось, чтобы вы были в курсе всех возможностей.

Это «нам» было красноречиво. Фигераса подготовили к этому разговору на самом верху.

— Хорошо, давайте вместе рассмотрим ваши служебные перспективы, — продолжал он. — Вы стали лейтенантом в тридцать девять лет. Через три года вас повысят до капитана, еще через три произведут в майоры, но это уже на усмотрение руководства, и тут никаких гарантий быть не может. Вы достигнете этой ступеньки позже, чем другие, но вы и начали служить в полиции позже большинства своих коллег. Майором, таким образом, вы сможете стать лет в сорок пять, не раньше. Сами знаете, какая конкуренция за звания выше майорского. Вполне может быть, что вы пойдете дальше, но в равной степени вероятно, что майор — это тот предел, которого вы достигнете до пенсионного возраста. Видите, я с вами совершенно откровенен, Малколм.

— Я ценю вашу откровенность.

— Тогда есть еще один аспект проблемы, в который я должен вас посвятить, надеясь на ваше понимание. В последнее время вы привлекли к себе такое внимание публики, какого никогда не удостаивался прежде ни один сотрудник нашего управления. В первую очередь это объясняется, конечно, блестящими результатами вашего расследования, но средства массовой информации далеко не в последнюю очередь были привлечены вашим прошлым священника и ученого-богослова. Здесь мы и подходим к сути дела.

Эйнсли уже начал понимать, к чему он клонит.

— Вся штука в том, Малколм, что из-за вашей нынешней популярности что бы вы теперь ни делали, это будет обязательно вызывать повышенный интерес репортеров. Ничего страшного, но, честно сказать, нашему департаменту это причинит определенные неудобства. Сами знаете, у нас практически никто не попадает надолго в фокус общественного внимания, включая и самого начальника полиции — его фамилия едва ли известна в Майами многим. Так было всегда, и большинство из нас хотело бы, чтобы так продолжалось и впредь.

— Давайте не будем ходить вокруг да около, — сказал Эйнсли. — Смысл ваших слов сводится к тому, что, несмотря на мое повышение, на самом деле вам хотелось бы, чтобы я ушел из полиции.

— Если вы так это восприняли, — сказал Фигерас, — то я плохо выражаю свои мысли. Просто большинство из нас считает, что ваша дальнейшая карьера в управлении, даже в самом лучшем ее варианте, далеко не отвечает вашим способностям. Хотелось бы, чтобы вы занялись чем-то более выгодным *для себя*, чтобы ваши знания и таланты смогли раскрыться в полной мере.

— Беда в том, — с горечью сказал Эйнсли, — что я в последнее время не читал объявлений о найме на работу. Видно, теперь придется.

— Не придется, — улыбнулся Фигерас. — Эти разговоры потому и возникли, что некая сторонняя организация уже вошла в контакт с нашим начальником, мэром и, вероятно, другими влиятельными лицами. Этой организации *вы очень нужны*, и потому, как я понимаю, они готовы предложить весьма выгодные условия.

— И что же это за организация? — спросил заинтригованный Эйнсли.

— Короче говоря, нам звонил председатель попечительского совета университета южной Флориды, — Фигерас заглянул в бумажку на своем столе, — доктор Хартли Аллардайс. Вы согласны встретиться с ним?

Воистину жизнь полна неожиданностей, подумал Эйнсли и сказал:

— Похоже, мне только и остается, что согласиться.

6

— Быть может, это вас удивит, доктор Эйнсли, — сказал Хартли Аллардайс, — но в нашем университете было много разговоров о вас, с тех пор как о ваших талантах и вашем прошлом стало известно.

— Да, это меня действительно удивляет, — кивнул Эйнсли. — Меня вообще почти все удивляет в последнее время.

Со времени его разговора с Марком Фигерасом прошло три дня. Эйнсли и Аллардайс встретились за ужином в городском клубе в центре Майами. Эйнсли было странно слышать обращение «доктор». Нет, с формальной точки зрения все было правильно, просто много лет никто к нему так не обращался, а он сам, даже еще будучи священником, избегал прибавлять к своей фамилии ученое звание. Впрочем, в нынешних обстоятельствах...

Разговорчивый доктор Аллардайс между тем продолжал:

— Публика обожает героев, которые живут по соседству. Всегда обожала. И вы превратились для всех в героя, потому что сумели раскрыть череду ужасных преступлений. Но особенно важно, что вы смогли это сделать чисто интеллектуальным путем, используя свою научную эрудицию. Вот почему вами так восхищаются в университетском мире. Я, кстати, не исключение.

Помимо воли Эйнсли улыбнулся и пробормотал слова благодарности.

Аллардайс невозмутимо продолжал:

— Вы оказались в лучах славы как нельзя более вовремя — для меня, для тех, кого я представляю, и, надеюсь, для вас самого.

Хартли Аллардайс был мужчиной весьма представительной внешности: седой, с красивыми чертами лица, бронзовым загаром, уверенными манерами и ослепительной улыбкой. Он родился в богатой семье и сумел приумножить свои капиталы во главе международной инвестиционной компании, обогатив при этом и других. Проблемы образования были второй его страстью — отсюда и общественный пост, который он занимал в университете южной Флориды.

— Я уже шестой год председательствую в попечительском совете, — пояснил он. — И с самого начала моей мечтой было ввести в программу курс лекций по сравнительной истории религий. Само собой, что у нас есть факультет философии и религии, но сравнительным анализом на нем занимаются куда меньше, чем мне хотелось бы.

Аллардайс сделал паузу, потому что официант принес им основное блюдо, заказанное к ужину, — баранье филе под беарнским соусом.

— Между прочим, мне кажется, вино должно вам понравиться. Это «Опус Первый». Его создали два величайших винодела в мире — Роберт Мондави из долины Напа в Калифорнии и покойный Филипп де Ротшильд из Бордо. Попробуйте.

— Вино великолепное, — подтвердил Эйнсли, что было чистой правдой. Он был наслышан об этом знаменитом вине, но зарплата полицейского ни разу не позволила ему его отведать.

— А теперь перейду к сути дела, — сказал Аллардайс. — Ради чего, собственно, я хотел встретиться с вами. Видите ли, большинство современных молодых людей стремятся получать знания, которые гарантируют им престижные профессии — бизнесмена, врача, юриста или инженера. А мне бы хотелось привить молодежи интерес к сравнительному исследованию религиозных верований человечества. Ведь различные религии могут поведать нам куда больше традиционной истории о том, как жили люди в разные эпохи, о чем они думали, на что надеялись, в чем находили источник удовольствий, чего боялись — осознанно и подсознательно. Здесь, конечно, в первую очередь следует говорить о страхе смерти, о самом ужасном вопросе, который стоит перед всеми: есть ли что-нибудь после смерти или наступает полное забвение?.. Налейте себе еще вина, доктор Эйнсли!

— Спасибо, мне уже достаточно. Однако прежде чем мы продолжим эту беседу, мне необходимо кое-что вам сказать...

— Я меньше всего хочу свести нашу беседу к монологу.

— Думаю, вам лучше будет знать, что хотя я и увлечен сравнительным анализом религий, сам я уже не верую. Давно не верую.

— Я догадывался, — живо отозвался Аллардайс, — и это не имеет ровным счетом никакого значения. Напротив, по всей вероятности, это делает вас только еще более объективным в вашей работе... Вы уверены, что не хотите больше вина?

— Да, вполне. Спасибо.

— Так вот, причина, по которой я хотел встретиться с вами, проста. Совсем недавно мне удалось заручиться достаточной суммой денег, чтобы построить новое здание для факультета философии и религии в нашем университетском городке. Наибольший взнос — а это несколько миллионов долларов — исходит от одного моего друга. Он, однако, узнав о вас и вашем уникальном опыте, поставил свой дар в зависимость от одного условия. Он хочет, чтобы на факультете появилась должность профессора сравнительной истории религий, которую бы занял известный авторитет в этой области. Таковым он согласен теперь считать только *вас*, доктор Эйнсли.

— Вы это серьезно? — удивленно вскинул брови Эйнсли.

— Вполне.

— Могу я поинтересоваться, кто этот ваш друг?

Аллардайс покачал головой:

— Извините, но богатые жертвователи не любят огласки. А в наши дни причин для того, чтобы оставаться инкогнито, только прибавилось. Как бы то ни было, но университет подпишет с вами первоначальный контракт на три года. Ваше ежегодное содержание составит сто тысяч долларов. Простите, что заговорил о деньгах, но иногда от этого никуда не деться.

Несколько секунд они молчали, прежде чем Эйнсли сказал:

— Никак не могу винить вас за это, доктор. И знаете что... Пожалуй, я все-таки глотну еще немного вина.

— Вам предстоит пройти через некоторые формальности, — вновь оживился Аллардайс, — но это не составит для вас никакого труда.

Понятно, что Карен его новости привели в совершеннейший восторг.

— О, милый, соглашайся непременно! Это то, что тебе нужно. Ты в самом деле признанный авторитет в своей области, и к тому же, как выясняется, у тебя есть педагогическая жилка. Я тебе не говорила, но после случая в городском совете я позвонила Руби Боуи, чтобы поблагодарить ее — от себя и от Джейсона. Кроме всего прочего, она рассказала мне, как ценят тебя молодые детективы из вашего отдела, как многому ты научил их.

— Мне еще предстоит выдержать собеседования с университетским начальством, прежде чем меня утвердят, — напомнил ей Эйнсли.

— Для тебя, милый, это сущие пустяки.

Ему устроили несколько собеседований, самое ответственное — с проректором университета доктором Гэвином Лоренсом, тихим, невысокого роста брюнетом, чьи манеры, однако, выдавали человека неглупого и властного.

Он еще раз заглянул в лежавшее раскрытым перед ним на столе личное дело Эйнсли и сказал:

— Что ж, с точки зрения научной подготовки вы вполне достойны занять эту кафедру.

— Есть одно обстоятельство, о котором я хотел бы поставить вас в известность. — Эйнсли повторил то, что прежде говорил Аллардайсу об утрате веры.

— Здесь есть и об этом, — сказал проректор, опустив на папку с личным делом ладонь. — В своем отчете Хартли упомянул о вашем признании, заключив, что оценил вашу прямоту. Мне она тоже по душе, и я склонен согласиться: неверие не может стать в данном случае препятствием. — Лоренс откинулся на спинку кресла и свел вместе кончики пальцев. — До меня доходят слухи, что некоторые наши богословы чувствуют, как вера ослабевает в них по мере того, как углубляются знания.

— Нечто подобное произошло и со мной.

— Как я уже сказал, это не играет роли. В нашем университете не принято влезать в чужие религиозные убеждения или осуждать за их отсутствие. Для нас важно честное служение науке и умение передать свои знания молодым. Это, я надеюсь, понятно?

— Несомненно.

— Хорошо... Тогда мне осталось только предупредить, что иногда мы будем просить вас выступить с лекциями по вашему предмету для широкой публики. При вашей нынешней славе и популярности вы соберете полные залы, а поскольку вход на такие лекции у нас платный... — Проректор лукаво улыбнулся.

Потом заговорил о трехлетнем сроке контракта с Эйнсли.

— Когда он закончится, мы почти наверняка сможем его продлить или у вас появятся предложения из других университетов. Я чувствую, что со студентами вы поладите, а это — ключ к успеху.

Наступила недолгая пауза, потом проректор сказал:

— Ну что ж, спасибо, доктор Эйнсли. Можете быть уверены, что я буду в числе ваших первых слушателей, как только вы начнете читать свой курс.

Попрощались они по-дружески.

— Как я слышал, Хартли собирается устроить у себя дома нечто вроде приема в вашу честь. Это хорошая возможность познакомиться с будущими коллегами. И непременно приходите с супругой, слышите?

Когда назначение в университет южной Флориды было окончательно подтверждено и Эйнсли подал заявление об уходе из полицейского управления Майами, многие из тех, кто был знаком с ним, включая самых высокопоставленных офицеров, заходили пожелать ему удачи. За десятилетнюю службу в полиции ему причиталась пенсия, небольшая, но, как он сам сказал Карен, «хватит, чтоб иной раз пропустить с тобой бутылочку «Опуса Первого».

Но одной своей привилегией Эйнсли не воспользовался. Он не сохранил за собой «глок», а сдал его в арсенал управления. Оружием он был сыт по горло до конца жизни и не собирался хранить дома пистолет, тем более что до него, не ровен час, могли добраться дети.

Карен от всего происшедшего впала в полнейшую эйфорию. Она понимала, что муж сможет теперь уделять гораздо больше времени ей самой, Джейсону, а позже и их второму ребенку, до рождения которого оставалось четыре месяца. Она уже прошла ультразвуковое обследование, и они знали, что будет девочка. Они решили, что назовут ее Руби.

ЭПИЛОГ

Наступил день, назначенный Хартли Аллардайсом для приема. Ожидалось более сотни гостей.

— Боюсь, это немного чересчур, — сказал хозяин, когда Малколм и Карен приехали в его внушительных размеров тюдоровский особняк в Корал-Гейблз. — Первоначально я разослал шестьдесят приглашений, но слухи быстро распространились, и от желающих встретиться с вами не стало отбоя. Вот и пришлось расширить круг приглашенных.

Великолепная парадная зала особняка с высоченными потолками и дверями на террасу и в сад наполнялась гостями. Перед домом студенты-добровольцы помогали прибывающим парковать машины, внутри уже сновали официанты с подносами изысканных закусок и бокалов шампанского «Дом Периньон».

— Хартли — непревзойденный организатор. За что бы он ни взялся, удается блестяще, — услышал Эйнсли реплику незнакомой высокой блондинки и не мог с ней не согласиться. Они с Карен постоянно находились в центре внимания, о чем позаботился все тот же Аллардайс, поочередно подводя к ним все новых и новых людей. В умопомрачительном темпе они познакомились с президентом университета южной Флориды, несколькими членами попечительского совета, вице-президентами, деканами факультетов и профессорами различных дисциплин. Одним из них был доктор Глен Милбэри, читавший в университете курс криминалистики.

— Как только мои студенты прослышали, что мне предстоит встретиться с вами, — сказал он, — меня просто атаковали просьбами пригласить вас на наши занятия, когда у вас выдастся свободный часок. Приходите. Могу гарантировать, что аудитория будет полна.

Эйнсли пришлось пообещать прийти.

В числе гостей оказались и политики. Эйнсли был представлен двум городским комиссарам. Ожидался приезд мэра. Эйнсли как раз вел светскую беседу с дамой, занимавшей кресло от штата Флорида в палате представителей конгресса, когда кто-то легко тронул его за рукав.

Обернувшись, он снова увидел Хартли Аллардайса.

— Есть одна особа, которая присутствует здесь на правах почетного гостя и очень хотела бы с вами познакомиться, — сказал он, отводя Эйнсли в сторонку. — Это тот самый мой друг, что внес значительную сумму на строительство нового здания факультета и настоял на том, чтобы именно вы вели у нас курс сравнительной истории религий. Мы решили, что уже можно раскрыть инкогнито.

Они обошли несколько групп беседующих гостей и приблизились к одиноко стоявшей у окна даме в безукоризненном вечернем платье.

— Миссис Даваналь, позвольте вам представить — доктор Малколм Эйнсли.

— Вообще-то, Хартли, мы уже знакомы, — сказала Фелиция с улыбкой. — Можно даже сказать, что мы старые друзья.

При виде этой женщины, которую он совершенно не ожидал встретить здесь, у Эйнсли слегка перехватило дыхание.

Все та же обольстительно прекрасная Фелиция, которая лгала когда-то, что ее мужа убили, пока Эйнсли не доказал, что это было самоубийство... Фелиция, предлагавшая ему тепленькое местечко в империи Даваналей, совершенно недвусмысленно намекая на возможную близость... Это о ней мудрая и житейски искушенная Бет Эмбри сказала: «Фелиция просто пожирает мужчин... Если ты ей хотя бы немного понравился, она от тебя просто так не отстанет».

— Я и понятия не имел... — начал Эйнсли, в растерянности наблюдая, как затерялся в толпе Аллардайс.

— Конечно, не имели. Я постаралась, — сказала Фелиция. — Боялась, что если вы узнаете, то не примете предложение. А помните, Малколм, я предсказывала, что наши пути еще пересекутся?

Она дотронулась до его руки и слегка провела по ней кончиками пальцев. Словно на тыльную сторону его ладони тихо опустилась тончайшая паутинка. И вновь Эйнсли почувствовал знакомое волнение, которое ощущал при каждой прошлой встрече с этой женщиной. Так было, вспомнил он теперь, и когда начинался его роман с Синтией.

Откуда-то из глубины зала до него донесся голос Карен, затем ее смех. Он поискал ее глазами, их взгляды встретились. Могла ли она непостижимым образом ощутить ту теплую волну соблазна, что нахлынула сейчас на него? Едва ли, но все-таки...

— Нам необходимо как можно скорее встретиться, — сказала Фелиция. — Мне не терпится, чтобы вы мне рассказали о своих будущих лекциях. Приезжайте пообедать со мной на следующей неделе. Скажем, вторник вас устроит?

Эйнсли не сразу нашелся что ответить. Из этого состоит вся жизнь: одни двери открываются перед тобой, другие — захлопываются. Эта явно была все еще настежь распахнута.

— Могу я уведомить вас об этом позже? — спросил он.

Она снова улыбнулась:

— Непременно приезжайте.

СОДЕРЖАНИЕ

Литературно-художественное издание

Хейли Артур

ДЕТЕКТИВ

Роман

Ответственный редактор *Е. Дебова*
Технический редактор *Г. Этманова*
Компьютерная верстка *М. Маврина*
Корректор *И. Марчевская*

Общероссийский классификатор продукции
ОК-034-2014 (КПЕС 2008); 58.11.1 — книги, брошюры печатные

Произведено в Российской Федерации. Изготовлено в 2021 г.

Изготовитель: ООО «Издательство АСТ»
129085, Российская Федерация, г. Москва,
Звёздный бульвар, дом 21, строение 1, комната 705, пом. I, 7 этаж.
Наш электронный адрес: **www.ast.ru**
E-mail: neoclassic@ast.ru
ВКонтакте: vk.com/ast_neoclassic

«Баспа Аста» деген ООО
129085, Мәскеу қ., Звёздный бульвары, 21-үй, 1-құрылыс, 705-бөлме, I жай, 7-қабат.
Біздің электрондық мекенжайымыз: www.ast.ru
E-mail: neoclassic@ast.ru

Интернет-магазин: www.book24.kz
Интернет-дүкен: www.book24.kz
Импортёр в Республику Казахстан ТОО «РДЦ-Алматы».
Қазақстан Республикасындағы импорттаушы «РДЦ-Алматы» ЖШС.
Дистрибьютор и представитель по приему претензий на продукцию в Республике Казахстан:
ТОО «РДЦ-Алматы»

Қазақстан Республикасында дистрибьютор
және өнім бойынша арыз-талаптарды қабылдаушының
өкілі «РДЦ-Алматы» ЖШС, Алматы қ., Домбровский көш., 3«а», литер Б, офис 1.
Тел.: 8(727) 2 51 59 89,90,91,92, факс: 8 (727) 251 58 12 вн. 107;
E-mail: RDC-Almaty@eksmo.kz
Өнімнің жарамдылық мерзімі шектелмеген.

Өндірген мемлекет: Ресей
Сертификация қарастырылмаған

Подписано в печать 11.02.2021. Формат 76x100 1/32.
Гарнитура «Newton». Печать офсетная. Усл. печ. л. 26,74.
С.: Эксклюзивная классика. Доп. тираж 4500 экз. Заказ № 1465.
С.: Артур Хейли: классика для всех. Доп. тираж 2500 экз. Заказ № 1466.

Отпечатано с готовых файлов заказчика
в АО «Первая Образцовая типография»,
филиал «УЛЬЯНОВСКИЙ ДОМ ПЕЧАТИ»
432980, Россия, г. Ульяновск, ул. Гончарова, 14